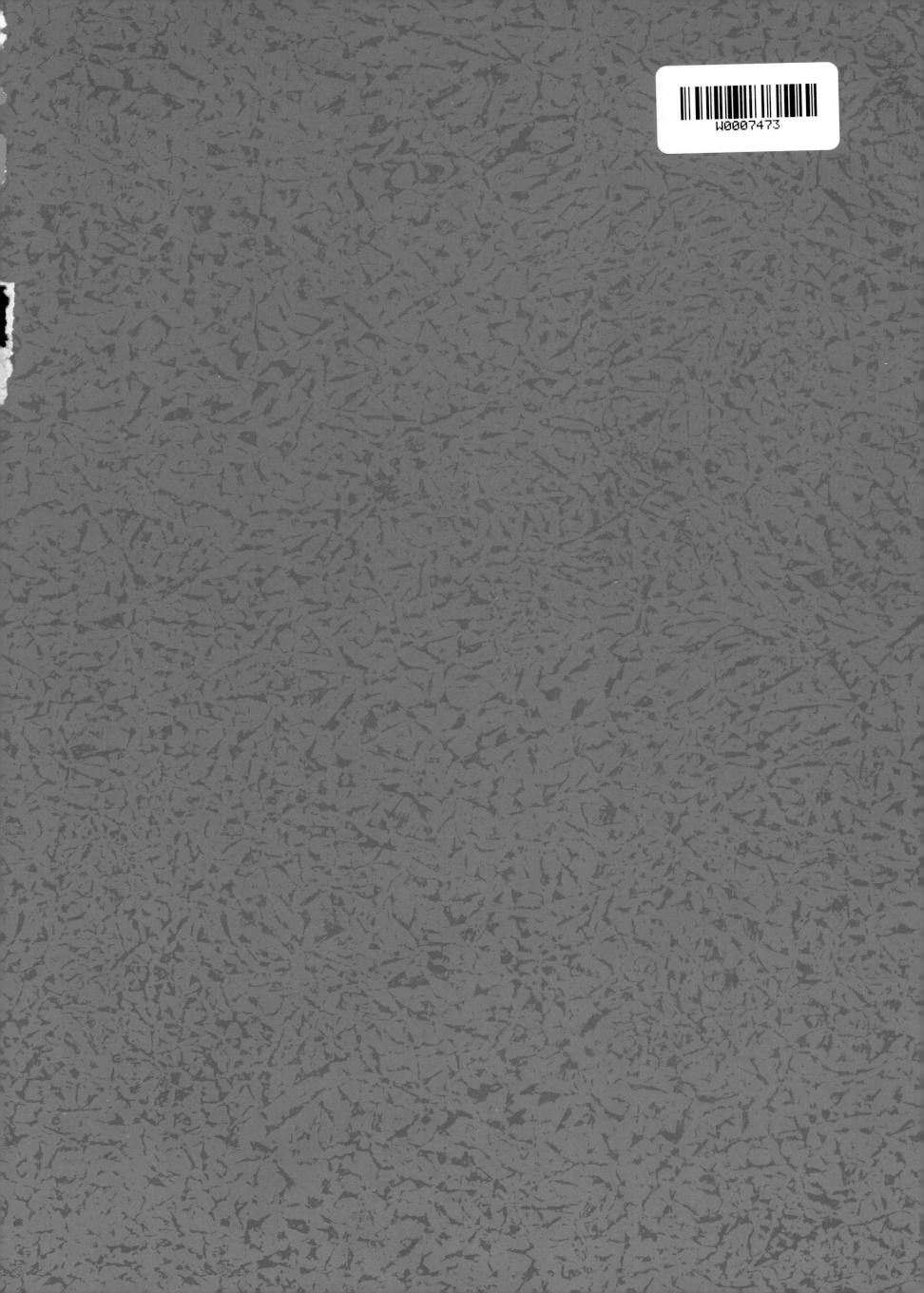

中國歷代貨幣大系

9（下）

民國時期國家銀行地方銀行紙幣

馬飛海總主編

中國歷代貨幣大系

9(下)

民國時期國家銀行地方銀行紙幣

吳籌中　郭彥崗　張繼鳳　主編

黃朝治　審校

上海辭書出版社

1606
選自《中華集鈔》
★★★

1607
上海博物館　藏
★★

（背圖見 795 頁）

1608
上海博物館　藏
★★

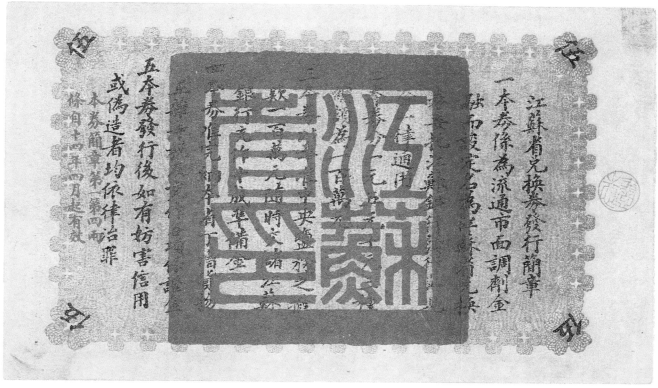

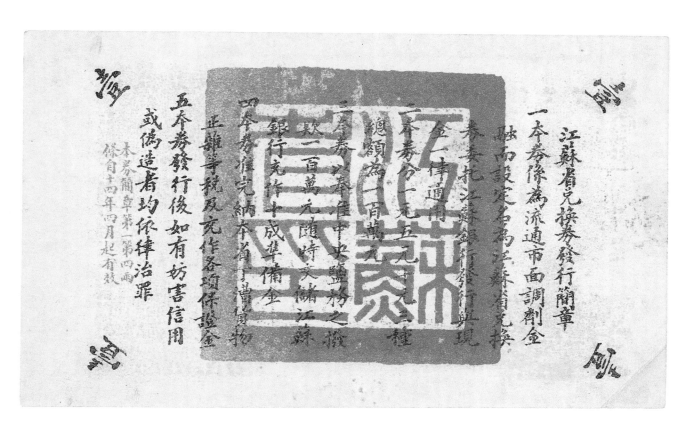

（1607 背圖）

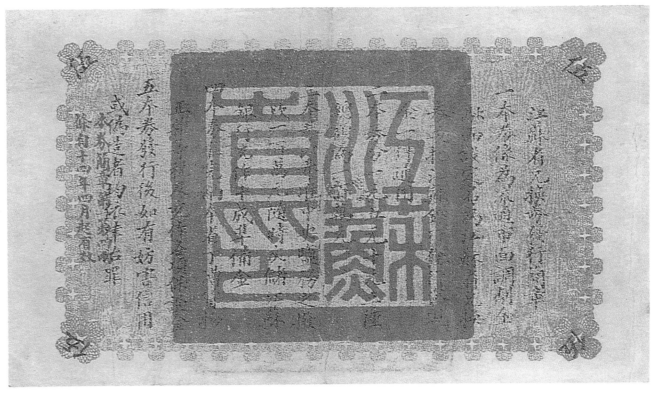

1609
許義宗　舊藏
★★

1610

中國人民銀行上海分行　藏

★★★

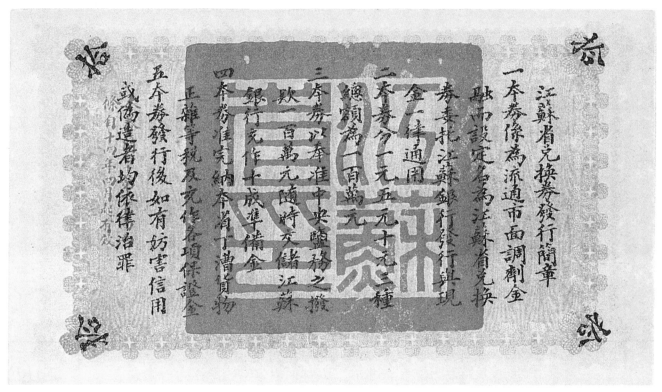

1611

吳籌中　提供

★

1612

苗培貴　藏

★

1613
吴筹中 藏
★

1614
吴筹中 藏
★

1615
吴筹中 藏

1616
苗培贵 藏

1617
吴筹中 藏

1618
吴籌中 藏

1619
吴籌中 藏

1620
苗培貴 藏
★

1621

苗培貴　藏

★

1622

上海博物館　藏

★

1623

上海博物館　藏

★★

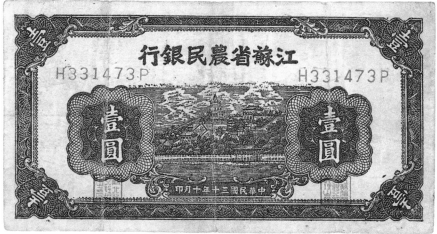

1624
吴籌中 藏

1625
上海博物館 藏
★

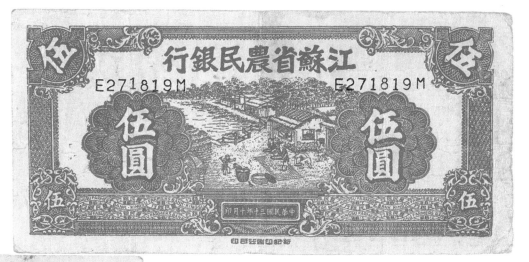

1626
上海博物館 藏
★★★

1627
許義宗 舊藏

1628

許義宗　舊藏

1629

許義宗　舊藏

1630

許義宗　舊藏

1631

許義宗　舊藏

1632
許義宗　舊藏

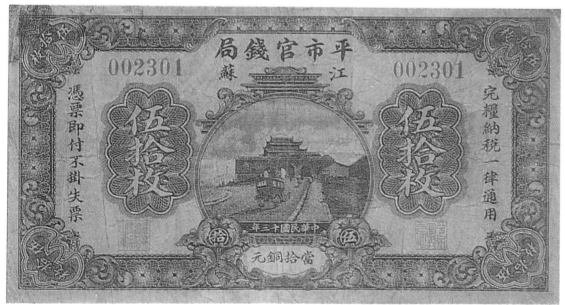

1633
許義宗　舊藏

二、安徽地方紙幣

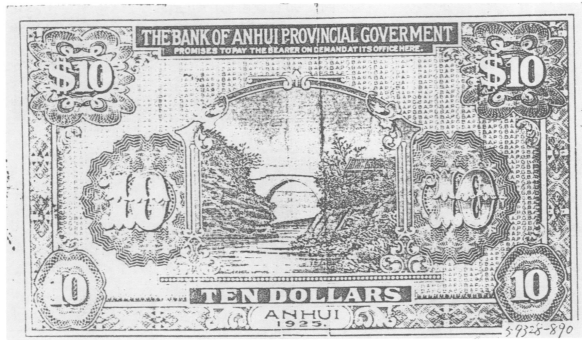

1634
《中國歷代貨幣大系》編輯委員會　提供
★★

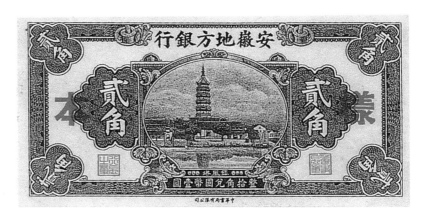

1635
吳籌中 藏

1636
許義宗 舊藏

1637
吳籌中 藏

1638
許義宗 舊藏

1639
吴筹中　藏

1641
許義宗　舊藏

1642
吴筹中　藏

1640
吴筹中　藏

1644
吴筹中　藏

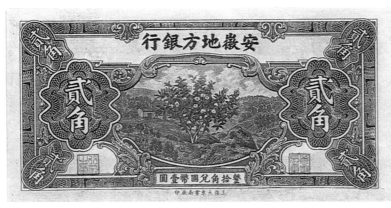

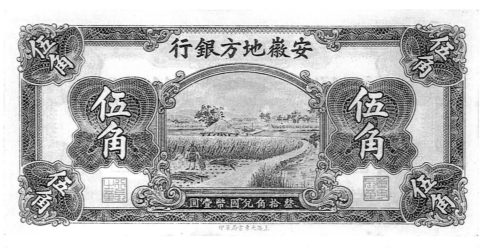

1643
吴筹中　藏

1645
吴筹中 藏

1646
吴筹中 藏

1648
吴筹中 藏
★★

1647
苗培贵 藏

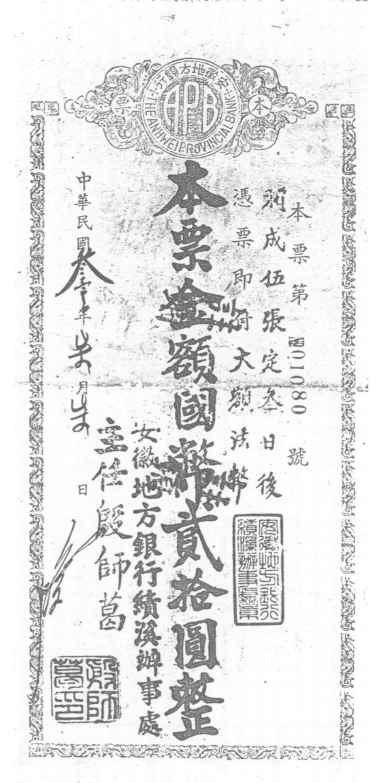

三、浙江地方紙幣

1649
中國人民銀行上海分行　藏
★★★★

1650
中國人民銀行上海分行　藏
★★★★

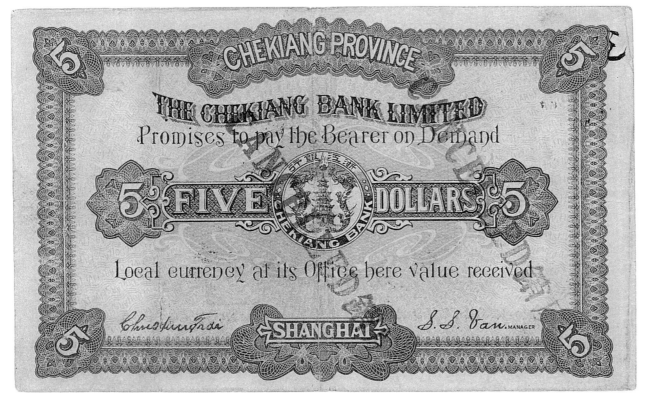

（背圖見 809 頁）

1651
吴筹中　提供
★★★★

(1650 背圖)

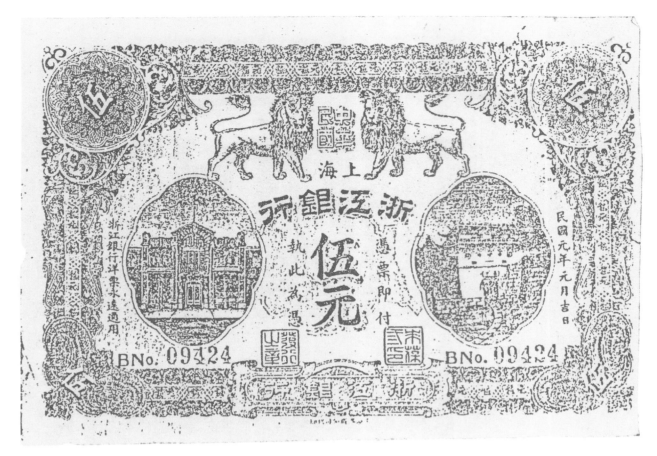

1652
吴籌中　提供
★★★★

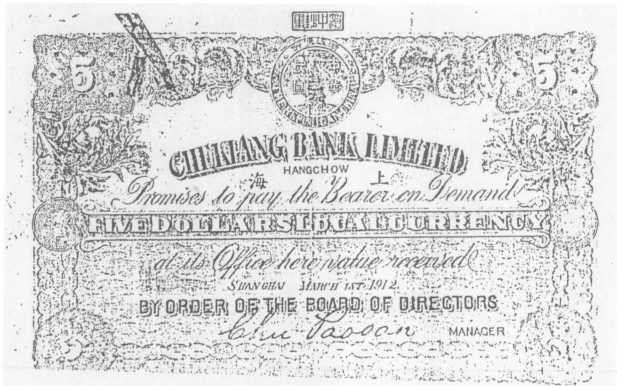

1653
選自《中華集鈔》
★★★

(背圖見811頁)

1654
選自《中華集鈔》
★★★

（1653背圖）

1655
選自《中華集鈔》
★★★★

1656
苗培貴 藏
★★★

1657
苗培貴 藏
★

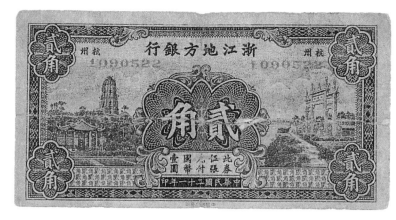

1658
苗培贵 藏
★

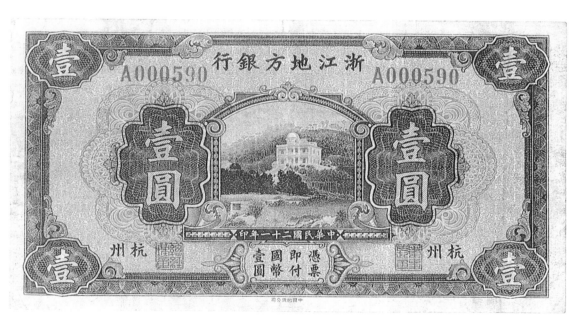

1659
吴筹中 藏
★

1660
吴籌中 藏
★

1661
中國人民銀行上海分行 藏
★★

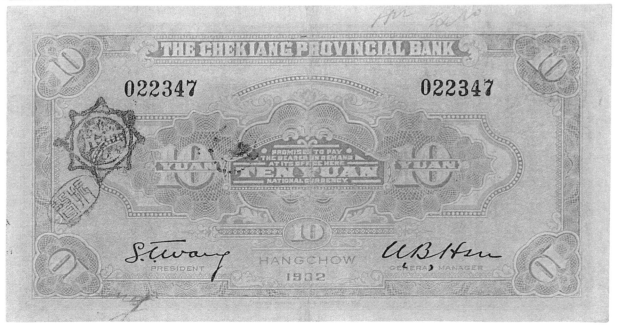

1662

德國 ERWIN BEYER 藏

★★★★

1663

許義宗 舊藏

1664

許義宗 舊藏

1665

吳籌中 藏

1666

許義宗 舊藏

1667

許義宗 舊藏

1668
吳籌中　藏

1671
吳籌中　藏
★

1669
許義宗　舊藏

1670
吳籌中　藏

1672
吳籌中　藏
★

1673
吳籌中　藏
★

1674
吴籌中 藏
★

1675
吴籌中 藏
★

1676
吴籌中 藏
★

1677
吴籌中 藏

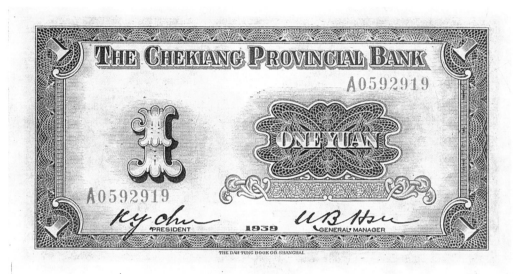

1678
吴籌中 藏

1679
上海博物館 藏
★

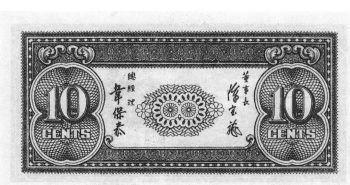

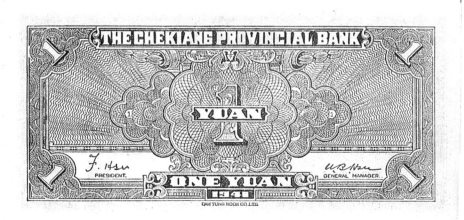

1680
上海博物館　藏
★

1681
上海博物館　藏
★★

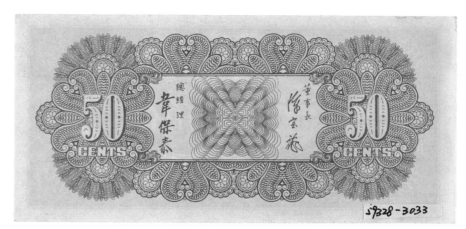

1682
吳籌中　藏
★

1683
吴筹中 藏
★★

四、江西地方紙幣

1684
上海博物館 藏
★★★

1685
吴筹中 藏
★★★

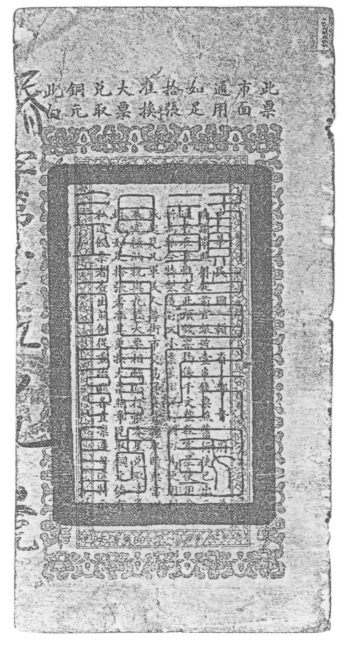

1686
吴筹中 藏
★★

1687
吴筹中　藏
★★★

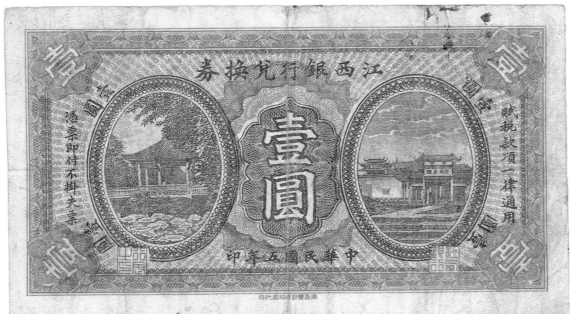

1688
上海博物館　藏
★

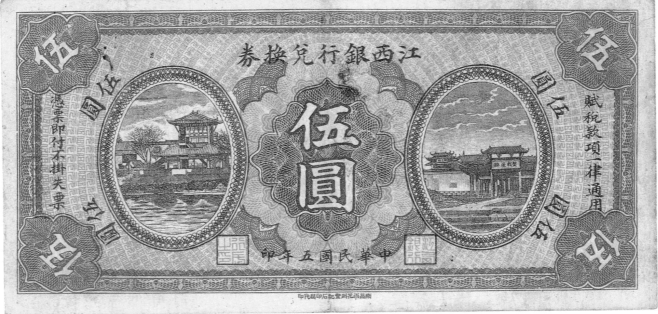

1689
上海博物館　藏
★★

1690
上海博物館　藏
★★

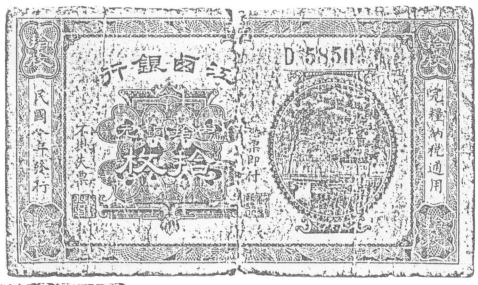

1691
吳籌中　提供
★

1692
選自《中國各省地方銀行紙幣圖錄》
★★

1693
吳籌中 藏
★★

1694
吴籌中 藏
★★★

1695
上海博物館 藏
★★★★

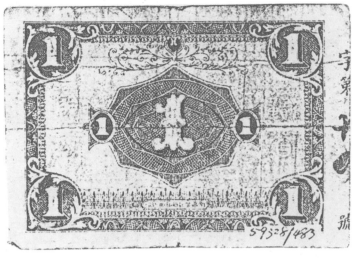

1696
德國 ERWIN BEYER 藏
★★★

1698
上海博物館 藏
★

1697
上海博物館 藏
★★

1699
選自《中國各省地方銀行紙幣圖録》
★

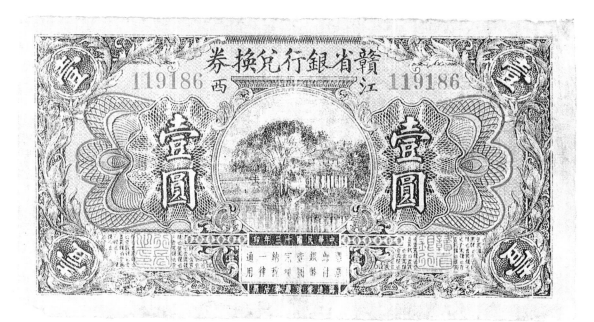

1700
吳籌中 藏
★★

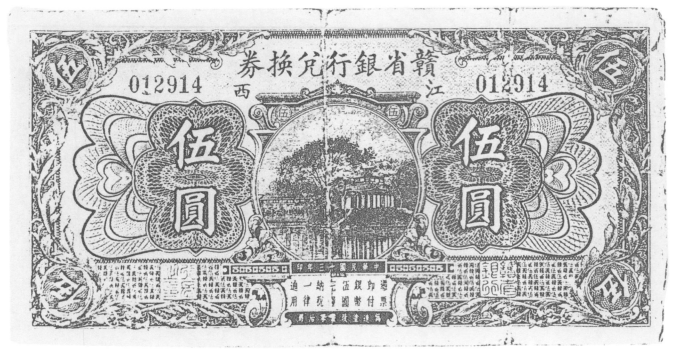

1701
上海博物館 藏
★★

1702
顧文炳 藏
★★

1703
上海博物館　藏
★★

1704
吳籌中　藏
★★

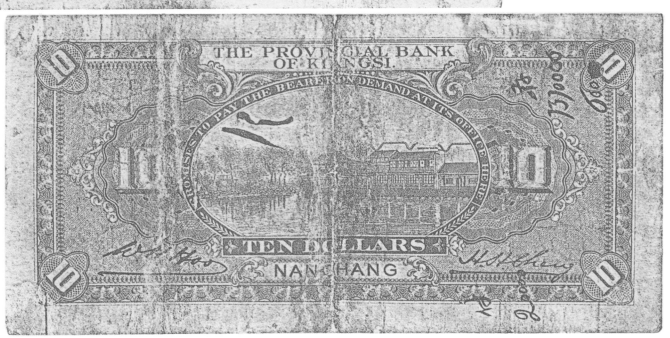

1705
吴籌中　藏
★★

1706
上海博物館　藏
★★

1707
上海博物館　藏
★★

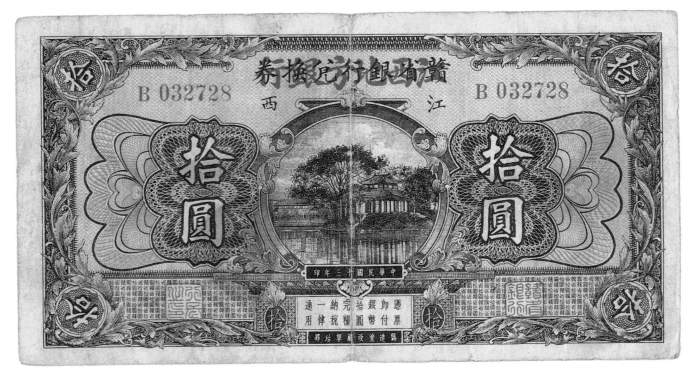

1708
上海博物館　藏
★★

1709
中國人民銀行上海分行　藏
★

1710
中國人民銀行上海分行　藏
★

1711
吳籌中　藏
★

1712
吴籌中　提供
★★

1713
吴籌中　提供
★★★

1715
苗培貴　藏
★

1714
吴籌中　提供
★★★

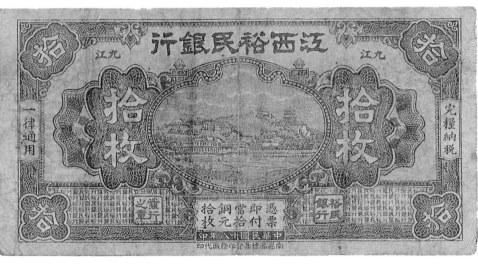

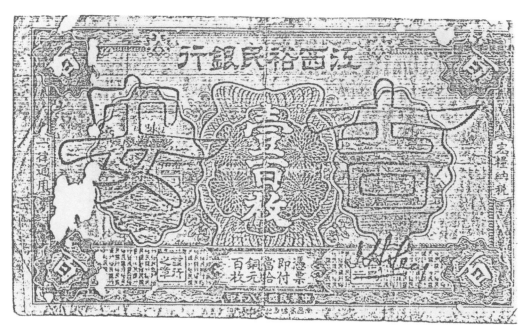

1716

吴籌中 提供

★★

1717

苗培貴 藏

1718

上海博物館　藏

1720

吴籌中　藏

1721

吴籌中　藏

1719

吴籌中　藏

1723

苗培贵　藏

1722

吴筹中　藏

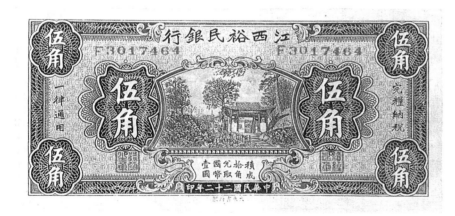

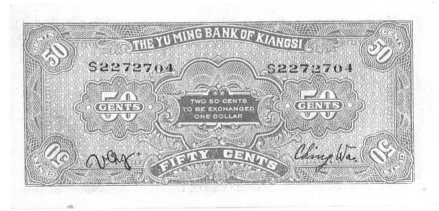

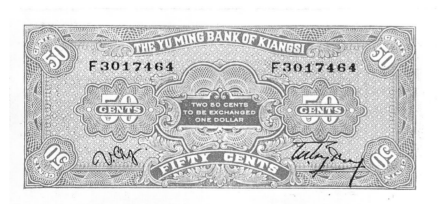

1725

苗培贵　藏

1724

吴筹中　藏

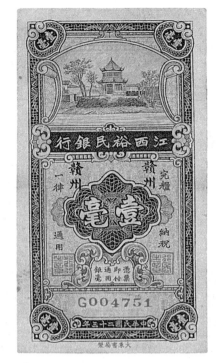

1726

苗培貴　藏

1728

中國人民銀行上海分行　藏

★

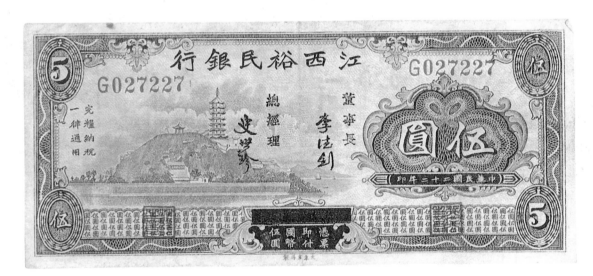

1727

苗培貴　藏

★

1730
苗培贵 藏
★★

1731
苗培贵 藏

1729
吴筹中 藏
★

1732
吴筹中 藏
★

1733
吳籌中　藏
★

1734
中國人民銀行上海分行　藏
★

1735
吳籌中　藏
★

1737
吳籌中　藏
★

1736
吳籌中　藏
★

1738
許義宗　舊藏
★

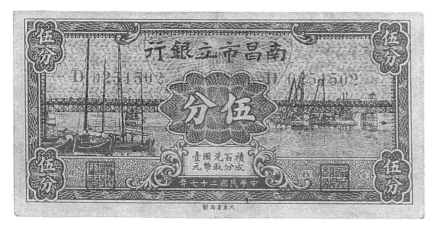 

1739
中國人民銀行上海分行 藏
★

1740
吳籌中 提供
★

1741
吳籌中 提供
★

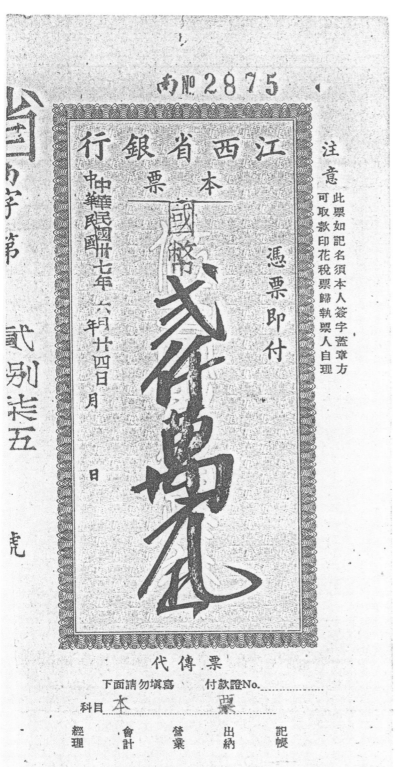 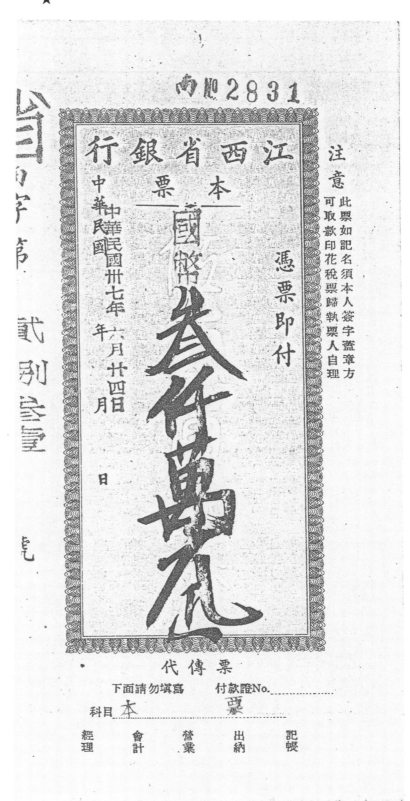

1742
上海博物館　藏
★★

1743
上海博物館　藏
★★

1744
苗培貴 藏
★★

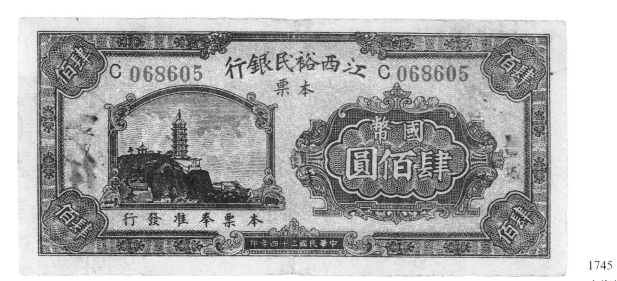

1745
上海博物館 藏
★★

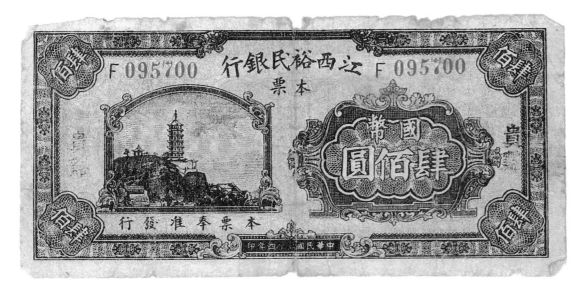

1746
苗培貴　藏
★★

1747
苗培貴　藏
★★

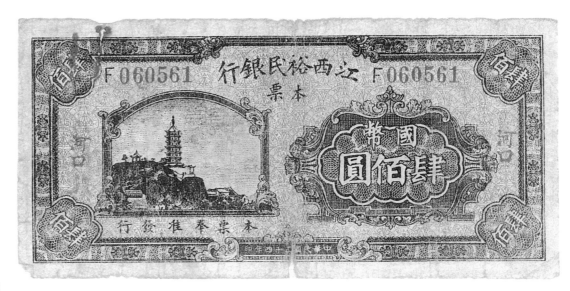

1748
許義宗　舊藏
★★

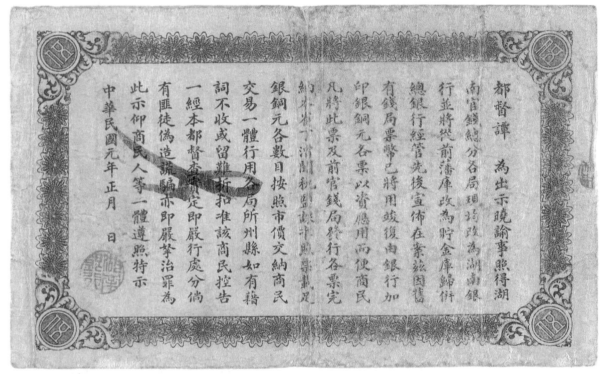

1749

上海博物館 藏

★★

1750

中國人民銀行上海分行　藏

★

1751

中國人民銀行上海分行　藏

★★

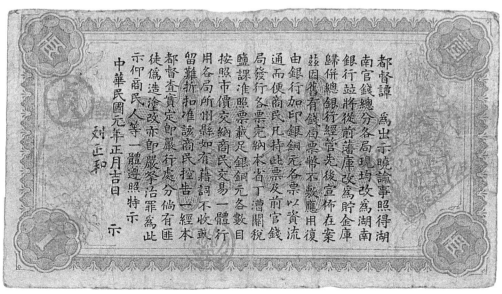

1752
中國人民銀行上海分行　藏
★★★

1753
中國人民銀行上海分行　藏
★★★★

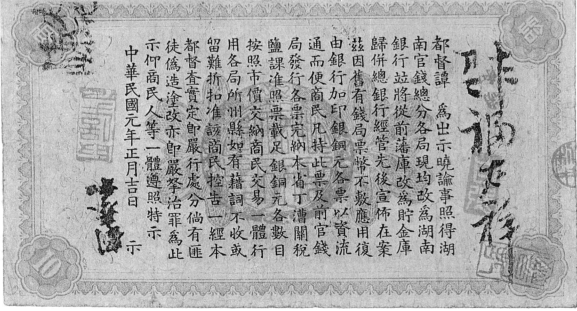

1754
中國人民銀行上海分行　藏
★★

1755
中國人民銀行上海分行　藏
★★★

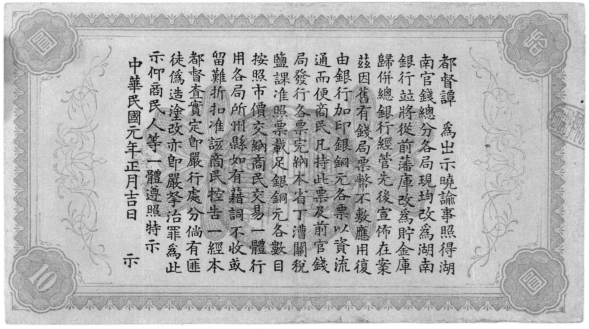

1756

上海博物館　藏

★★★★

1757

上海博物館　藏

★

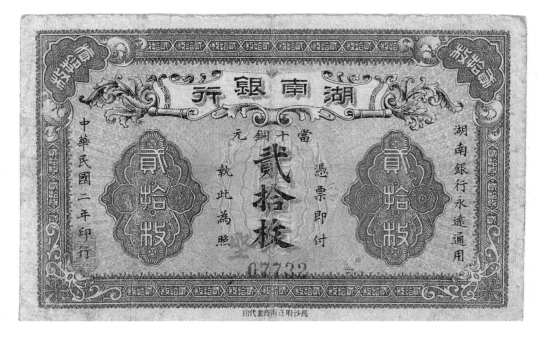

（背圖見851頁）

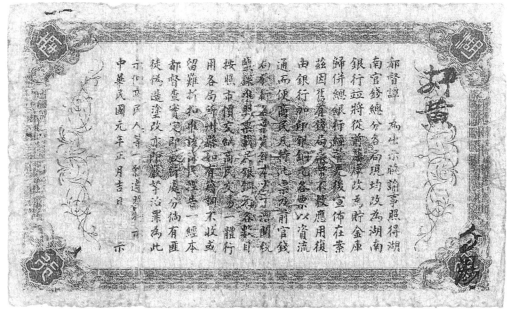

1758
吴筹中 藏
★

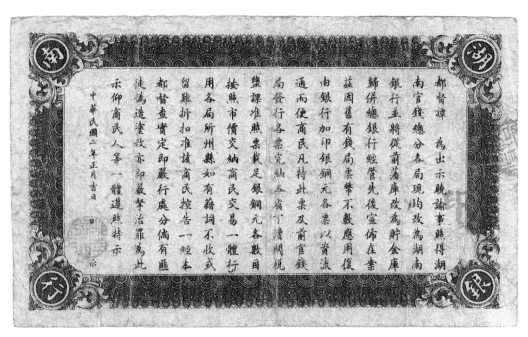

(1757背圖)

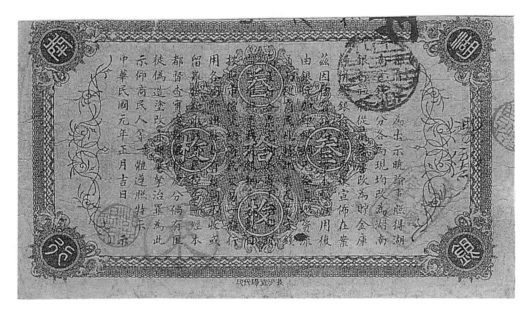

1759

許義宗　舊藏

★

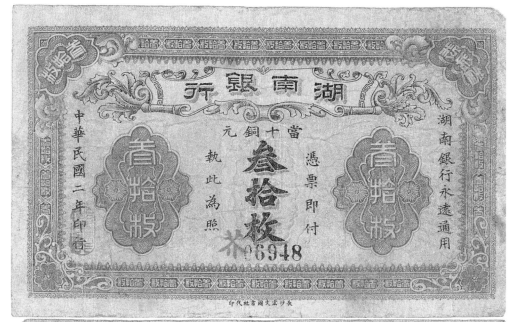

1760
上海博物館　藏
★

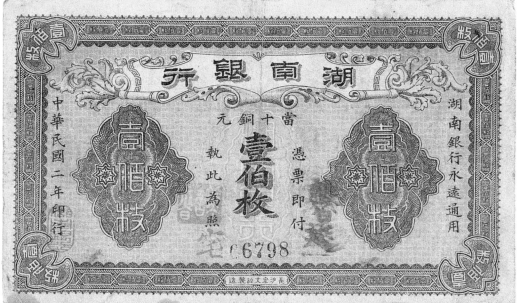

1761
上海博物館　藏
★

1762
中國人民銀行上海分行　藏
★

1763
上海博物館　藏
★

1764
上海博物館　藏
★

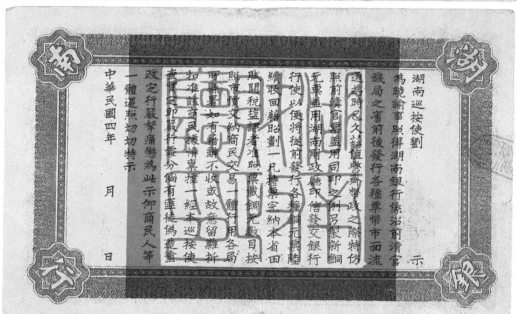

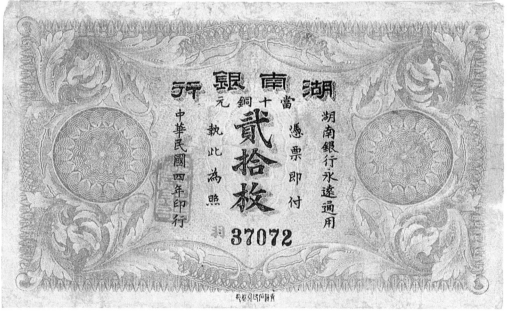

1765
吳籌中　藏
★

1766
上海博物館　藏
★

1767
吳籌中　藏
★

1768
吳籌中 藏
★

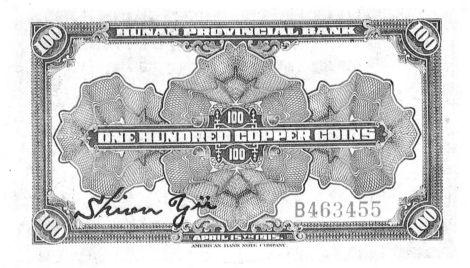

1769
上海博物館 藏
★

1770
上海博物館　藏
★

1771
上海博物館　藏
★

1772
上海博物館 藏
★

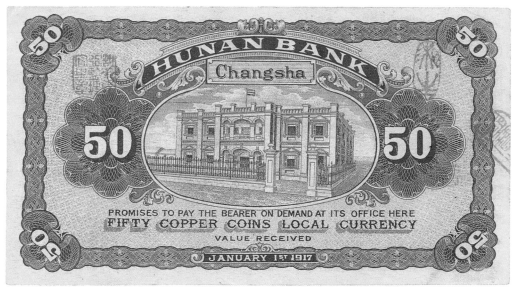

1773
吳籌中 藏
★

1774

上海博物館　藏

★★

1775

選自《中國軍用鈔票史略》

★

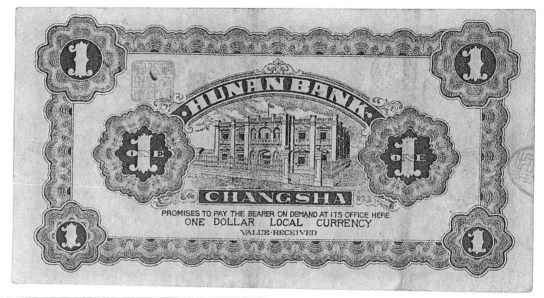

1776
中國人民銀行上海分行　藏
★

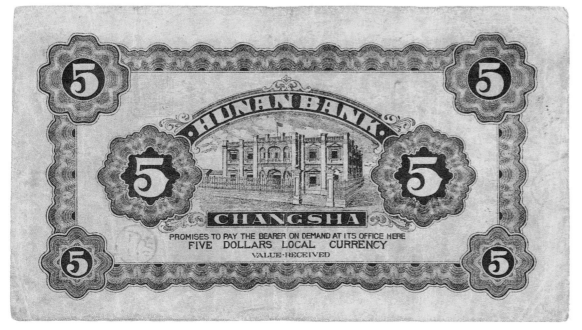

1777
上海博物館　藏
★★★

1778
許義宗　舊藏
★

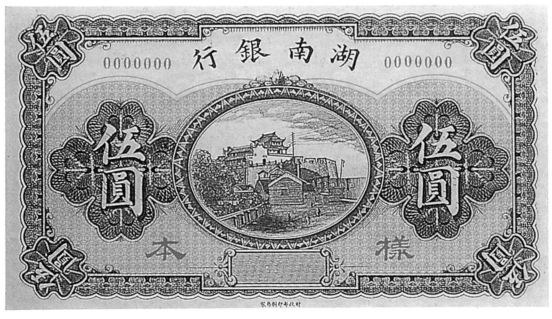

1779
許義宗　舊藏
★★

1780

上海博物館　藏

★★

1781

選自《中國軍用鈔票史略》

★

1782
許義宗　舊藏
★

1783
選自《中國軍用鈔票史略》
★

1784
許義宗　舊藏
★★★

1785
上海博物館　藏
★★★

1786
許義宗　舊藏
★★★★

1787
上海博物館　藏
★★★★

1788
上海博物館 藏
★★★★

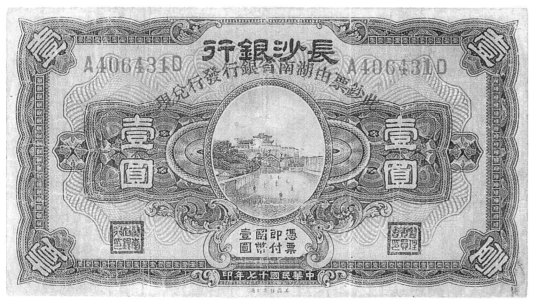

1789
吳籌中 藏
★

1790
上海博物館 藏
★★

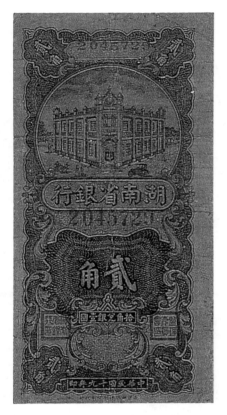

1791
許義宗 舊藏
★★★

1792
許義宗 舊藏
★★

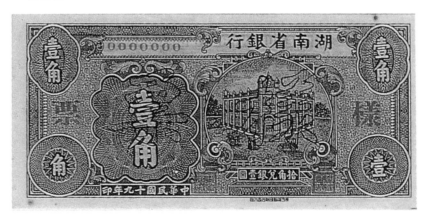

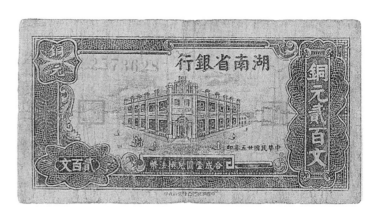

1795
吴籌中　藏
★

1793
許舊義宗　藏
★★★

1797
上海博物館　藏
★★

1796
許義宗　舊藏
★★

1794
上海博物館　藏
★

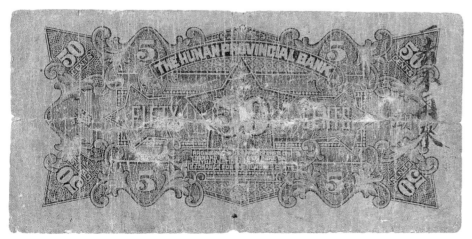

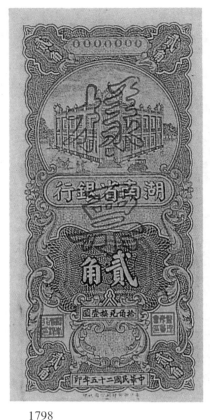

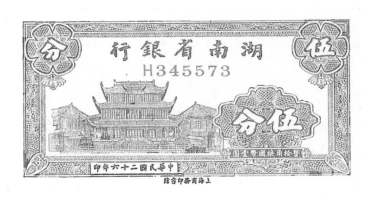

1798

許義宗　舊藏

★★

1799

吳籌中　藏

1800

吳籌中　藏

1801

吳籌中　藏

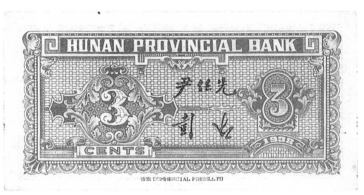

1802

吳籌中　藏

★

1803

吳籌中　藏

★★

1804
吴籌中 藏
★★

1805
吴籌中 藏
★

1806
吴籌中 藏
★

1807
吴籌中 藏
★

1808
許義宗 舊藏
★

1809
許義宗　舊藏
★

1810
許義宗　舊藏
★

1812
許義宗　舊藏
★★★

1811
上海博物館　藏
★★★

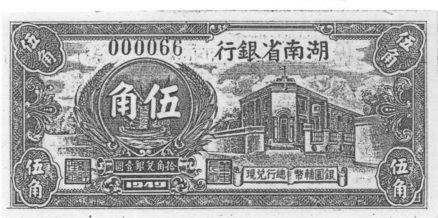

1813
吳籌中　藏
★★★

1814
許義宗 舊藏
★★★

1815
吳籌中 藏
★

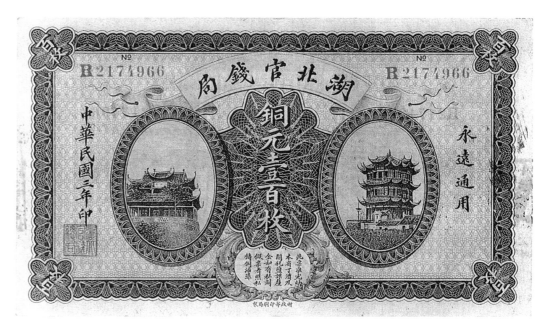

1816
吳籌中 藏

1817
吴筹中　藏

1818
許義宗　舊藏
★★★

1819
許義宗　舊藏
★★

1820
苗培貴　藏

1821
許義宗　舊藏
★★★

1822
許義宗　舊藏
★★

1823
苗培貴　藏

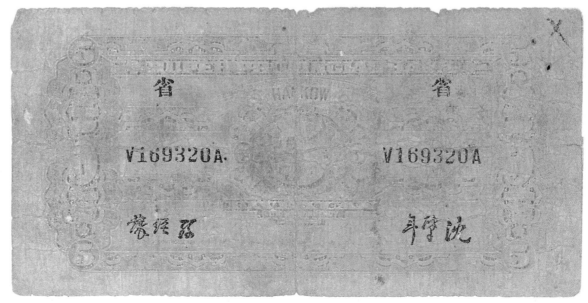

1824
許義宗　舊藏
★★★

1825
許義宗　舊藏
★★

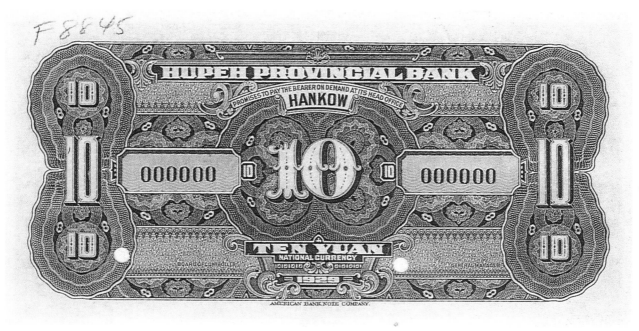

1826

中國人民銀行上海分行　藏

★

1827

中國人民銀行上海分行　藏

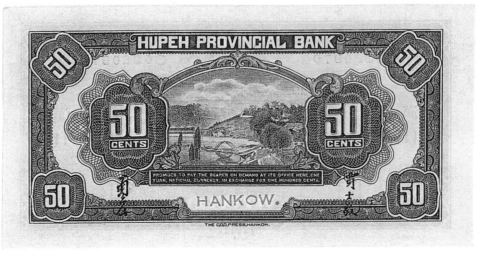

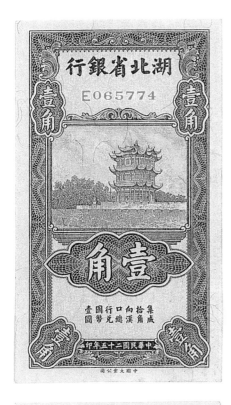

1830
林清池　舊藏
★★★

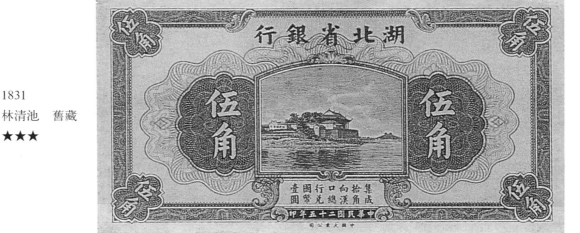

1831
林清池　舊藏
★★★

1828
中國人民銀行上海分行　藏

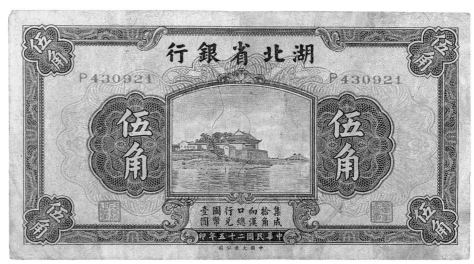

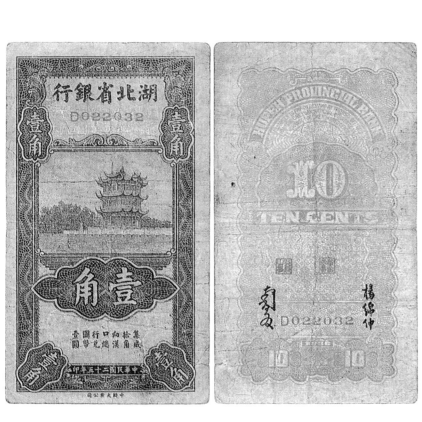

1829
吳籌中　藏

1832
上海博物館　藏

1833

中國人民銀行上海分行　藏

1834

上海博物館　藏

★

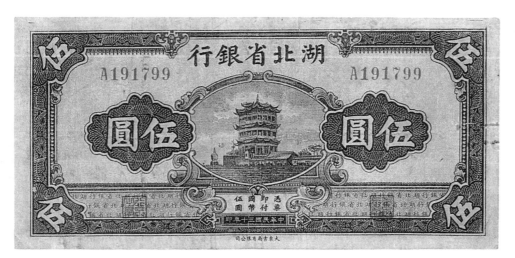

1835

吳籌中　藏

★

1836

許義宗　舊藏

★

1837
上海博物館　藏
★★★

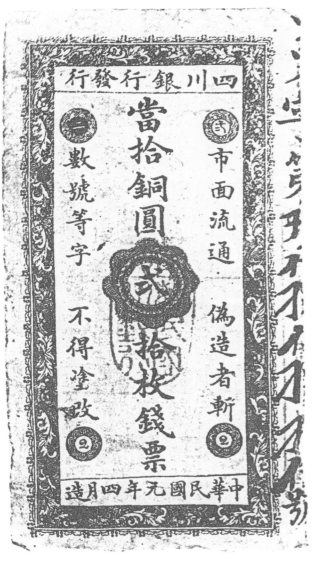

1838
上海博物館　藏
★★★

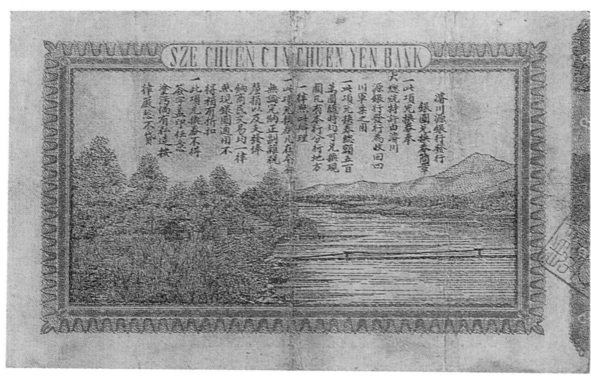

1839
许义宗 旧藏
★★★

1840
吴筹中 藏
★★★

(背图见883页)

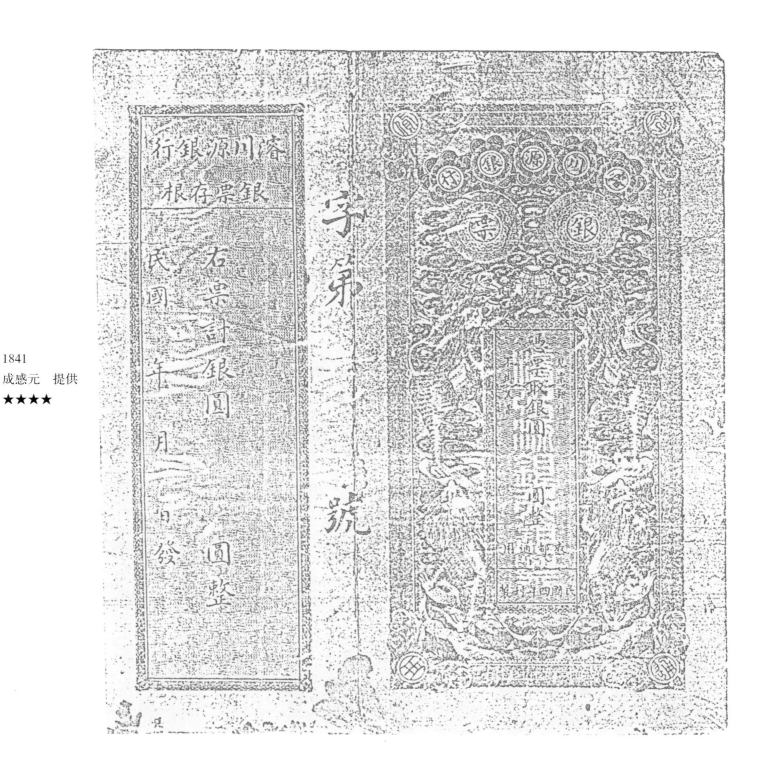

1841
成感元　提供
★★★★

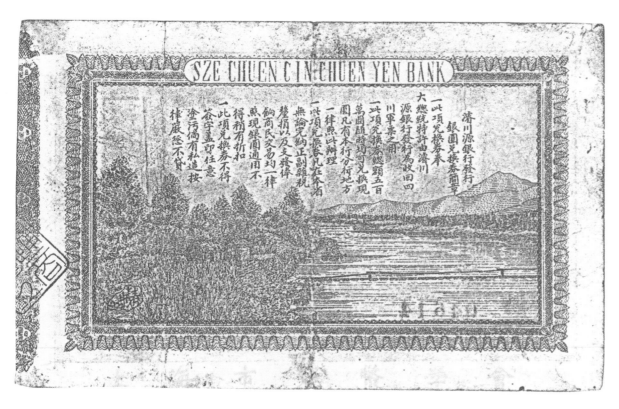

(1840 背圖)

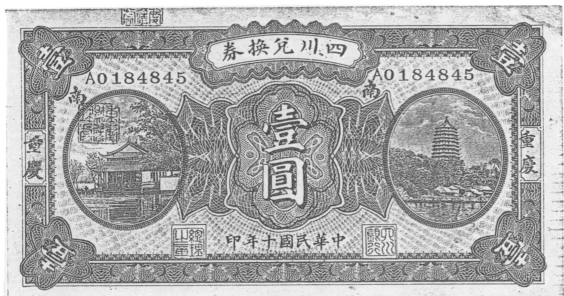

1842
吴筹中 藏
★

1843
吴筹中 藏
★★

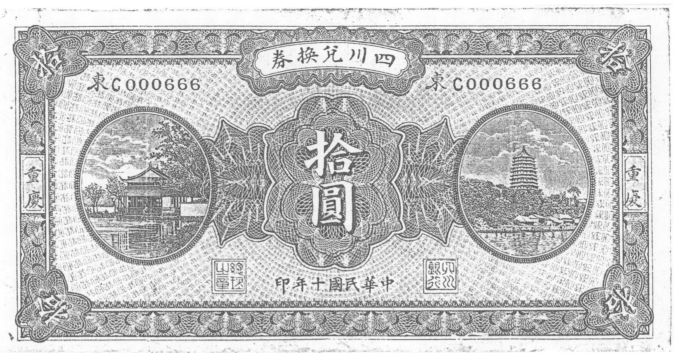

1844
吴筹中 藏
★★★

1845
上海博物馆 藏
★

1846
上海博物館　藏
★★

1847
丁張弓良　舊藏
★★★

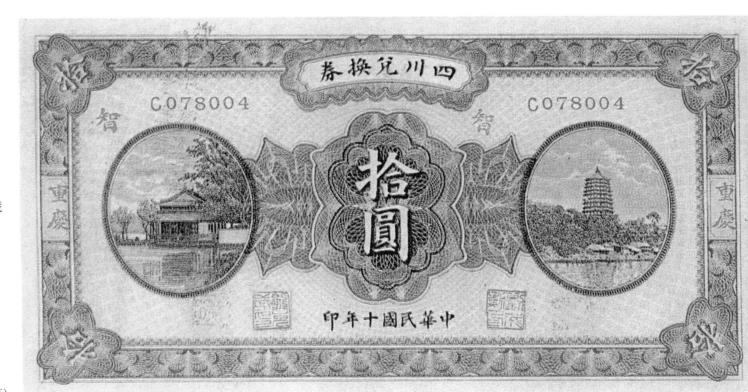

(背圖見887頁)

1848
吴籌中 藏
★

(1847 背圖)

1849
上海博物館 藏
★★

1850
吳籌中 藏
★

1851
上海博物館 藏
★

1852
吳籌中 藏
★

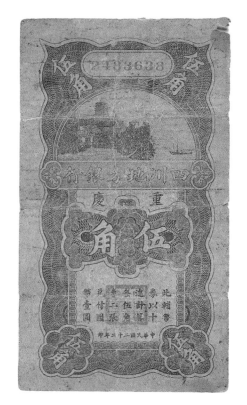

1853
吴籌中 藏
★★

1854
上海博物館 藏
★★

1855
上海博物館 藏
★★

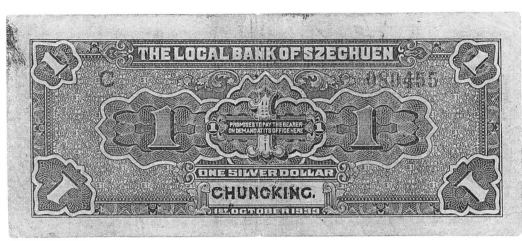

1856
中國人民銀行上海分行　藏
★★

1857
上海博物館　藏
★★

1858
上海博物館　藏
★★★

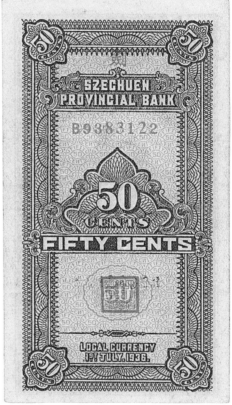

1860
中國人民銀行上海分行　藏
★

1859
上海博物館　藏
★★★

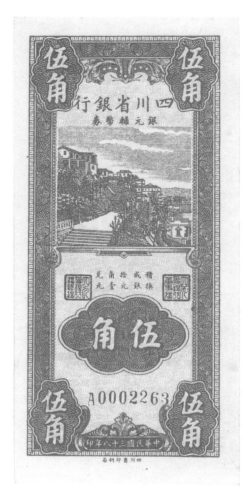

1861
許義宗　舊藏
★★★

1863
上海博物館　藏
★★★

1862
許義宗　舊藏
★★★

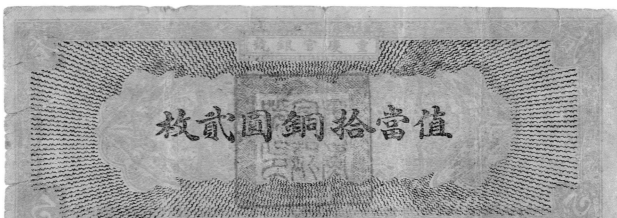

1864
上海博物館　藏
★★★

1865
中國人民銀行上海分行　藏
★

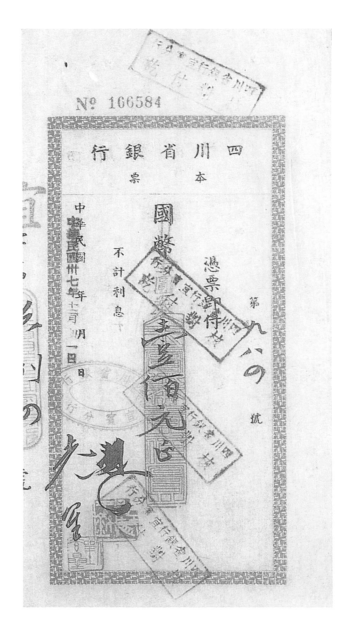

1866
許義宗　舊藏
★

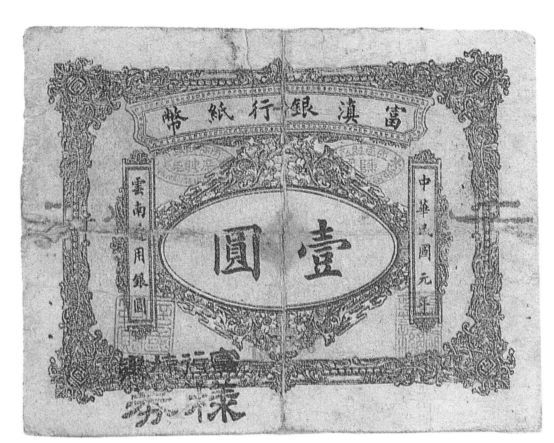

1867
選自《雲南歷史貨幣》
★★★★

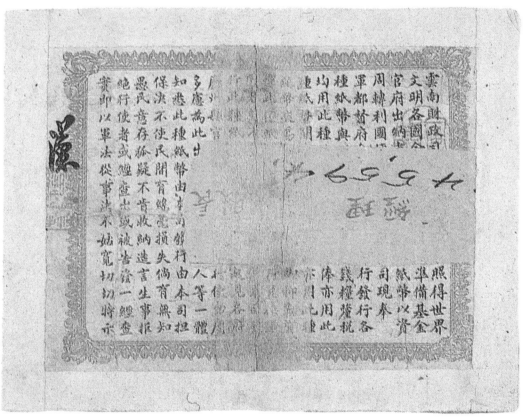

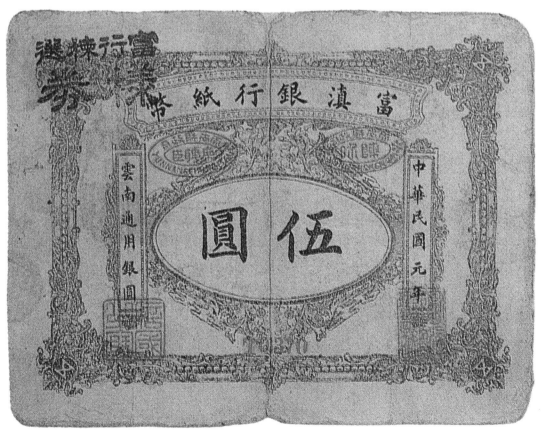

1868
選自《雲南歷史貨幣》
★★★★

1869
選自《雲南歷史貨幣》
★★★★

1870
選自《雲南歷史貨幣》
★★★★

1871
選自《雲南歷史貨幣》
★★★★

1872
選自《雲南歷史貨幣》
★★★

1873
選自《雲南歷史貨幣》
★★★

1874

中國人民銀行上海分行　藏

★★★

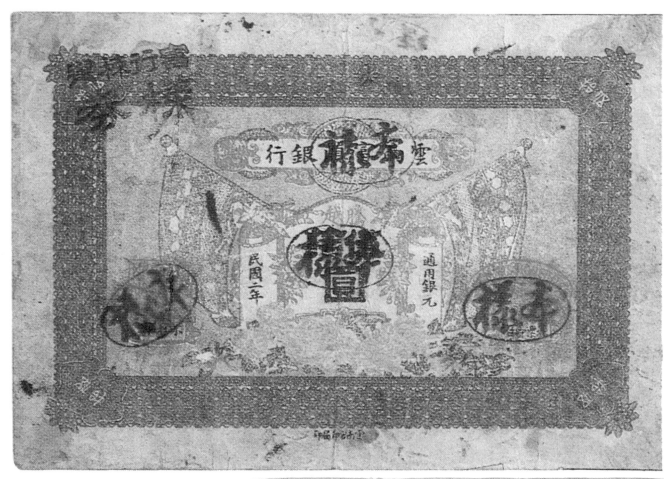

1875
選自《雲南歷史貨幣》
★★★★

1876
上海博物館 藏
★★★★

1877

上海博物館　藏

★★

1878

上海博物館　藏

★★

1879
上海博物館 藏
★★★

1880
上海博物館 藏
★★★★

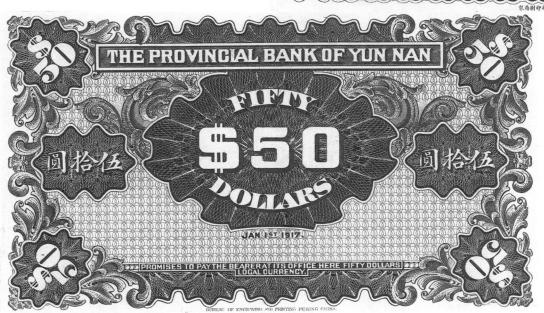

1881
上海博物館　藏
★★★★

1882
選自《雲南歷史貨幣》
★★★

1883
選自《雲南歷史貨幣》
★★★

1885
上海博物館 藏
★★

1884
選自《雲南歷史貨幣》
★★

1887
上海博物館　藏
★★

1886
選自《雲南歷史貨幣》
★★

1888
許義宗　舊藏
★

1889
上海博物館　藏
★★

1890
吳籌中藏
★

1891

許義宗　舊藏

★

1892

上海博物館　藏

★★

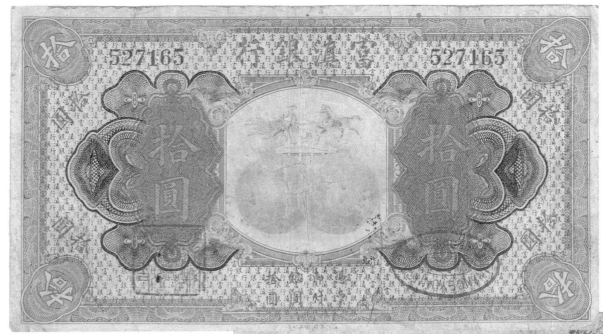

1893
上海博物館　藏
★★

1894
許義宗　舊藏
★★★★

F6946   TOP.   GRIPPER

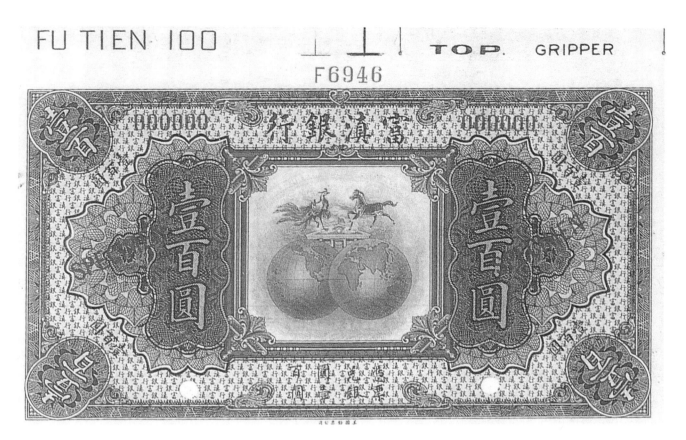

1895
許義宗　舊藏
★★★★

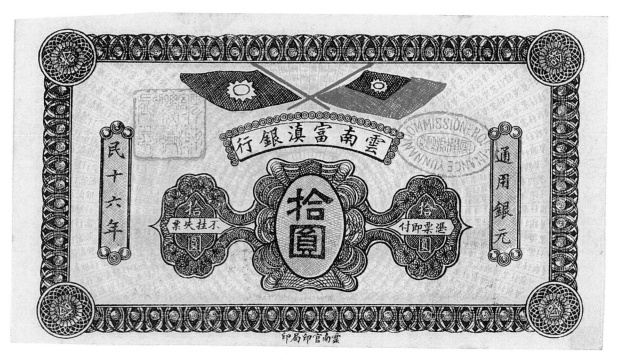

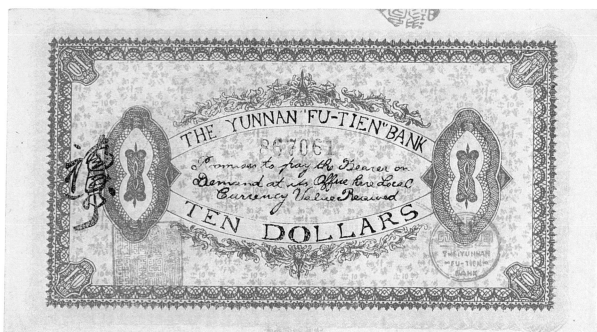

1896
中國人民銀行上海分行　藏
★★

1897
上海博物館　藏
★★★

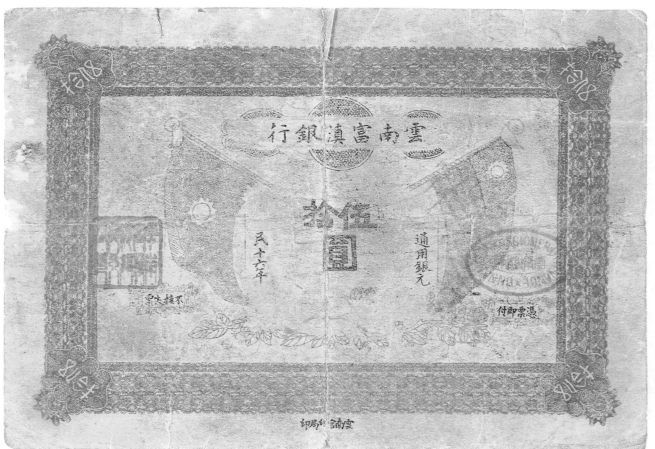

(背圖見 909 頁)

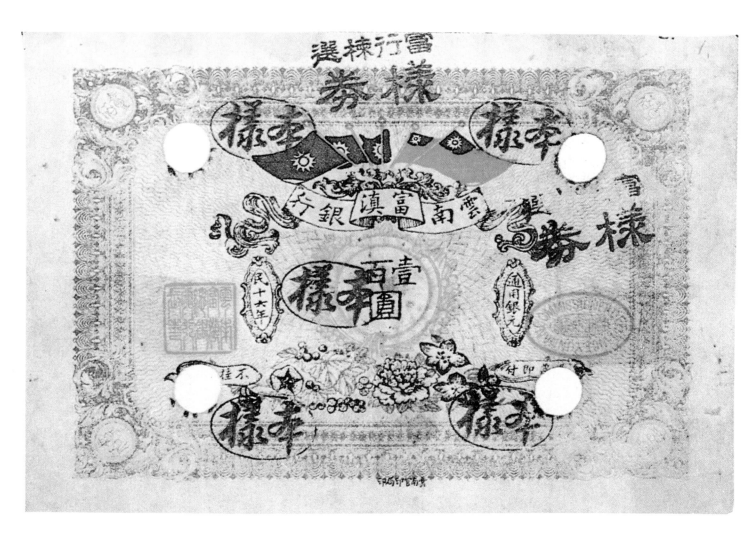

1898
選自《雲南歷史貨幣》
★★★★

（1897 背圖）

1899
許義宗　舊藏
★★

1900
上海博物館　藏
★★★

1901
馮志苗 藏

1902
許義宗 舊藏

1903

許義宗　舊藏

1904

許義宗　舊藏

★

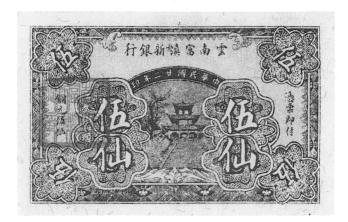

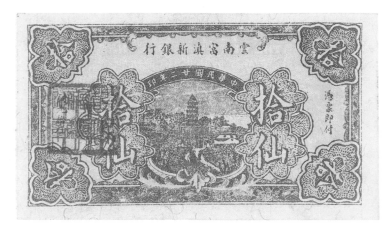

1911

許義宗　舊藏

1912

吳籌中　藏

1913
許義宗　舊藏
★

1914
許義宗　舊藏
★

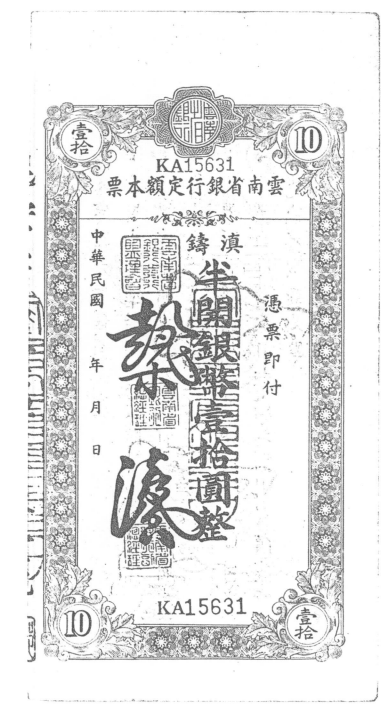

1915
吴籌中　藏
★

本定額本票使用說明

一、本票十足準備無限額隨時憑票兌現

二、本票在昆明本總行發行規定在昆明本總行兌現

三、本票可作繳納稅款及各項交易收付之用

四、本票自發行之日起滿叄個月必須來行兌現或換取新本票

雲南省銀行
定額本票存根

號數	填票	塗銷	金額
	年	年	半開銀幣貳拾圓整
	月	月	
	日	日	

字第

章	簽
副主任	主任

蓋簽

領用	校對

號

雲南省銀行定額本票

貳拾 20

滇鑄
半開銀幣貳拾圓整

憑票即付

中華民國　年　月　日

20 貳拾

1916
吳籌中　藏
★

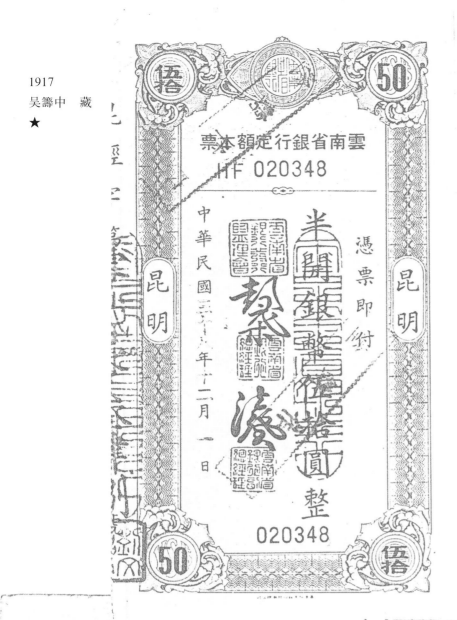

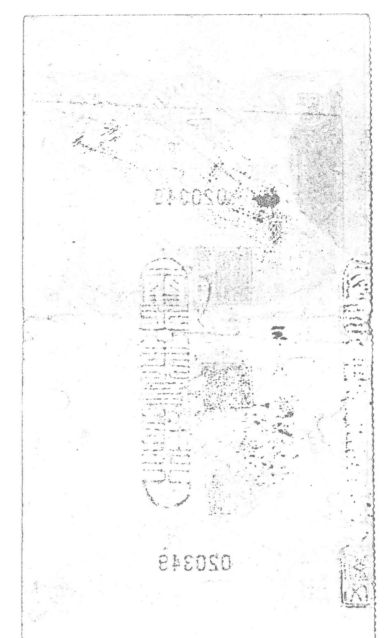

1917
吴筹中 藏
★

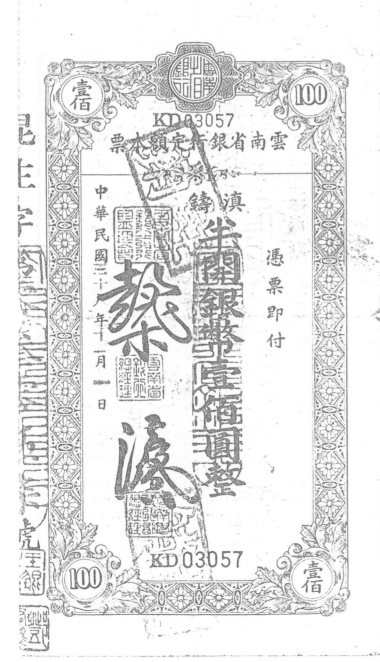

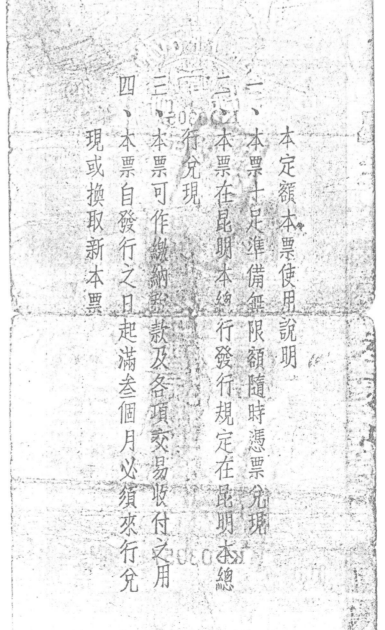

1918
吴筹中 藏
★★

九、福建地方紙幣

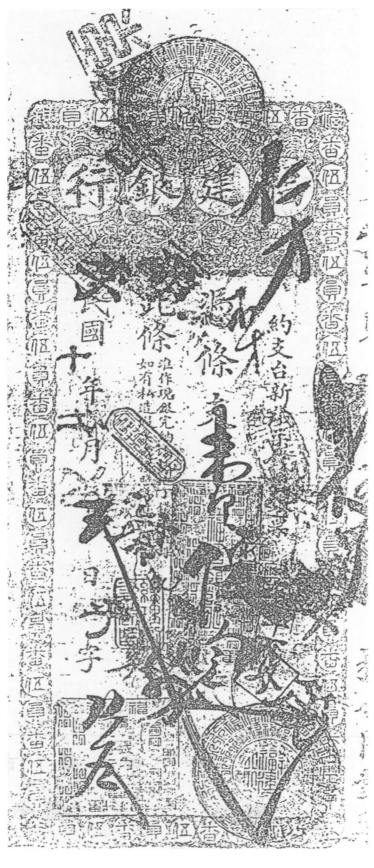

1919
王煒　提供
★★★

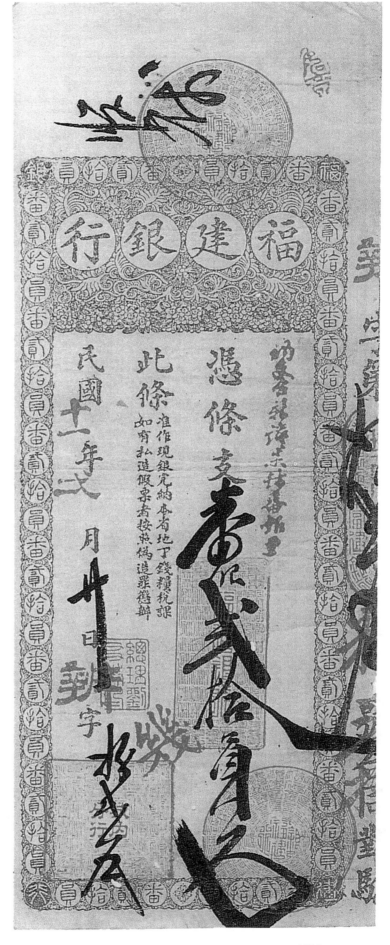

1920
王煒　提供
★★★

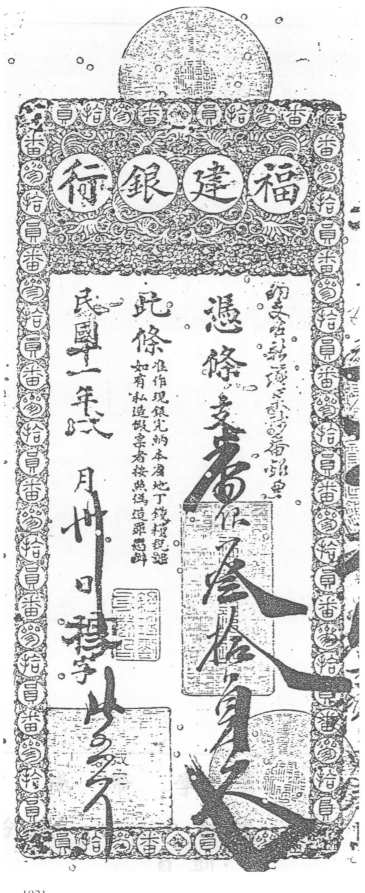

1921
王煒　提供
★★★

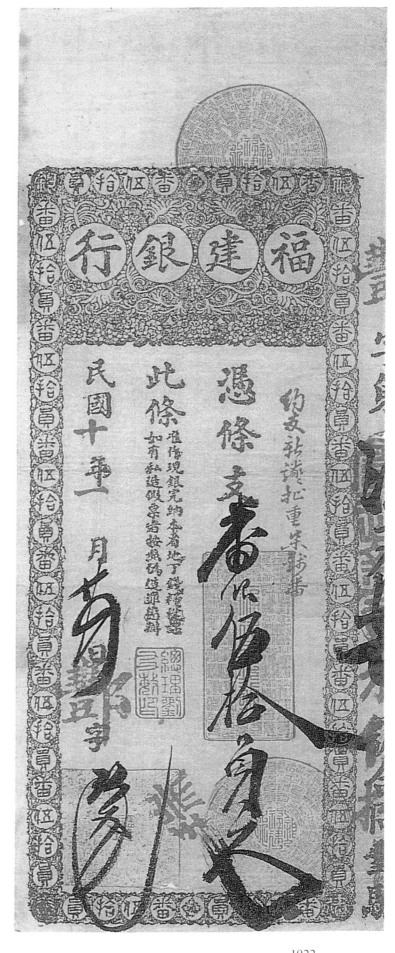

1922
王煒　提供
★★★

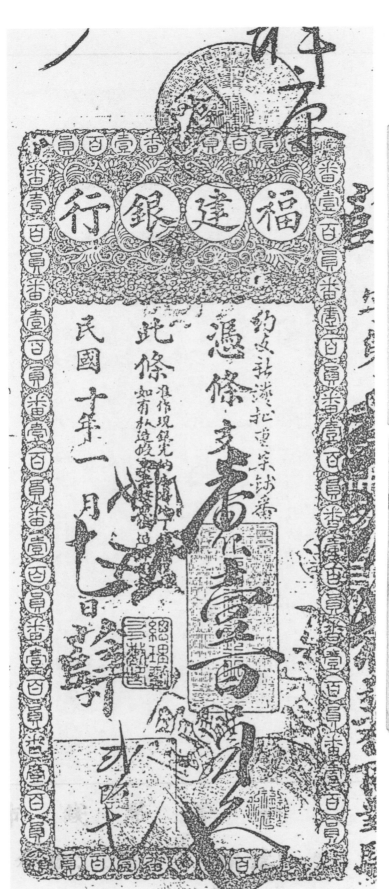

1923
王煒　提供
★★★

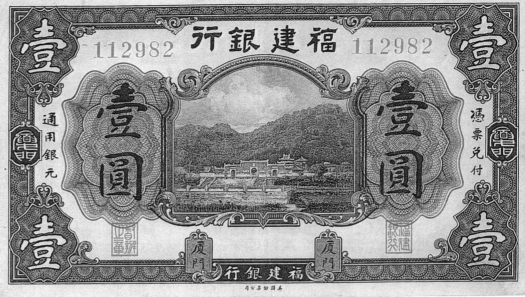

1924
中國人民銀行上海分行　藏
★★★

1925
上海博物館　藏
★★★

（背圖見 923 頁）

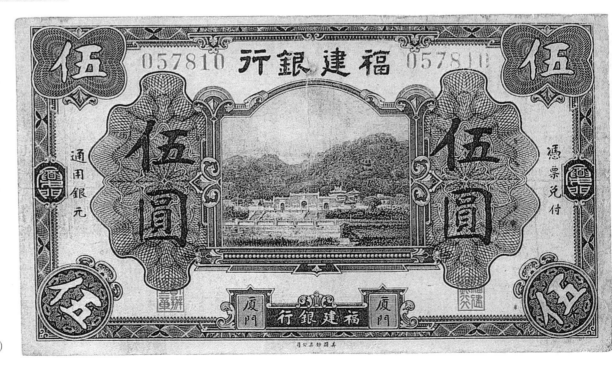

1926
上海博物館　藏
★★★★

(1925 背圖)

1927
許義宗　舊藏
★★★

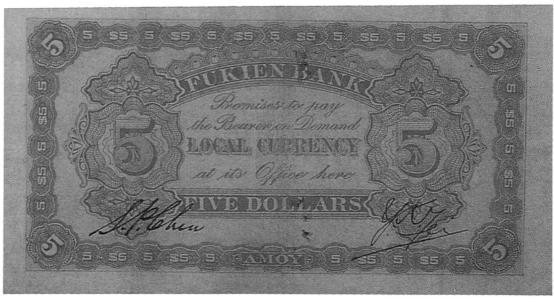

1928
吳籌中藏
★★★★

1929
苗培貴　藏
★★★★

1930
許義宗　舊藏
★★★★

1931
上海博物館　藏
★★★★

1932
吳籌中　提供
★★★★

1933
上海博物館　藏
★

1934
吴筹中 藏
★

1935
上海博物館 藏
★

1936
吴筹中 藏
★

1937
苗培贵 藏
★

1938
吴籌中　藏
★

1939
苗培貴　藏
★

1940
苗培貴　藏

1941
苗培貴　藏

1942
許義宗　舊藏
★

1944

中國人民銀行上海分行　藏

1943

中國人民銀行上海分行　藏

★

1945

中國人民銀行上海分行　藏

1946

苗培貴　藏

★

1947

吳籌中藏

★

1948
許義宗　舊藏
★★★

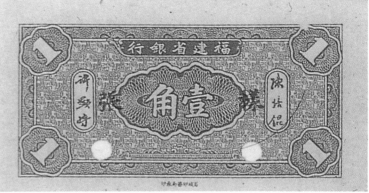

1949
許義宗　舊藏
★★★

1950
許義宗　舊藏
★★★

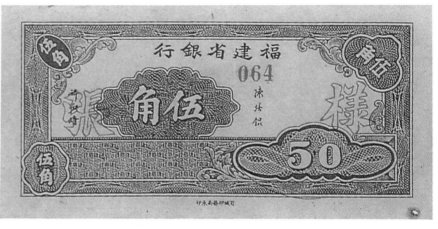

1951
許義宗　舊藏
★★

1952
許義宗　舊藏
★★

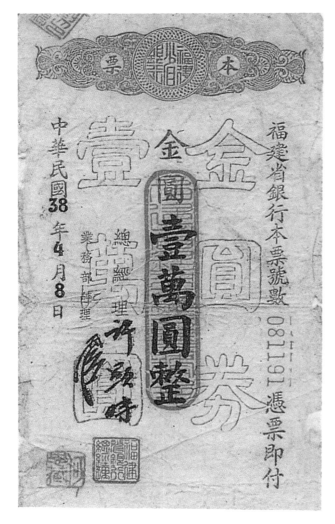

1953
許義宗　舊藏
★★

1954
許義宗　舊藏
★★

十、台灣地方紙幣

1955
中國人民銀行上海分行　藏

1956

中國人民銀行上海分行　藏

1957

苗培貴　藏

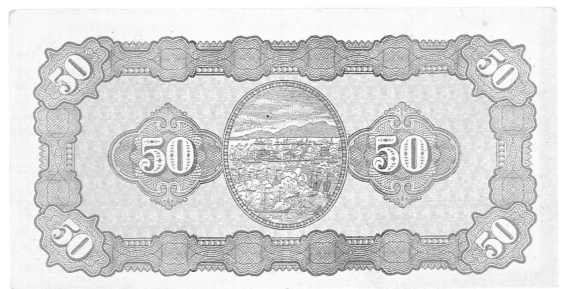

1958
苗培貴 藏

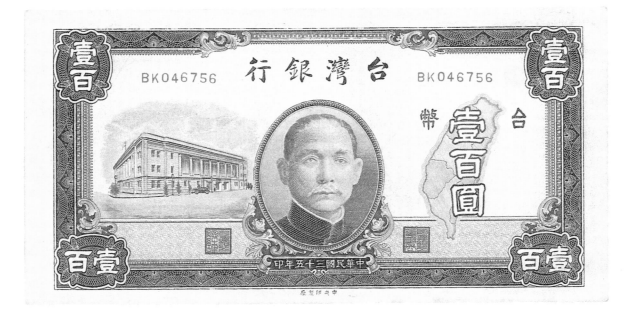

1959
馮志苗 藏

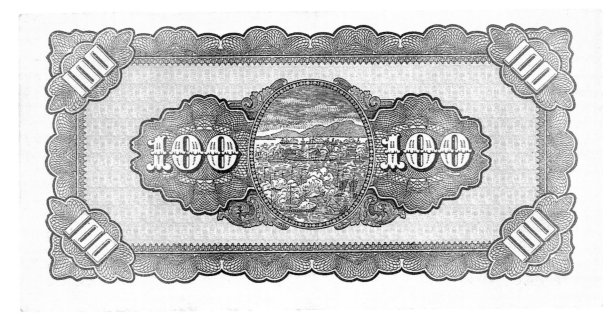

1960
苗培貴 藏

1961
苗培貴 藏

1962

苗培貴　藏

1963

王煒　藏

1964

王煒　藏

十一、廣東地方紙幣

1965
吳籌中　提供
★★★★

1966
中國人民銀行上海分行　藏
★★★

1967
丁張弓良　舊藏
★★★

1968
吳籌中　藏

1969
上海博物館 藏

1970
上海博物館 藏
★★

1971

中國人民銀行上海分行　藏

1972

吳籌中　藏

1973
吴筹中　藏
★

1974
吴筹中　藏
★

1975
選自《廣東歷代貨幣》
★★

1976
選自《廣東歷代貨幣》
★★

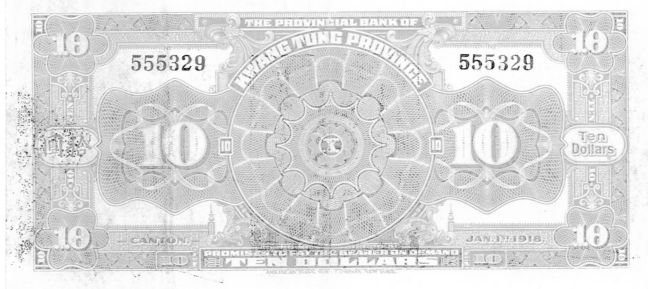

1977
吴籌中 藏
★★

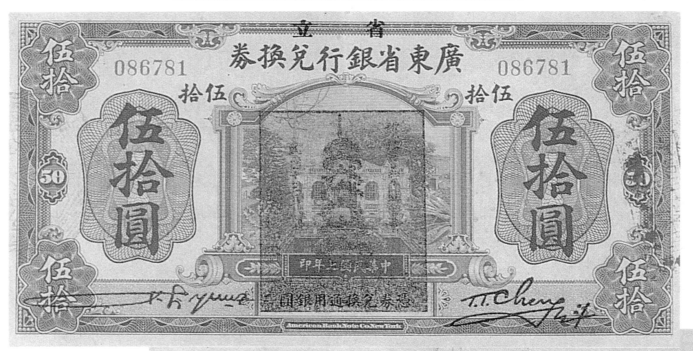

1978
選自《廣東歷代貨幣》
★★

1979
吴筹中 藏

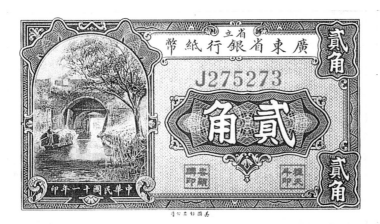

1980
吴筹中 藏

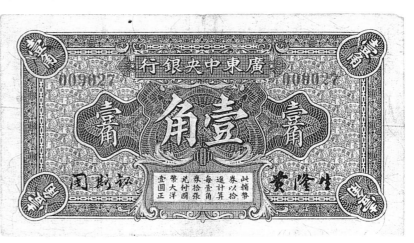

1981
德国 ERWIN BEYER 藏
★★★★

1982
吴筹中 藏

1983
吴筹中 藏

1984
吴筹中 藏

1985
許義宗　舊藏

1986
許義宗　舊藏

1987
吴籌中　藏

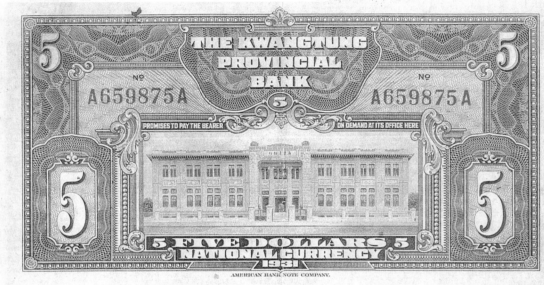

1988
吴籌中　藏

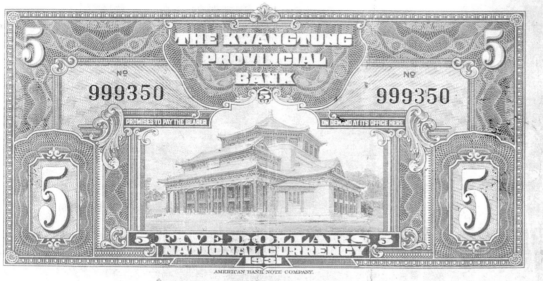

1989

吴籌中　藏

1990

吴籌中　藏

★

1991
吴籌中 藏
★

1992
吴籌中 藏

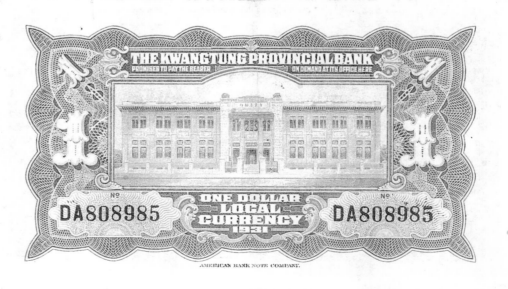

1993

吴籌中　藏

1994

中國人民銀行上海分行　藏

1995
吴籌中　藏

1996
許義宗　舊藏

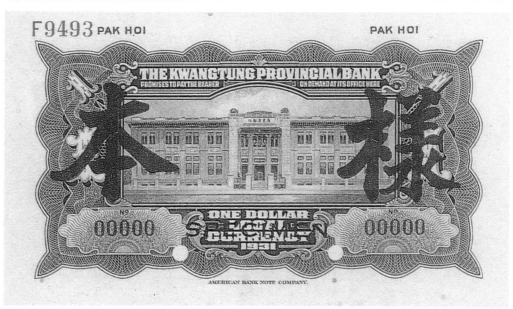

1997
許義宗 舊藏

1998
吳籌中 藏

1999

吴筹中　藏

2000

吴筹中　藏

2001
許義宗　舊藏
★

2002
許義宗　舊藏
★

2003
吴筹中 藏
★

2004
吴筹中 藏
★

2005
吳籌中 藏
★

2006
許義宗 舊藏
★

2007

許義宗 舊藏

★

2008

吳籌中 藏

★★★

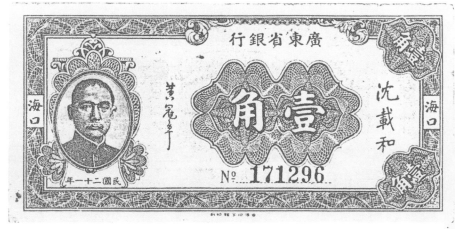

2009
吳籌中 藏
★★★

2010
吳籌中 藏

2011

中國人民銀行上海分行　藏

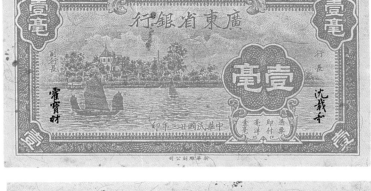

2012
吳籌中　藏
★

2013

吳籌中　藏

2014

吴籌中 藏

2015

吴籌中 藏

2018

許義宗　舊藏

2019

吳籌中　藏

★

2020

上海博物館　藏

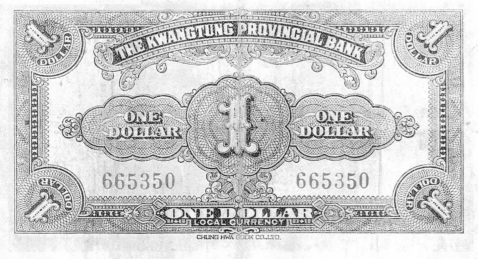

2024
吴筹中 藏
★

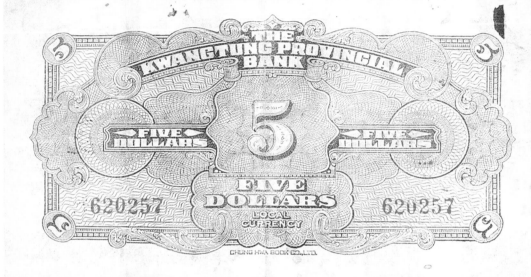

2026
吴筹中 藏
★

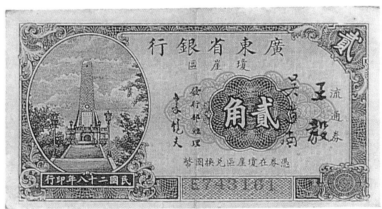

2025
許義宗 舊藏
★

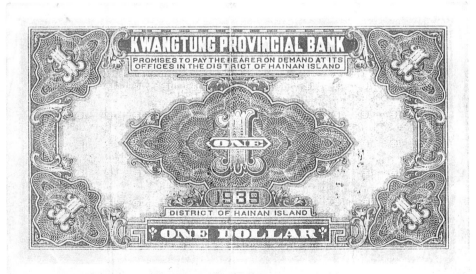

2027
吴籌中 藏
★

2028
許義宗 舊藏
★★

2029
吴籌中 藏
★★

2030
吴籌中 藏

2031
吴籌中 藏

2032
吴籌中 藏

2047
許義宗　舊藏
★★

2049
許義宗　舊藏

2048
許義宗　舊藏
★

2050
許義宗　舊藏
★★

2052
許義宗　舊藏

2051
許義宗　舊藏
★

2053

許義宗　舊藏

★★

2054

許義宗　舊藏

★

2055

中國人民銀行上海分行　藏

2056

中國人民銀行上海分行　藏

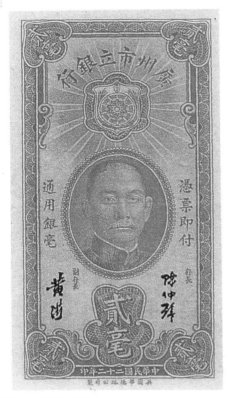

2057

許義宗　舊藏

2058

中國人民銀行上海分行　藏

2059

許義宗　舊藏

2060

許義宗　舊藏

2061
許義宗　舊藏

2062
中國人民銀行上海分行　藏

2063
許義宗　舊藏

2064

許義宗　舊藏

★

十二、廣西地方紙幣

2065

選自《廣西歷史貨幣》

★★

2066

許義宗　舊藏

★★

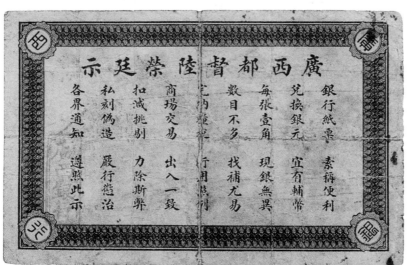

2067
吴籌中 藏

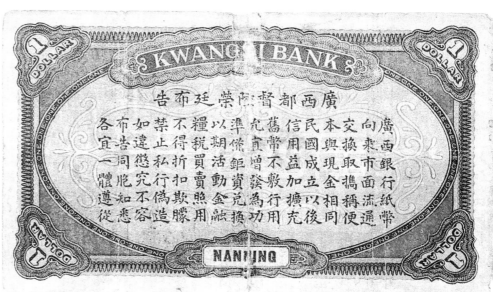

2068
吴籌中 藏

2069

吴籌中 藏

2070

吴籌中 藏

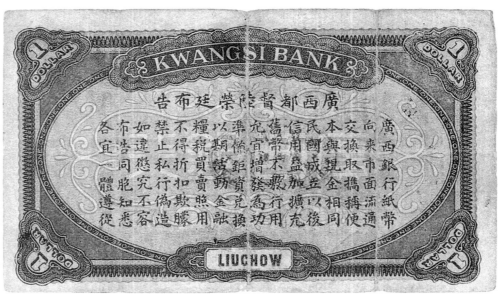

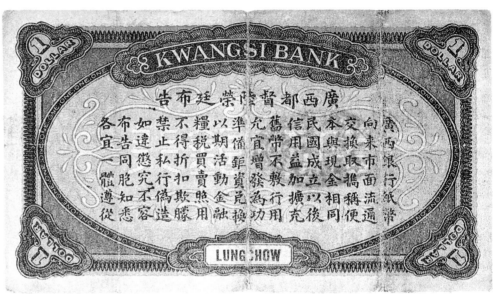

2071
吴筹中 藏

2072
吴筹中 藏

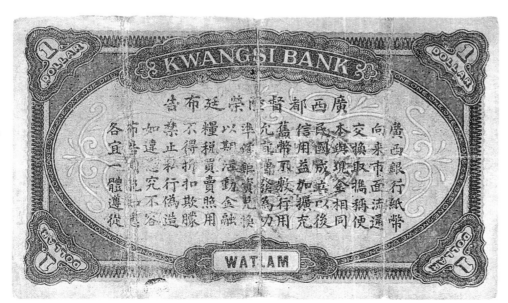

2073
上海博物館　藏
★★

2074
選自《中國軍用鈔票史略》
★★

2075

選自《中國軍用鈔票史略》

★★

2076

選自《中國軍用鈔票史略》

★★

2077

上海博物館　藏

★★

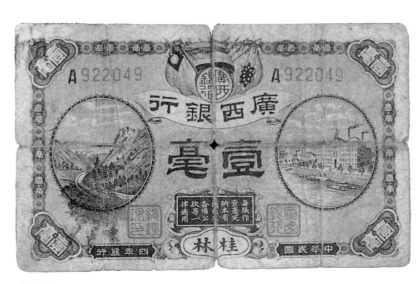

2078

選自《廣西歷史貨幣》

★

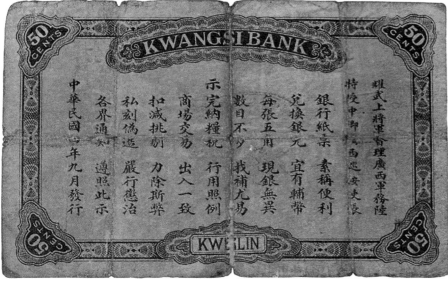

2080

上海博物館　藏

2079

選自《廣西歷史貨幣》

★★

2081

上海博物館　藏

★★

2082

中國人民銀行上海分行　藏

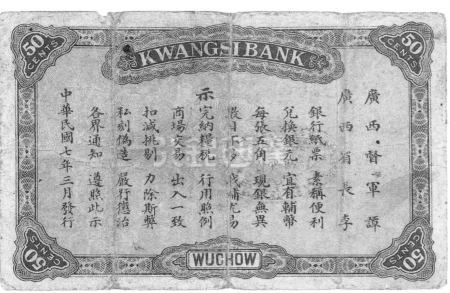

2083

吳籌中　藏

★

2084

選自《廣西歷史貨幣》

★

2085

中國人民銀行上海分行　藏

★

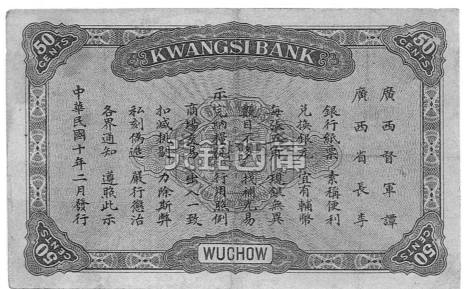

2086
選自《廣西歷史貨幣》
★★

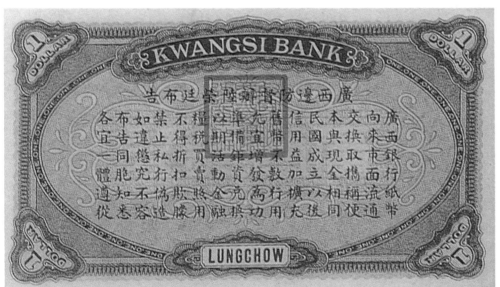

2087
許義宗　舊藏
★★

2088
許義宗　舊藏
★★

2089
選自《中國軍用鈔票史略》
★★

2090

選自《廣西歷史貨幣》

★★

2091

選自《中國軍用鈔票史略》

★★

2092

上海博物館　藏

★

2093

選自《中國軍用鈔票史略》

2094
選自《中國軍用鈔票史略》

2095
選自《廣西歷史貨幣》
★

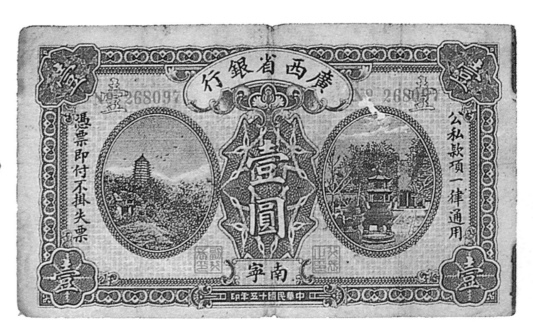

2096
選自《廣西歷史貨幣》
★

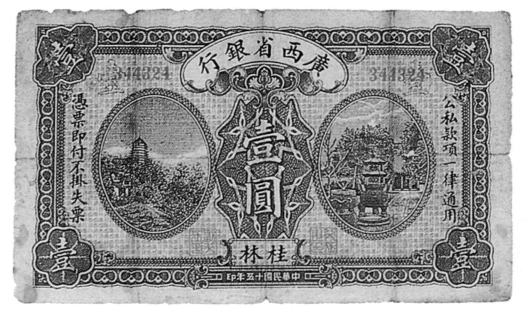

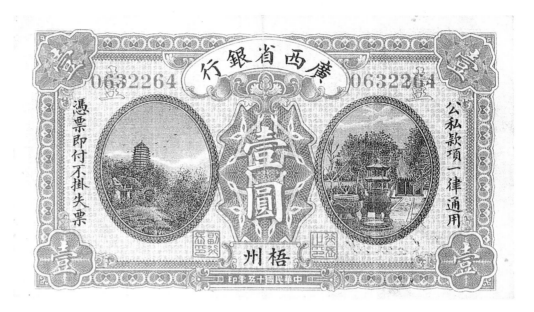

2097
吴籌中 藏
★

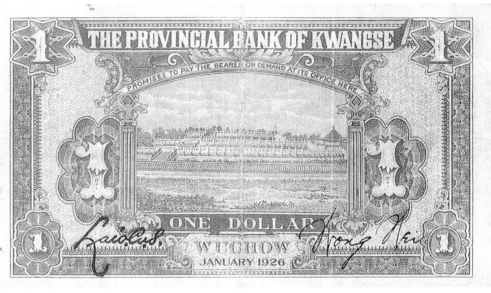

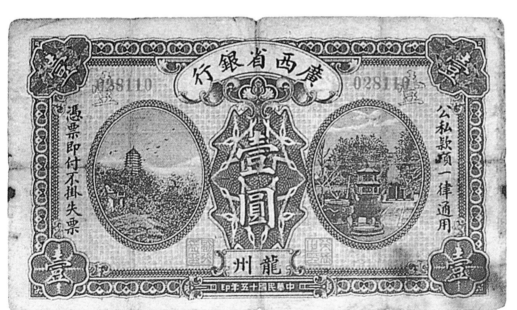

2098
選自《廣西歷史貨幣》
★

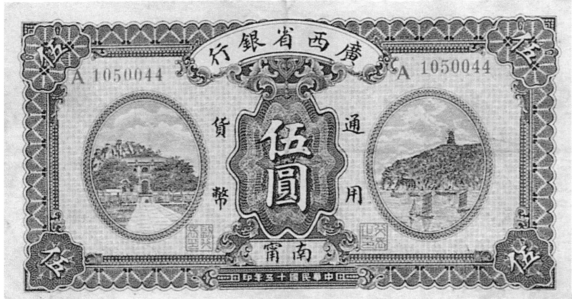

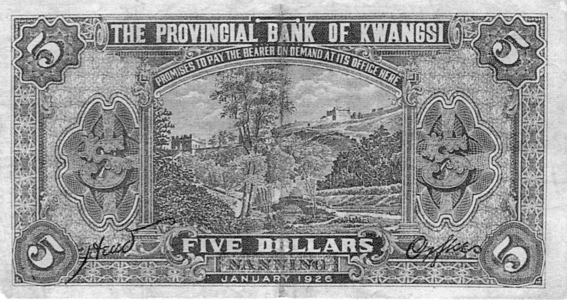

2099
選自《廣西歷史貨幣》
★★

2100
選自《廣西歷史貨幣》
★★

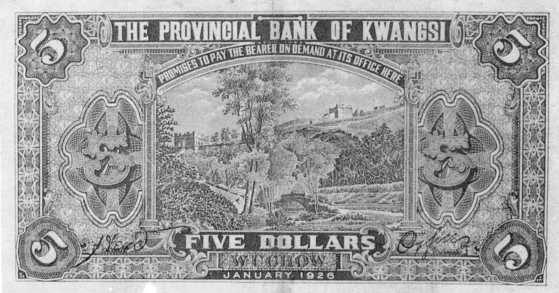

2101
選自《廣西歷史貨幣》
★★

2102
選自《廣西歷史貨幣》
★★

2103
選自《廣西歷史貨幣》
★★

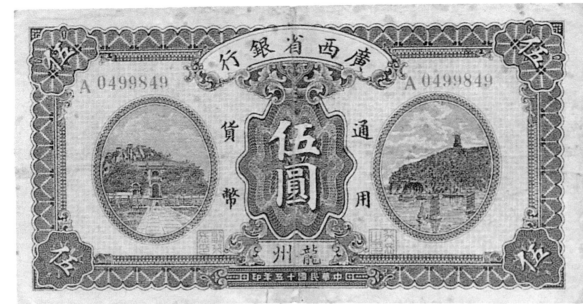

2104
選自《廣西歷史貨幣》
★★

2105
選自《廣西歷史貨幣》
★★

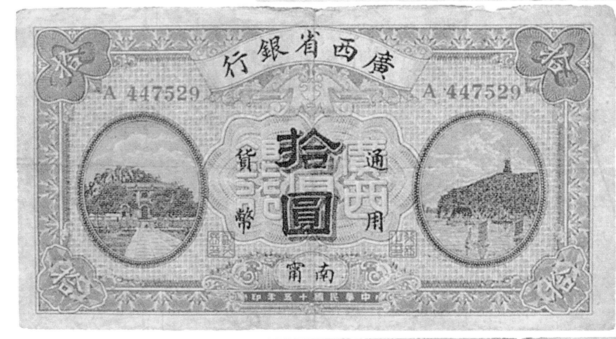

2106
選自《廣西歷史貨幣》
★★★

2107
選自《廣西歷史貨幣》
★★★

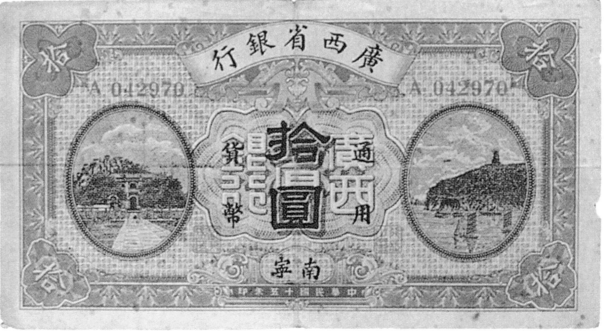

2108

選自《廣西歷史貨幣》

★★★

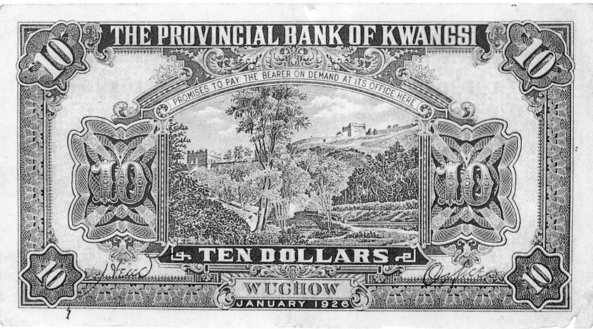

2110

吳籌中　藏

★

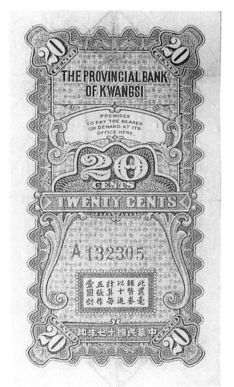

2109

選自《廣西歷史貨幣》

★

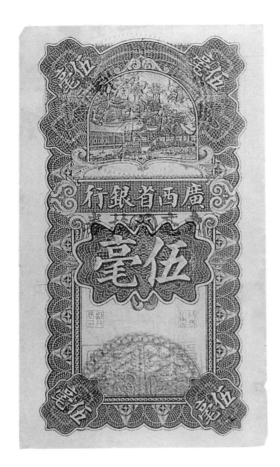

2111
選自《廣西歷史貨幣》
★

2112
選自《廣西歷史貨幣》
★

2113
吴籌中 藏

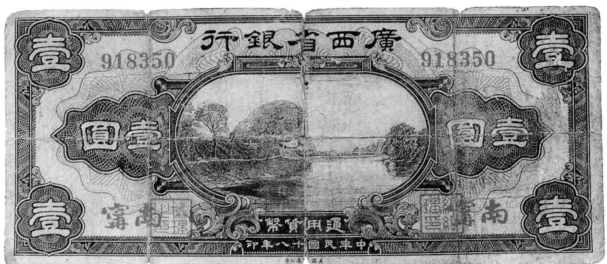

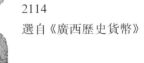

2114
選自《廣西歷史貨幣》

2115

選自《廣西歷史貨幣》

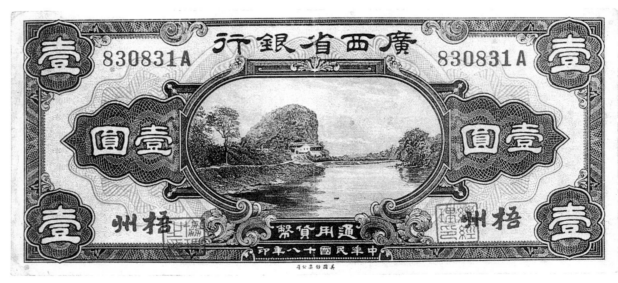

2116

吳籌中　藏

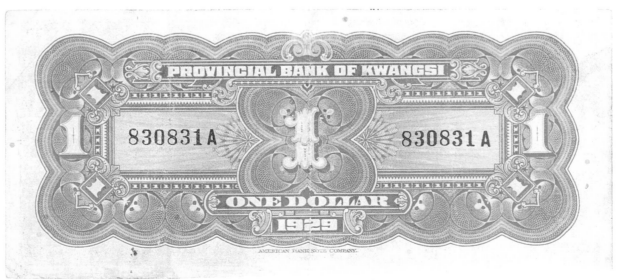

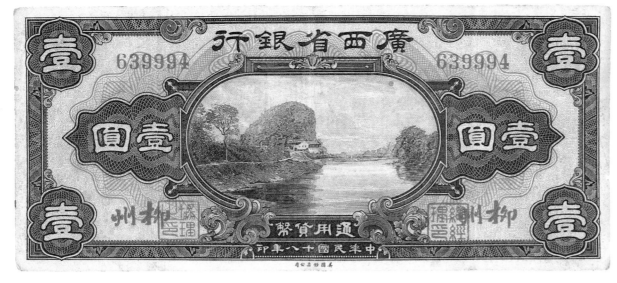

2117
上海博物館 藏

2118
選自《廣西歷史貨幣》

2119
選自《廣西歷史貨幣》

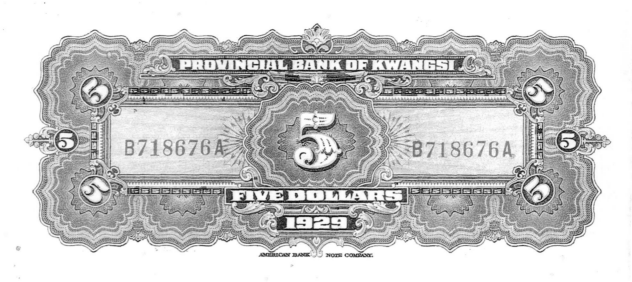

2120

吴筹中 藏

★

2121

上海博物馆 藏

★

2122
上海博物館 藏
★

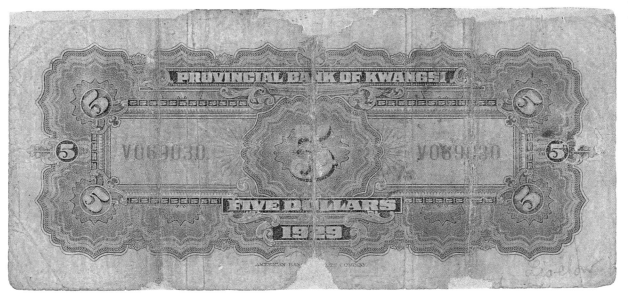

2123
上海博物館 藏
★

2124
選自《廣西歷史貨幣》
★

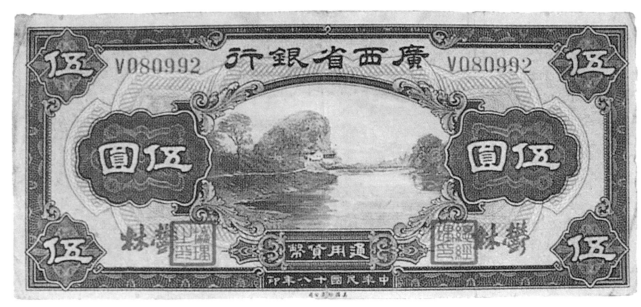

2125
選自《廣西歷史貨幣》
★

2126
吳籌中 藏
★

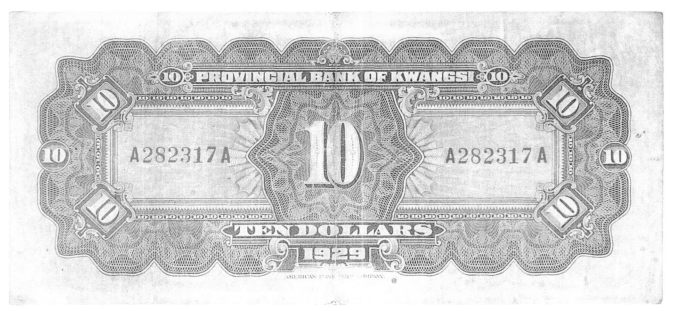

2127
選自《廣西歷史貨幣》
★

2128
選自《廣西歷史貨幣》
★

2129
選自《廣西歷史貨幣》
★

2130
選自《廣西歷史貨幣》
★

2131

上海博物館 藏

★

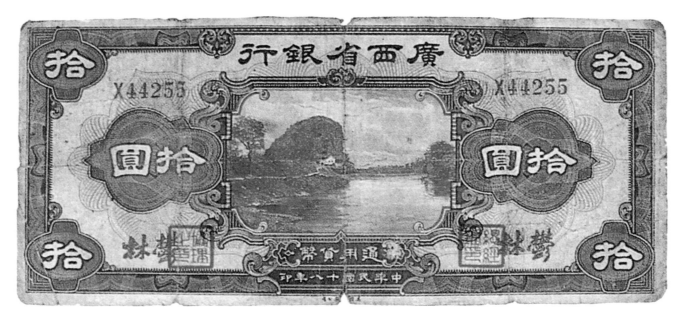

2132

選自《廣西歷史貨幣》

★

2133

選自《廣西歷史貨幣》

★

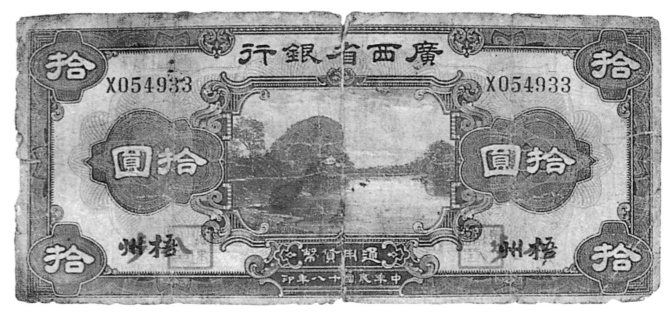

2134
中國人民銀行
上海分行 藏

2135
吳籌中 藏

2136
吳籌中 藏
★

2137
吳籌中 藏
★

2138
吳籌中 藏
★★

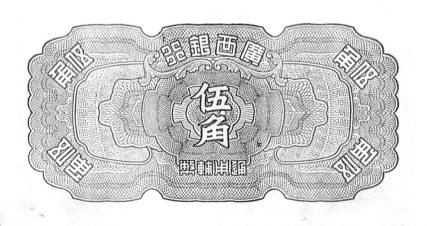

2139
吴籌中 藏
★★

2140
吴籌中 藏
★★

2141
吴籌中 藏
★★

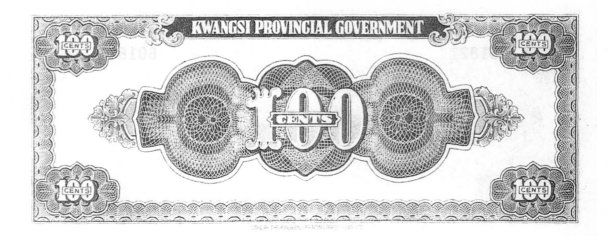

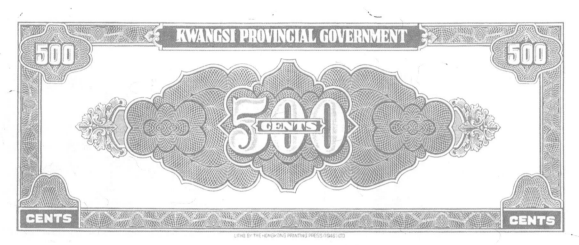

2142

吴籌中 藏

★★★

2143

中國人民銀行上海分行 藏

2144
吴筹中　藏

2145
林清池　藏
★★★★

2146
上海博物館　藏
★★★

十三、貴州地方紙幣

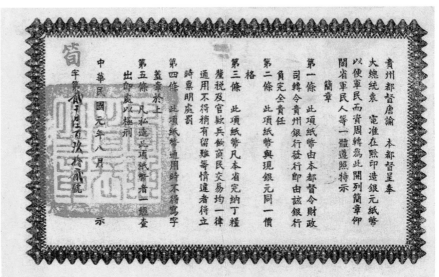

2147
上海博物館　藏
★★★

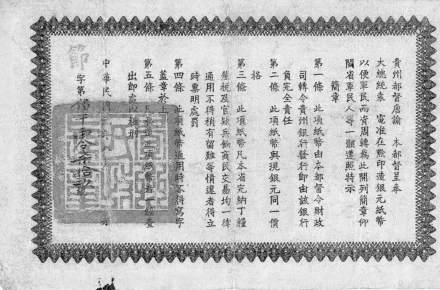

2148
上海博物館　藏
★★

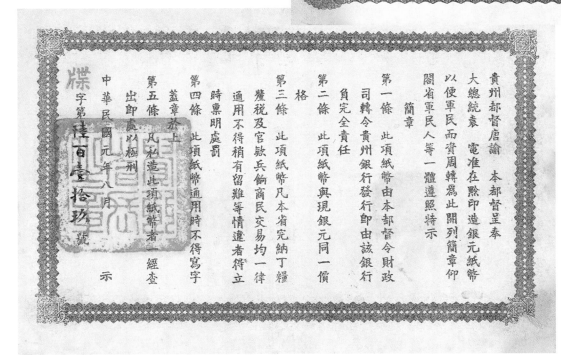

2149
吴籌中 藏
★★

2150
吴籌中 藏
★

（背圖見 1009 頁）

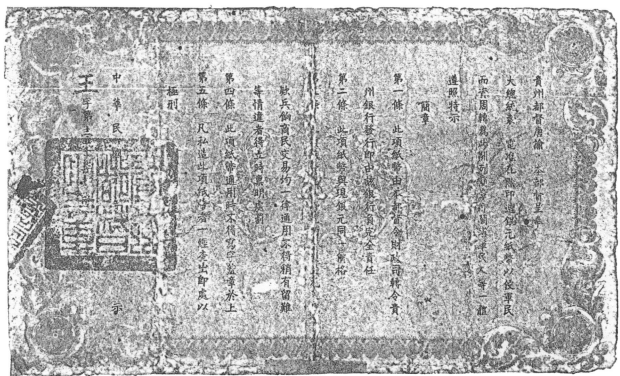

2151
吴籌中 藏
★★★

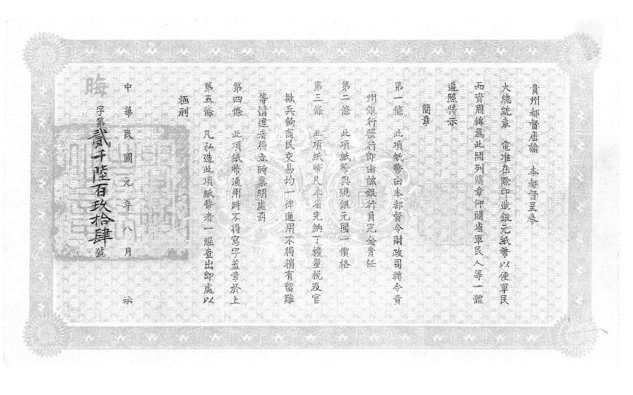

（2150背圖）

2152

中國人民銀行上海分行　藏

★★

2153

中國人民銀行上海分行　藏

★★★★

（背圖見 1011 頁）

2154

上海博物館　藏

★★★

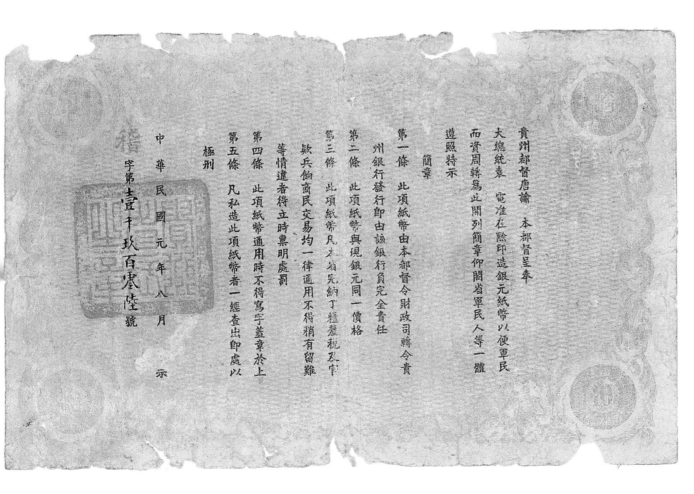

（2153 背圖）

2155
上海博物館　藏
★★★★

2156
上海博物館　藏
★

2157
上海博物館　藏
★

2158
上海博物館　藏
★★

2159
上海博物館　藏
★★

2160
上海博物館 藏
★★

2161
中國人民銀行上海分行 藏
★★

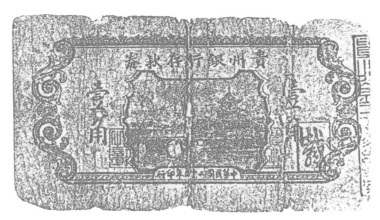

2163

上海博物館　藏

★★

2162

上海博物館　藏

★★

2164

吳籌中　藏

★

2165

中國人民銀行上海分行　藏

★★

2166
吴籌中　藏
★★

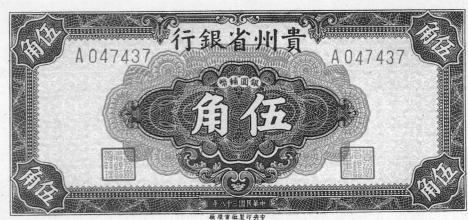

2167
上海博物館　藏
★★

十四、山東地方紙幣

2168
許義宗　舊藏
★★★

（背圖見 1017 頁）

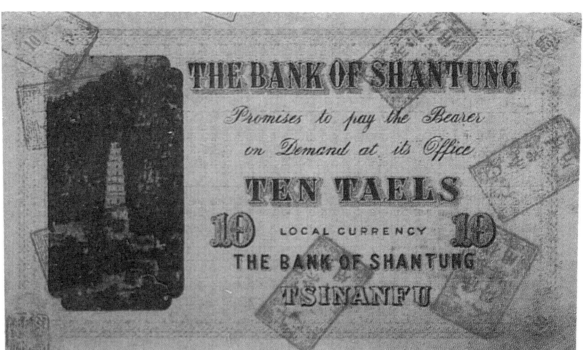

2169
許義宗 舊藏
★★★★

(2168背圖)

2170
許義宗　舊藏
★★★

2171
許義宗　舊藏
★★★★

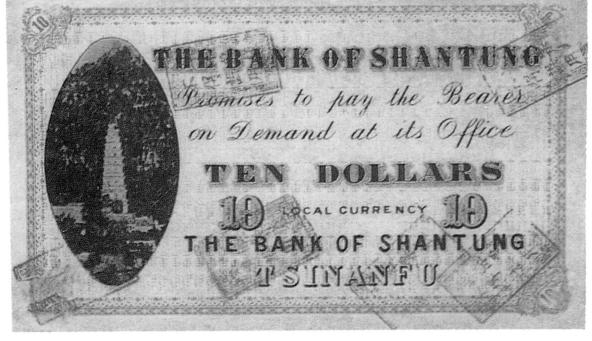

2172
選自《中國各省地方銀行紙幣圖録》
★★

2173
吳籌中　藏
★★★

2174
吴籌中 藏
★★★

2175
吴籌中 提供
★★★

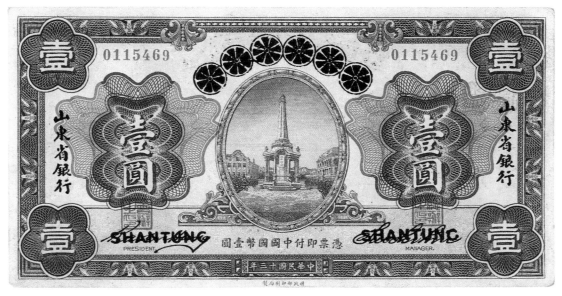

2176

上海博物館　藏

2177

上海博物館　藏

★

2178

上海博物館　藏

★★

（背圖見1023頁）

2179

中國人民銀行上海分行　藏

★★★

(2178 背圖)

2180
許義宗　舊藏
★★★

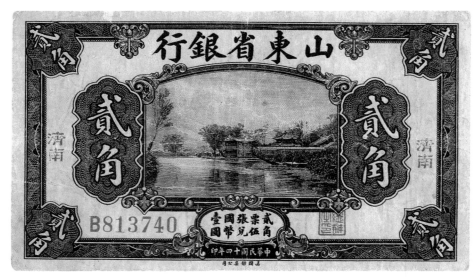

2181
上海博物館　藏
★

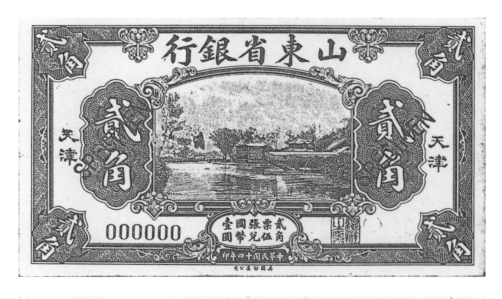

2182
吳籌中藏
★

2183
吴籌中 藏
★

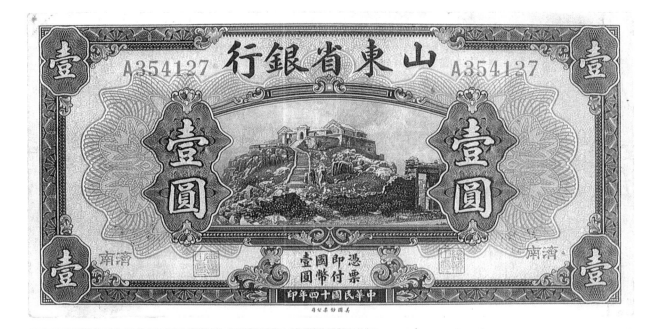

2184
吴籌中 藏

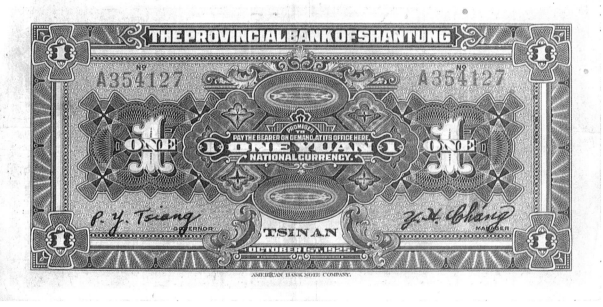

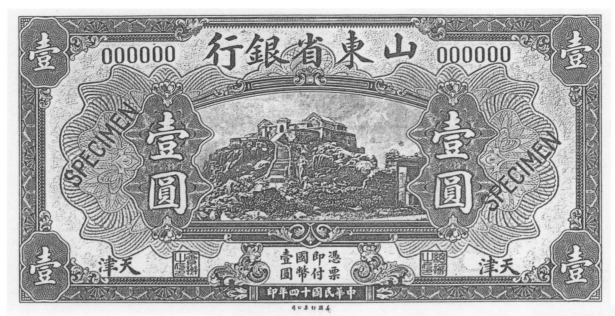

2185
吴筹中 藏

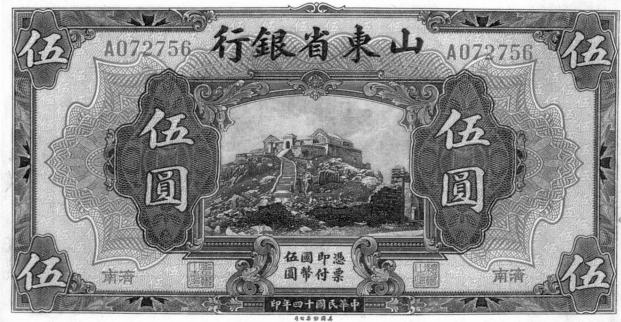

2186
上海博物馆 藏
★

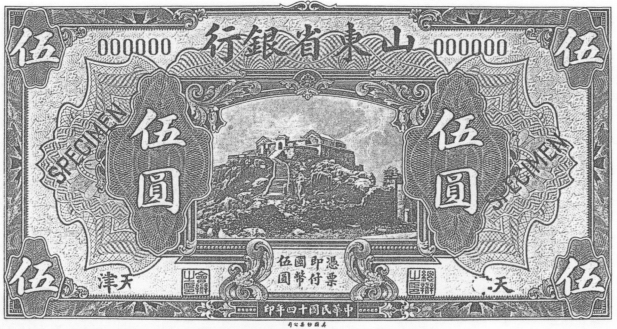

2187

吴筹中　藏

★

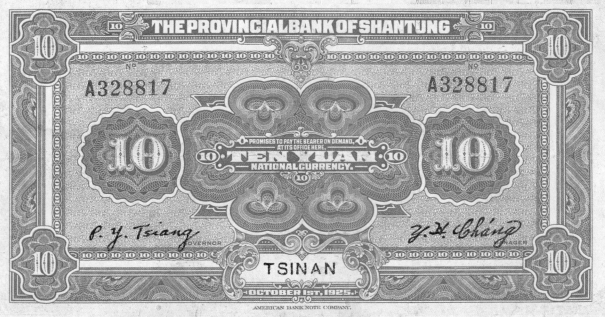

2188

上海博物馆　藏

★★

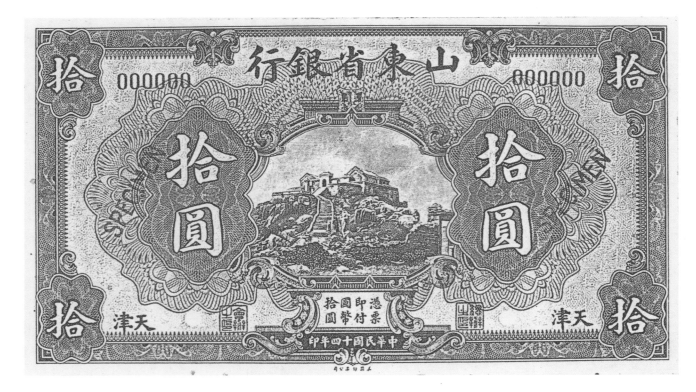

2189
吴籌中　藏
★★

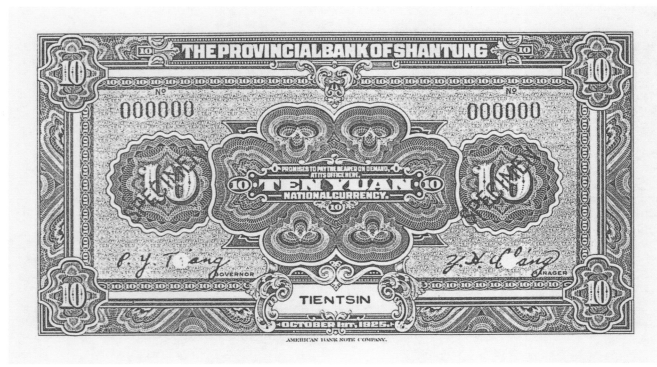

2190
許義宗　舊藏
★★★

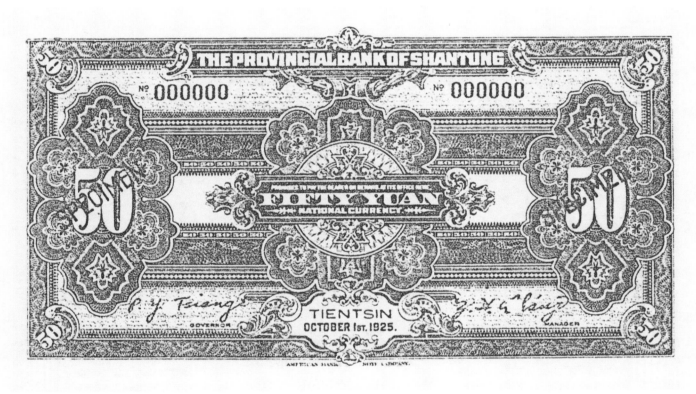

2191
吴籌中 藏
★★★★

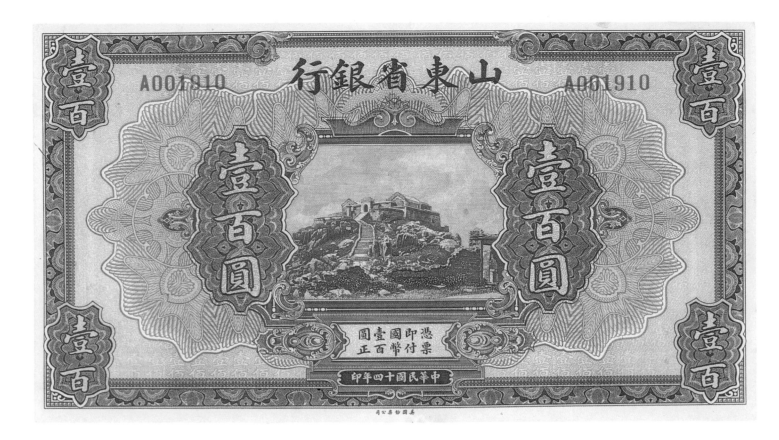

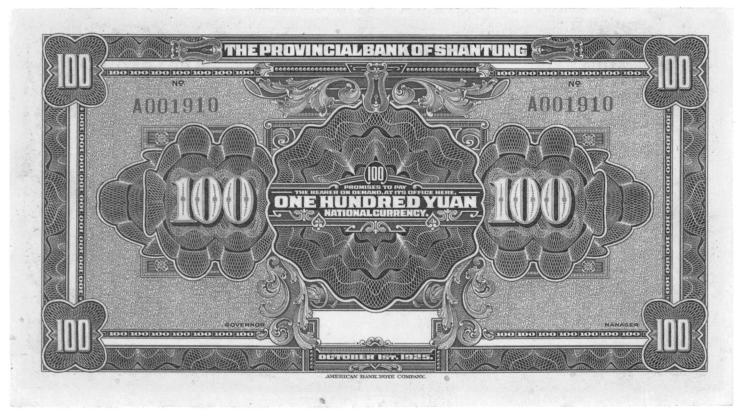

2192

上海博物館　藏

★★★★

2193
吴籌中　藏
★★★★

2194
上海博物館　藏

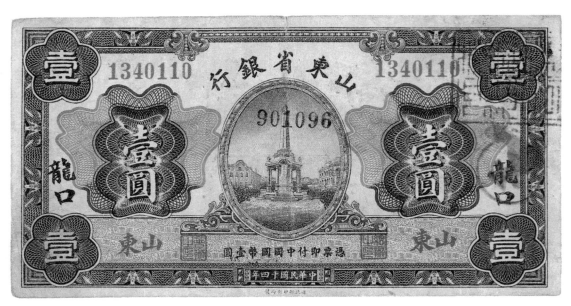

2195
上海博物館　藏
★

2196
上海博物館　藏
★

2197
上海博物館　藏
★

2198

吴筹中　藏

★

2199

許義宗　舊藏

★

2200

吴筹中　藏

2201

中國人民銀行上海分行　藏

2202
吴籌中 藏
★

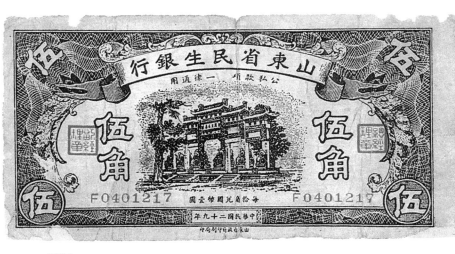

2203
吴籌中 藏
★

2204
吴籌中 藏
★

2205
郭乃興 藏
★

2206
許義宗 舊藏
★

2208
許義宗 舊藏
★

2207
許義宗 舊藏
★

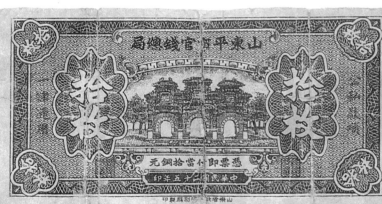

2209
吳籌中 藏

2210
吴籌中　藏

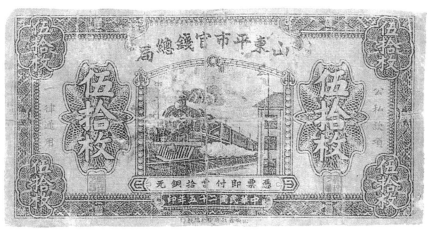

2211
吴籌中　藏
★

2212
許義宗　舊藏
★

十五、河南地方紙幣

2213
吴籌中 藏
★★★

2214
上海博物館 藏
★★★

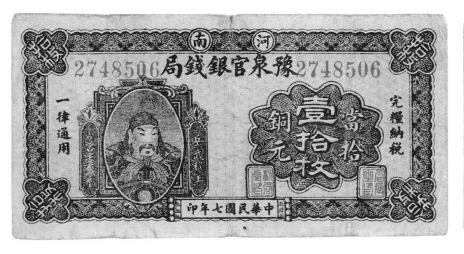

2215
上海博物館　藏
★★

2216
上海博物館　藏
★★

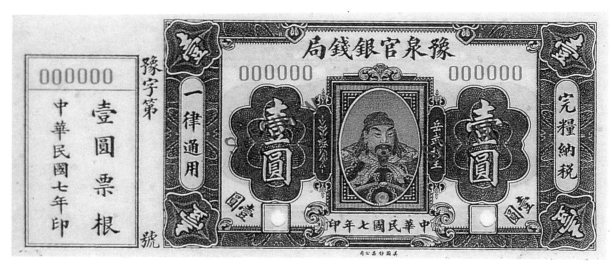

2217
許義宗　舊藏
★★

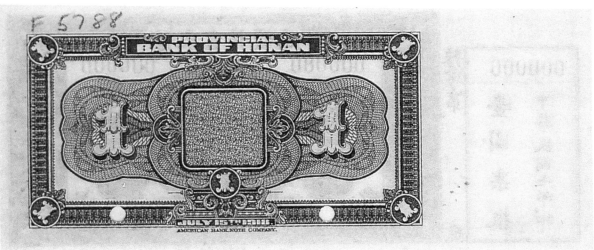

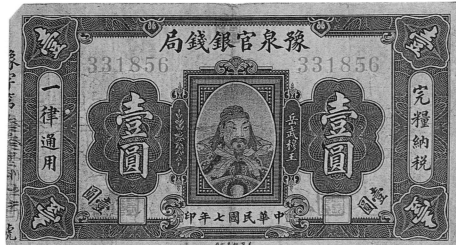

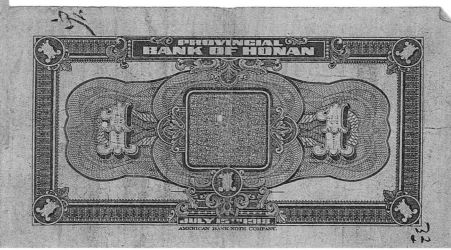

2218

中國人民銀行上海分行 藏

★

2219

吳籌中 藏

★

2220

上海博物館 藏

★

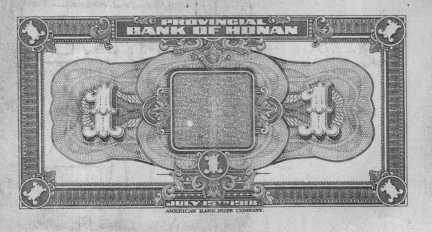

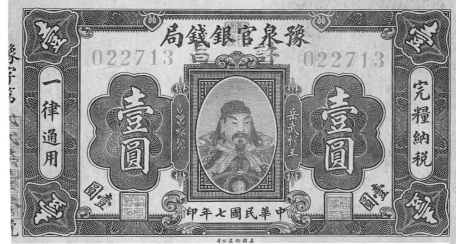

2221
上海博物館 藏
★

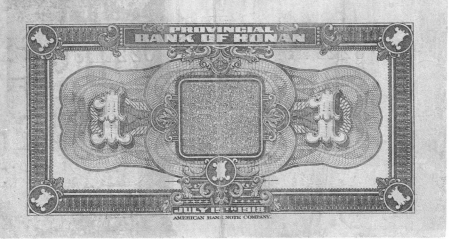

2222
上海博物館 藏
★

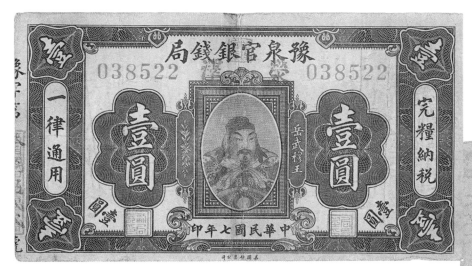

2223
上海博物館 藏
★

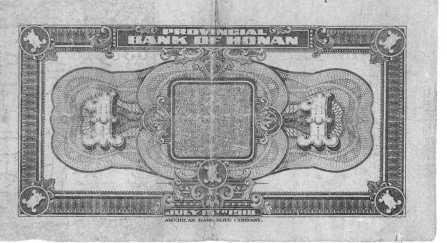

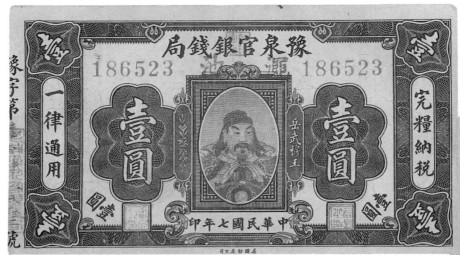

2224
上海博物館 藏
★

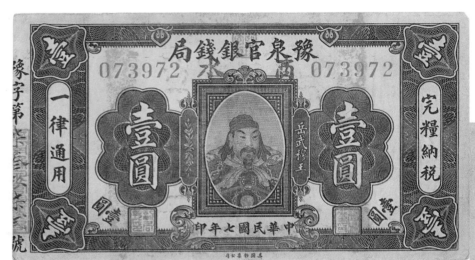

2225
上海博物館 藏
★

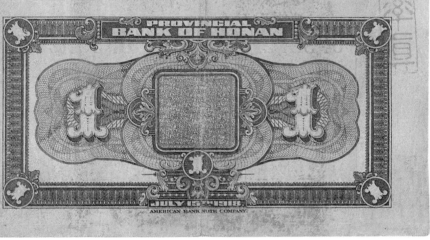

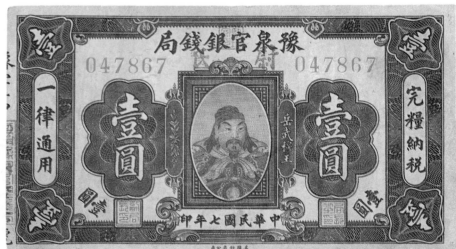

2226
上海博物館 藏
★

2227
上海博物館 藏
★

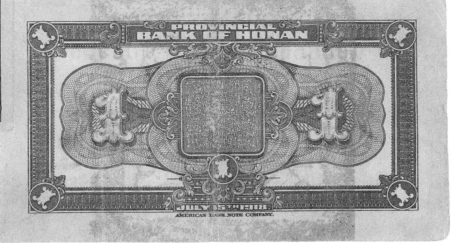

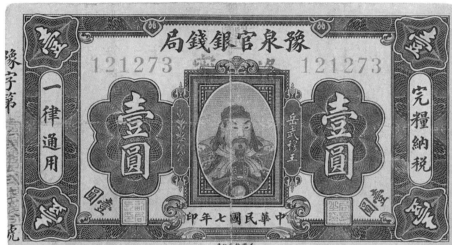

2228
上海博物館 藏
★

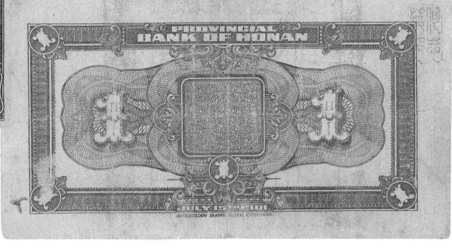

2229
上海博物館 藏
★

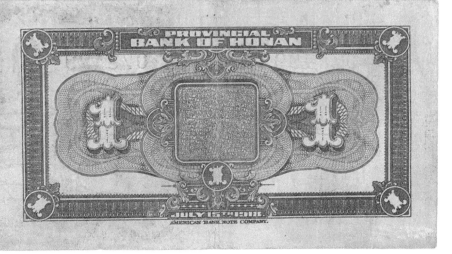

2230
上海博物館 藏
★

2231
上海博物館 藏
★

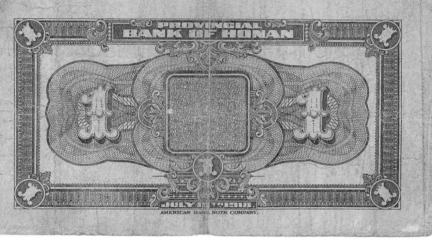

2232
上海博物館 藏
★

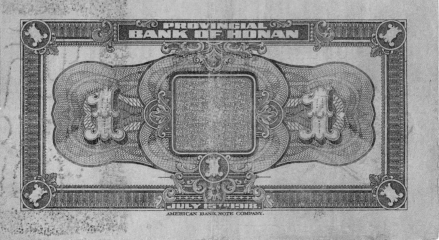

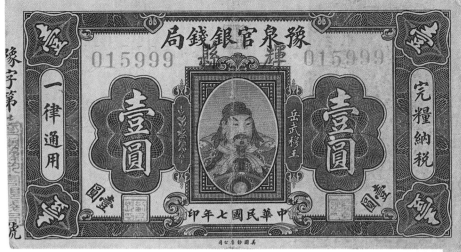

2233
上海博物館 藏
★

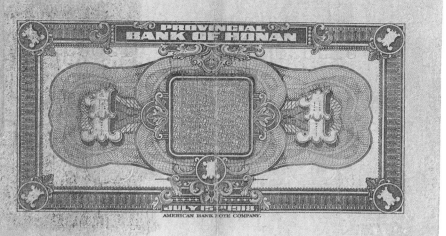

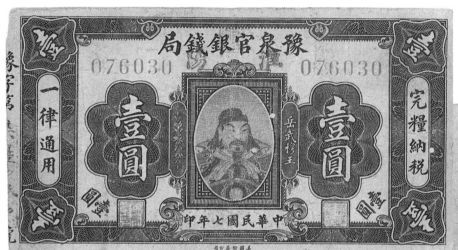

2234
上海博物館 藏
★

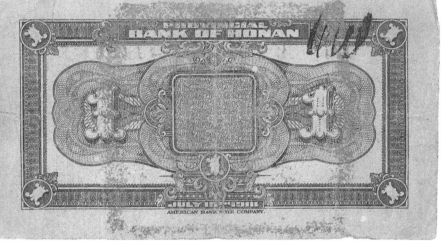

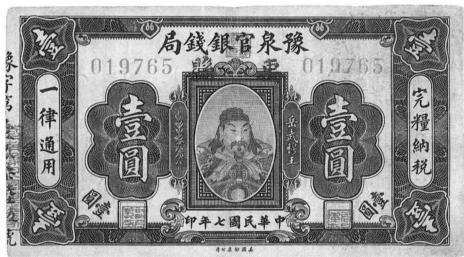

2235
上海博物館 藏
★

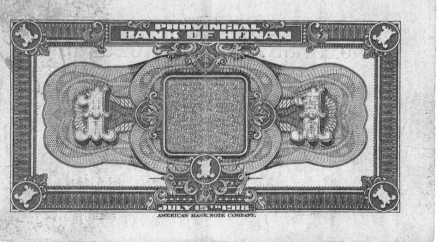

2236
上海博物館 藏
★

2237
上海博物館 藏
★

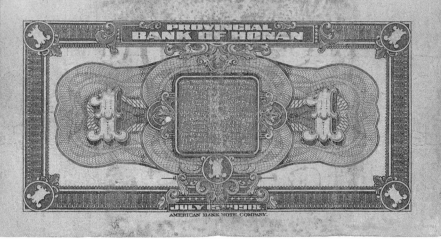

2238
上海博物館 藏
★

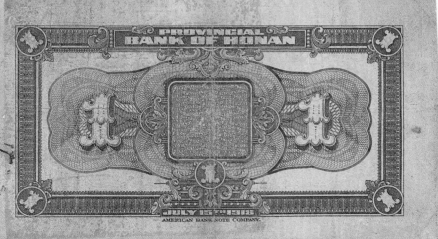

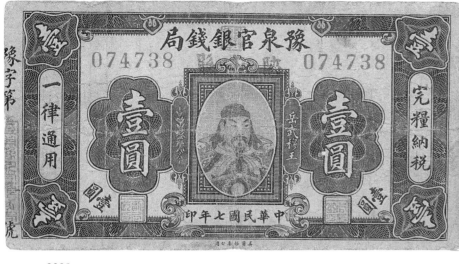
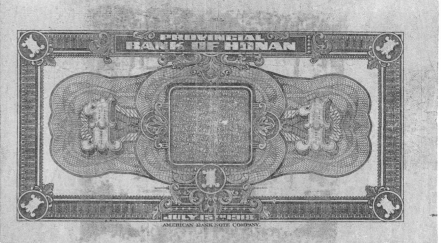

2239
上海博物館 藏
★

2240
上海博物館 藏
★

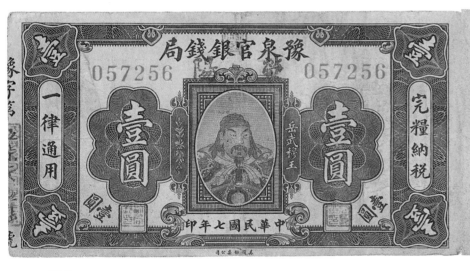
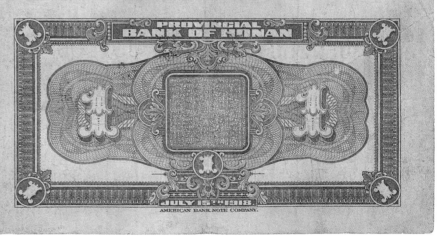

2241
上海博物館 藏
★

2242
上海博物館 藏
★

2243
許義宗 舊藏
★★

2244
吳籌中 藏
★★

2245
許義宗 舊藏
★★★

（背圖見 1049 頁）

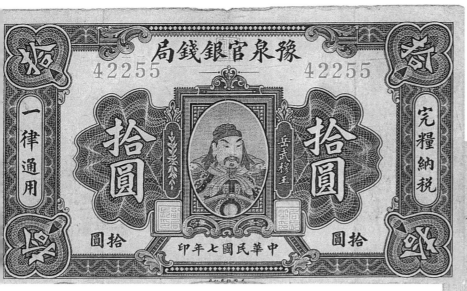

2246

中國人民銀行上海分行　藏

★

2247

許義宗　舊藏

★★

（2245 背圖）

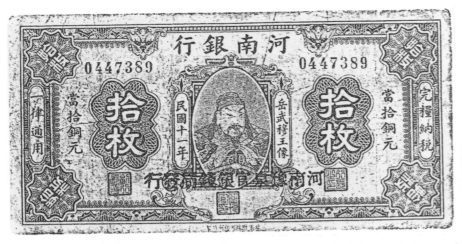

2248
吴籌中　藏
★★

2249
吴籌中　藏
★★

2250
許義宗　舊藏
★★★

2251
吴籌中　藏

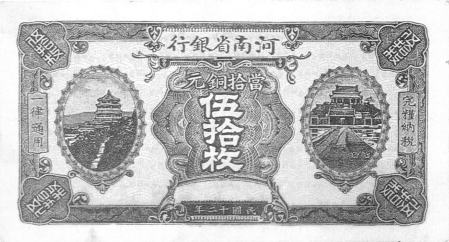

2253

吴籌中 藏

★

2252

吴籌中 藏

2254

吴籌中 藏

★

2255

許義宗　舊藏

★★

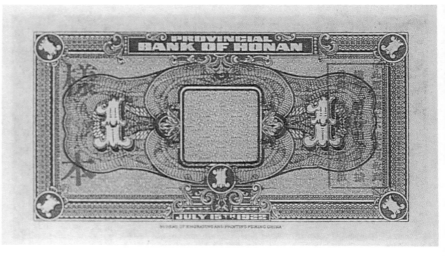

2256

許義宗　舊藏

★

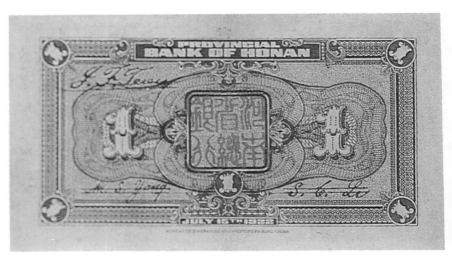

2257

許義宗　舊藏

★★

2258

許義宗　舊藏

★★

2259
上海博物馆 藏
★

2260
吴籌中 藏

2261

吴筹中 藏

★

2262

上海博物館 藏

★

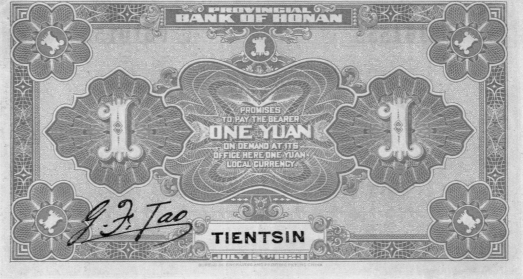

2263
吴籌中 藏
★

2264
吴籌中 藏
★

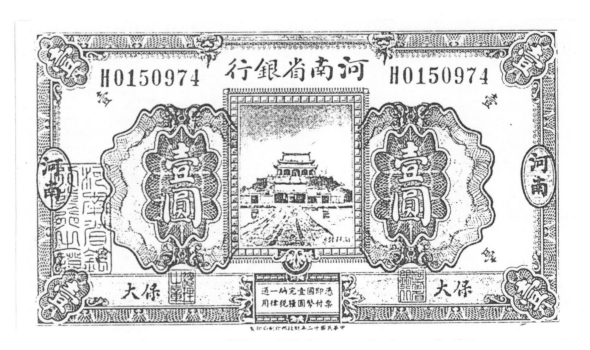

2265
吴籌中 藏
★★

2266
中國人民銀行上海分行 藏
★★

2267
上海博物館 藏
★★

2268
上海博物館 藏
★★

2269
吴籌中 藏
★★

2270
吴籌中 藏
★★★

2271
上海博物館 藏
★★

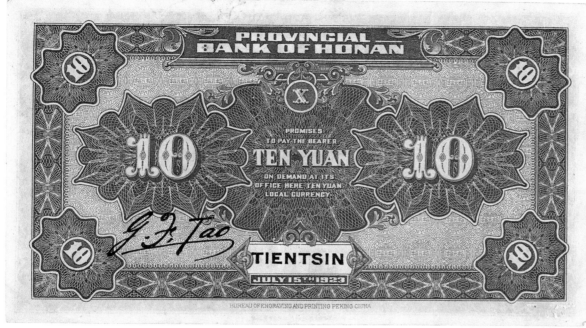

2272
中國人民銀行上海分行 藏
★★

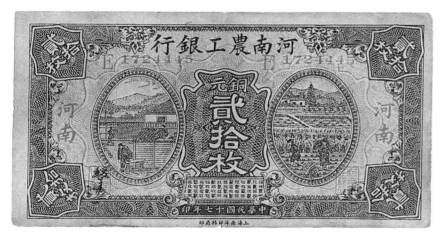

2273
中國人民銀行上海分行 藏
★★

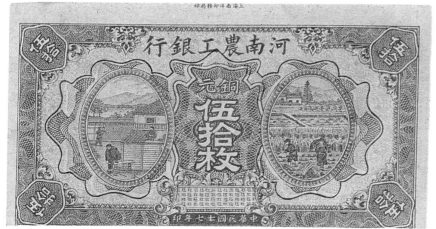

2274

中國人民銀行上海分行　藏

★★

2275

吳籌中　藏

★★

2276

上海博物館　藏

★★

2277

上海博物館　藏

★★

2278
許義宗　舊藏
★★

2279
許義宗　舊藏
★★

2280
上海博物館　藏
★★

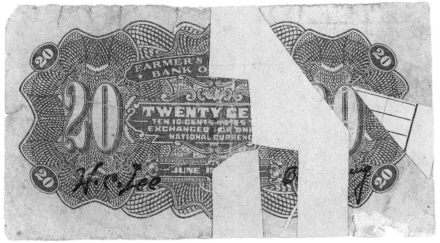

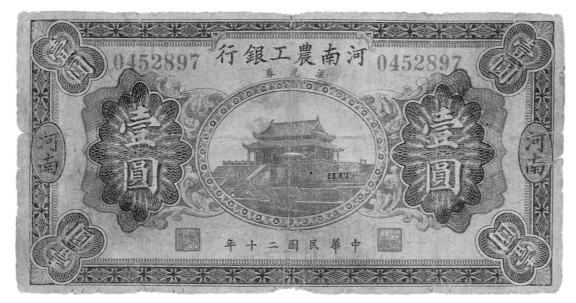

2281
上海博物館 藏
★★

2282
上海博物館 藏
★★★

2283
吴籌中 藏
★

2284
吴籌中 藏
★

2285
吴籌中 藏
★

2286
吴籌中 藏
★★

十六、河北地方紙幣

2287
上海博物館　藏
★★★

（背圖見1065頁）

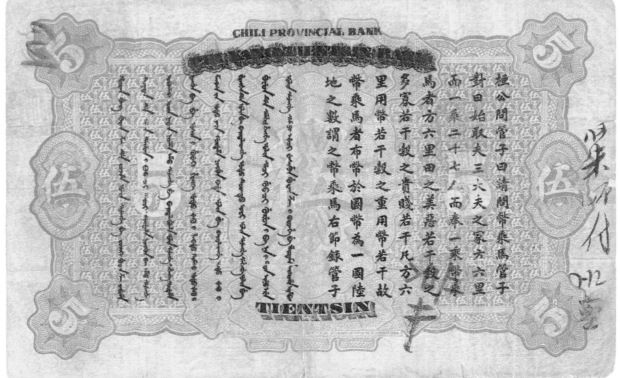

2288
上海博物館　藏
★★★

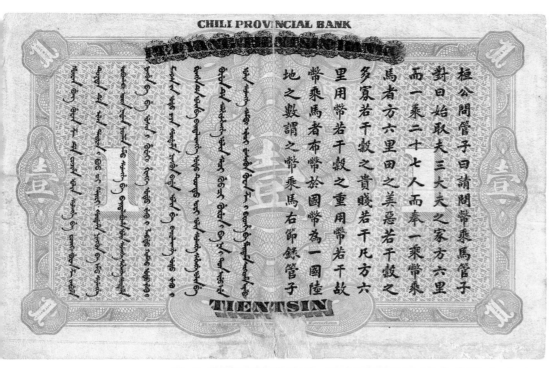

（2287 背圖）

2289
吳籌中　藏
★★★★

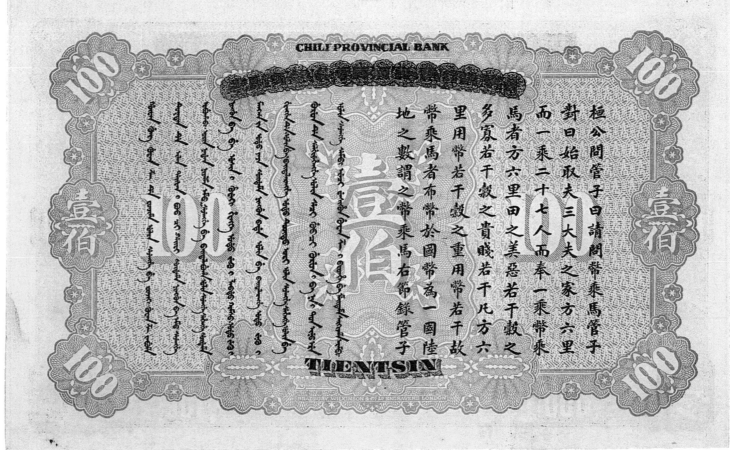

2290
中國人民銀行上海分行　藏
★★★★

2291
上海博物館　藏
★★★

（背圖見 1067 頁）

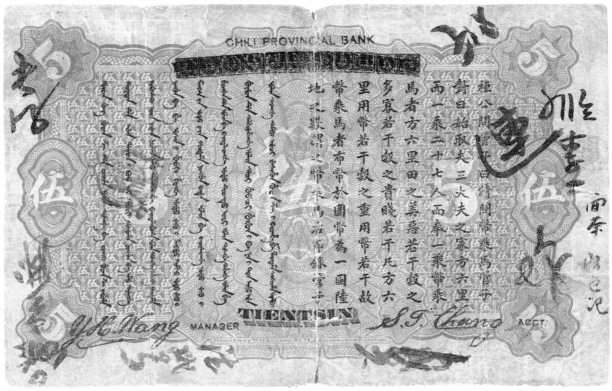

2292
上海博物館 藏
★★★

（2291 背圖）

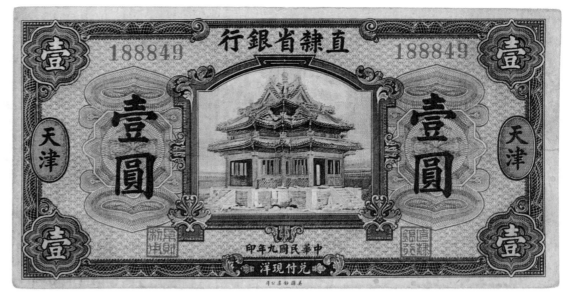

2293
上海博物館 藏

2294
上海博物館 藏

2295
上海博物館 藏

（背圖見 1069 頁）

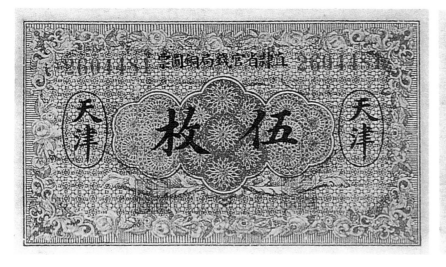
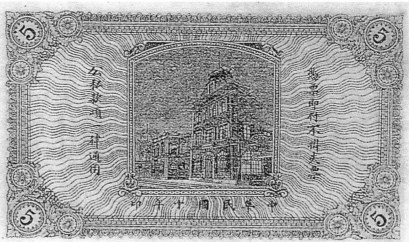

2296
許義宗　舊藏

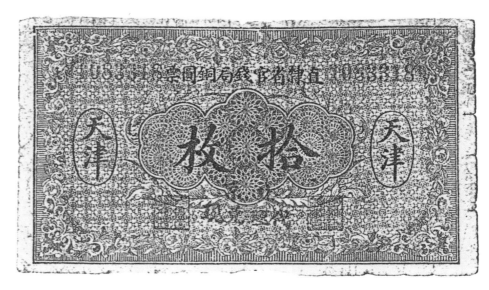

2297
吳籌中　藏

(2295 背圖)

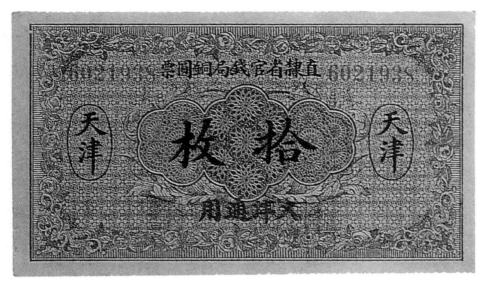

2298

許義宗　舊藏

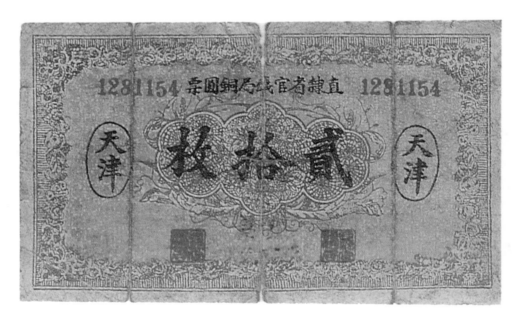

2299

許義宗　舊藏

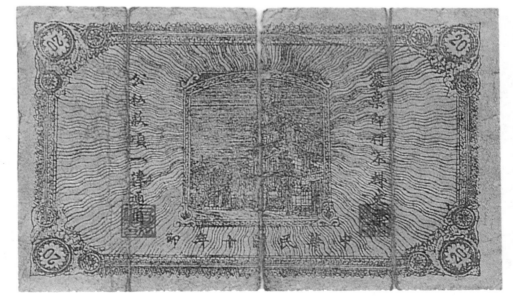

2300
上海博物館 藏

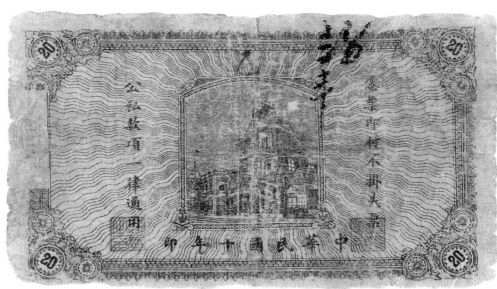

2301
吳籌中 藏

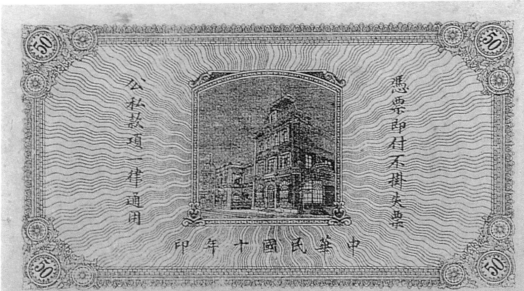

2302
許義宗　舊藏
★

2303
吳籌中　藏
★

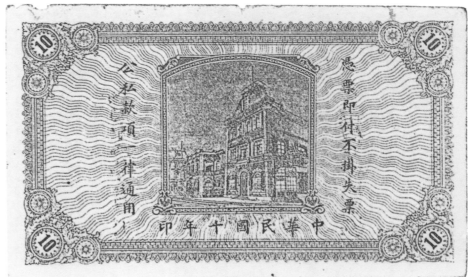

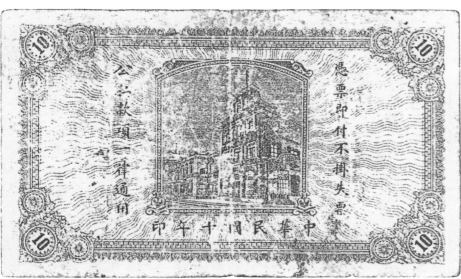

2306
苗培贵 藏

2307
吴筹中 藏

2308
吴籌中 藏

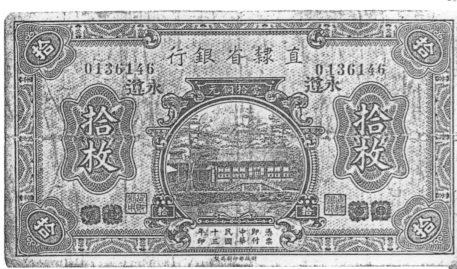

2309
吴籌中 藏

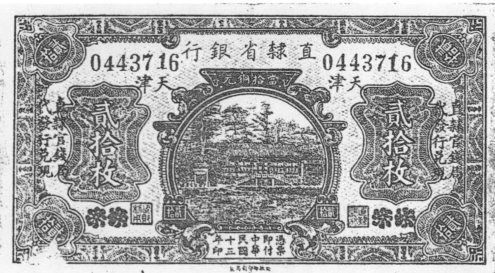

2310
吴籌中 藏

2311

苗培貴　藏

★

2312

許義宗　舊藏

★

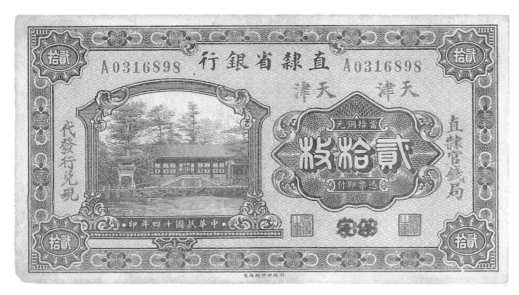

2313

苗培貴 藏

★

2314

許義宗 舊藏

★

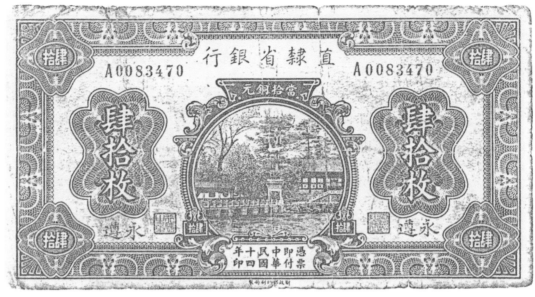

2315
吴籌中　藏
★

2316
許義宗　舊藏
★

2317
吴籌中 藏
★

2318
許義宗 舊藏
★

2319

許義宗　舊藏

★

2320

吳籌中　藏

2321

中國人民銀行上海分行　藏

2322

馮志苗　藏

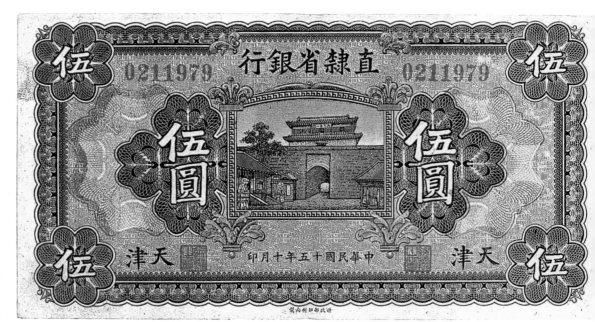

(背圖見1081頁)

2326
上海博物館 藏
★

(2325背圖)

2327

上海博物館 藏

★

2328

上海博物館 藏

2329
上海博物館 藏
★

2330
上海博物館 藏
★

2331
吴籌中 藏
★

2332
吴籌中 藏
★

2333
上海博物館 藏
★

2334
上海博物館 藏
★★

2335
上海博物館 藏
★★★

2336

吴筹中　藏

★

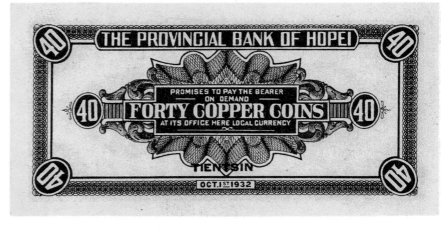

2337

上海博物館　藏

★

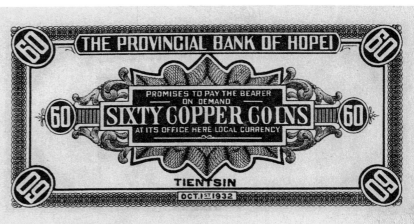

2338

上海博物館　藏

★

2339

吴筹中　藏

2340

吴籌中 藏

2341

吴籌中 藏

2342
吴籌中 藏
★

2343
吴籌中 藏

2344
吴筹中 藏
★

2345
吴筹中 藏
★

2346

吴筹中 藏

★

2347

吴筹中 藏

★

2348

上海博物馆 藏

★

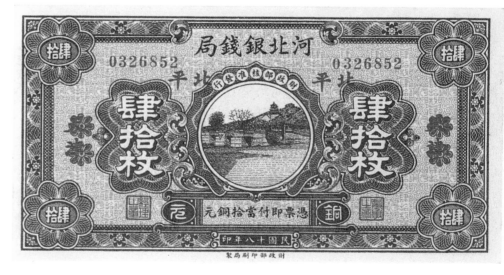

（背图见1091页）

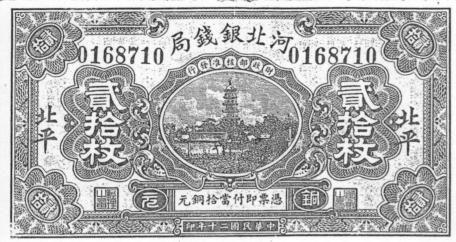

2349
吴籌中　藏
★

2350
吴籌中　藏
★

(2348 背圖)

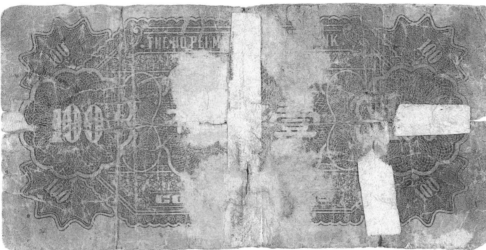

2351
上海博物館 藏
★

2352
吳籌中 藏
★

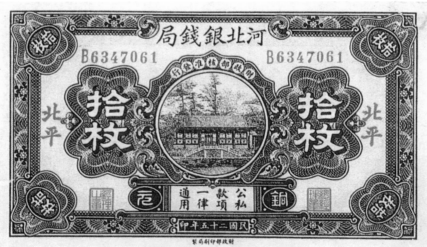

2353
吳籌中 藏
★

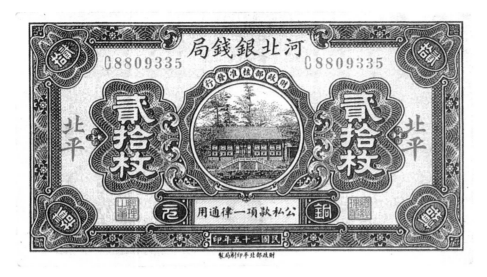

2354
吴筹中 藏
★

2355
吴筹中 藏

2356
吴筹中 藏

十七、山西地方纸幣

2357
选自《中国山西历代货幣》
★★

2358

吴籌中 藏

★★

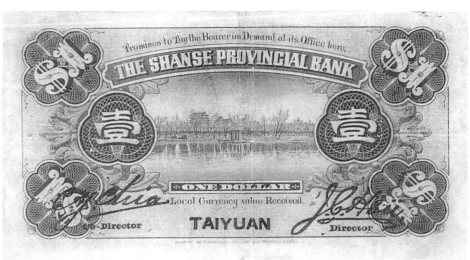

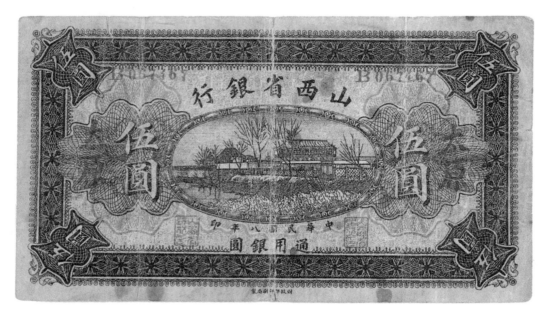

2359

上海博物館 藏

★★★

2360
上海博物館 藏
★★

2361
上海博物館 藏
★★★★

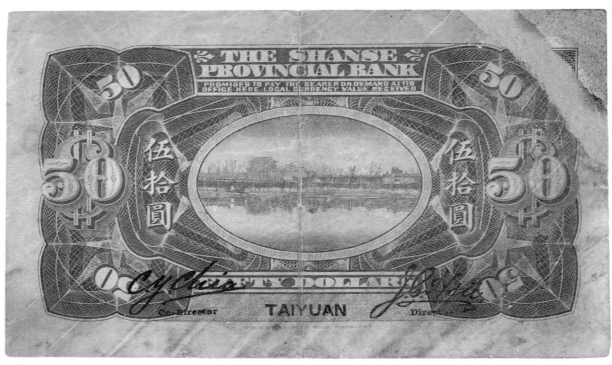

2362
上海博物館　藏
★★★★

2363
上海博物館　藏
★★★★

（背圖見 1097 頁）

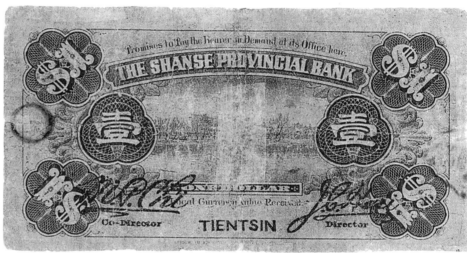

2364
吴籌中 藏
★★

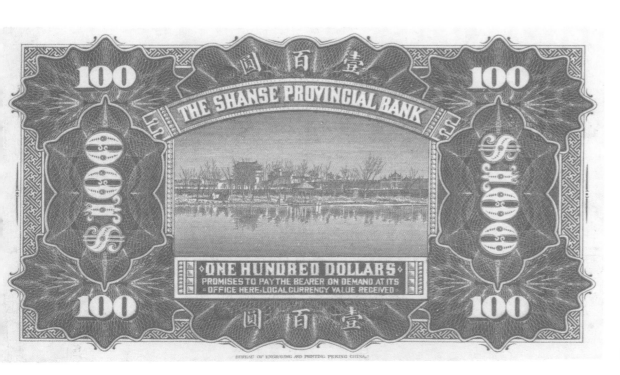

(2363 背圖)

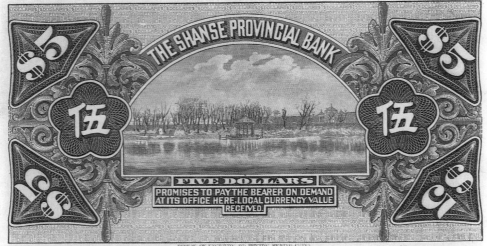

2365

上海博物館　藏

★★

2366

選自《中國山西歷代貨幣》

★★

2368

許義宗　舊藏

★

2367

選自《中國山西歷代貨幣》

★★

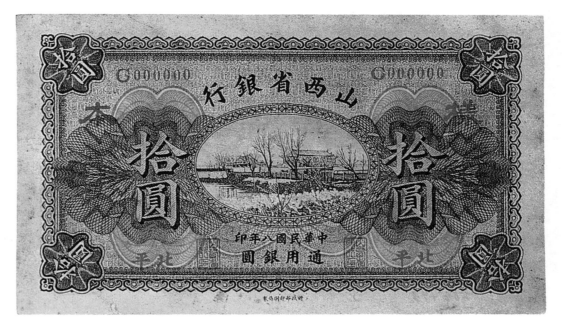

2369
上海博物館　藏
★★

2370
吳籌中　藏

2371
選自《中國山西歷代貨幣》
★★

2372
上海博物館　藏
★

2373

吴籌中 藏

2374

選自《中國山西歷代貨幣》

★★

2375

選自《中國山西歷代貨幣》

★★

2376

選自《中國山西歷代貨幣》

★★

2377
上海博物館　藏
★★

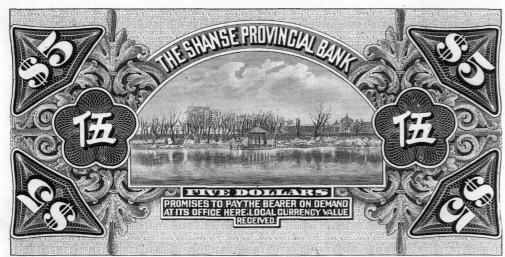

2378
選自《中國山西歷代貨幣》
★

2379
選自《中國山西歷代貨幣》
★

2380
吳籌中　藏
★

2381
上海博物館　藏
★

2382
上海博物館　藏
★★

2383
吳籌中　藏

2384
上海博物館　藏
★★

2385
吴筹中　藏

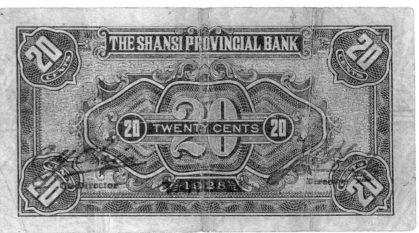

2386
上海博物館　藏
★

2387
吴筹中　藏
★

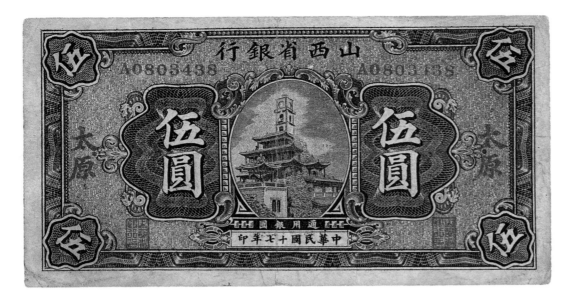

2388
上海博物館　藏
★★

2389
吳籌中　藏
★★

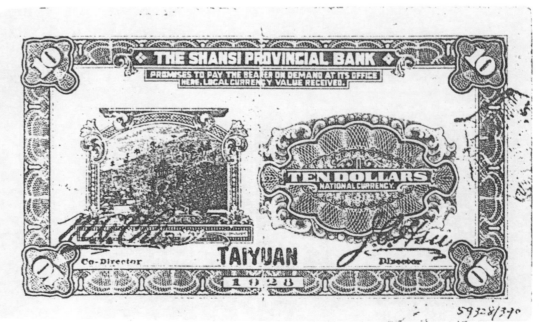

2390

上海博物館　藏

★★

2391

中國人民銀行上海分行　藏

★★

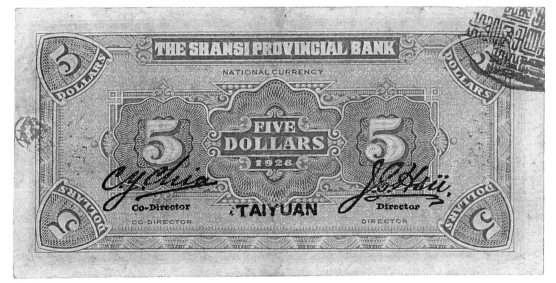

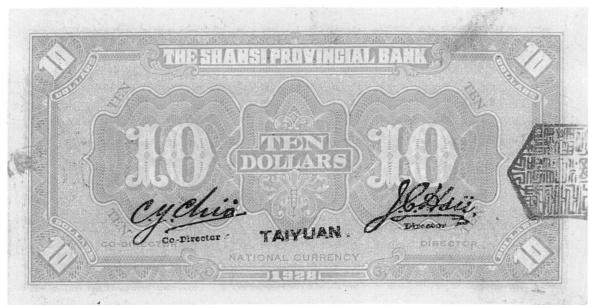

2392

中國人民銀行上海分行　藏

★★

2393

吳籌中　藏

2395

許義宗　舊藏

2394

許義宗　舊藏

2396
吴籌中　藏

2397
許義宗　舊藏

2398
許義宗　舊藏

2399

吴筹中 藏

2400

吴筹中 藏

2401
吴籌中 藏

2402
吴籌中 藏

2403
吴筹中　藏

2404
吴筹中　藏

2405
吴籌中 藏

2406
吴籌中 藏
★★

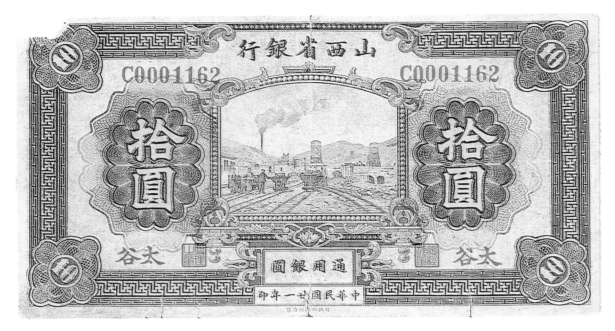

2407

選自《中國山西歷代貨幣》

★

2408

吳籌中　藏

★

2409

吳籌中　藏

★

2410

許義宗　舊藏

★

2411

選自《中國山西歷代貨幣》

★

2412
吴籌中 藏

2413
選自《中國山西歷代貨幣》

2414
吴籌中 藏
★

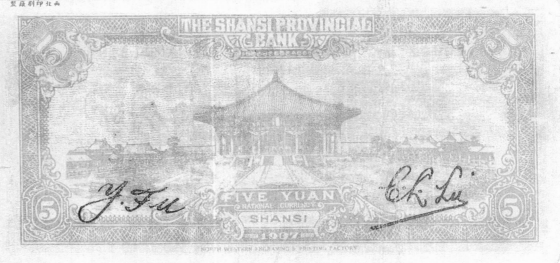

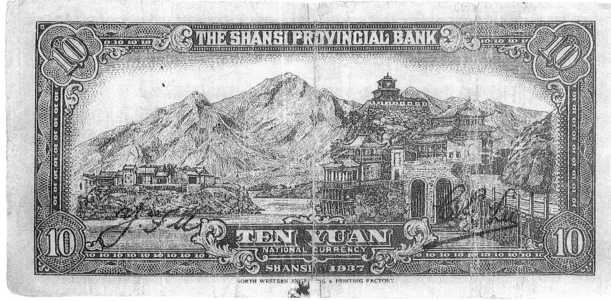

2415
吴籌中 藏
★

2416
許舊義宗 藏
★★

十八、陝西地方紙幣

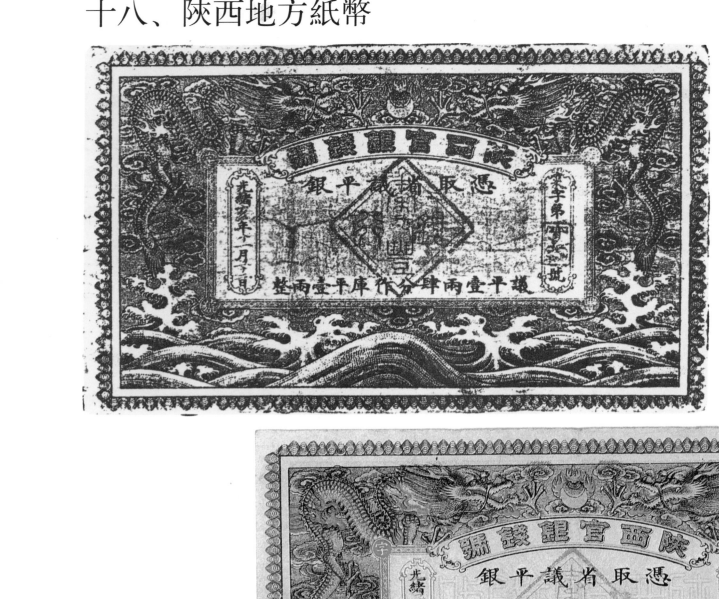

2417
吳籌中 藏
★★★

2418
中國人民銀行上海分行 藏
★★★★

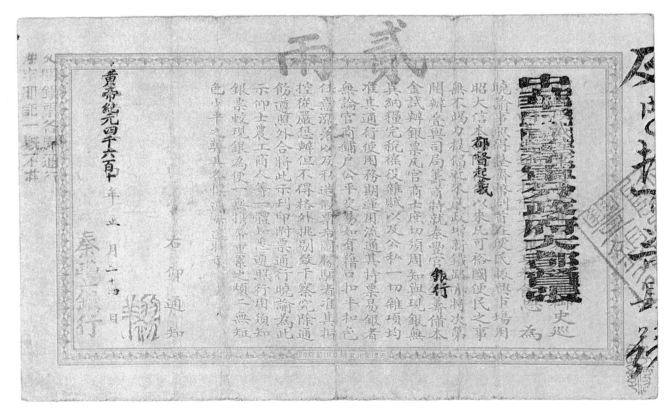

2419
上海博物館 藏
★★★★

2420
中國人民銀行上海分行 藏
★★★★

2421
上海博物館 藏
★★★★

2422
許義宗 舊藏
★★

2423
許義宗　舊藏
★★★

2424
許義宗　舊藏
★★★★

2425
上海博物館 藏
★★★★

2426
吳籌中 藏
★

2427
上海博物館 藏
★★

2428
上海博物館 藏
★★

2429
上海博物館　藏
★

2430
上海博物館　藏
★

2431
吳籌中　藏
★★

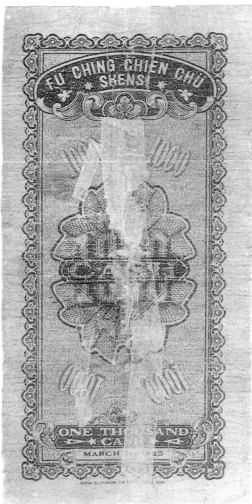

2432
吳籌中 藏
★★

2433
上海博物館 藏
★★

2434

中國人民銀行上海分行　藏

★★

2435

上海博物館　藏

★★

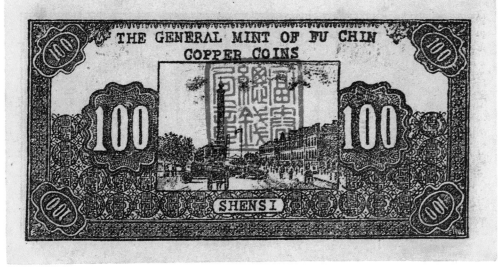

2436
上海博物館 藏
★

2437
上海博物館 藏
★★

2438
上海博物館 藏
★★

2439
上海博物館 藏
★★

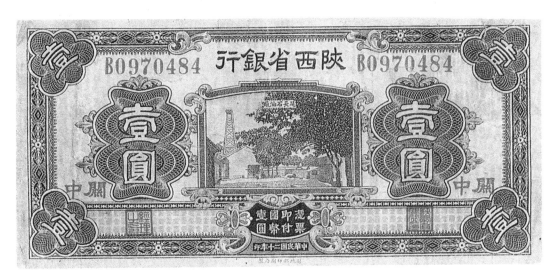

2440
吳籌中 藏
★★

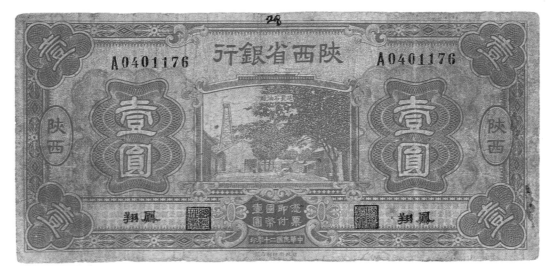

2441
上海博物館 藏
★★

2442
吳籌中 藏
★★

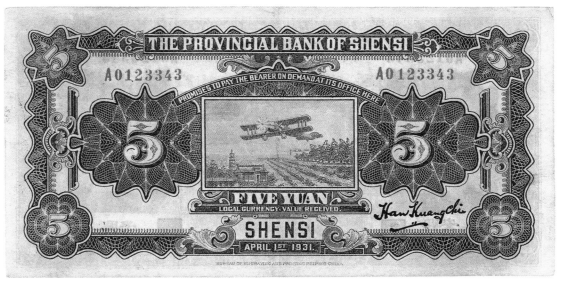

2443
上海博物館 藏
★★

2444
上海博物館 藏
★★

2445
上海博物館 藏
★★

2446
上海博物館 藏
★

2447
上海博物館 藏
★

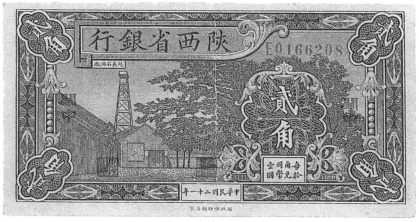

2448

中國人民銀行上海分行　藏

★

2449

中國人民銀行上海分行　藏

★

2450

吳籌中　藏

★★

2451

吳籌中　藏

★★

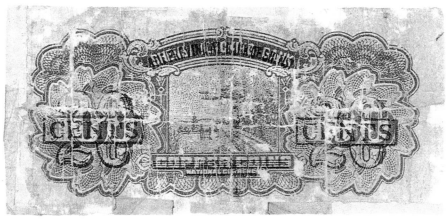

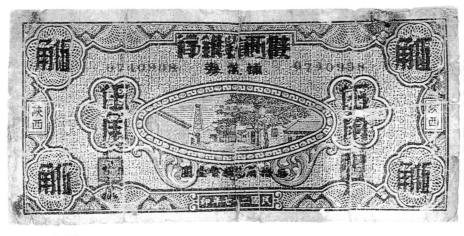

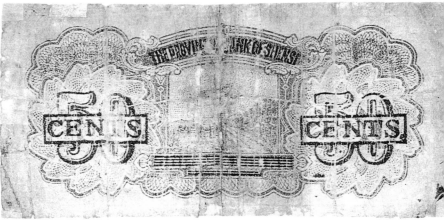

2452
吴筹中 藏
★★

2453
許義宗 舊藏
★★

2455
許義宗 舊藏
★

2454
許義宗 舊藏
★★

2456
許義宗 舊藏
★

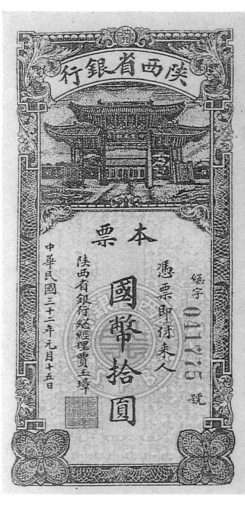

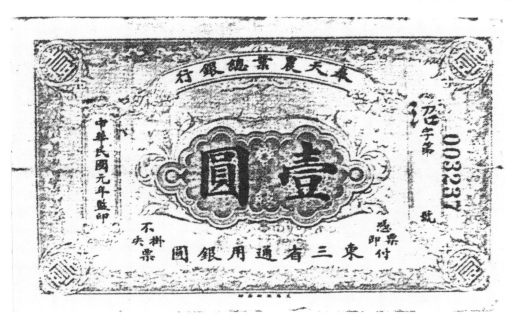

2457

選自《中國東北地區貨幣》

★★★

2458

選自《中國東北地區貨幣》

★★★

2459

上海博物館 藏

★★★

2460
上海博物館　藏
★★★

2461
上海博物館　藏
★★★

（背圖見 1135 頁）

2462
上海博物館 藏
★★★

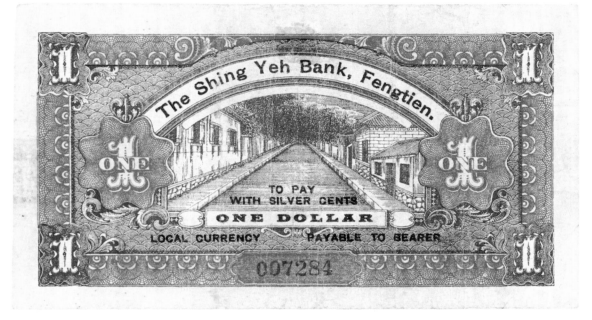

(2461 背圖)

2463
吴籌中　藏
★★

（背圖見 1137 頁）

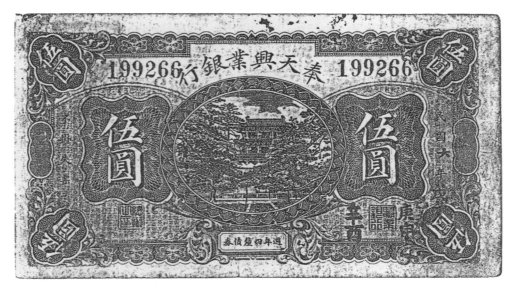

2464
吴籌中　藏
★★

2465
選自《中國東北地區貨幣》
★★

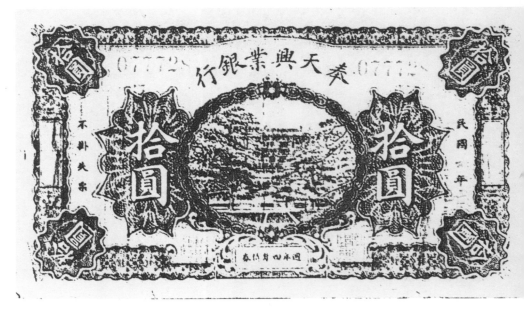

（2463背圖）

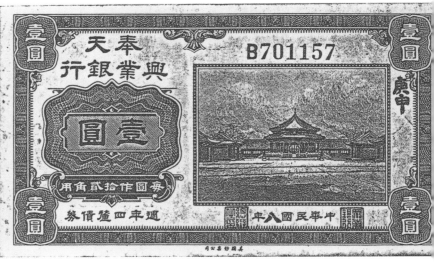

2468
許義宗　舊藏
★★

2469
吳籌中　藏
★★

2471
吳籌中　藏
★★

2470
上海博物館　藏
★★

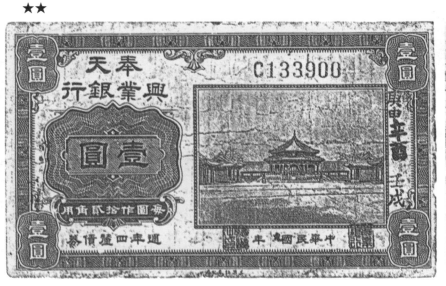

2472
許義宗　舊藏
★★★

2473
許義宗　舊藏
★★★

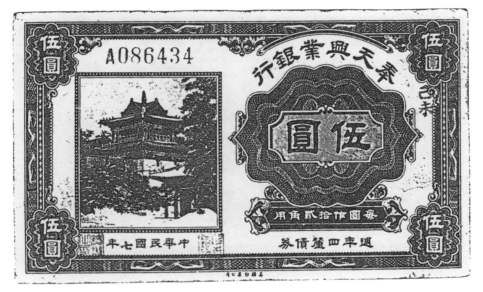

2474
選自《中國東北地區貨幣》
★★★

2475
中國人民銀行上海分行　藏
★★★

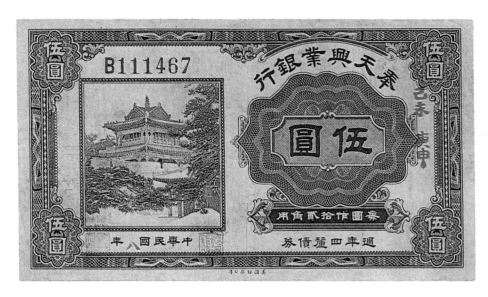

2476
選自《中國東北地區貨幣》
★★★

2477
選自《中國東北地區貨幣》
★★★

2478
吳籌中 藏
★★★

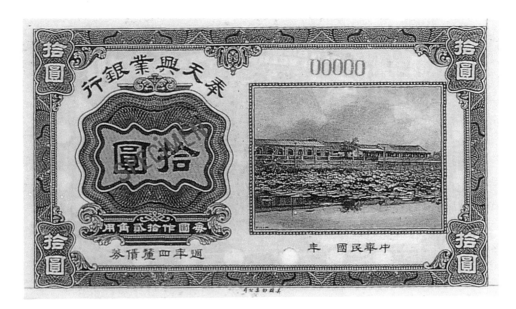

2479
許義宗　舊藏
★★★

2480
許義宗　舊藏
★★★

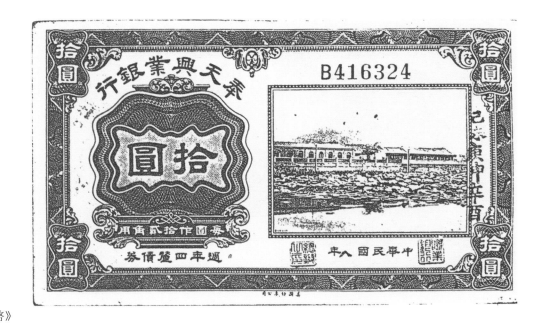

2481
選自《中國東北地區貨幣》
★★★

2482
選自《中國東北地區貨幣》
★★★

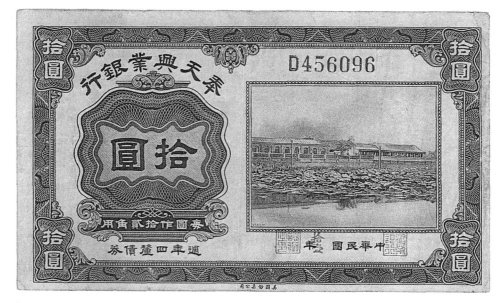

2483
中國人民銀行上海分行　藏
★★★

2484
選自《中國東北地區貨幣》
★★★

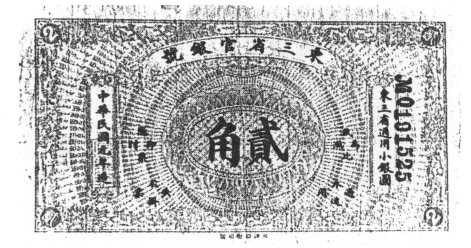

2485
選自《中國東北地區貨幣》
★★★

2486
選自《中國東北地區貨幣》
★★★★

2487
上海博物館　藏
★

2488
上海博物館　藏
★

2489
上海博物館　藏
★

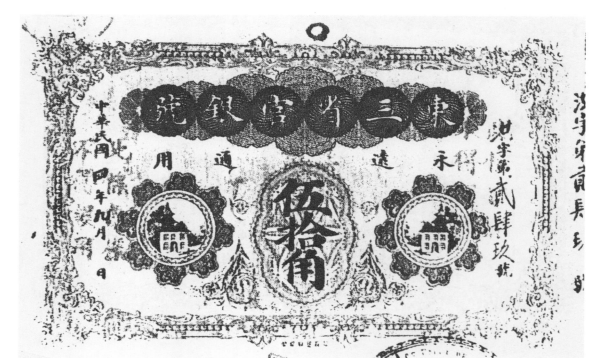

2490
選自《中國東北地區貨幣》
★★★★

2491
上海博物館　藏
★★★

2492
上海博物館　藏
★★

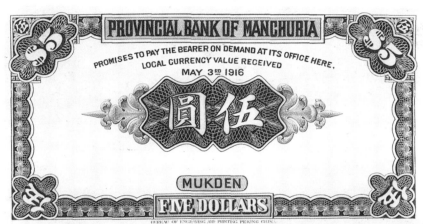

2493
上海博物館　藏
★★★

2494
上海博物館　藏
★★★

2495
吳籌中 藏
★★★★

2496
許義宗 舊藏
★★

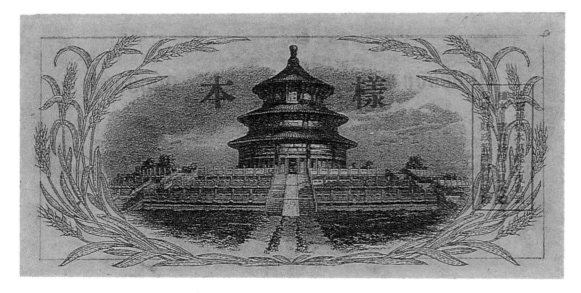

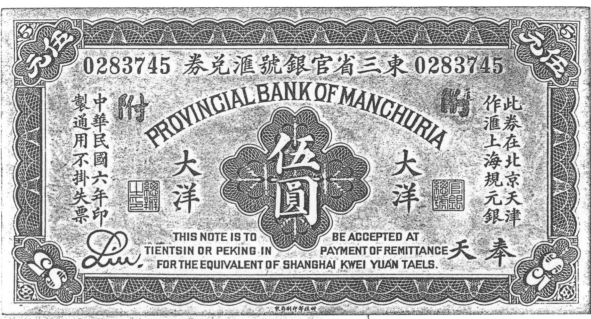

2497
吴筹中 藏
★★

2498
許義宗 舊藏
★

2499
許義宗 舊藏
★

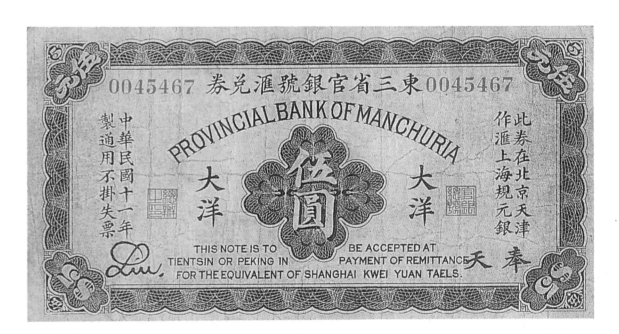

2500
許義宗 舊藏
★★

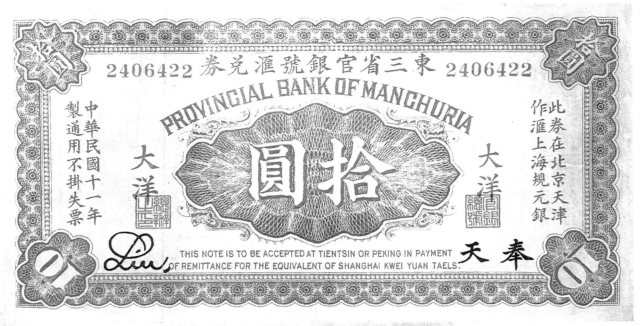

2501
吴筹中 藏
★

2502
中國人民銀行上海分行 藏
★

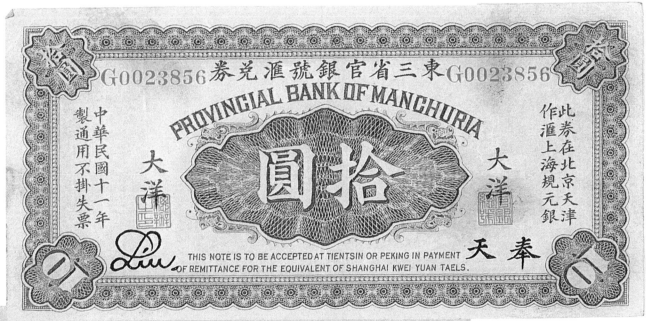

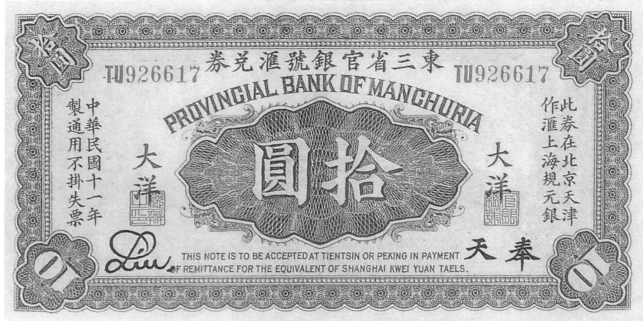

2503

許義宗 舊藏

★

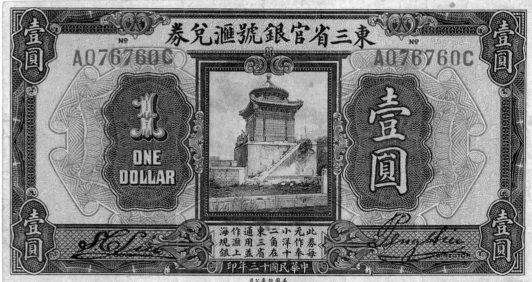

2504

上海博物館 藏

★

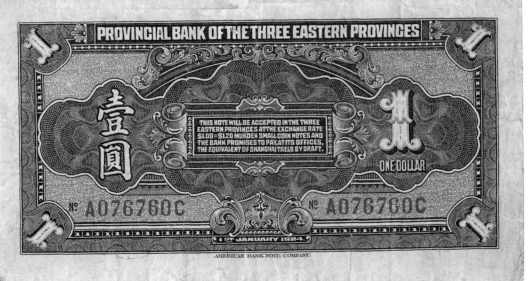

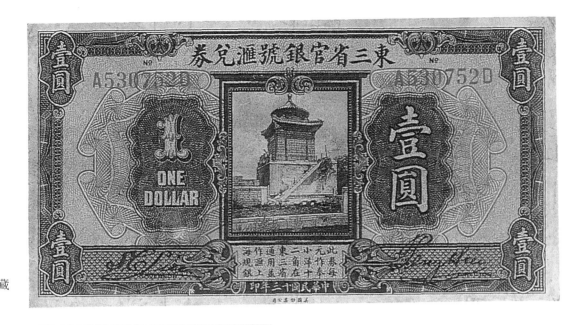

2505
許義宗　舊藏
★

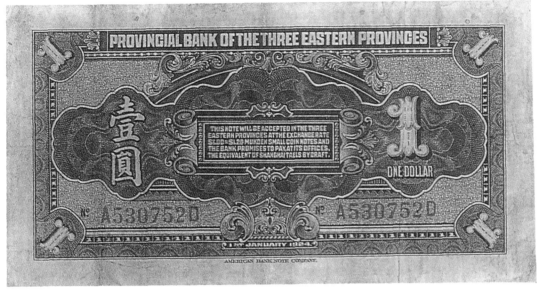

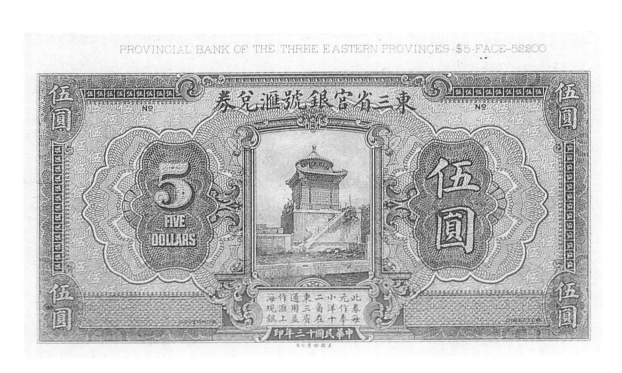

2506
許義宗　舊藏
★★★

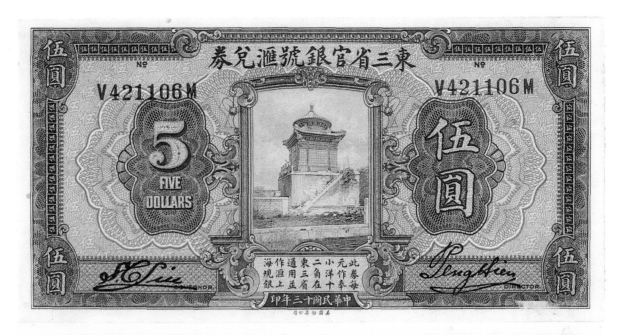

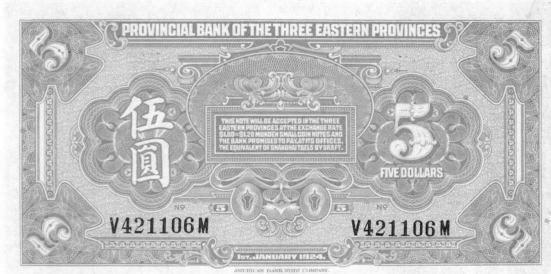

2507
上海博物館　藏
★★

2508
吳籌中　藏
★

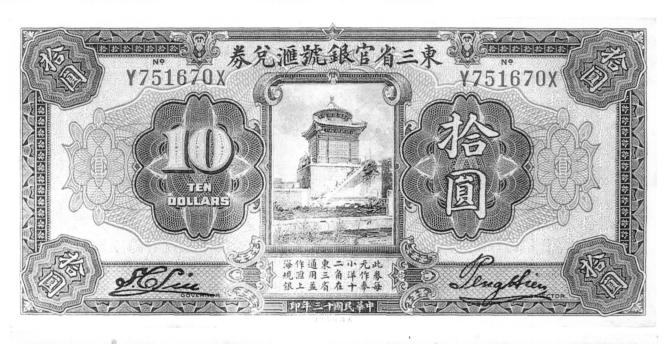

2509

許義宗　舊藏

★★★

2510

上海博物館　藏

★★★

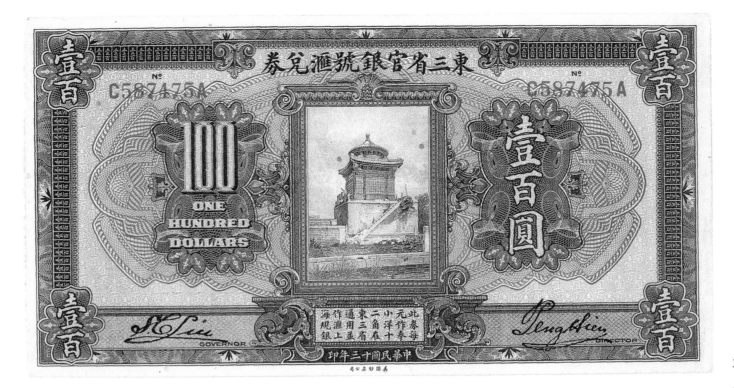

2511
上海博物館　藏
★★★

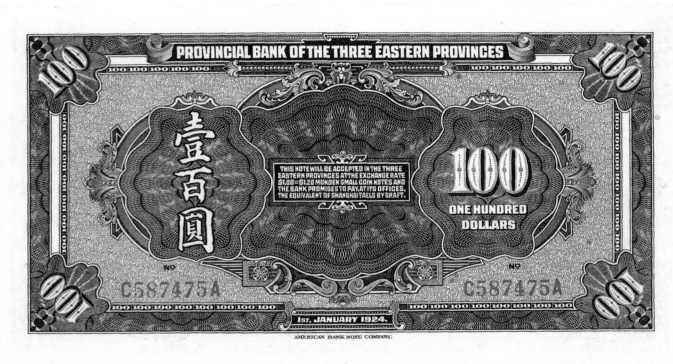

2512
許義宗　舊藏
★

2513
上海博物館　藏
★

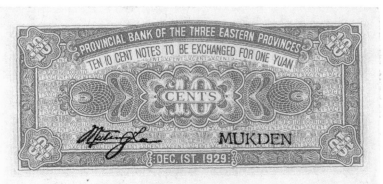

2514
許義宗　舊藏
★

2515
上海博物館　藏
★

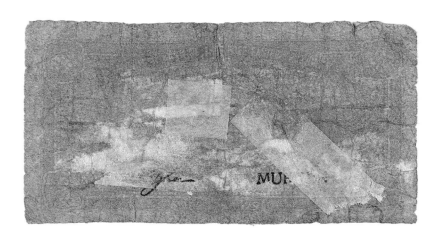

2516
許義宗　舊藏
★★

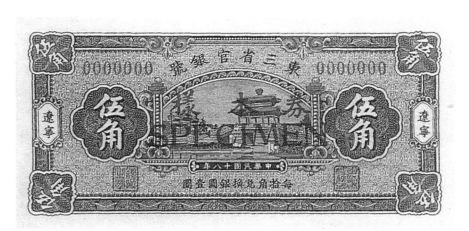

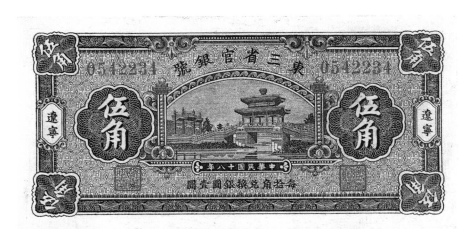

2517
上海博物館　藏
★★

2518
許義宗　舊藏
★★

2519
吳籌中　藏
★

2520
吴筹中 藏
★

2521
许义宗 旧藏
★★

2522
許義宗　舊藏
★★

2523
許義宗　舊藏
★★

2524
許義宗　舊藏
★★

2525
吳籌中　藏
★★

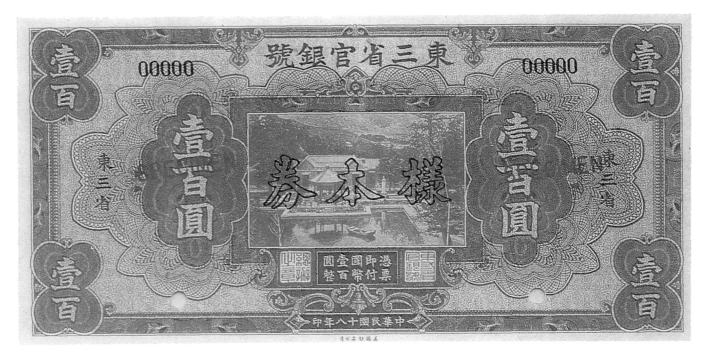

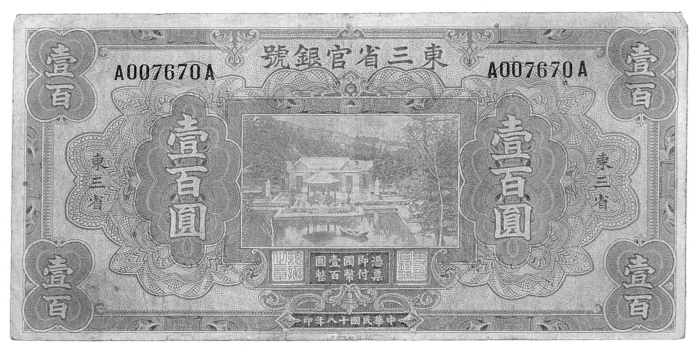

2528
上海博物館　藏
★★

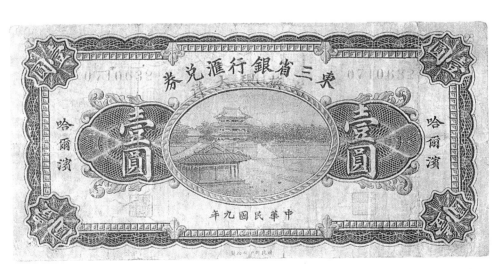

2529
吳籌中　藏
★★

2530
上海博物館 藏
★★★

2531
上海博物館 藏
★★★

2532
吴筹中　藏
★

2533
吴筹中　藏
★

2534
吴筹中　藏
★

2535
許義宗　舊藏
★★

2536
許義宗　舊藏
★★

2537
許義宗　舊藏
★★

(背圖見1167頁)

2538
吴籌中 藏
★★

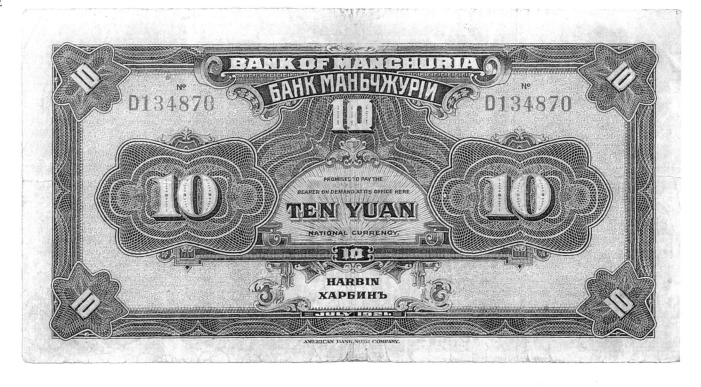

(2537 背圖)

2539

吴籌中　藏

★

2540

許義宗　舊藏

★

2541

吴籌中　藏

★

2542

許義宗　舊藏

★

2543
吴籌中　藏
★★

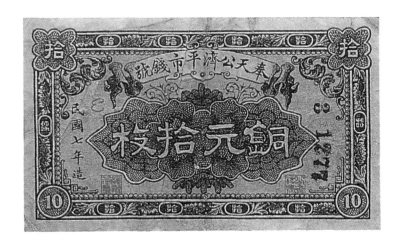

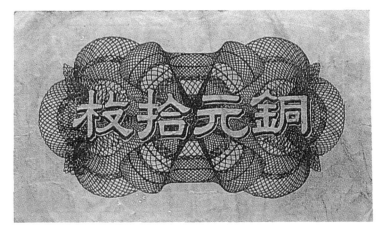

2544
許義宗　舊藏
★★

2545
許義宗　舊藏
★★

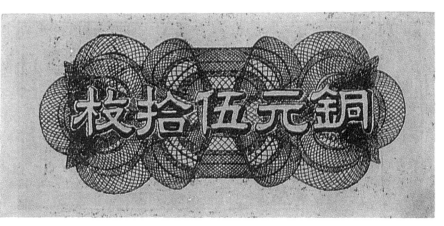

2546
許義宗　舊藏
★★

2548

上海博物館　藏

★

2547

許義宗　舊藏

★★★

2549

吳籌中　藏

★★

2550

許義宗　舊藏

★

2551

吳籌中　藏

★

2552
許義宗　舊藏
★★

2553
中國人民銀行上海分行　藏
★★

2554
許義宗　舊藏
★★

2555

中國人民銀行上海分行 藏

★★

2556

吳籌中 藏

★

2557

吳籌中 藏

2558

吳籌中 藏

2559
許義宗　舊藏
★

2560

選自《中國東北地區貨幣》

★★★

2561
許義宗　舊藏
★

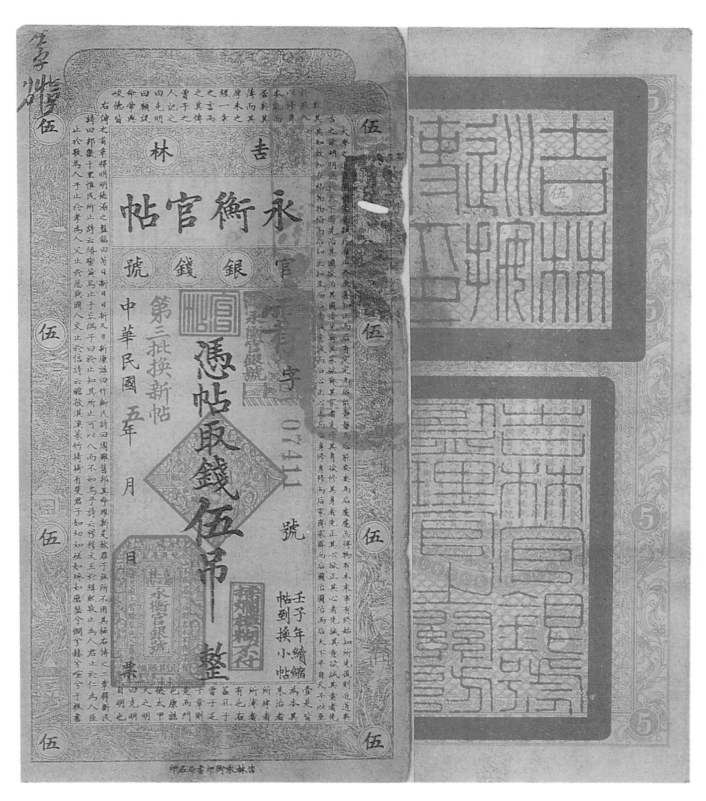

2562

許義宗　舊藏

★

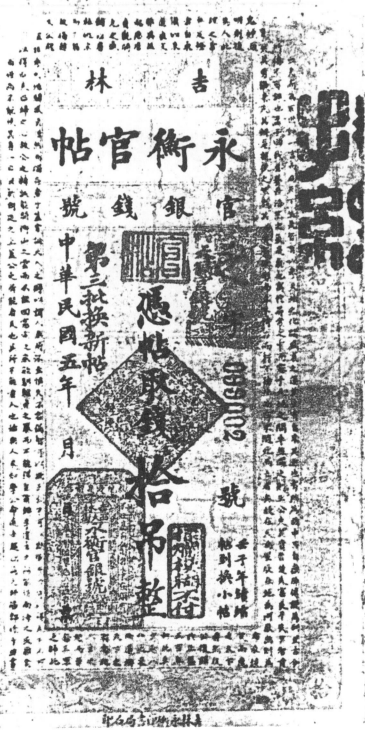

2563
選自《中國東北地區貨幣》
★

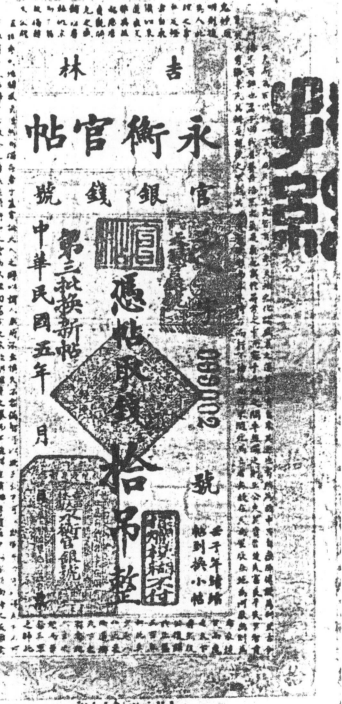

2564
許義宗 舊藏
★

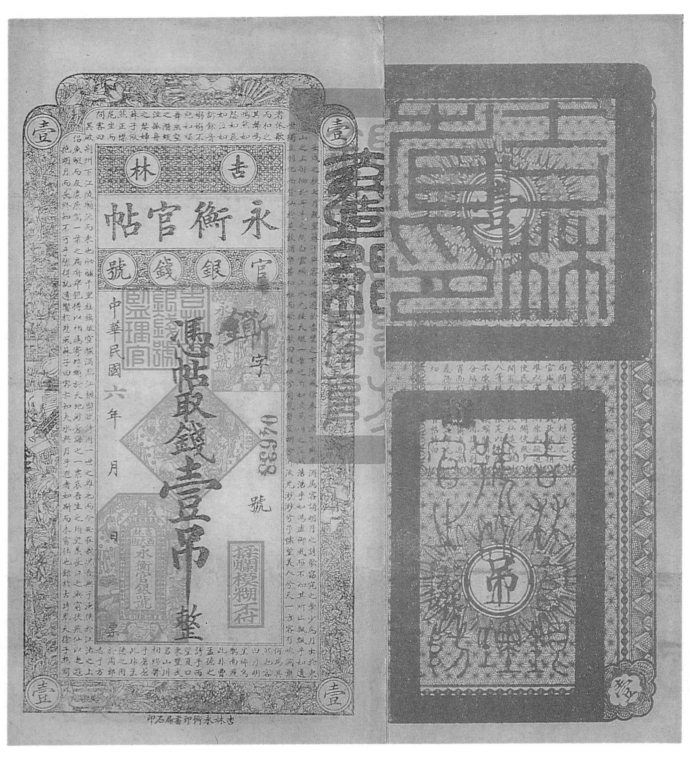

2565

許義宗　舊藏

★

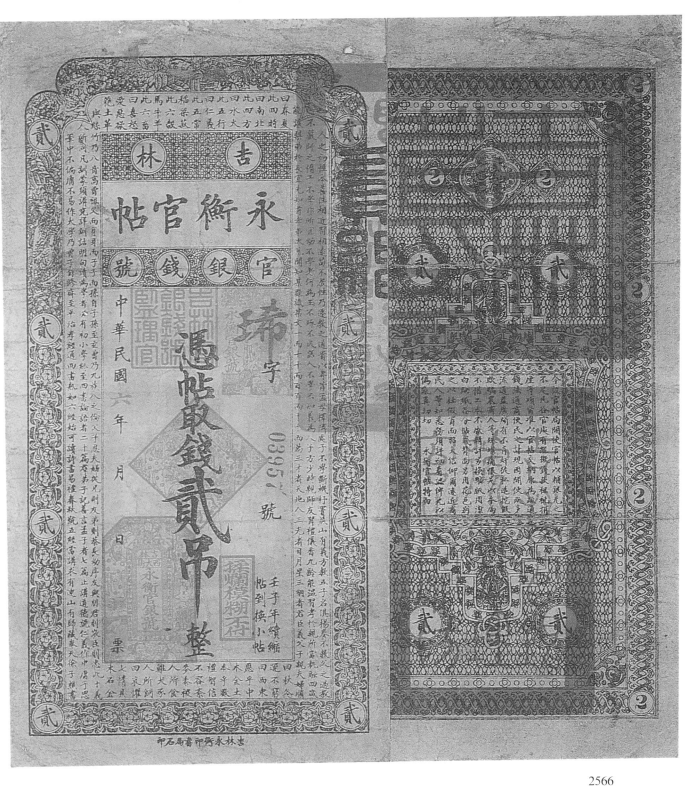

2566

許義宗 舊藏

★

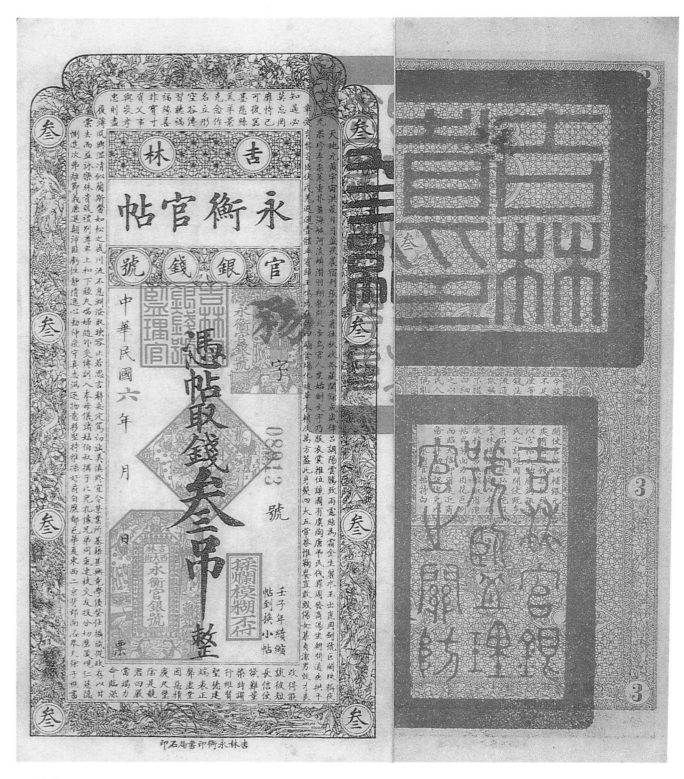

2567
許義宗　舊藏
★★

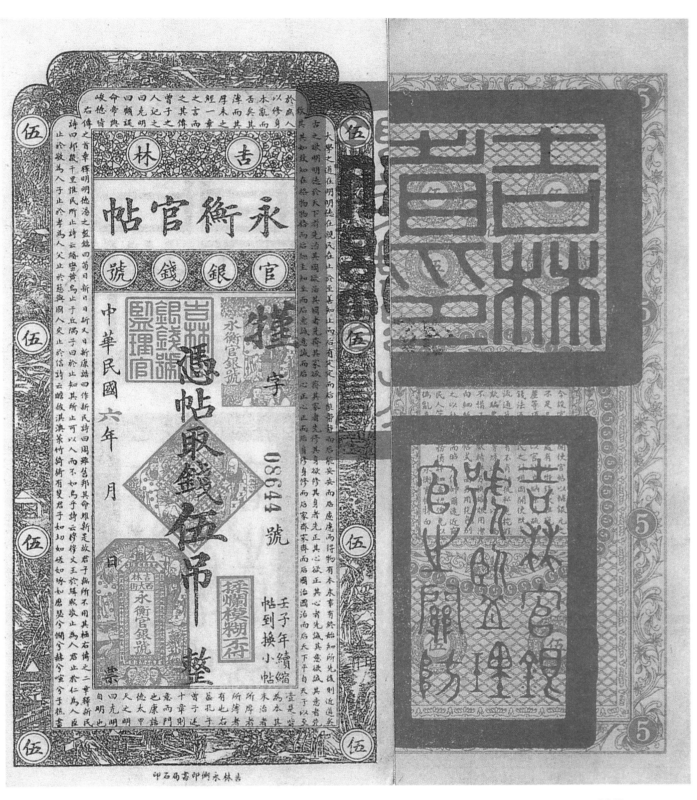

2568
許義宗　舊藏
★★

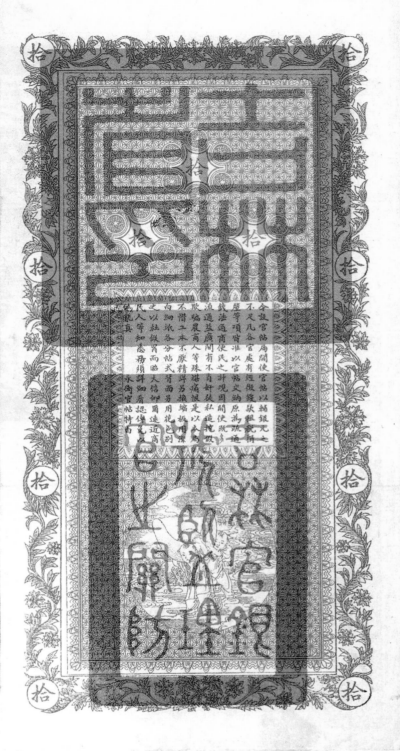

2569

吴籌中　藏

★★

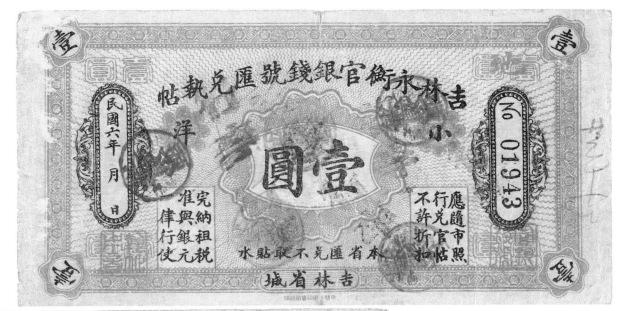

2570
上海博物館　藏
★★

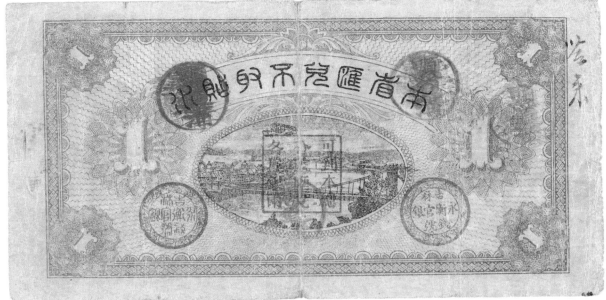

2571
選自《中國東北地區貨幣》
★★

2572

選自《中國東北地區貨幣》

★★

2573

吳籌中　藏

★★

2574

許義宗　舊藏

★

2575

許義宗　舊藏

★

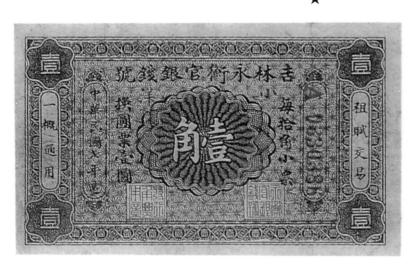

2576

中國人民銀行上海分行　藏

★

2578

中國人民銀行上海分行　藏

★

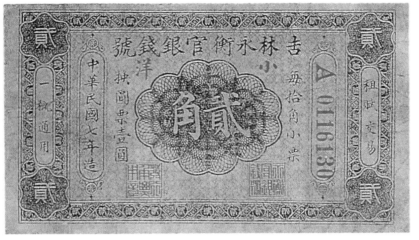

2577

許義宗　舊藏

★

2579

許義宗　舊藏

★

2580
許義宗 舊藏
★★

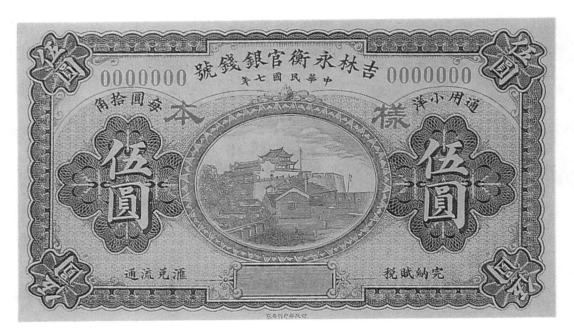

2581
許義宗 舊藏
★★

2582
許義宗　舊藏
★★

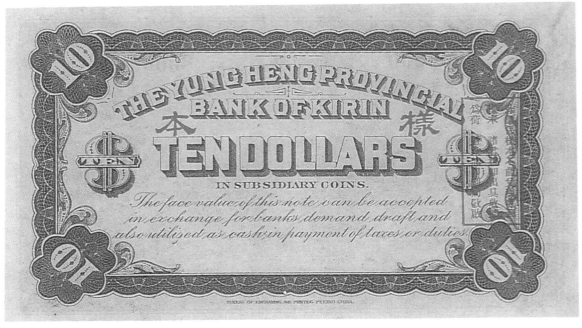

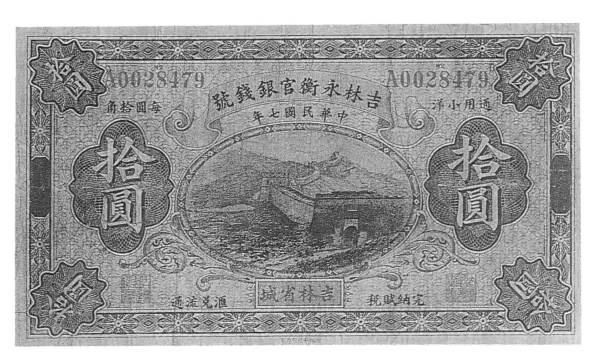

2583
許義宗　舊藏
★★

2584
吴筹中 藏
★★

2585
吴筹中 藏
★★★

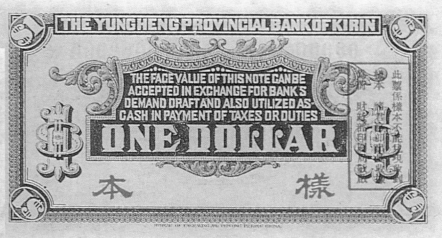

2586
許義宗 舊藏
★★

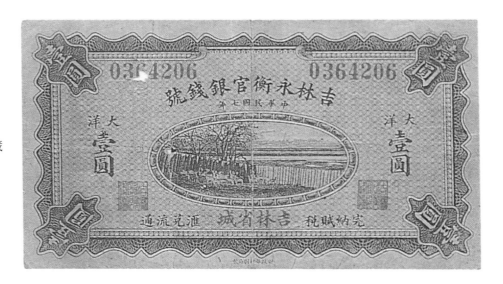

2587
許義宗 舊藏
★★

2588
許義宗 舊藏
★★

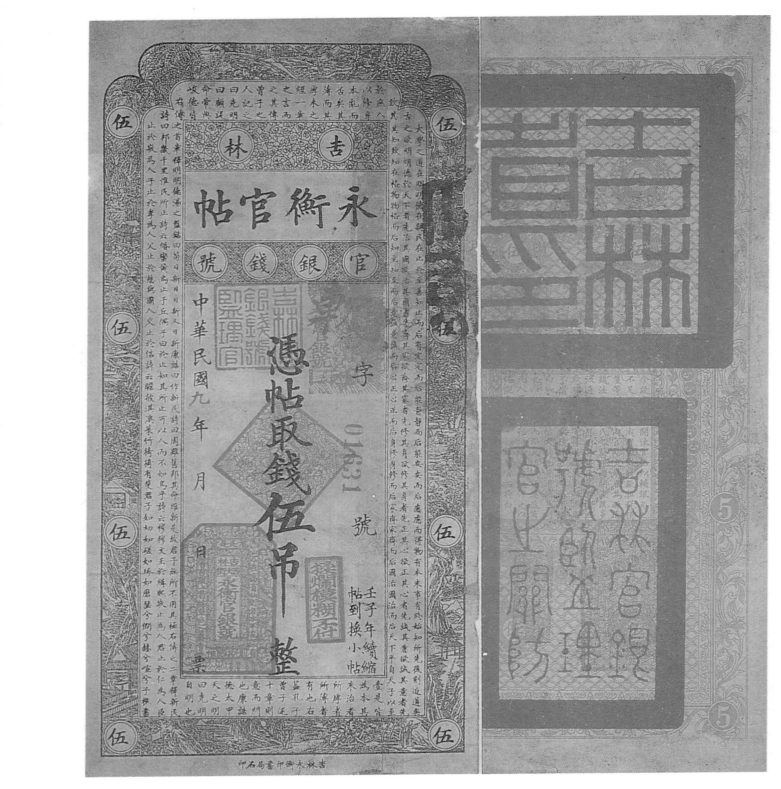

2589
許義宗　舊藏
★

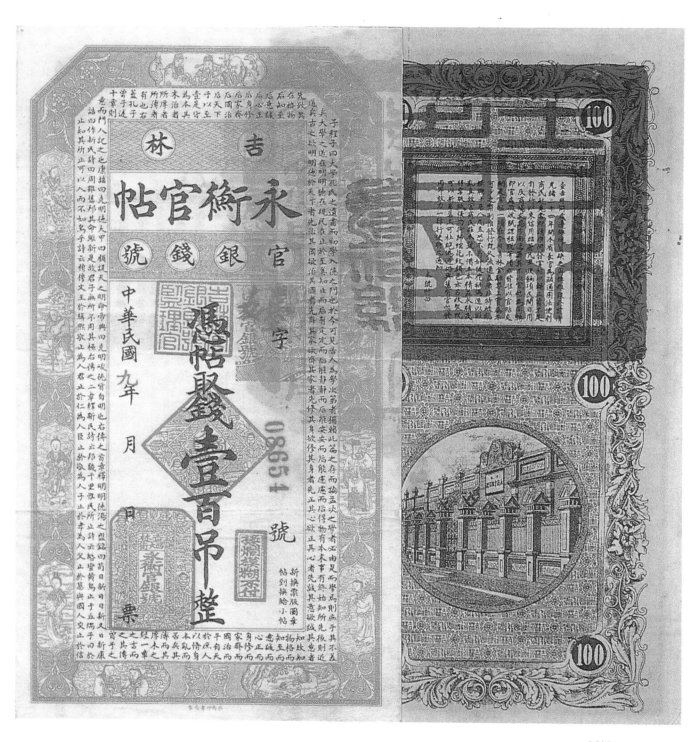

2590
許義宗　舊藏
★★

2591
上海博物館　藏
★★

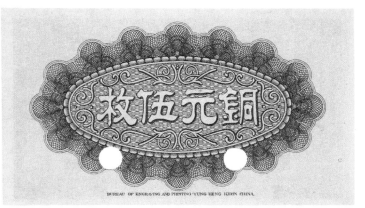

2592

上海博物館　藏

★★

2593

上海博物館　藏

★★

2594

上海博物館　藏

★★

2595

上海博物館　藏

★★

2596
上海博物館　藏
★★

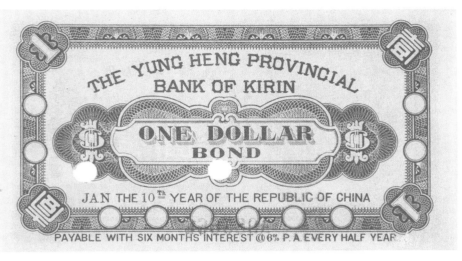

2597
上海博物館　藏
★★

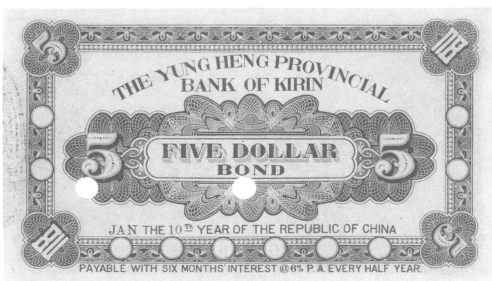

2598
上海博物館　藏
★★

2599
許義宗　舊藏
★★

2600
許義宗　舊藏
★★

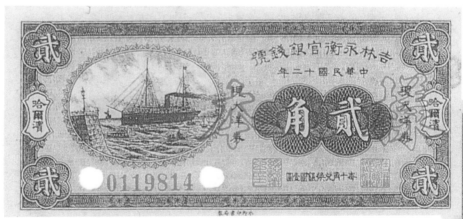

2601
許義宗　舊藏
★★

2602
吳籌中　藏
★

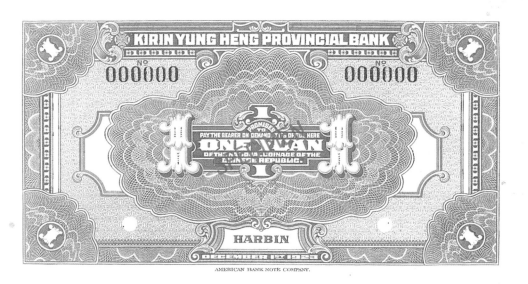

2603
許義宗　舊藏
★

2604
吴籌中 藏
★★

2605
許義宗 舊藏
★★

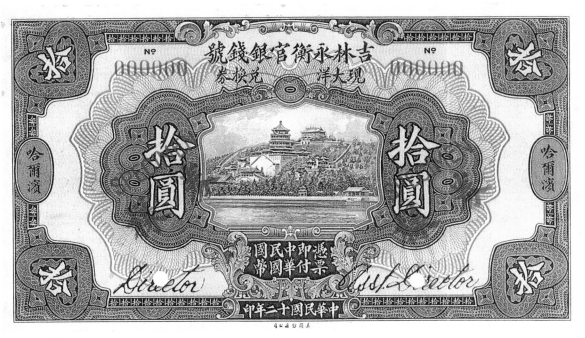

2606
吴筹中 藏
★★

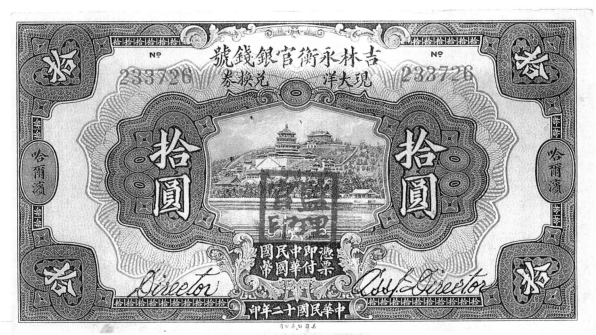

2607
吴筹中 藏
★★

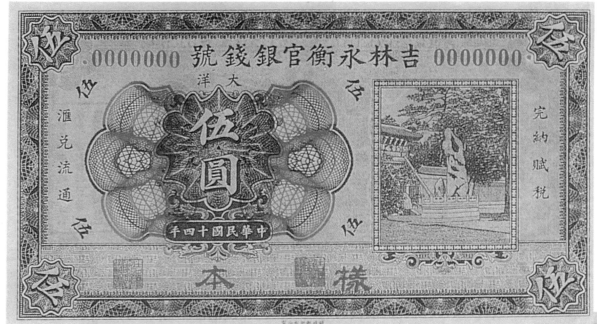

2608
許義宗　舊藏
★★★

2609
許義宗　舊藏
★★

2610

上海博物館　藏

2611

上海博物館　藏

2612

上海博物館　藏

★

2613

中國人民銀行上海分行　藏

★★

2614
上海博物館 藏
★★

2615
上海博物館 藏
★★

(背圖見1201頁)

2616
上海博物館　藏
★★

(2615 背圖)

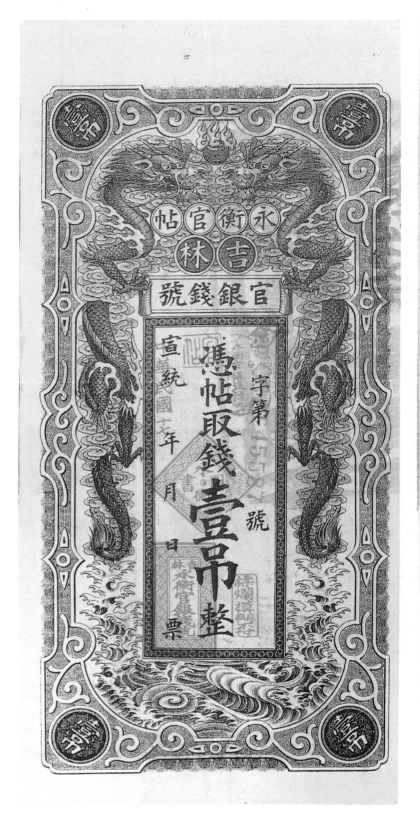

2617
吴籌中 藏

2618
吴籌中 藏

2619
苗培貴 藏

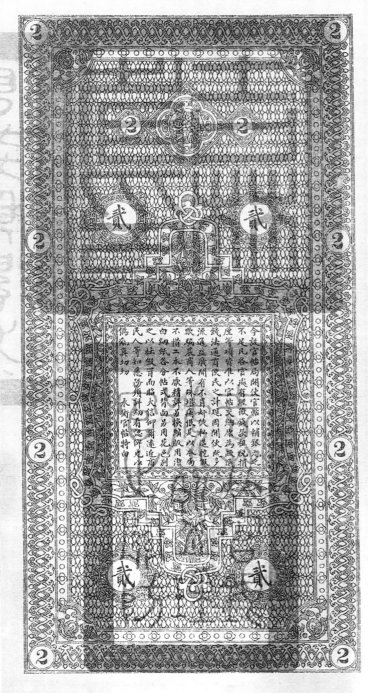

2620
吴籌中 藏

2621

苗培貴　藏

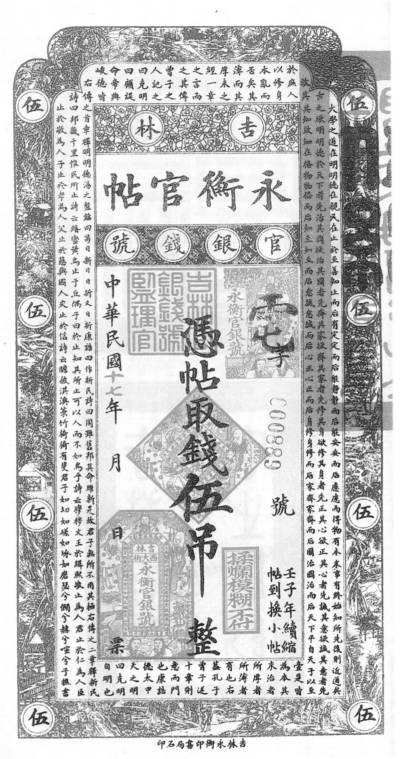

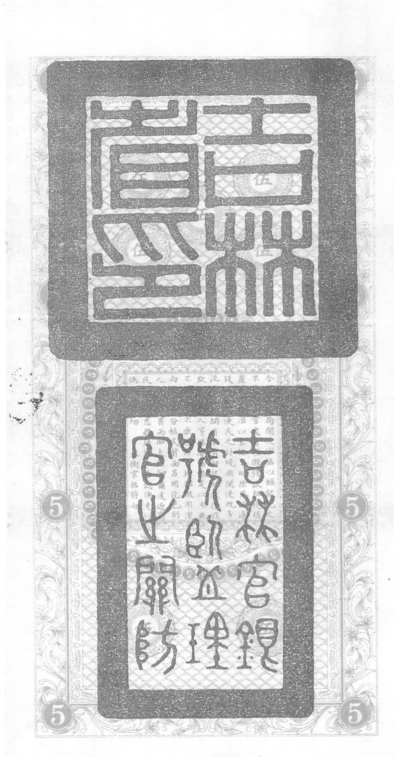

2622
吴籌中 藏

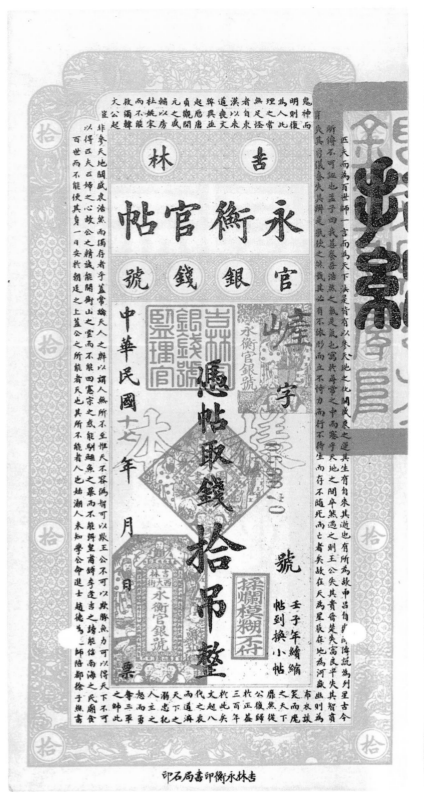

2623
吴筹中　藏

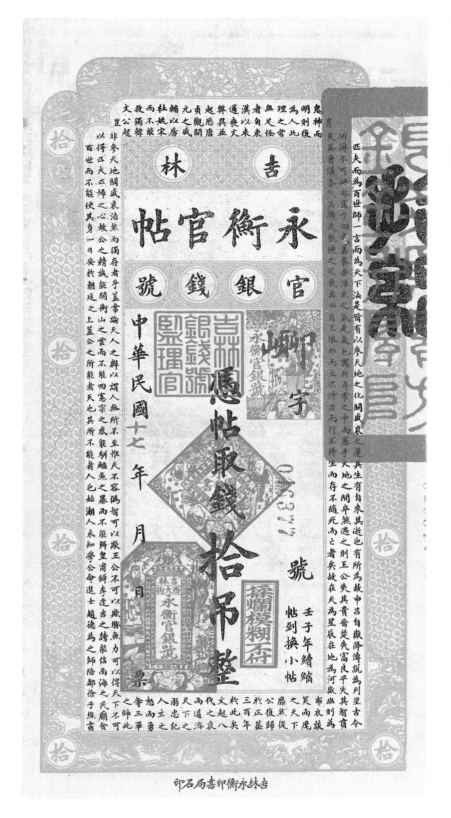

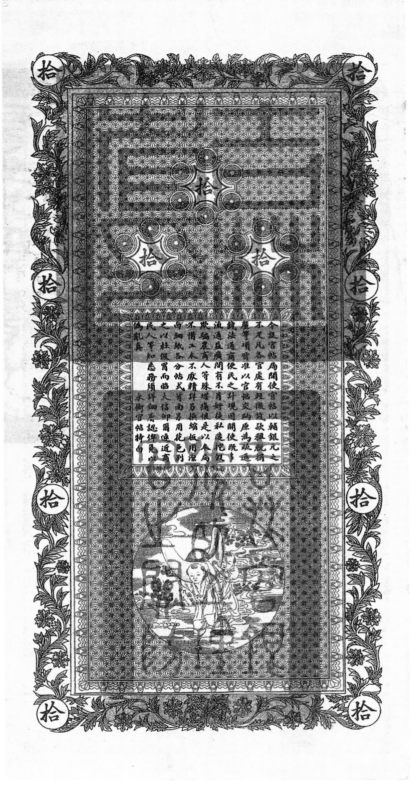

2624
苗培貴　藏

2625

中國人民銀行上海分行 藏

★

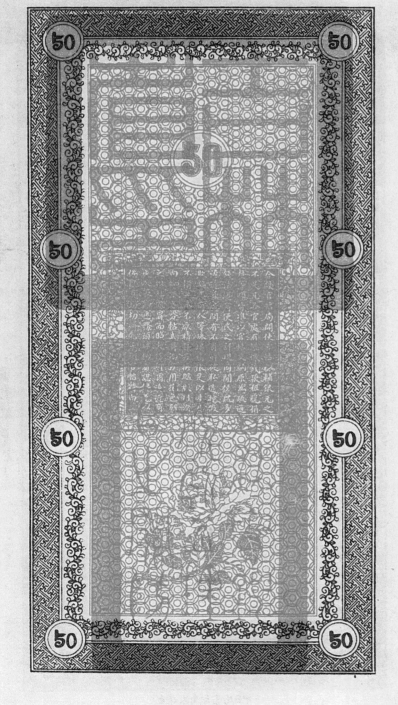

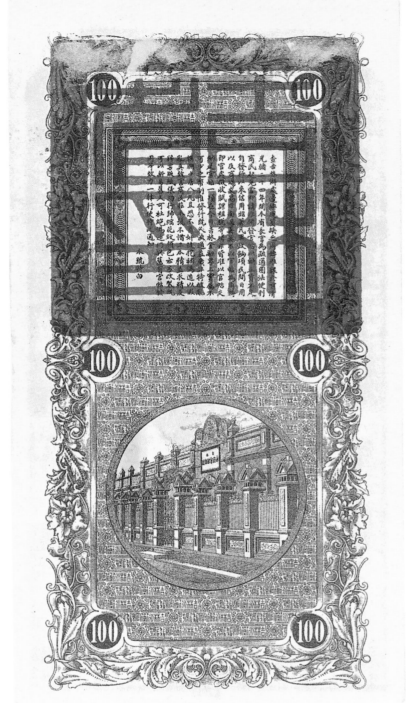

2626
苗培贵 藏

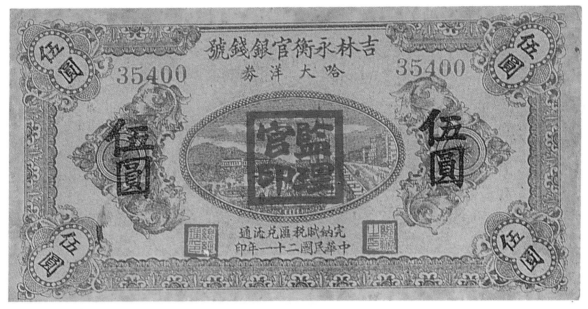

2627
許義宗　舊藏
★

二十一、熱河地方紙幣

2628
苗培貴　藏
★

2629
吴筹中藏
★

2630
吴筹中藏
★

2631
苗培贵 藏
★

2632
吴筹中 藏
★

2633
苗培貴 藏
★

2634
苗培貴 藏
★

2635
苗培贵 藏
★

2636
苗培贵 藏
★

2637
苗培贵 藏
★

2638
苗培贵 藏
★

2639
苗培貴 藏
★

2640
苗培貴 藏
★

2641
上海博物館　藏
★

2642
苗培貴　藏
★

2643
吴籌中 藏
★

2644
吴籌中 藏
★

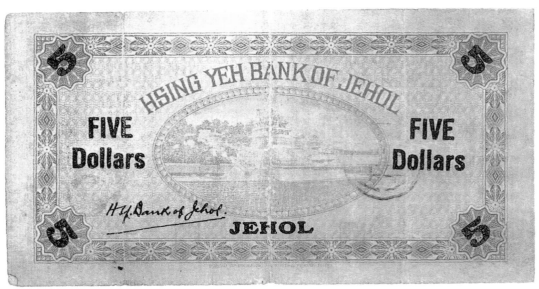

2645
苗培贵 藏
★

2646
苗培贵 藏
★

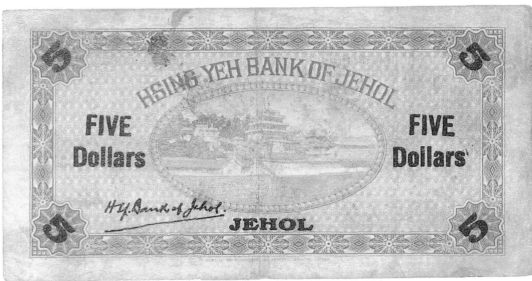

2647
苗培贵 藏
★

2648
苗培贵 藏
★

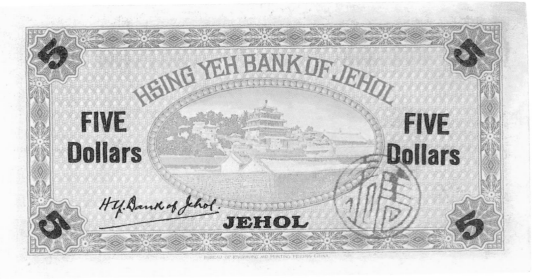

2649
苗培貴　藏
★

2650
苗培貴　藏
★

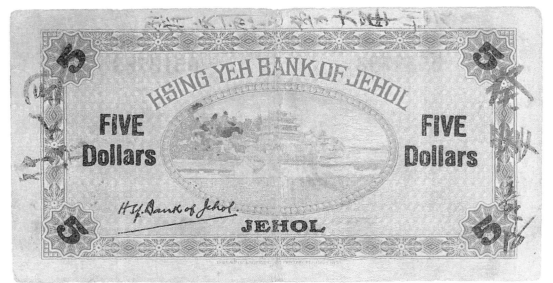

2651
苗培贵　藏
★

2652
苗培贵　藏
★

2653
苗培贵 藏
★

2654
苗培贵 藏
★

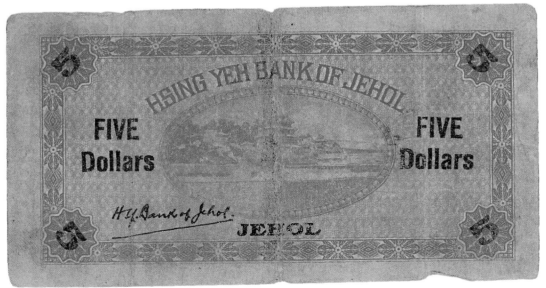

2655
苗培貴　藏
★

2656
苗培貴　藏
★

2657
苗培貴藏
★

2658
苗培貴藏
★

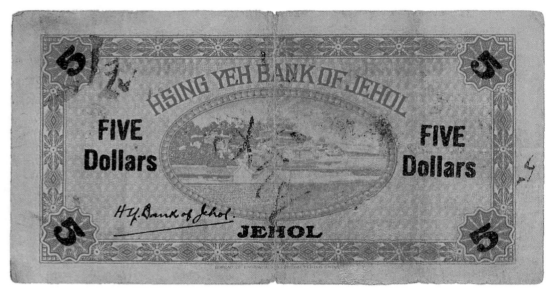

2659
苗培貴　藏
★

2660
吳籌中　藏
★★

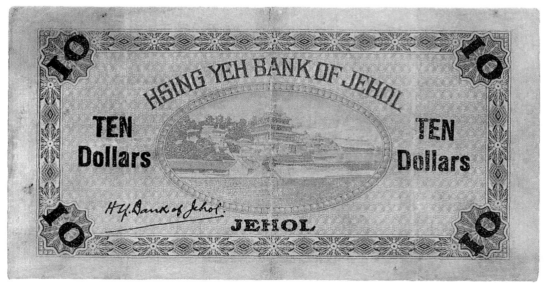

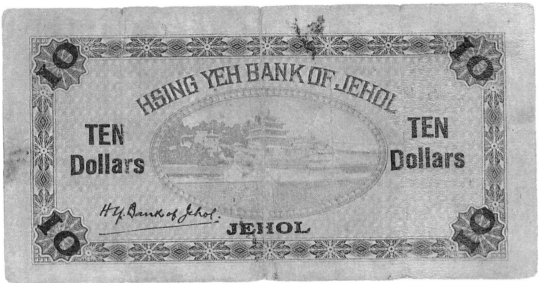

2661
苗培貴 藏
★★

2662
苗培貴 藏
★★

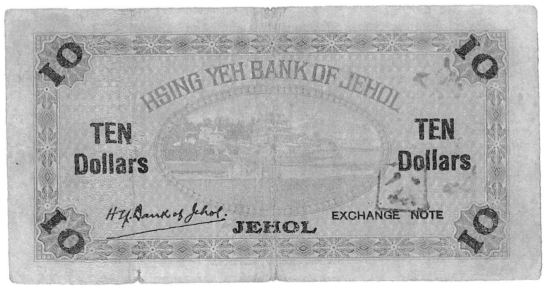

2663
吴籌中 藏
★★

2664
吴籌中 藏
★★

2665
吴筹中 藏
★★

2666
苗培贵 藏
★★

2667
苗培貴　藏
★★

2668
苗培貴　藏
★★

2669
苗培貴 藏
★★

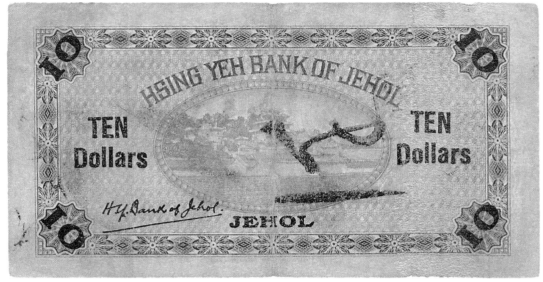

2670
苗培貴 藏
★★

2671
苗培貴　藏
★★

2672
許義宗　舊藏
★★

2673
吳籌中　藏
★★

2674
許義宗　舊藏

2675
上海博物館　藏

2676
許義宗　舊藏

2677
上海博物館　藏

2678
吳籌中　藏

2679
上海博物館　藏

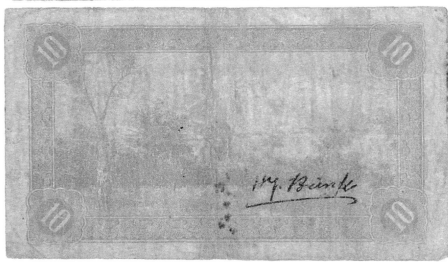

2680

許義宗　舊藏

2681

苗培貴　藏

2682

上海博物館　藏

2683
上海博物館　藏

2684
苗培貴　藏

2685
吳籌中　藏
★★

2686
許義宗　舊藏
★★

2687
許義宗　舊藏
★★

2688
許義宗　舊藏
★★

2689
許義宗　舊藏
★★

2690
許義宗　舊藏
★★

2691
上海博物館　藏
★★

2692
上海博物館 藏
★★

2693
中國人民銀行上海分行 藏
★★

2694
苗培贵 藏
★

2695
许义宗 旧藏
★

2696
吴筹中　藏
★

2697
苗培贵　藏
★★

2698
苗培貴 藏
★★

2699
許義宗 舊藏
★★

2700
許義宗 舊藏
★★

2701
苗培貴 藏
★★

2702
許舊宗義藏
★★

2703
吳籌中藏
★★

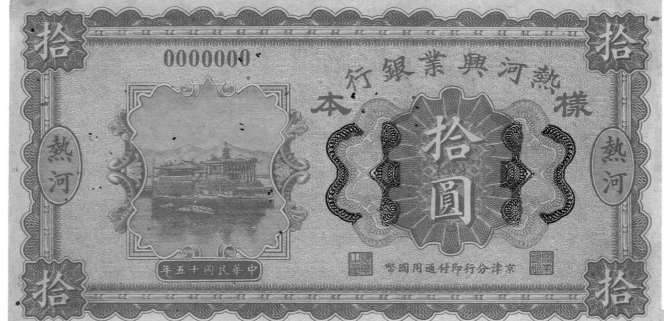

2704
上海博物館 藏
★★★

2705
吳籌中 藏

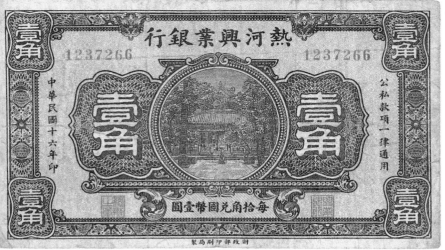

2706
上海博物館　藏
★★

2707
苗培貴　藏
★★

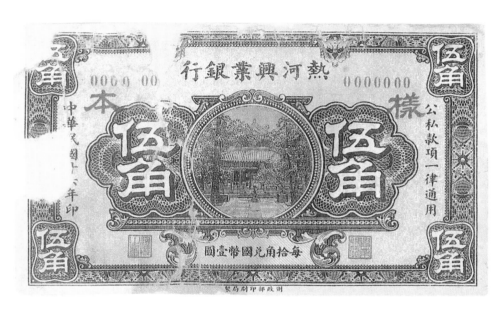

2708
上海博物館　藏
★★

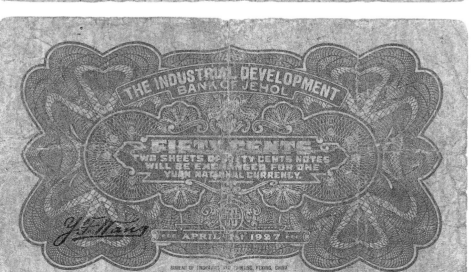

2709
許義宗　舊藏
★

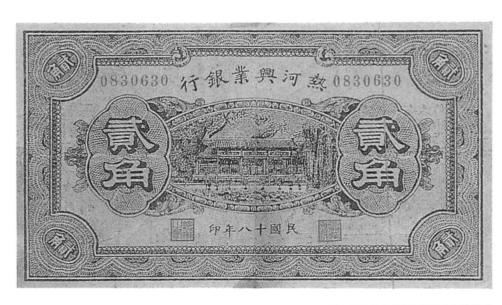

2710
許義宗　舊藏
★

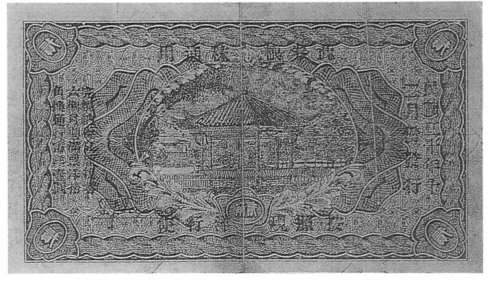

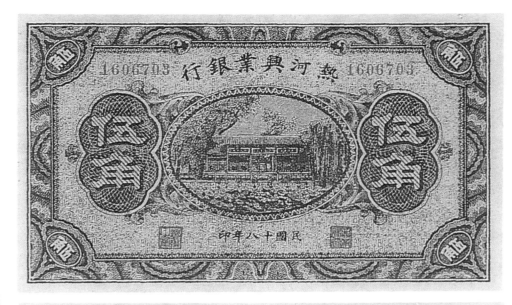

2711
許義宗　舊藏
★★

2712
上海博物館　藏
★★★

2713

上海博物館 藏

★

2714

中國人民銀行上海分行 藏

★

2715

中國人民銀行上海分行 藏

★★

2716

上海博物館　藏

★★

2717

中國人民銀行上海分行　藏

★★

二十二、察哈爾地方紙幣

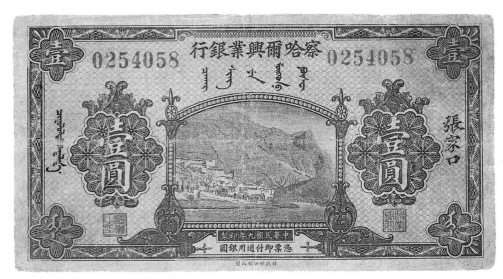

2718
上海博物館　藏
★★★

2719
吳籌中　藏
★★★

（背圖見1255頁）

2720
上海博物館　藏
★★

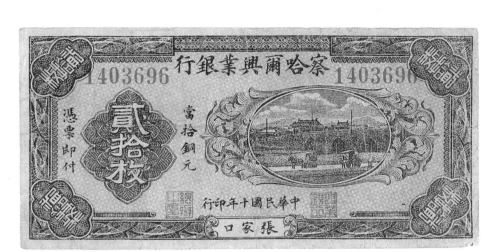

2721
上海博物館　藏
★★

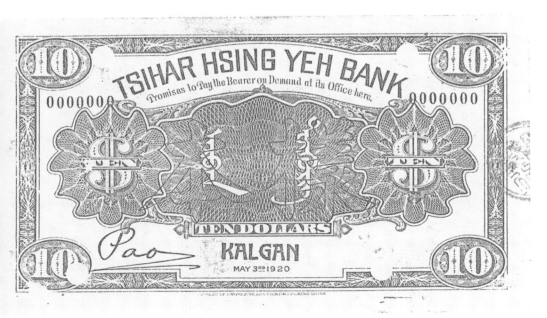

(2719背圖)

2722
上海博物館　藏
★★

2723
上海博物館　藏
★

2724
吴筹中 藏
★

2725
上海博物馆 藏
★

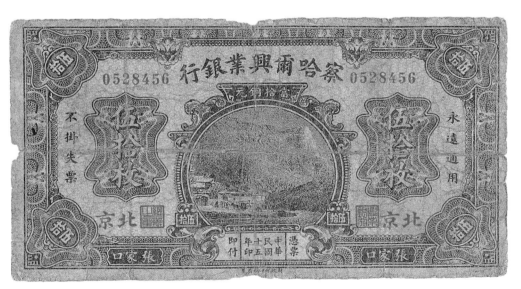

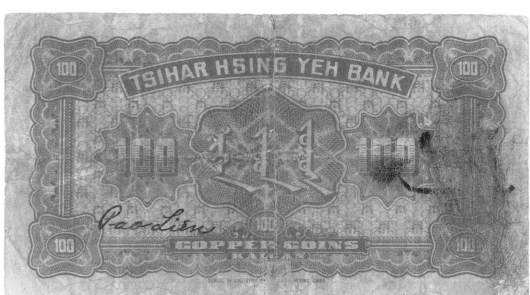

2726
上海博物館　藏
★

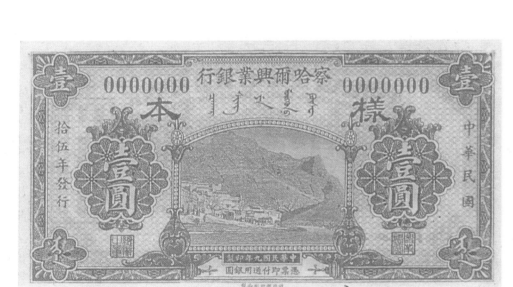

2727
許義宗　舊藏
★★★

2728
許義宗　舊藏
★★★★

2729
上海博物館　藏
★

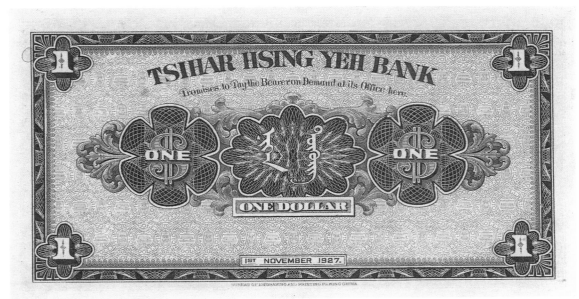

2730
吴筹中 藏
★

2731
吴筹中 藏
★★

2732
上海博物館　藏
★★

2733
吳籌中　藏
★

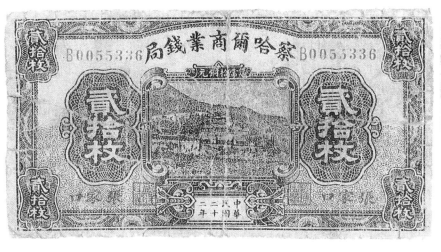

2734
許義宗　舊藏
★

2735

中國人民銀行上海分行 藏

★★

2736

吳籌中 藏

★★

2737

許義宗 舊藏

★★

2738

中國人民銀行上海分行 藏

★★

2739

許義宗 舊藏

★

2740

許義宗 舊藏

★

2741
上海博物館　藏
★★★

2742
吳籌中　藏
★★

2743
上海博物館　藏
★★

2744
上海博物館　藏
★★

2745
上海博物館　藏

2746
上海博物館　藏
★★

2747
上海博物館　藏
★★★

2748
上海博物館　藏
★★★

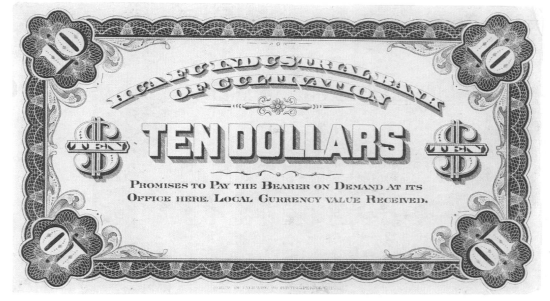

2749
吴籌中　藏
★★

2750
上海博物館　藏
★★★

2751
上海博物館 藏
★★★

2752
吳籌中 藏
★★

2753
上海博物館 藏
★★

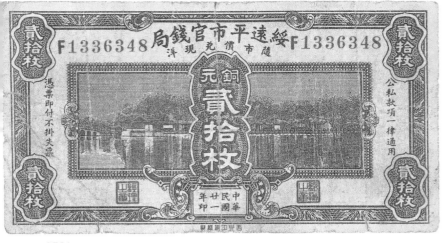

2754

上海博物館　藏

★★

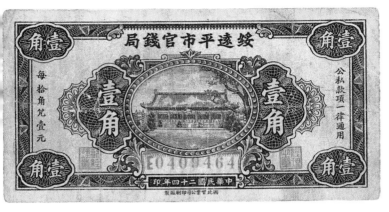

2755

上海博物館　藏

★★

2756

上海博物館　藏

★★

2758

上海博物館　藏

★★

2757

上海博物館　藏

★★

2759
吴籌中 藏
★★

2760
上海博物館 藏
★★

2761
上海博物館 藏
★★

(背圖見1271頁)

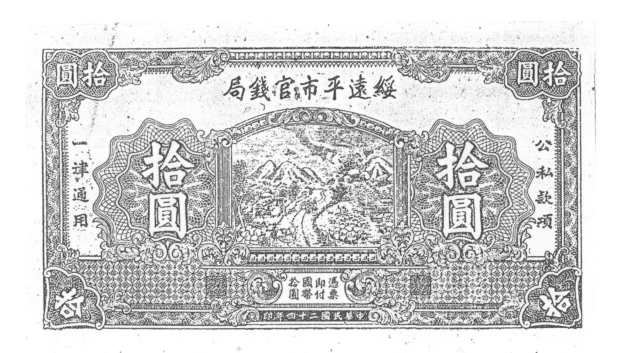

2762
吴籌中　提供
★★★

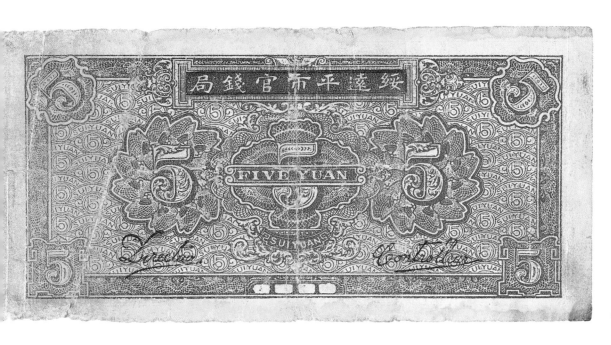

(2761 背圖)

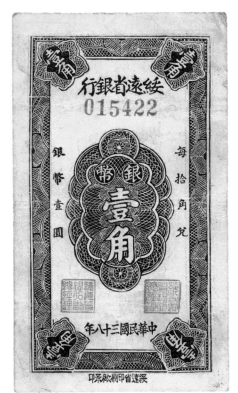

2763

吴籌中　提供

★★

2764

吴籌中　藏

★★

2765

上海博物館　藏

★★

2766

上海博物館　藏

★★

2767

吴籌中　提供

★★★

2768

上海博物館　藏

★★★

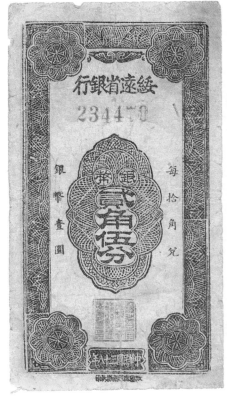

2769
上海博物館　藏
★★★

2770
上海博物館　藏
★★★

2771
吳籌中　提供
★★★★

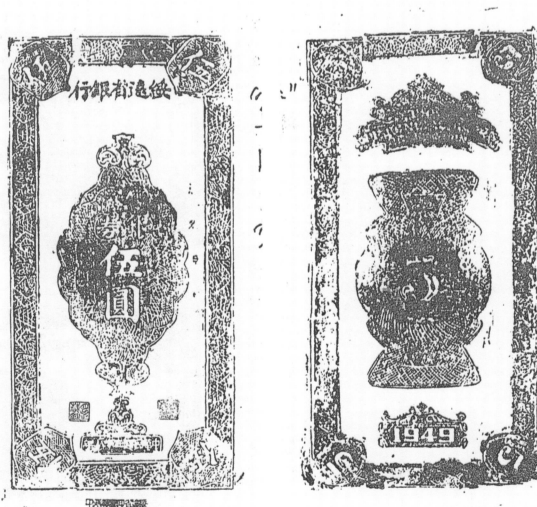

二十四、西康地方紙幣

2772

上海博物館　藏

★★

2773

上海博物館　藏

★★★

2774

中國人民銀行上海分行　藏

★★★★

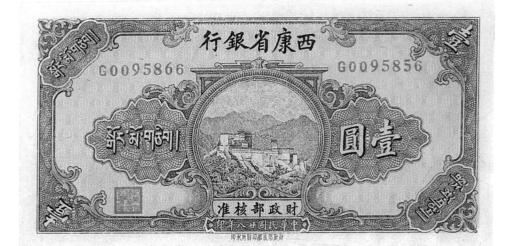

2775
許義宗　舊藏
★★★★

2776
上海博物館　藏
★★★★

2777
德國　ERWIN BEYER　藏
★★★

2778

上海博物館　藏

★★★

2779

上海博物館　藏

★★★

二十五、甘肅地方紙幣

2780

上海博物館　藏

★★★★

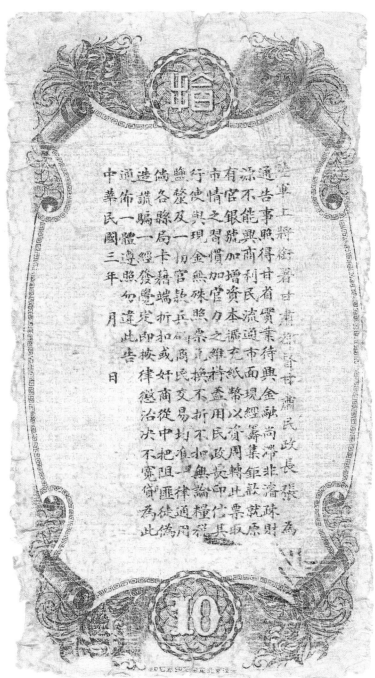

2781
上海博物館　藏
★★★★

2782

選自《甘肅歷史貨幣》

★★★★

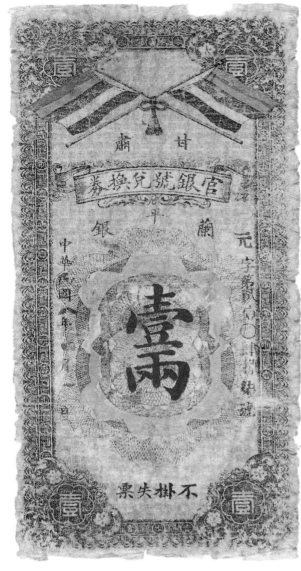

2783
上海博物館　藏
★★★

2784
上海博物館　藏
★★★★

2785

選自《甘肅歷史貨幣》

★★★★

2786

選自《甘肅歷史貨幣》

★★★

2787

許義宗　舊藏

★★

2789

選自《甘肅歷史貨幣》

★★

2788

許義宗　舊藏

★★

2790

選自《甘肅歷史貨幣》

★★

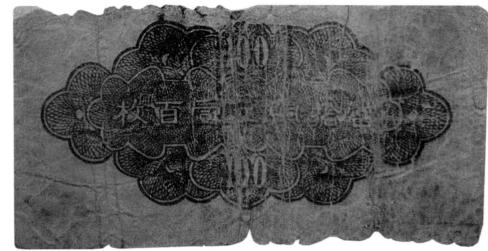

2791

許義宗　舊藏

★★

2792

吳籌中　藏

★

2793
吴籌中 藏
★★★★

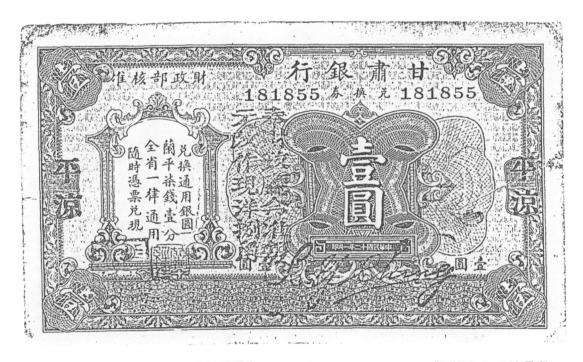

2794
吴籌中 藏
★★★

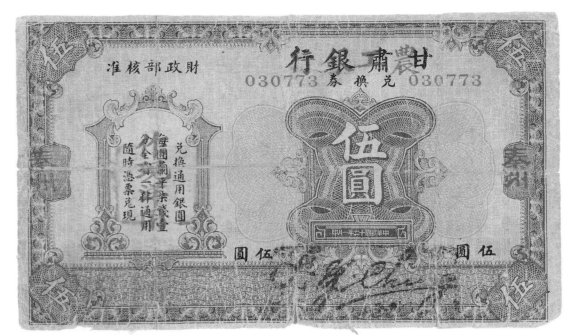

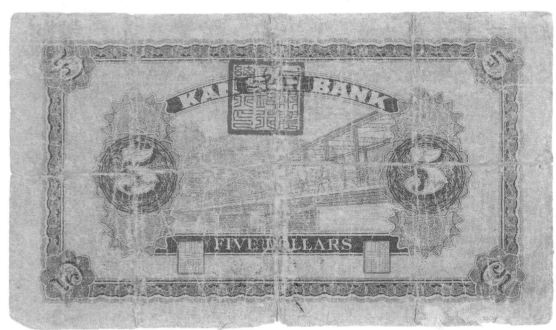

2795
上海博物館　藏
★★★★

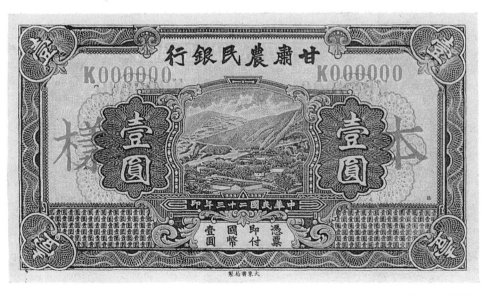

2796
中國人民銀行上海分行　藏
★

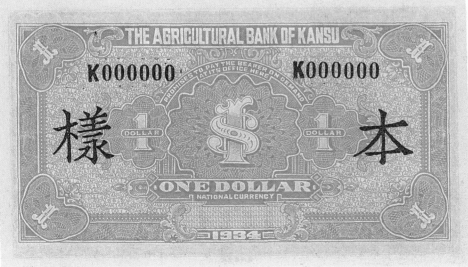

2797
上海博物館　藏
★★★

2798
中國人民銀行上海分行　藏
★★★★

2799

上海博物館　藏

★★★

2800

上海博物館　藏

★★★

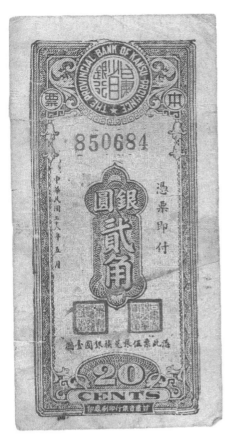

2801

上海博物館　藏

★★★

2802

選自《甘肅歷史貨幣》

★★★

2803

許義宗　舊藏

★★★

2804

選自《甘肅歷史貨幣》

★★★

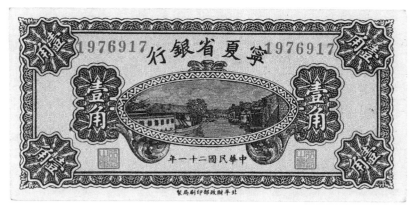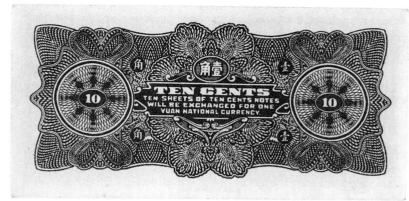

2805
上海博物館　藏
★★

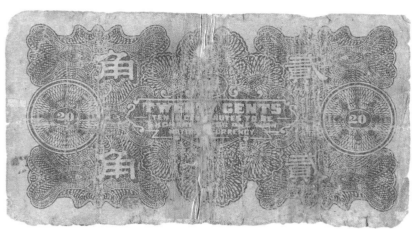

2806
上海博物館　藏
★★★

2807
上海博物館　藏
★★★★

2808

中國人民銀行上海分行　藏

★★

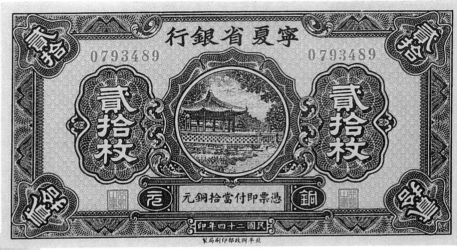

2809

中國人民銀行上海分行　藏

★★

2810

中國人民銀行上海分行　藏

★★★

2811
吴籌中　藏
★★

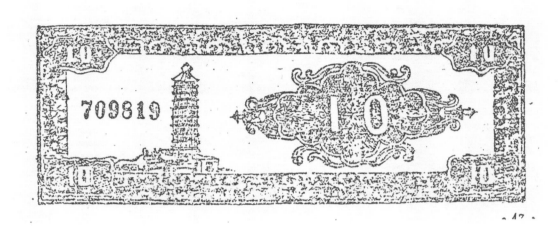

二十七、青海地方紙幣

2812
吴籌中　藏
★★★

2813
吴籌中 藏
★★★★

2814
吴籌中 藏
★★★★

(背圖見 1291 頁)

2815
選自《中國各省地方銀行紙幣圖錄》
★★★

2816
吳籌中　藏
★★★

2817
許義宗　舊藏
★★★

（2814 背圖）

2818
吳籌中 藏
★★★

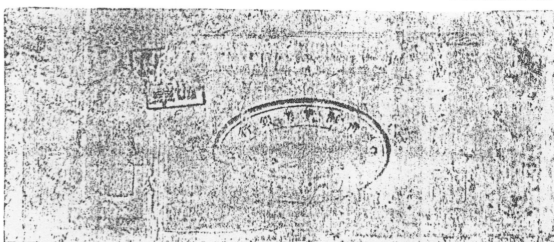

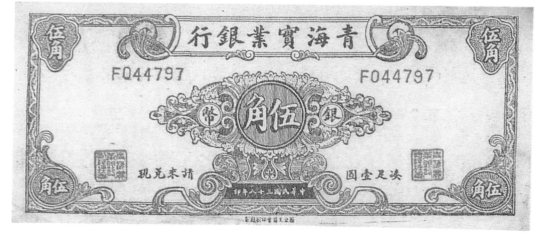

2819
許義宗 舊藏
★★★

二十八、黑龍江地方紙幣

2820
許義宗 舊藏
★★★

2821
選自《中國東北地區貨幣》
★★

2822
選自《中國東北地區貨幣》
★★

2823
上海博物館　藏
★★

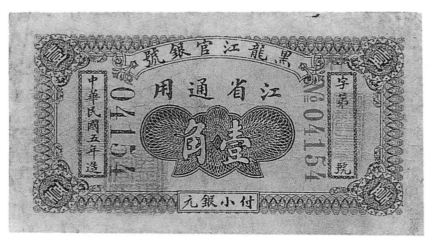

2824
許義宗　舊藏
★★

2825
選自《中國東北地區貨幣》
★★

2826
許義宗　舊藏
★★

2827
吴籌中 藏
★★

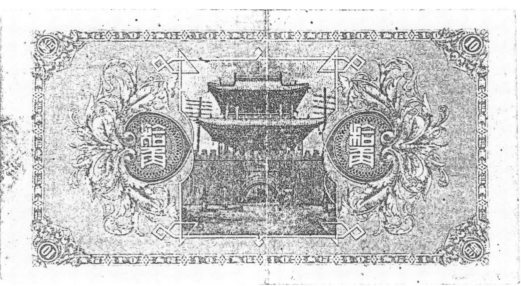

2828
吴籌中 藏
★★

2829
吴筹中 藏
★★

2830
吴筹中 藏
★★

2831
王煒 藏
★★

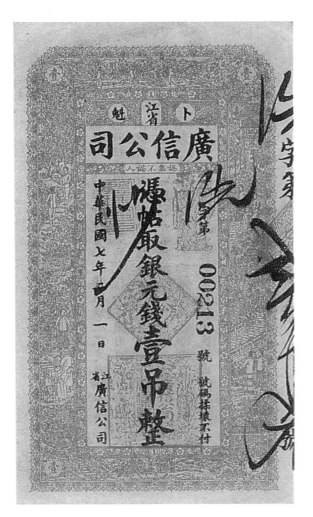

2833
王煒 藏
★★

2832
許義宗 舊藏
★★

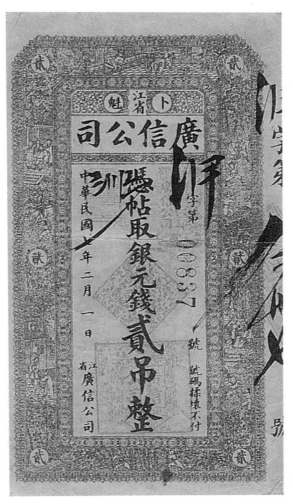

2834
許義宗　舊藏
★★

2835
王煒　藏
★★

2836
王煒　藏
★★

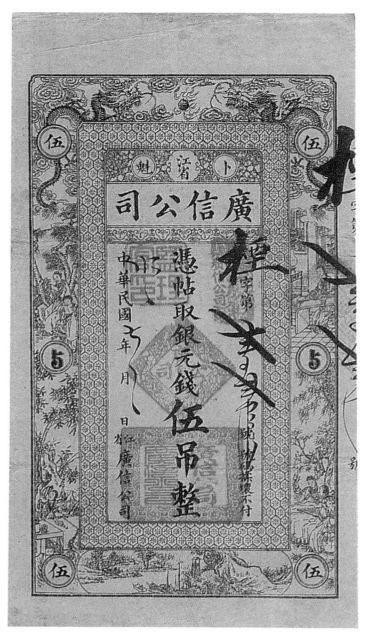

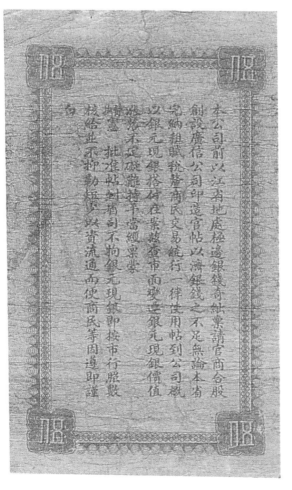

2840
王煒　藏
★★

2841
王煒　藏
★★

2842
許義宗　舊藏
★★★

2843
王煒 藏
★★

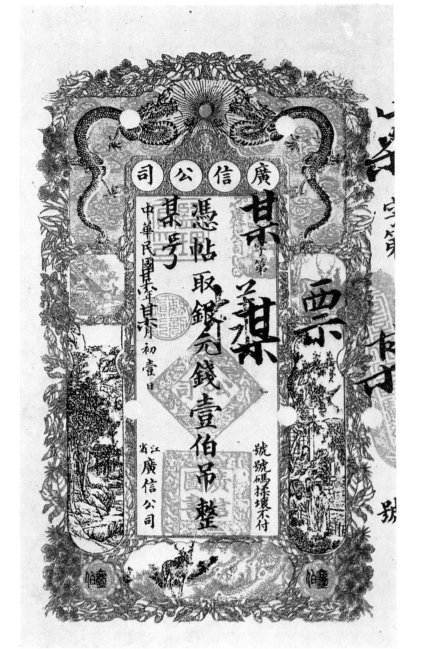

2844
王煒 藏
★★★

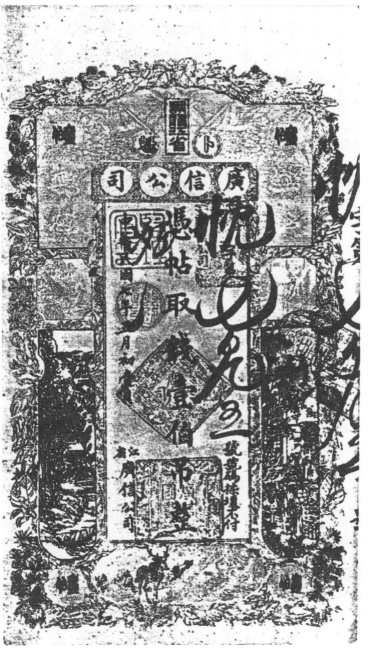

2845
選自《中國東北地區貨幣》
★★★

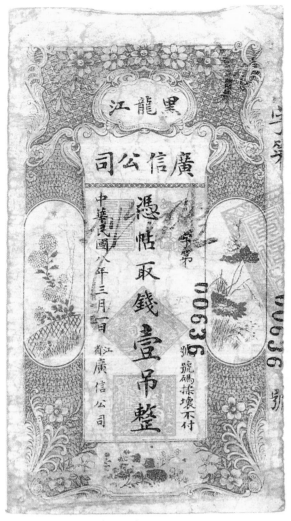

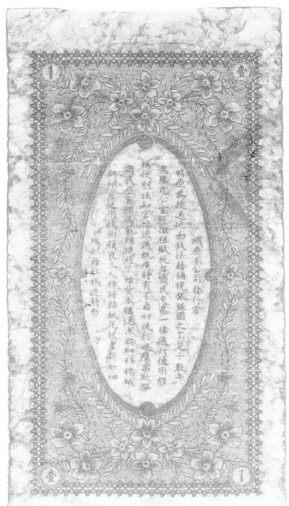

2846

吴籌中　藏

★★★

2848

許義宗　舊藏

★★★

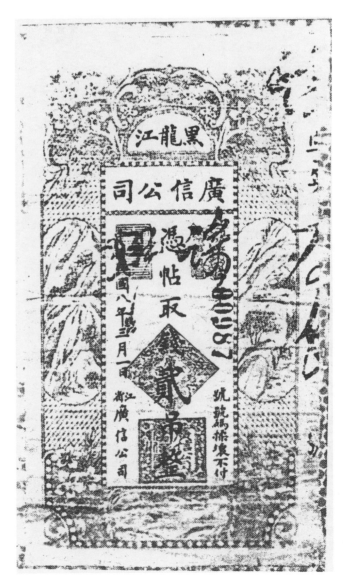

2847

選自《中國東北地區貨幣》

★★

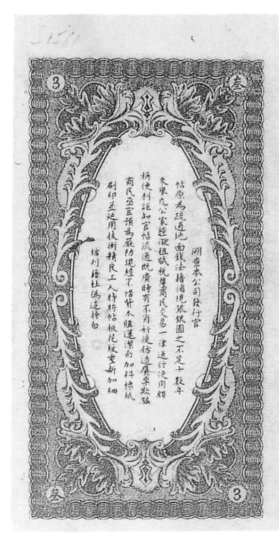

2849
吴筹中 藏
★★★

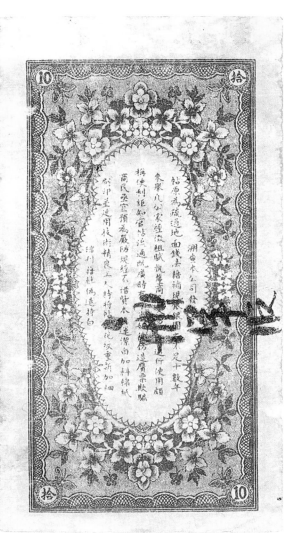

2850
吴筹中 藏
★★★

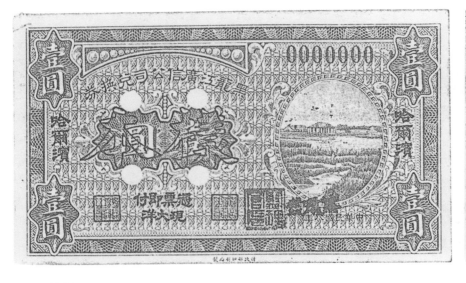

2851
吴籌中 藏
★★★

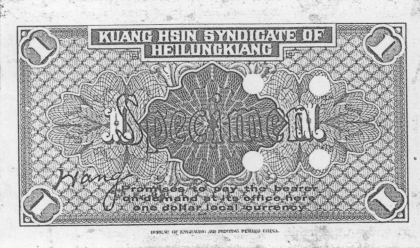

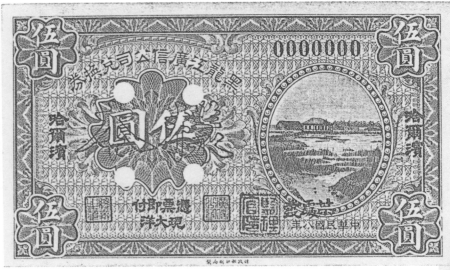

2853
吴籌中 藏
★★★

2854
許義宗　舊藏
★★★

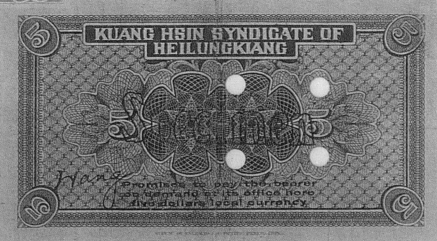

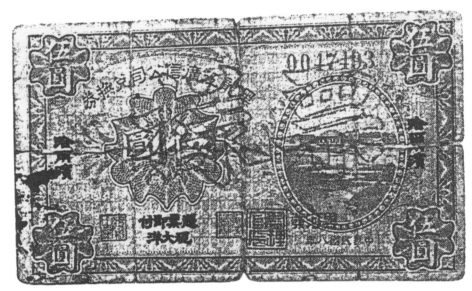

2855
選自《中國東北地區貨幣》
★★★

2856
上海博物館　藏
★★★

2857
許 舊藏
許義宗
★★★

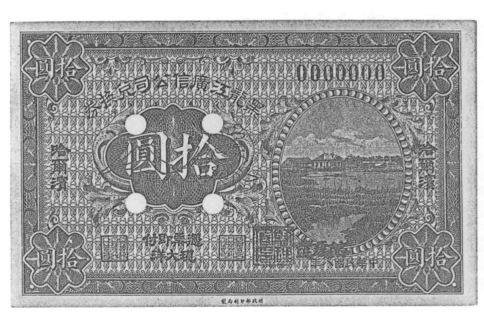

2858
藏
吳籌中
★★★

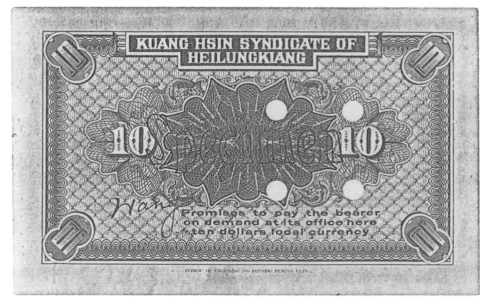

2859
上海博物館　藏
★★★

2860
許義宗　舊藏
★★

2861

上海博物館　藏

★★

2862

許義宗　舊藏

★★

2863

上海博物館　藏

★★

2864

馮志苗　藏

★★

2865

上海博物館　藏

★★

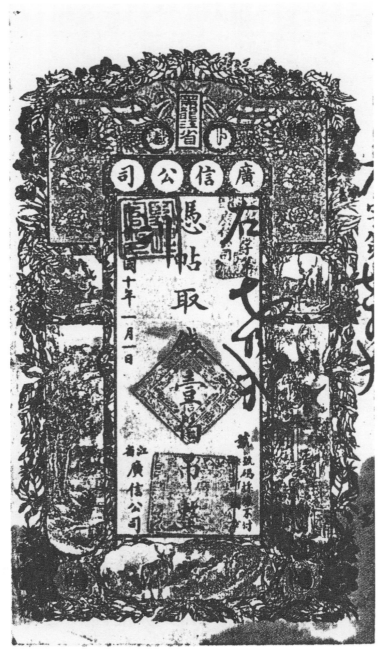

2870
吴籌中 藏
★★

2871
許義宗　舊藏
★★

2872
許義宗　舊藏
★★

（背圖見 1311 頁）

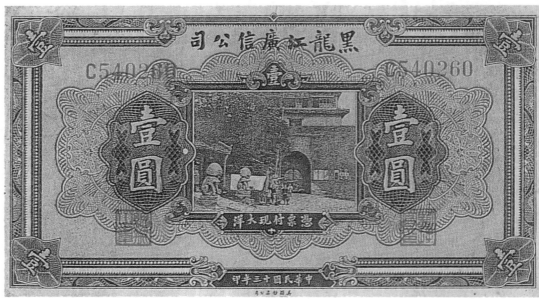

2873
許義宗　舊藏
★★

2874
吳籌中　藏
★★

(2872 背圖)

2875
許義宗　舊藏
★★

2876
上海博物館　藏
★★

2877
許義宗　舊藏
★★

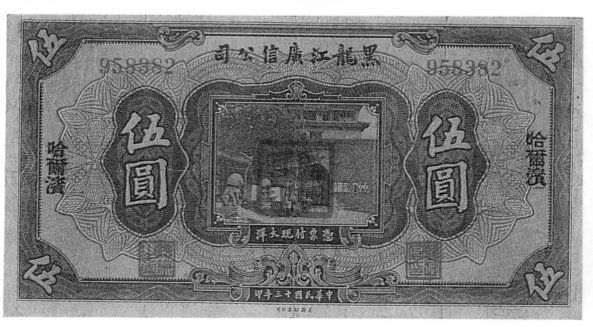

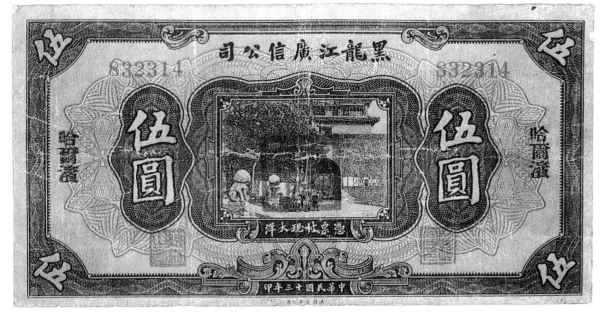

2878
吴筹中 藏
★★

2879
许义宗 旧藏
★★

2880
許義宗　舊藏
★★

2881
吳籌中　藏
★★

2882

許義宗　舊藏

★★

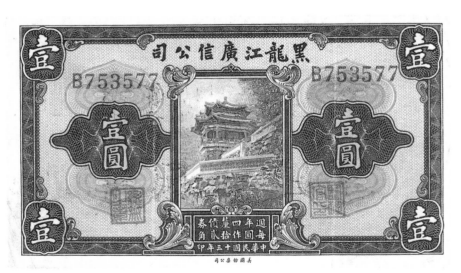

2883

上海博物館　藏

★★

2884

許義宗　舊藏

★★

2885

上海博物館　藏

★★

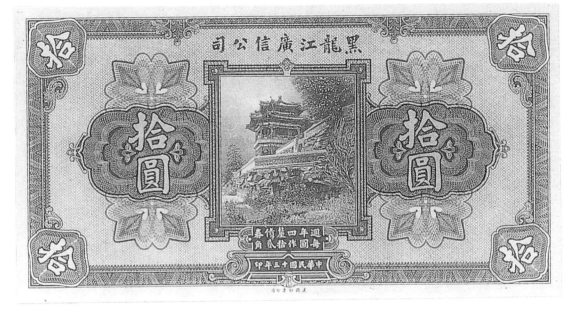

2886
許義宗 舊藏
★★

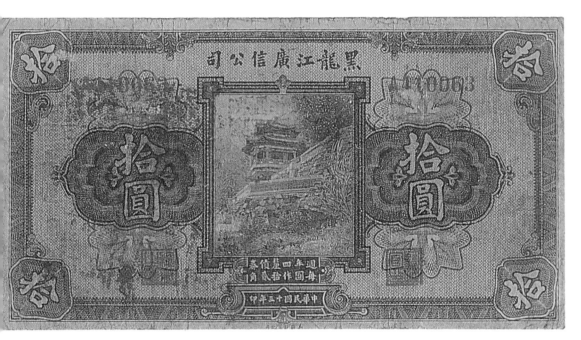

2887
許義宗 舊藏
★★

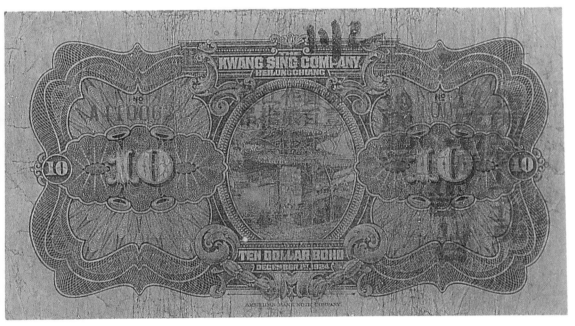

2888
許義宗 舊藏
★★

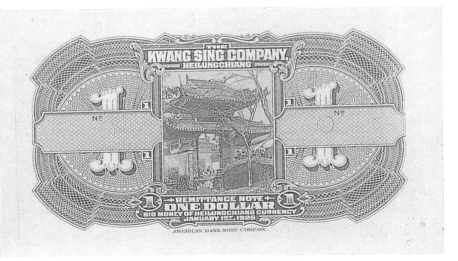

2889
上海博物館　藏
★★

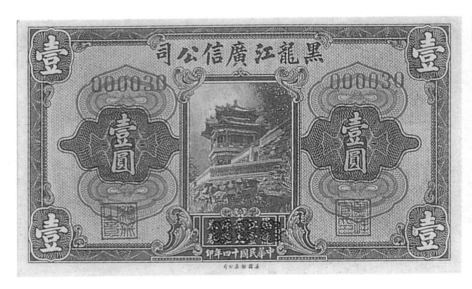

2890
許義宗　舊藏
★★

2891
許義宗　舊藏
★★

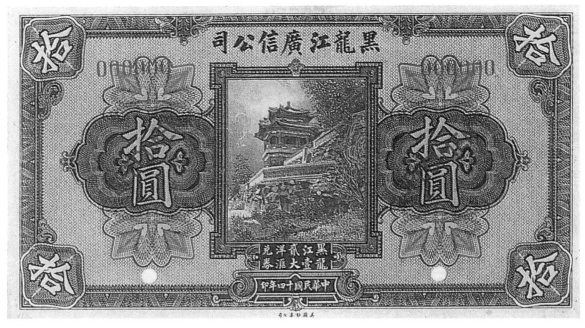

2892
許義宗　舊藏
★★

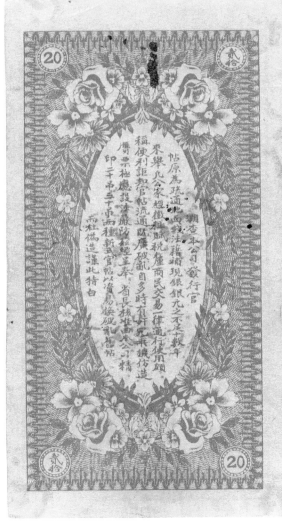

2893
上海博物館　藏
★★

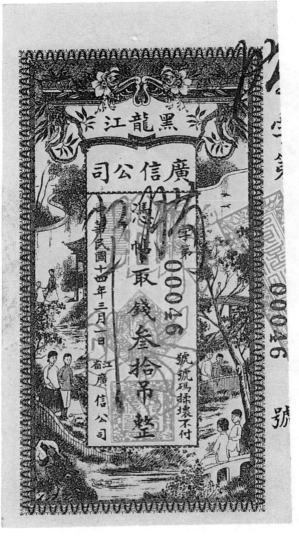

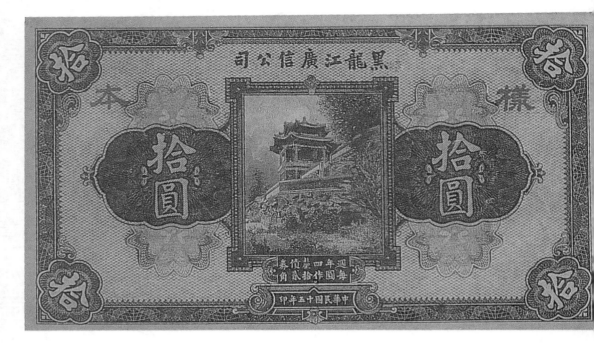

2895

許義宗　舊藏

★

2896

選自《中國東北地區貨幣》

★

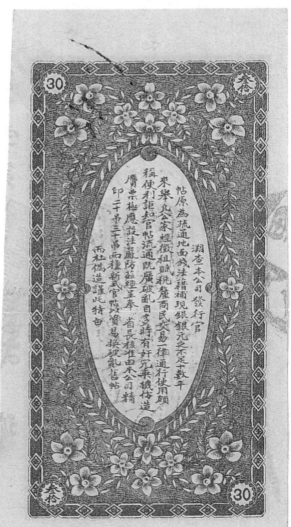

2894

中國人民銀行上海分行　藏

★★

2897

選自《中國東北地區貨幣》

★

2898

中國人民銀行上海分行　藏

★

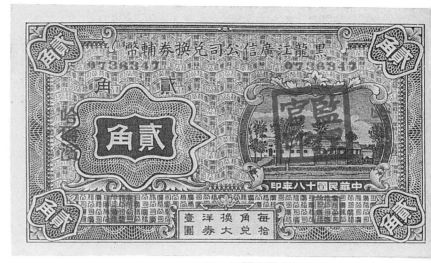

2899

上海博物館　藏

★★

2900

中國人民銀行上海分行　藏

★★

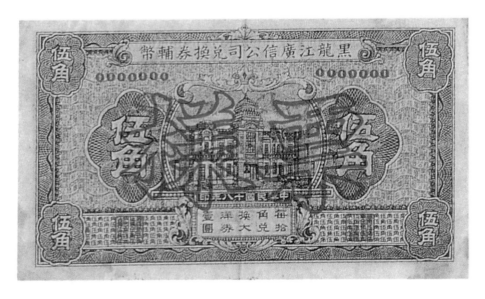

2901

許義宗　舊藏

★

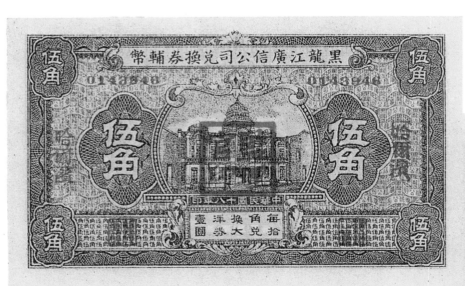

2902

中國人民銀行上海分行　藏

★★

2903
選自《原西藏地方錢幣概況》
★★

2904

選自《原西藏地方錢幣概況》
★★

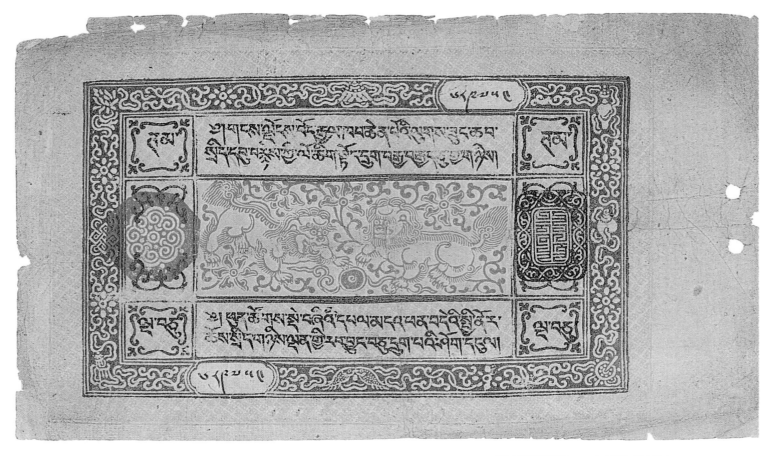

2905
郭乃興　藏
★★

2906
選自《原西藏地方錢幣概況》
★★

2907
選自《原西藏地方錢幣概況》
★★

2908
郭乃興　藏
★

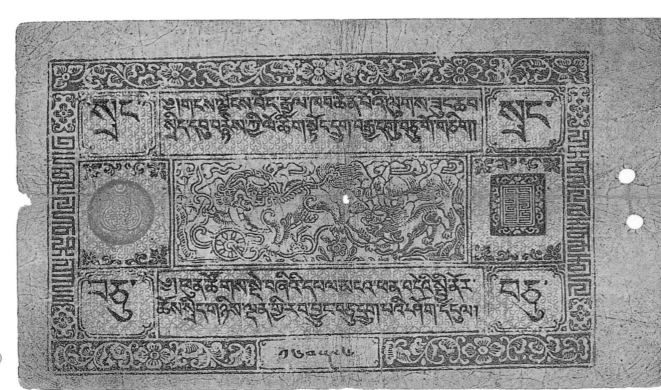

2909
郭乃興　藏
★

(背圖見 1327 頁)

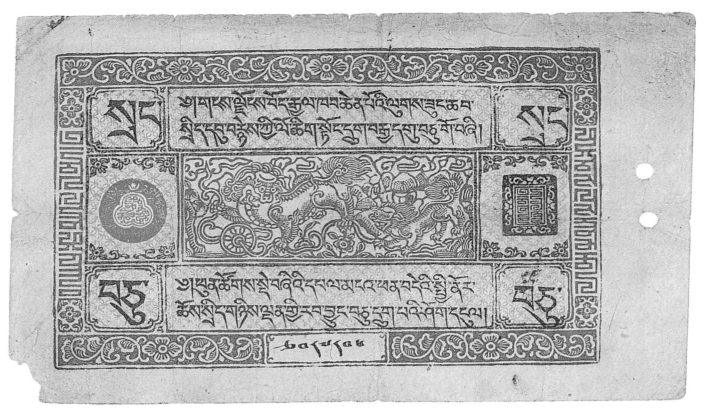

2910
郭乃興　藏
★

(2909 背圖)

2911
選自《原西藏地方錢幣概況》
★

2912
郭乃興 藏
★

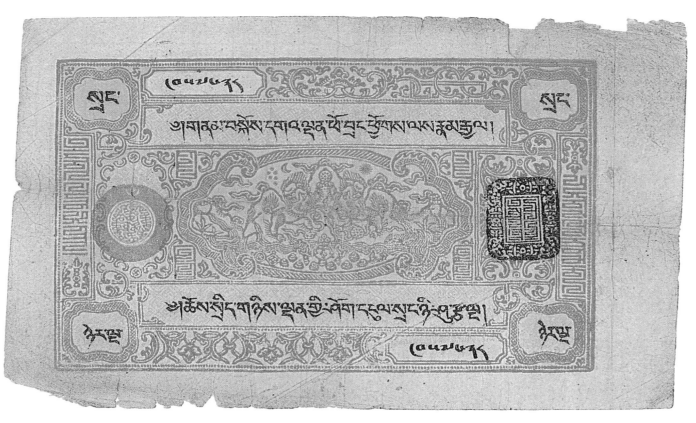

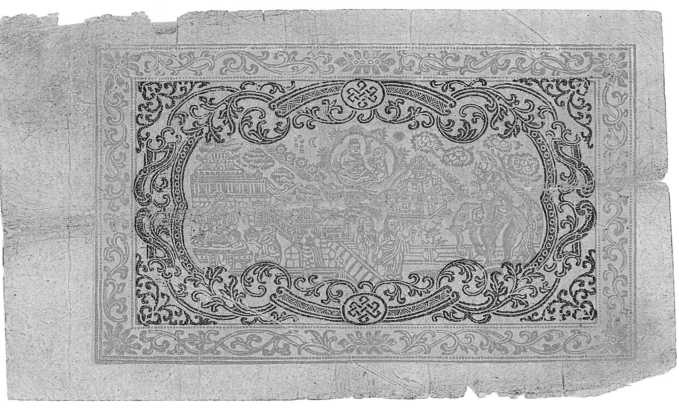

2913
郭乃興　藏
★

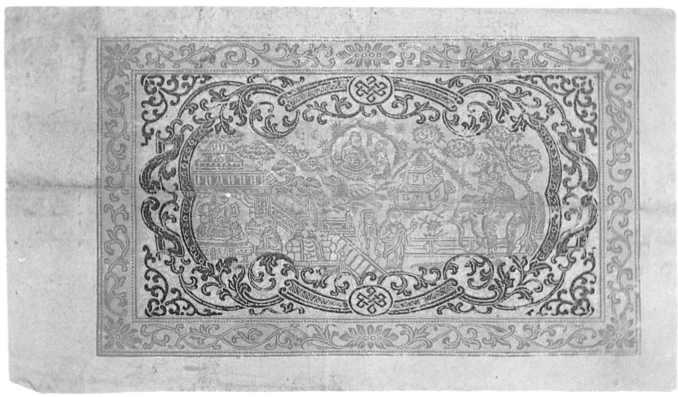

2914
選自《原西藏地方錢幣概況》
★

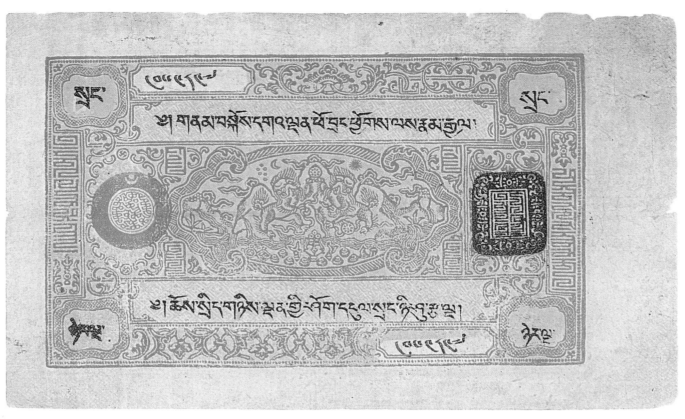

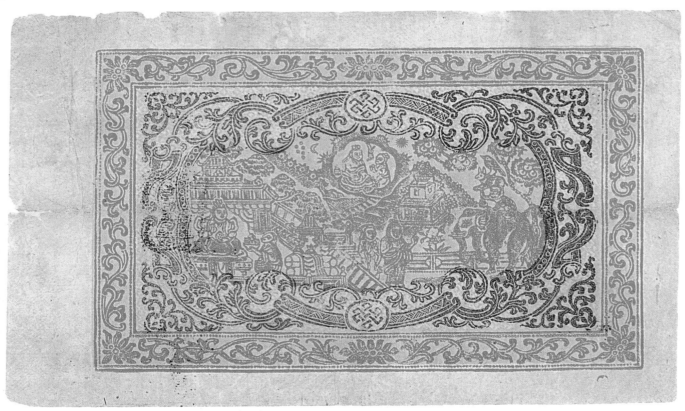

2915
郭乃興 藏
★

2916

金立夫　藏

★

2917
選自《原西藏地方錢幣概况》

★

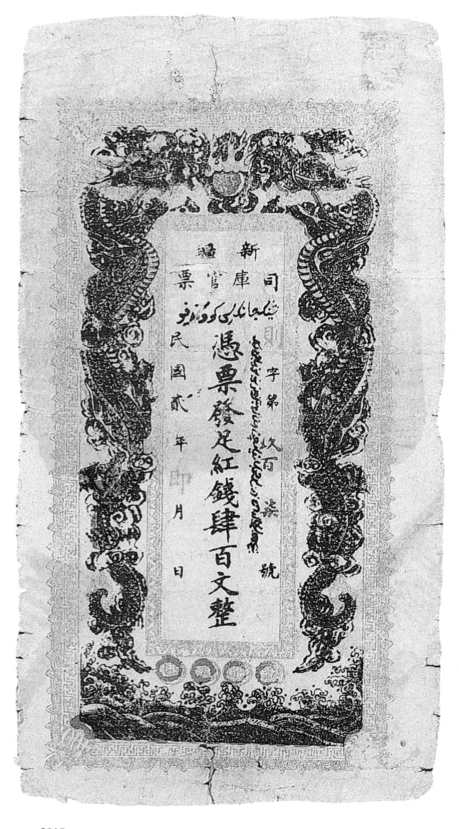

2918

選自《新疆錢幣》

★★★★

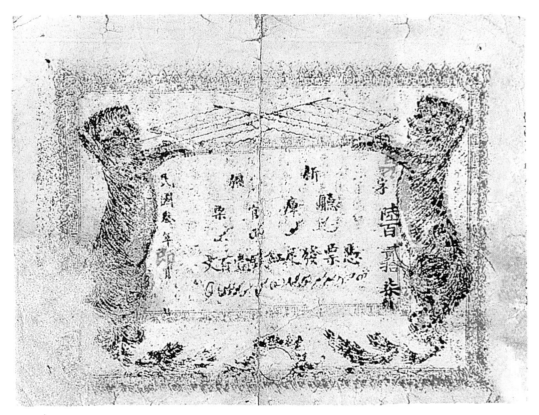

2919
選自《新疆錢幣》
★★★★

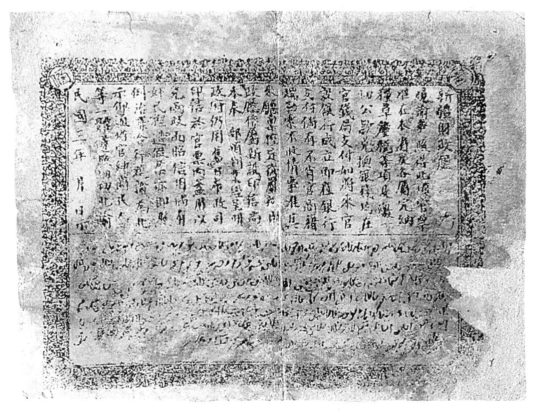

2920
選自《新疆錢幣》
★★★★

（背圖見 1337 頁）

2921
選自《新疆錢幣》
★★★★

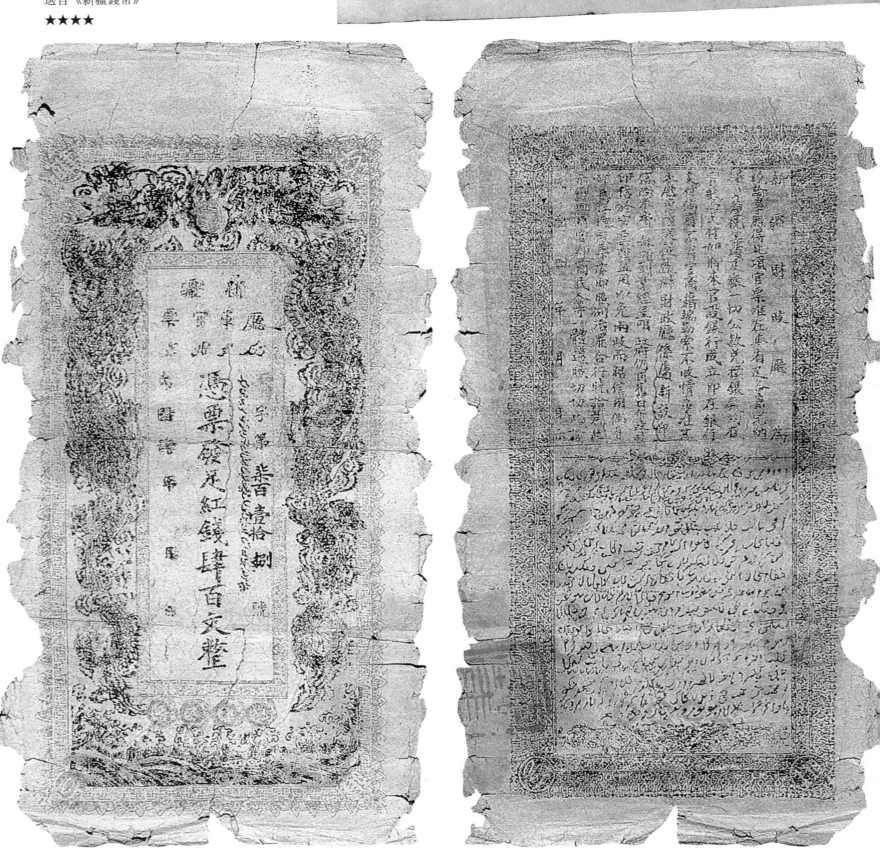

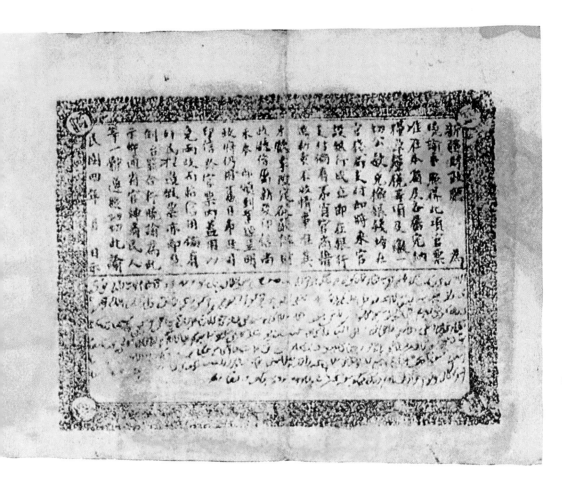

（2920 背圖）

2922
選自《新疆錢幣》
★★

2923
吳籌中　藏
★★

2924
吳籌中　藏
★

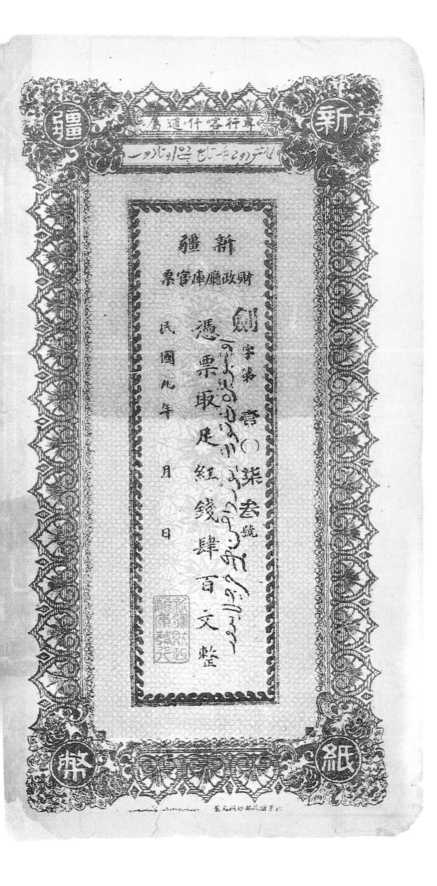

2925
吳籌中 藏
★★

財政廳新政
庫官廳新疆
票官疆

字第

號

憑票取足紅錢肆百文整

民國十年
　月
　日

2926
吴籌中　藏
★★

新疆省財政廳長　示
此項官票每紅錢肆
百文作相平銀壹兩
民間完糧納稅解繳
公欵一律通用此示
民國六年　月　日

2927
吴籌中　藏
★

2928
選自《新疆錢幣》
★

2929
吳籌中　藏
★

新
疆
財政廳庫官票

氣字第〇伍號限號

憑票取足紅錢肆百文整

民國二十年　月　日

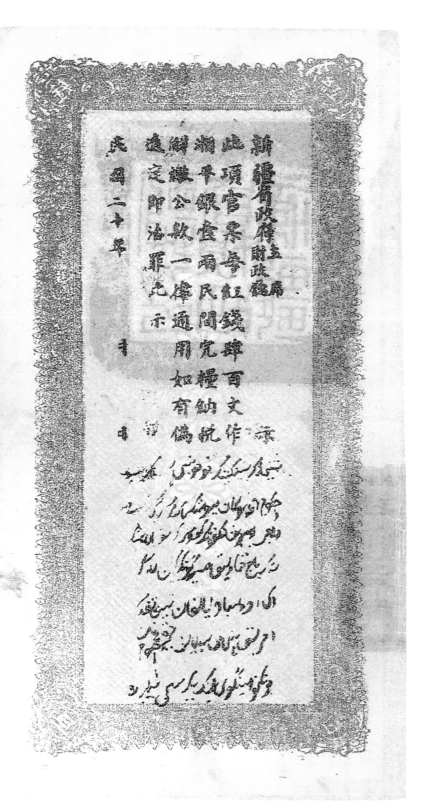

新疆省政府財政廳

此項官票每紅錢肆百文作
湘平銀壹兩民間完糧納稅
關繳公欵一律通用如有偽
造定即治罪此示

民國二十年　月

2931
選自《新疆錢幣》
★

2932
中國人民銀行上海分行　藏
★

2933
中國人民銀行上海分行　藏
★

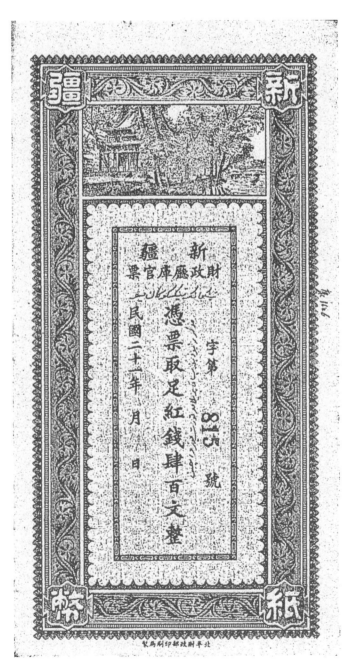 

2934
選自《新疆錢幣》
★★

2935
選自《新疆錢幣》
★★

2936
吴籌中 藏
★

2937
吴筹中　藏
★

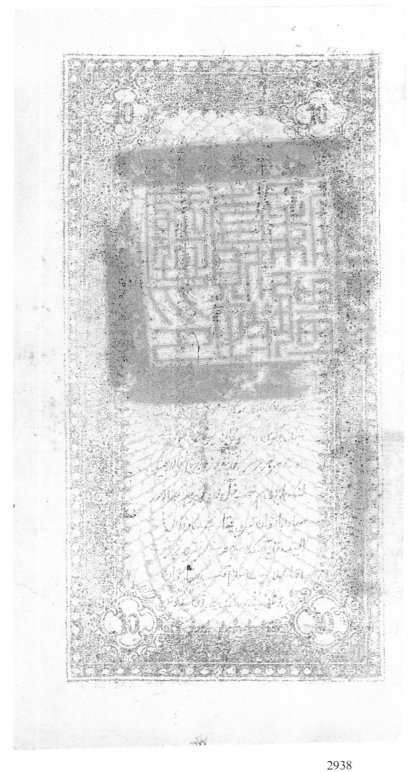

2938

吴籌中 藏

★★

2939
中國人民銀行上海分行　藏
★★

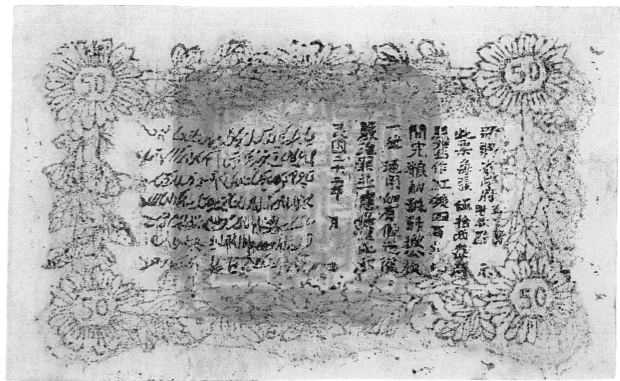

2940
中國人民銀行上海分行　藏
★★

（背圖見 1351 頁）

2941
選自《新疆錢幣》
★★

(2940 背圖)

2942
上海博物館　藏
★★

2943
選自《新疆錢幣》
★★

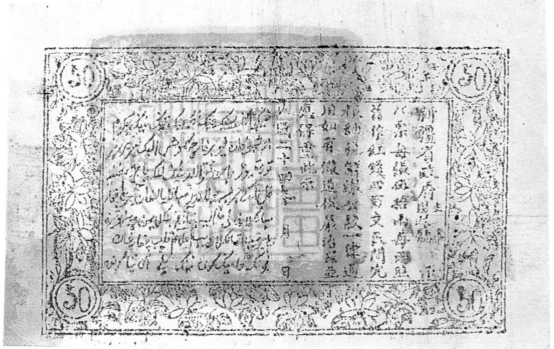

2944
吴筹中 藏
★★

2945
吴筹中 藏
★

2946
中國人民銀行上海分行 藏
★

2947

中國人民銀行上海分行　藏

★

2948

吳籌中　藏

★

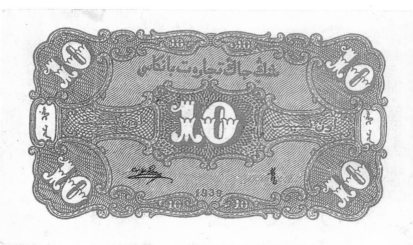

2950

吳籌中　藏

2949

吳籌中　藏

2951
馮志苗 藏

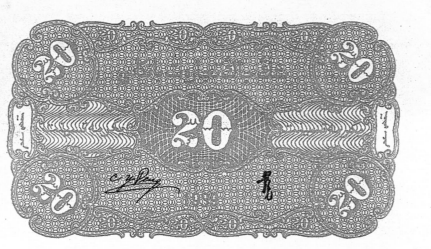

2952
吳籌中 藏

2953
馮志苗 藏

2954

選自《新疆錢幣》

★

2955

上海博物館　藏

★

2956

選自《新疆錢幣》

★★

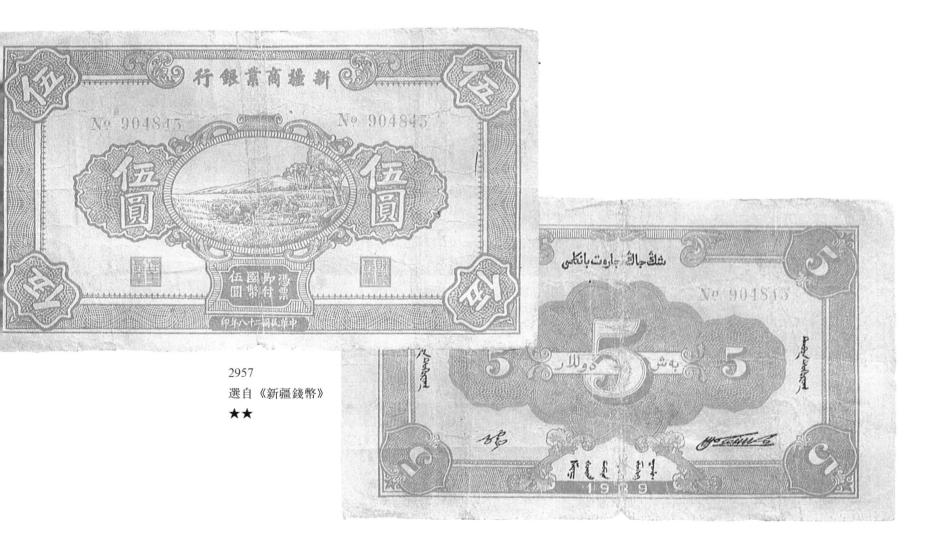

2957

選自《新疆錢幣》

★★

2958

選自《新疆錢幣》

★★

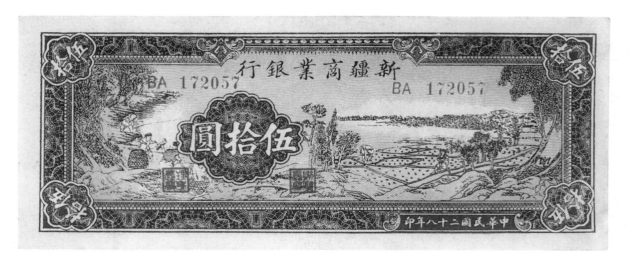

2959

上海博物館　藏

★

2960
馮志苗 藏

2961
上海博物館 藏
★★

2962
吴籌中 藏
★★

2963
吴籌中 藏
★★

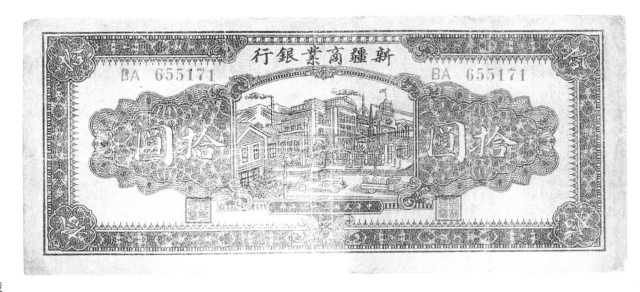

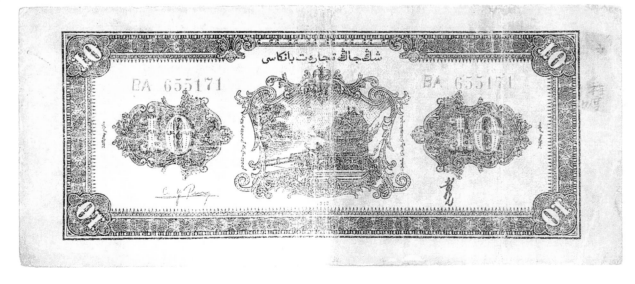

2964
選自《新疆錢幣》

2965
上海博物館 藏

2966
吴筹中 藏

2967
吴筹中 藏

2968
吴籌中　藏

2969
吴籌中　藏

2971

吴籌中　藏

2970

吴籌中　藏

2972

上海博物館　藏

2973

上海博物館　藏

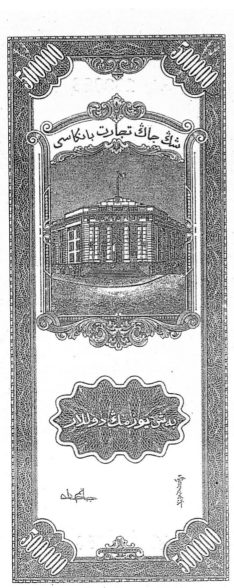

2974

馮志苗　藏

2975

吳籌中　藏

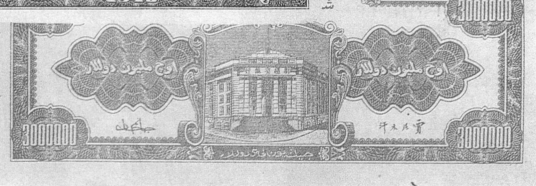

2976

選自《新疆錢幣》

2977

吳籌中 藏

★

2978

吳籌中 藏

★

（背圖見 1367 頁）

2979

馮志苗 藏

2980

吳籌中 藏

★★

（2978背圖）

2981
吴籌中 藏
★★★

2982
金立夫 藏
★★★★

2983
上海博物館　藏
★

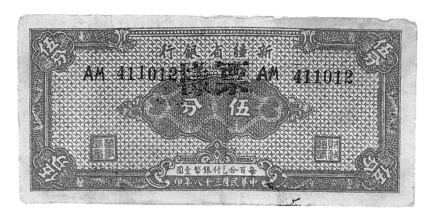

2984
中國人民銀行上海分行　藏
★

2985
上海博物館　藏
★

2986
上海博物館　藏
★

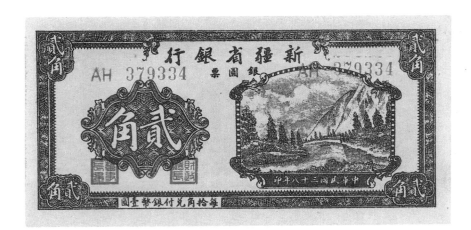

2987

上海博物館　藏

★

2988

上海博物館　藏

★

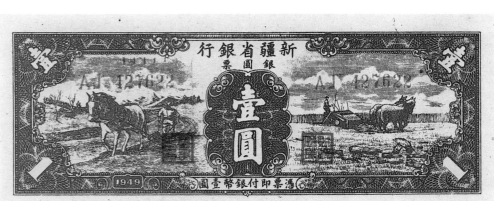

2989

上海博物館　藏

★★★

2990
上海博物館　藏
★★★

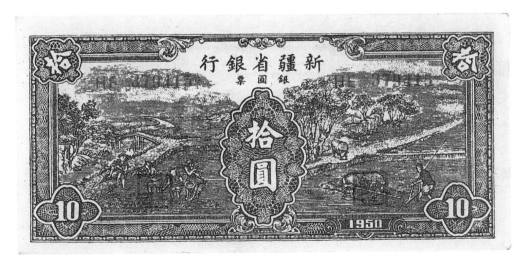

2991
上海博物館　藏
★★★

民國時期軍用票

一、辛亥革命時期的軍用票

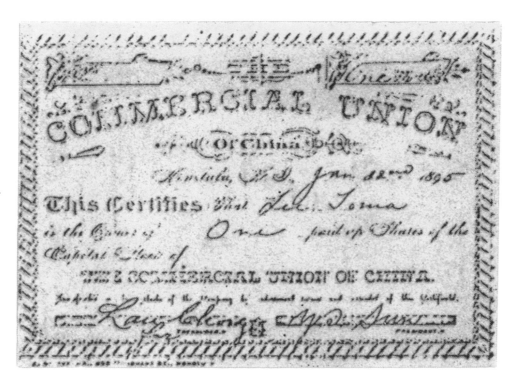

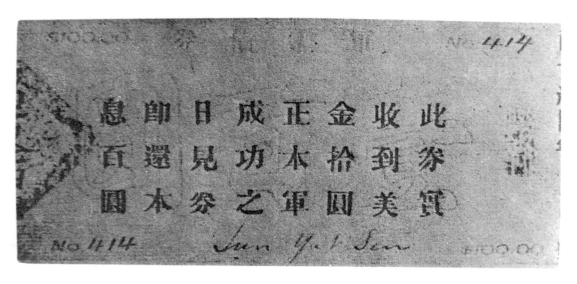

中華民務興利公司今議立
新章與創大利以期利益均
沾特向外募集公債貳百萬
圓以充資本自本公司開辦
生意之日始每年清還本利
五份之一限期五年之內本
利清還如到五年期滿有不
願收回本利者以後則照本
利之數每年算回週息五釐
每年派息一次持立此券收
執為憑廣東募債總局立約

第壹回黃字第壹佰卅五號
廣東募債總局五年內清還

公債本利
壹仟圓券

天運歲次乙□年十一月十五日發
總理經手收銀人碼文

2995
選自《中國軍用鈔票史略》
★★★★

2996
選自《辛亥革命貨幣》
★★★★

2997

上海市歷史博物館 提供

★★★★

2998

選自《中國軍用鈔票史略》

★★★★

（背圖見 1375 頁）

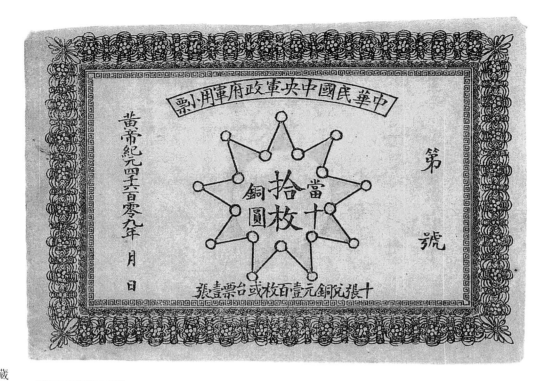

2999
蔡小军　藏
★★★★

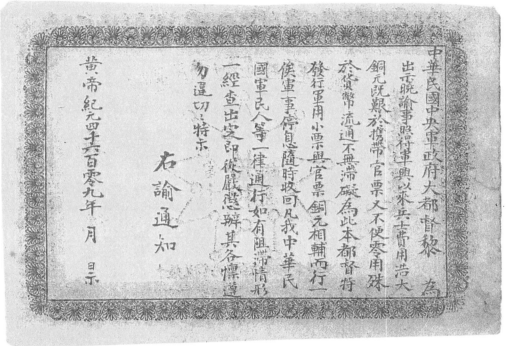

（2998 背圖）

3000

選自《中國錢幣》

★★★★

3001

選自《中國軍用鈔票史略》

★★★

3002

選自《中國軍用鈔票史略》

★★★

3003

選自《中國軍用鈔票史略》

★★★

3004

選自《中國軍用鈔票史略》

★★★★

3005

選自《中國軍用鈔票史略》

★★★★

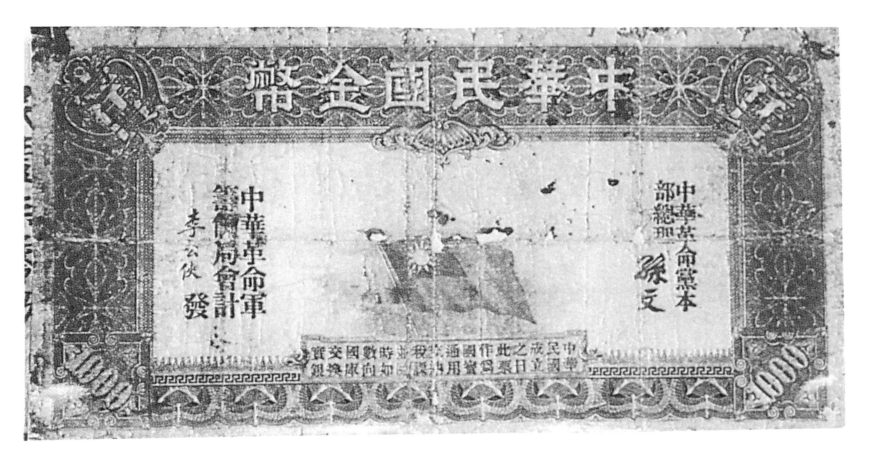

3006
選自《辛亥革命貨幣》
★★★★

3007
選自《中國軍用鈔票史略》
★★

大漢四川軍政府軍用銀票
四川銀行總理　　財政部部長
壹圓
四川銀行發行

軍用銀票通行章程

第一條　此項軍用銀票由軍政府所屬
四川銀行發行派員專責任

第二條　此項軍用銀票第一次皆行以及
百萬元為按額目宣布皆行之日起
一年以內不得兌換現銀惟經過一年漢即
作為兌換票在四川銀行兌換現銀

第三條　此項軍用銀票凡在四川境內無
論丁糧鹽稅及人民交易均一律通用不
得稍有留難扣折等情其有不收兌者
即呈請軍政府或地方官查明懲訊

第四條　此項軍用銀票通用時不得蕉
字蓋即任意塗污

第五條　和造軍用銀票一經查出即慶
以死刑

子第　9186　號

黃帝紀元四千六百有九年十二月造

3008
中國人民銀行上海分行　藏
★★★★

大漢銀行軍用票
貳角
黃帝紀元四千六百有九年九月印
各省通用
上

地字　九七六八〇二

3009
丁張弓良　舊藏
★★★★

3010
丁張弓良　舊藏
★★★★

3011
中國人民銀行上海分行　藏
★★★★

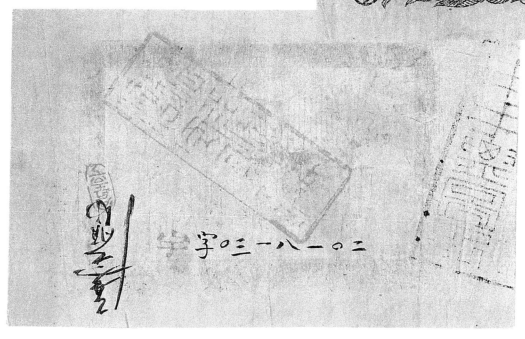

3012

選自《辛亥革命貨幣》

★★★★

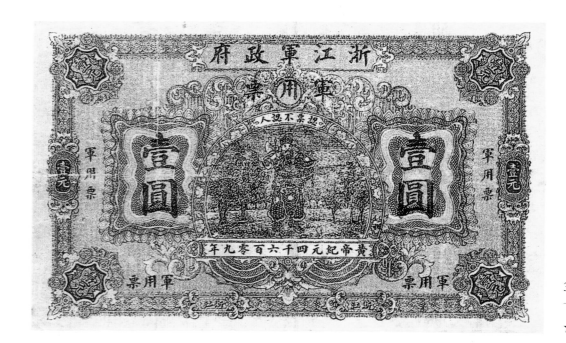

3013

丁張弓良 舊藏

★★★★

3014
杭州市錢幣學會 提供
★★★★

3015
蔡小軍 藏
★★★★

3016
選自《辛亥革命貨幣》
★★

3017
丁張弓良 舊藏
★★

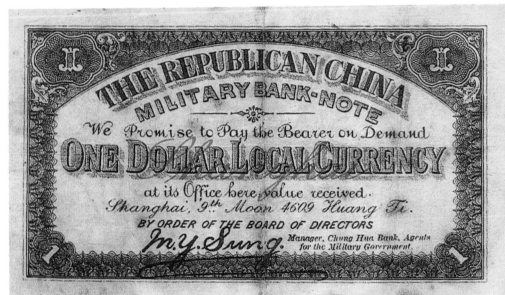

3018
中國人民銀行上海分行 藏
★★

（背圖見1385頁）

3019
中國人民銀行上海分行　藏
★★

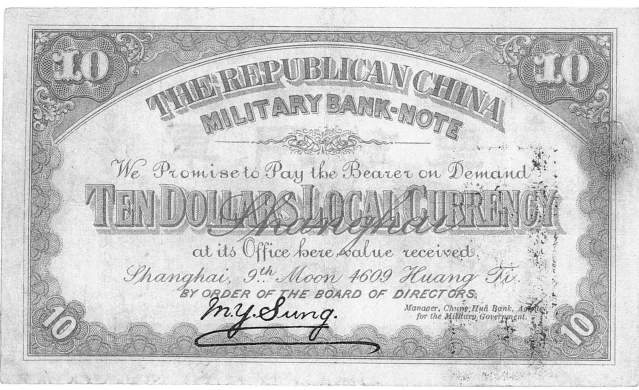

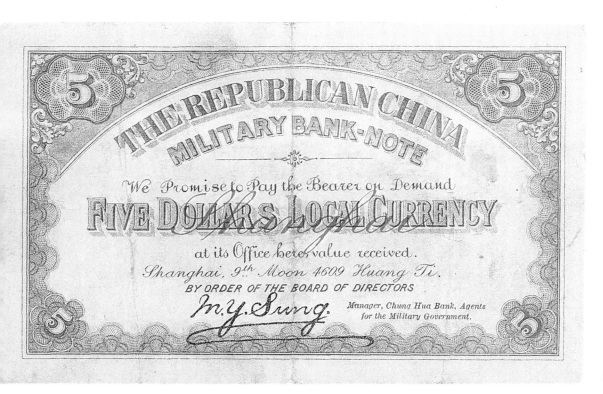

（3018 背圖）

3020
選自《辛亥革命貨幣》
★★★★

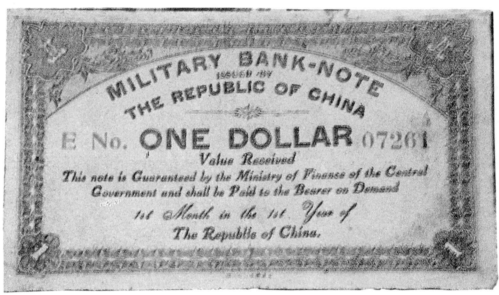

3021
丁張弓良　舊藏
★★★★

3022

丁張弓良　舊藏

★★★★

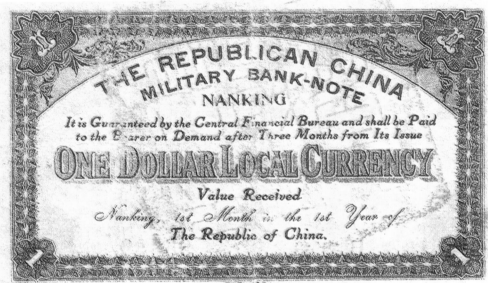

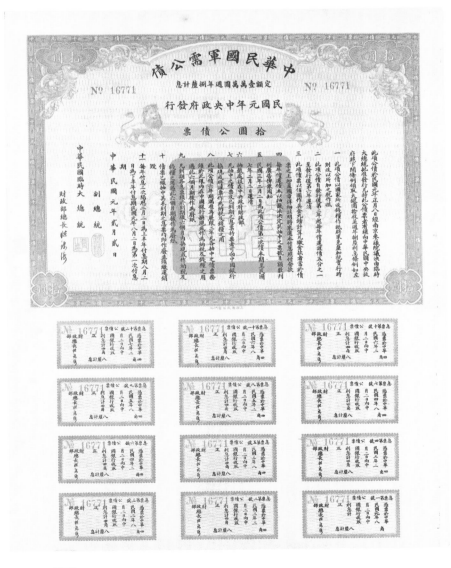

3023

郭乃興　藏

★★

(原票尺寸：274 × 347mm)

3024

郭乃興　藏

★★

（原票尺寸：267 × 345mm）

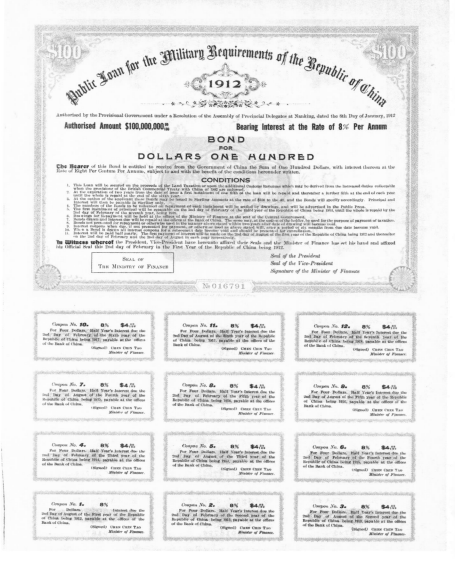

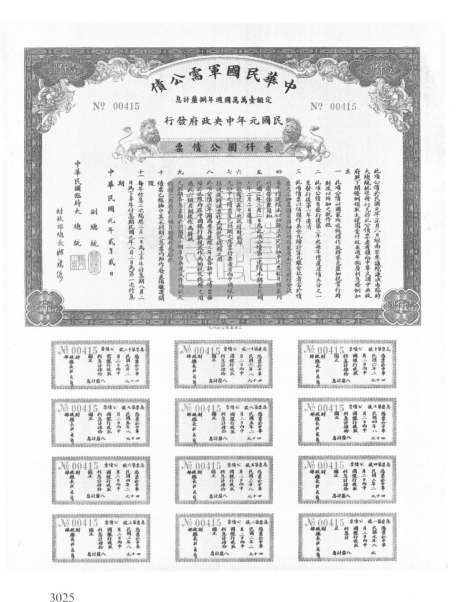

3025

郭乃興　藏

★★★

（原票尺寸：273 × 348mm）

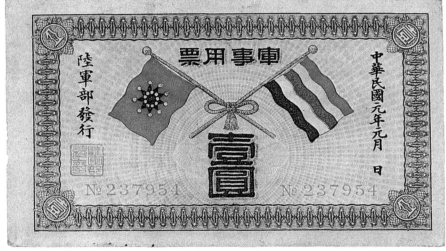

3026

中國人民銀行上海分行　藏

★★★

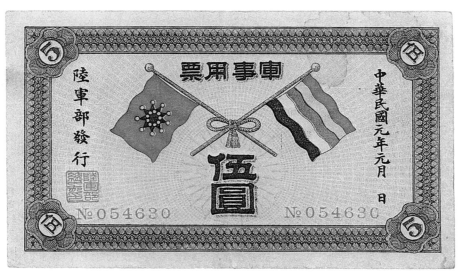

3027

中國人民銀行上海分行　藏

★★★

3028

丁張弓良　舊藏

★

3029
丁張弓良 舊藏
★★★★

3030
丁張弓良 舊藏
★★★★

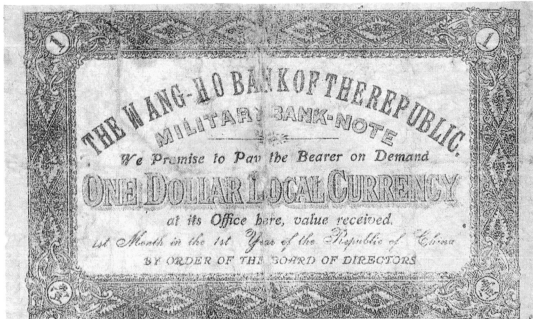

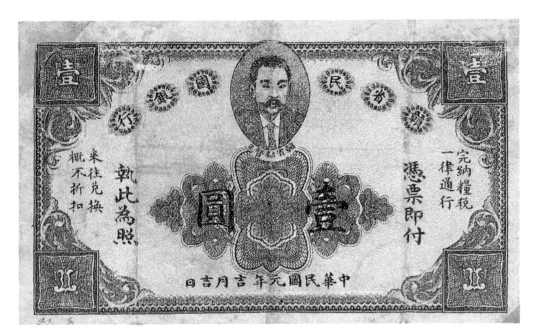

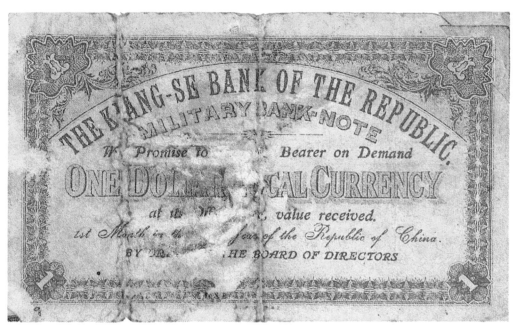

3031
選自《中國軍用鈔票史略》
★★★

3032
吳籌中 藏
★★★★

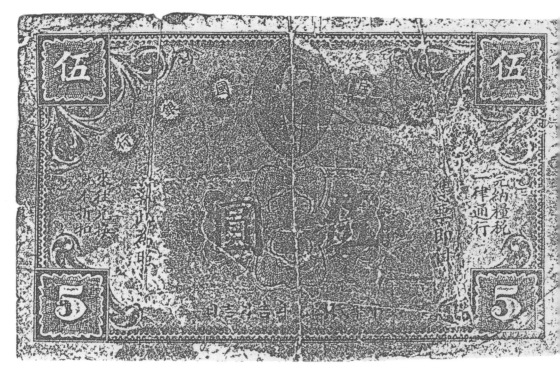

（背圖見 1393 頁）

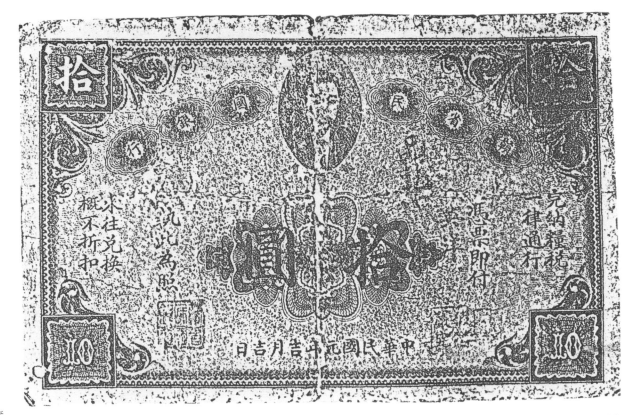

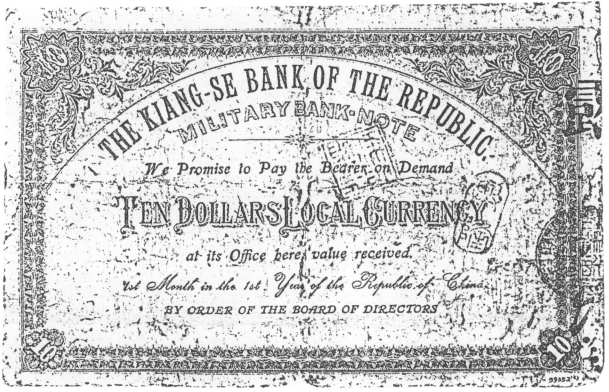

3033
吴筹中　藏
★★★★

（3032 背图）

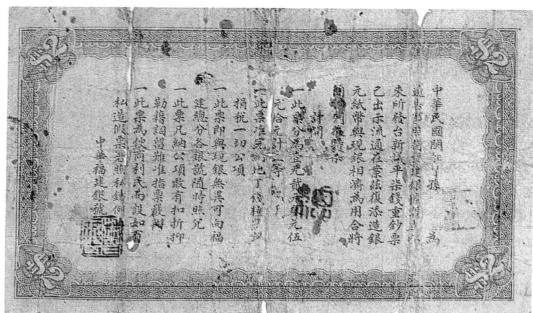

3034

選自《中國軍用鈔票史略》

★★★★

3035

選自《中國軍用鈔票史略》

★

3036
選自《中國軍用鈔票史略》
★

3037
選自《中國軍用鈔票史略》
★★★

3038

選自《中國軍用鈔票史略》

★★★

3039

郭乃興　藏

★★

（原票尺寸：225 × 270mm）

二、討伐袁世凱以及討伐北洋軍閥時期的軍用票

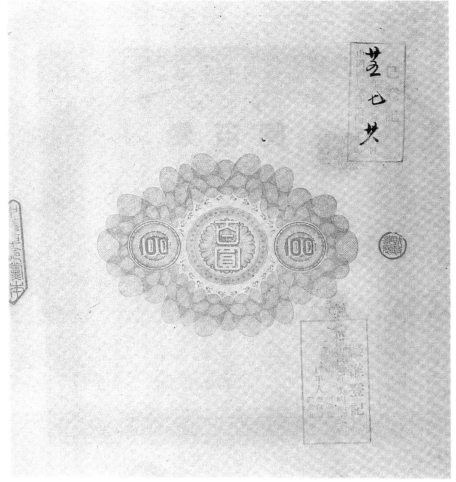

3040

選自《中國軍用鈔票史略》

★★★

（原票尺寸：220 × 250mm）

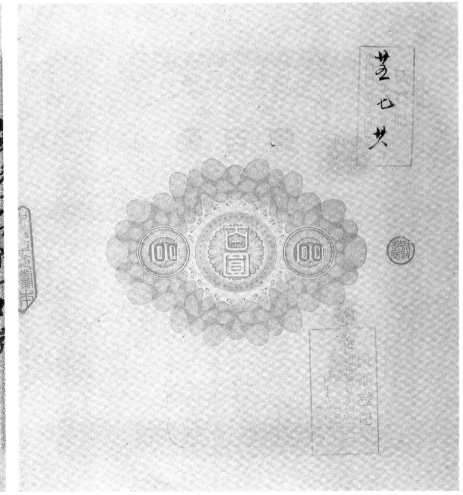

3041

選自《中國軍用鈔票史略》

★★★

（原票尺寸：220 × 250mm）

3042

選自《中國軍用鈔票史略》

★

（原票尺寸：220 × 250mm）

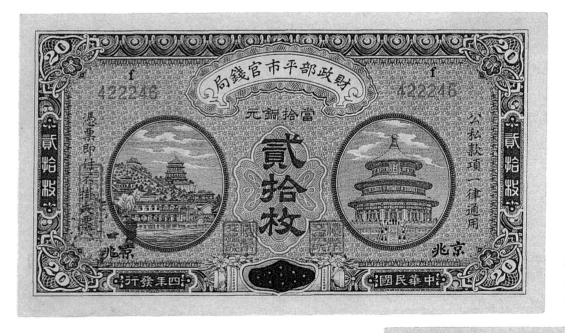

3043

中國人民銀行上海分行　藏

★★

3044
中國人民銀行上海分行　藏
★★

3045
中國人民銀行上海分行　藏
★★

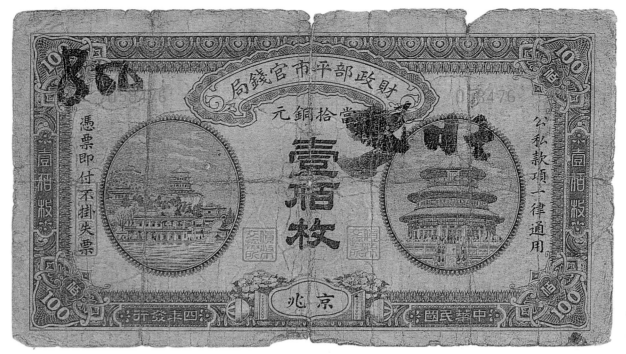

3046
中國人民銀行上海分行　藏
★★★

3047
中國人民銀行上海分行　藏
★

3048
丁張弓良 舊藏
★★★

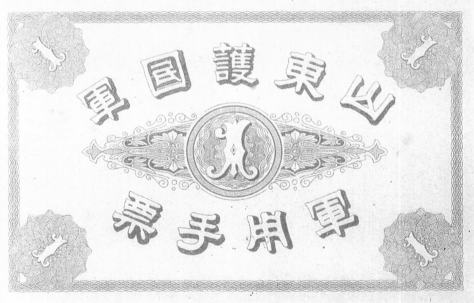

3049
丁張弓良 舊藏
★★★

3050

選自《中國軍用鈔票史略》

★

3051

選自《中國軍用鈔票史略》

★★

3052
選自《中國軍用鈔票史略》
★★★

3053
選自《中國軍用鈔票史略》
★★★

3054

選自《中國軍用鈔票史略》

★★

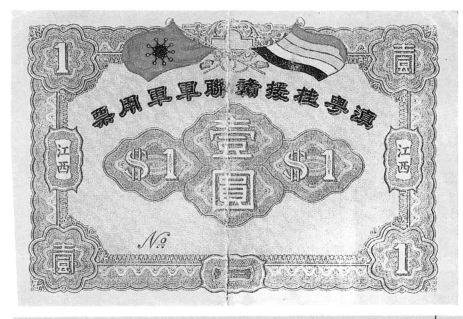

3055
丁張弓良 舊藏
★★

3056
丁張弓良 舊藏
★★

3057
選自《中國軍用鈔票史略》
★★★

3058

選自《中國軍用鈔票史略》

★★★

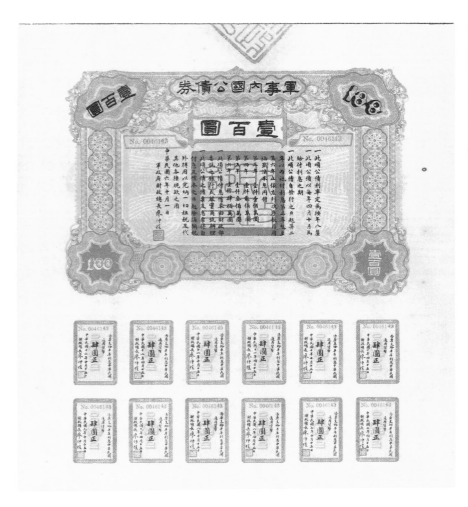

3059

郭乃興　藏

★

（原票尺寸：263 × 290mm）

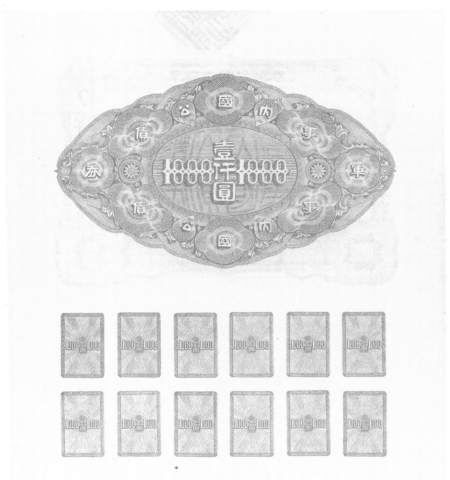

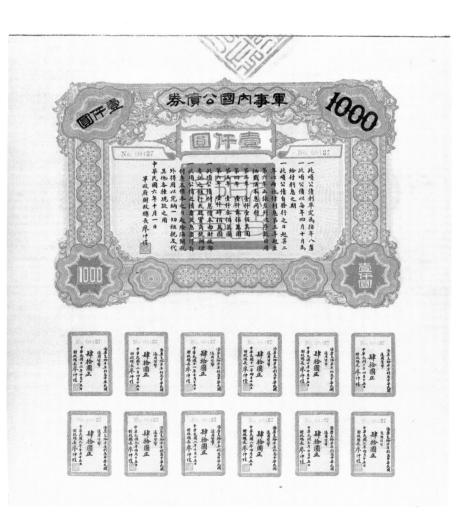

3060

郭乃興 藏

★★

（原票尺寸：292 × 264mm）

3061
丁張弓良 舊藏
★★

3062
選自《中國軍用鈔票史略》
★★

3063
選自《雲南歷史貨幣》
★★★

3064
吳籌中　藏
★★★

3065
選自《雲南歷史貨幣》
★★★★

3066
丁張弓良 舊藏
★★

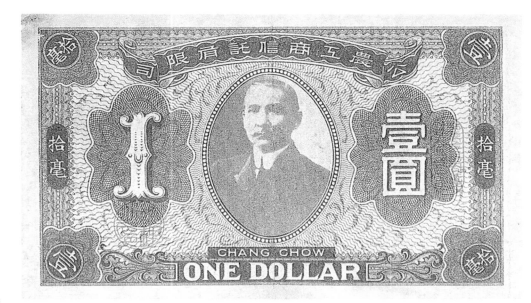

3067
丁張弓良 舊藏
★★

3068
中國人民銀行上海分行 藏
★★

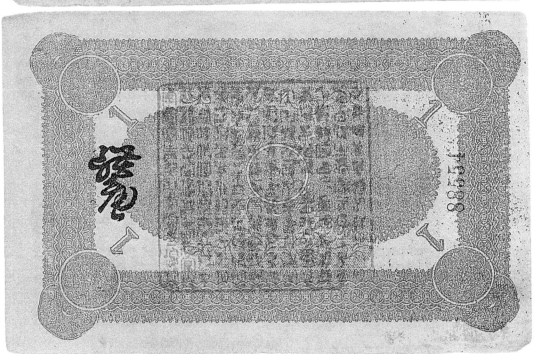

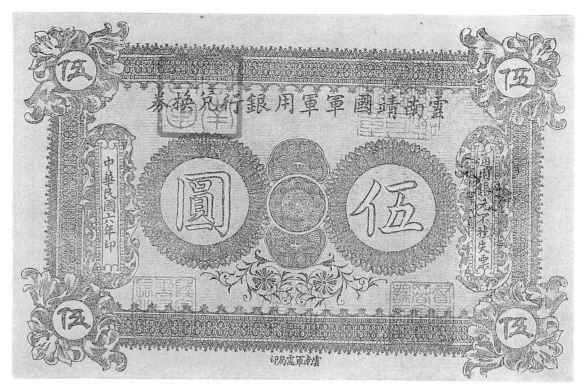

3069
中國人民銀行上海分行　藏
★★

3070
中國人民銀行上海分行　藏
★★★

(背圖見1413頁)

3071
選自《中國軍用鈔票史略》
★★

3072
選自《中國軍用鈔票史略》
★★

(3070 背圖)

3073

選自《中國軍用鈔票史略》

★

3074

蔡小軍　藏

★

3075
選自《中國軍用鈔票史略》
★
（原票尺寸：152 × 256mm）

3076
丁張弓良　舊藏
★★

3077
丁張弓良　舊藏
★

3078
丁張弓良　舊藏
★

3079

丁張弓良 舊藏

★★

三、軍閥割據和混戰時期的軍用票

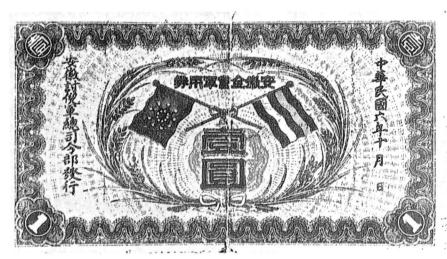

3080

丁張弓良 舊藏

★★★

3081
丁張弓良 舊藏
★

3082
上海博物館 藏
★

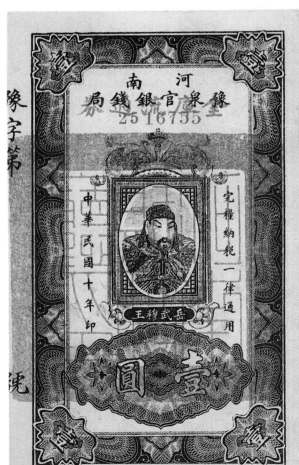

3083

丁張弓良　舊藏

★

3084

丁張弓良　舊藏

★

3085

選自《中國軍用鈔票史略》

★★

3086

丁張弓良 舊藏

★★

3087

選自《中國軍用鈔票史略》

★★★

3088

中國人民銀行上海分行　藏

★★

3089

中國人民銀行上海分行　藏

★★

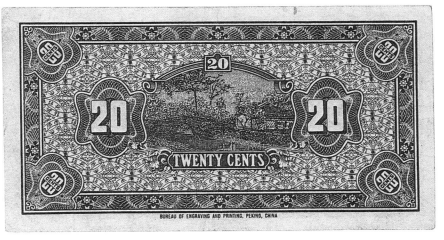

3090
丁張弓良 舊藏
★★★

3091
蔡小軍 藏
★★★

3092
蔡小军 藏
★★★★

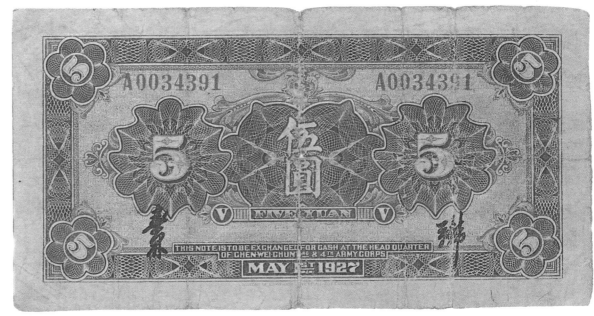

3093
選自《中國軍用鈔票史略》
★

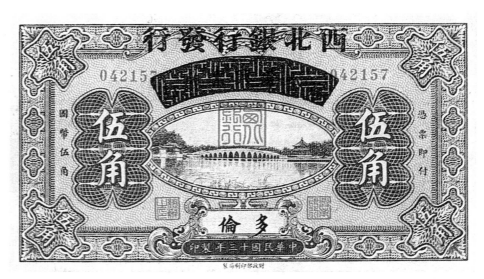

3094
選自《中國軍用鈔票史略》
★

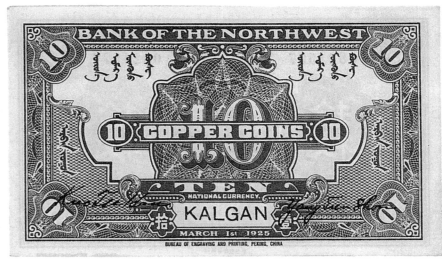

3095
中國人民銀行上海分行　藏
★

3096
中國人民銀行上海分行　藏
★★

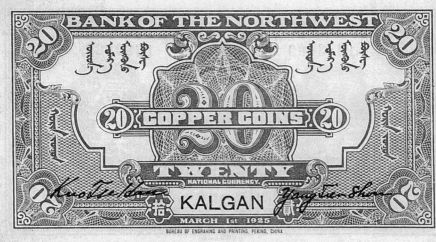

3097
中國人民銀行上海分行　藏
★

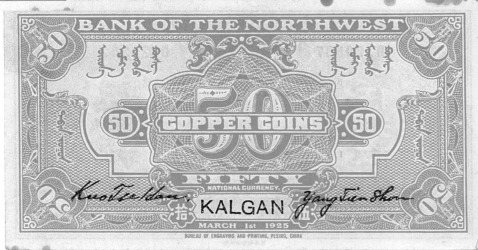

3098

選自《中國軍用鈔票史略》

★

3099

選自《中國軍用鈔票史略》

★

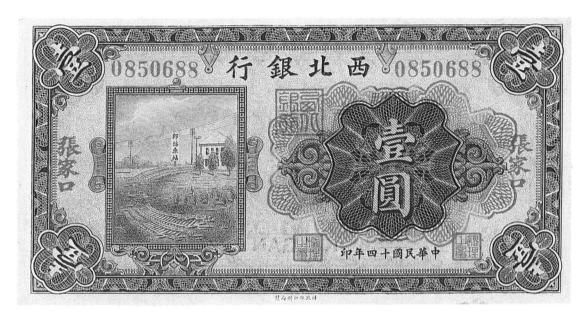

3100

中國人民銀行上海分行　藏

★

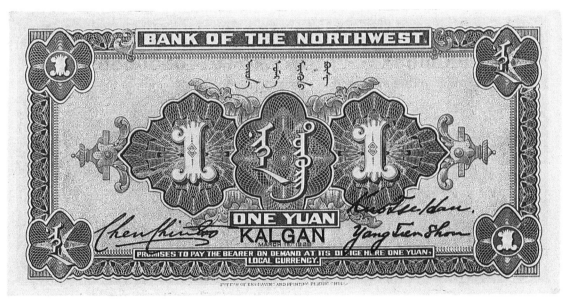

3101

選自《中國軍用鈔票史略》

★

3102
中國人民銀行上海分行　藏
★

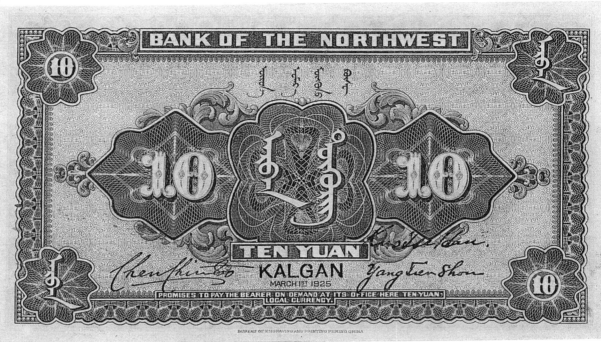

3103
選自《中國軍用鈔票史略》
★

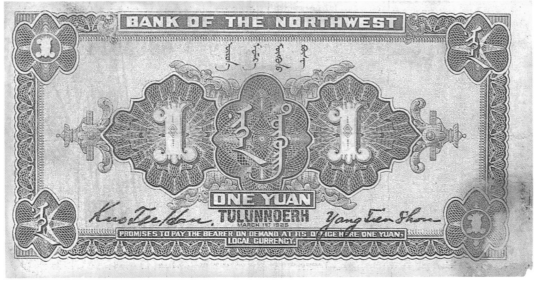

3104
選自《中國軍用鈔票史略》
★

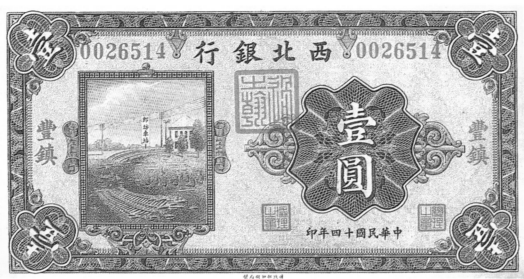

3105
選自《中國軍用鈔票史略》
★

3106
選自《中國軍用鈔票史略》
★

3107
選自《中國軍用鈔票史略》
★

3108

選自《中國軍用鈔票史略》

★

3109

選自《中國軍用鈔票史略》

★

3110

選自《中國軍用鈔票史略》

★

3111

選自《中國軍用鈔票史略》

★

3112
選自《中國軍用鈔票史略》
★

3113
選自《中國軍用鈔票史略》
★

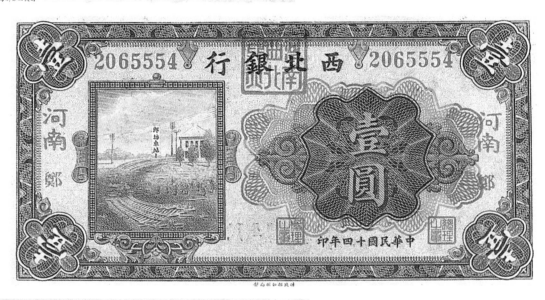

3114
選自《中國軍用鈔票史略》
★

3115
選自《中國軍用鈔票史略》
★

3116
選自《中國軍用鈔票史略》
★

3117
選自《中國軍用鈔票史略》
★

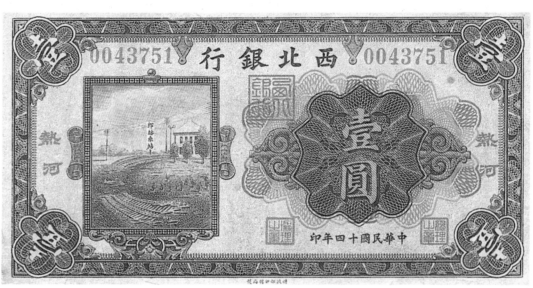

3118
選自《中國軍用鈔票史略》
★

3119
選自《中國軍用鈔票史略》
★

3120
選自《中國軍用鈔票史略》
★

3121
選自《中國軍用鈔票史略》
★

3122
選自《中國軍用鈔票史略》
★

3123
選自《中國軍用鈔票史略》
★

3124
選自《中國軍用鈔票史略》
★

3125
上海博物館　藏
★★

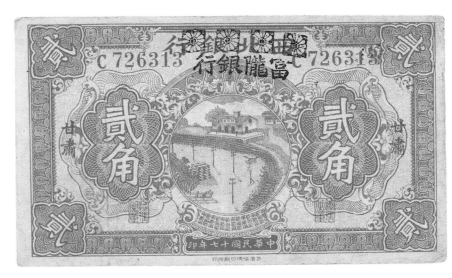

3126
上海博物館 藏
★★

3127
上海博物館 藏
★★

3128
選自《中國軍用鈔票史略》
★

3129
選自《中國軍用鈔票史略》
★

3130
選自《中國軍用鈔票史略》
★

3131
選自《中國軍用鈔票史略》
★

3132
選自《中國軍用鈔票史略》
★

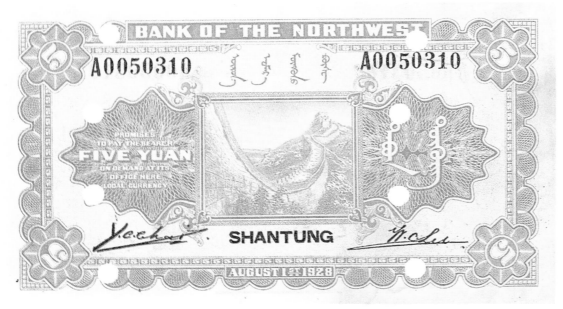

3133
選自《中國軍用鈔票史略》
★

3134
選自《中國軍用鈔票史略》
★

3135
選自《中國軍用鈔票史略》
★

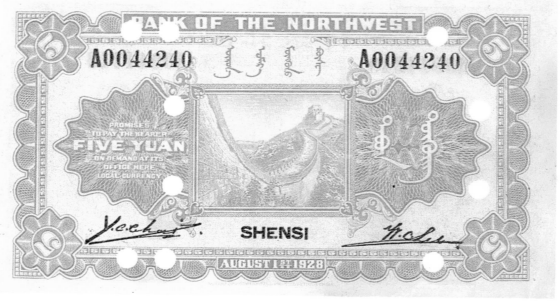

3136

選自《中國軍用鈔票史略》

★

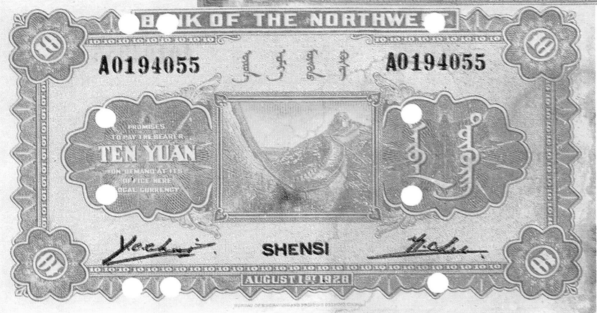

3137

選自《中國軍用鈔票史略》

★

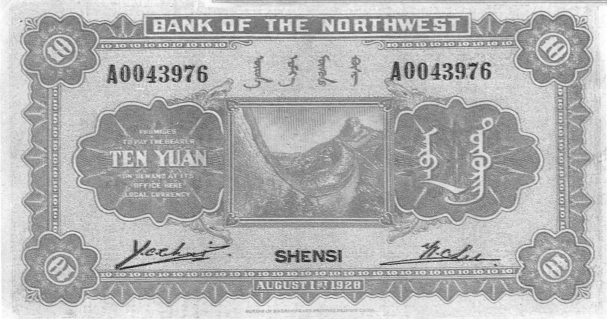

3138

中國人民銀行上海分行　藏

★

3139

丁張弓良　舊藏

★

3140
吴籌中　藏
★★

3141
吴籌中　藏
★★

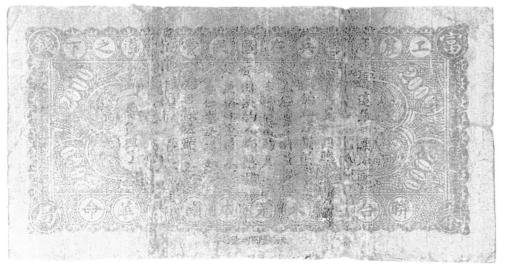

3142
吴籌中 藏
★★

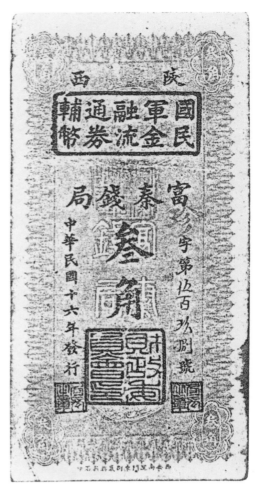

3143
吴籌中 藏
★★

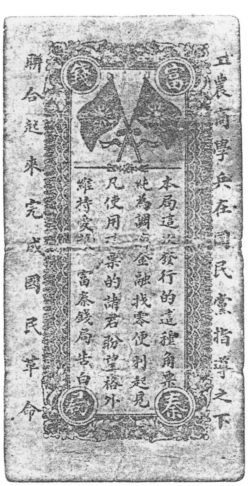

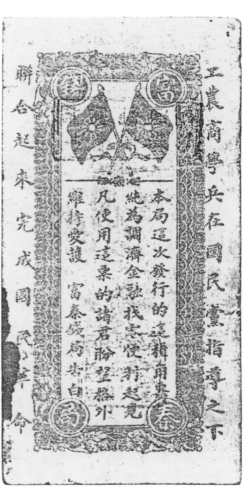

3144
吴籌中 藏
★★

3145
丁張弓良 舊藏
★★

3146
選自《中國軍用鈔票史略》
★

3147
選自《中國軍用鈔票史略》
★

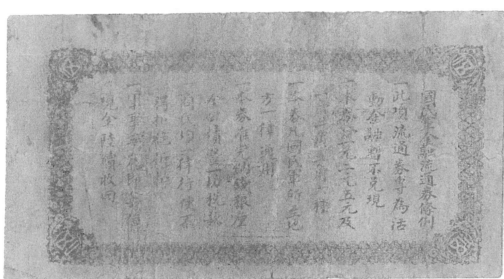

3148
中國人民銀行上海分行 藏
★

3149
中國人民銀行上海分行　藏
★

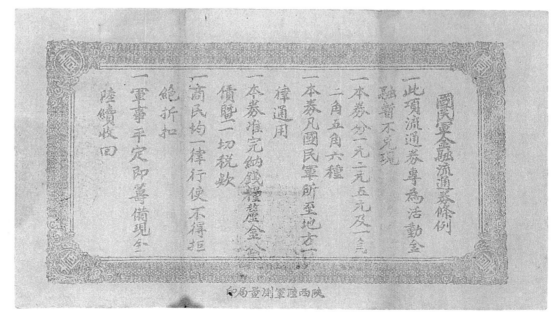

3150
中國人民銀行上海分行　藏
★

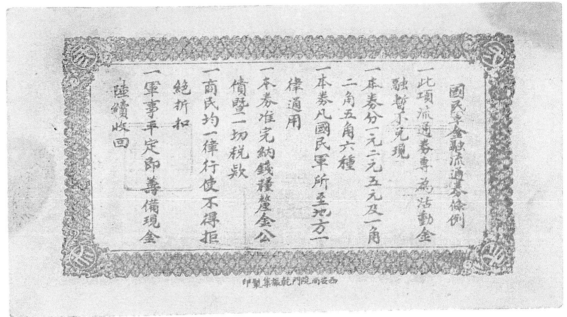

3151
中國人民銀行上海分行　藏
★

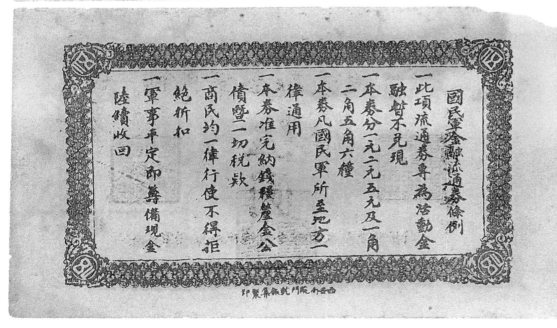

3152
蔡小軍　藏
★

3153
中國人民銀行上海分行　藏
★

3154
中國人民銀行上海分行　藏
★

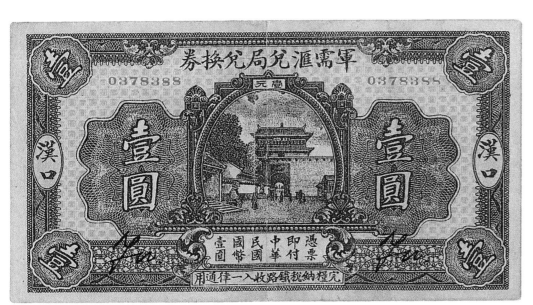

3155
中國人民銀行上海分行　藏
★

3156
中國人民銀行上海分行　藏
★

3157
丁張弓良　舊藏
★

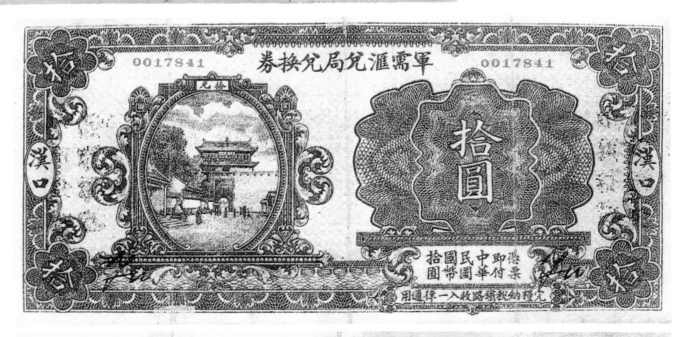

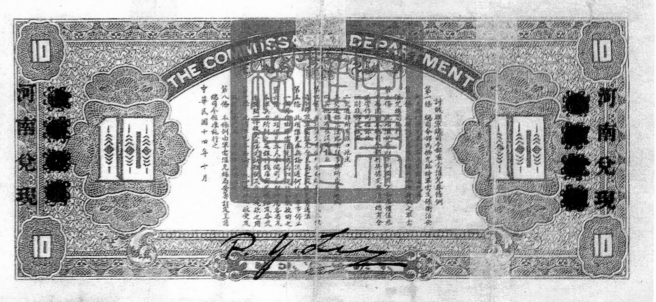

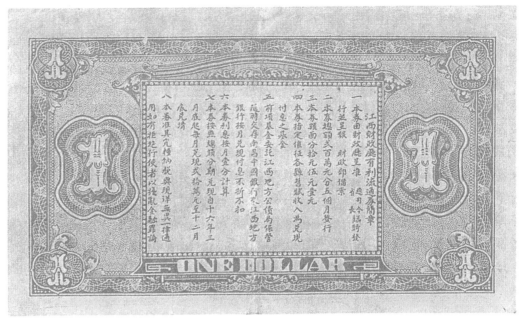

3158

選自《中國軍用鈔票史略》

★★

3159

丁張弓良 舊藏

★

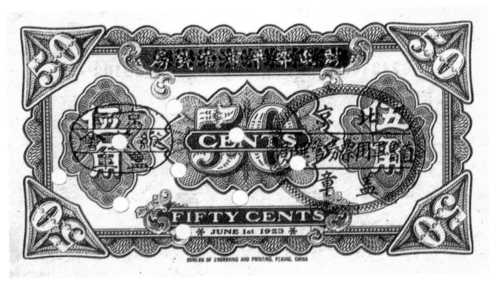

3160
丁張弓良　舊藏
★

3161
丁張弓良　舊藏
★

3162
丁張弓良 舊藏
★

3163
丁張弓良 舊藏
★

3164
丁張弓良 舊藏
★

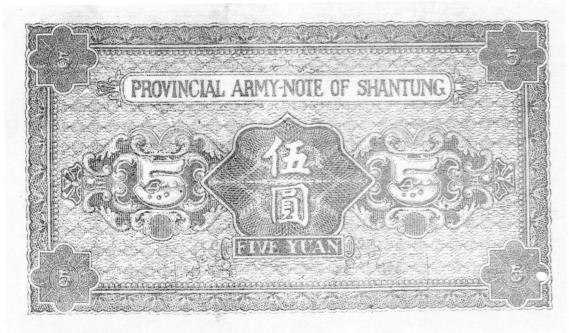

3165

丁張弓良 舊藏

★

3166

選自《中國軍用鈔票史略》

★

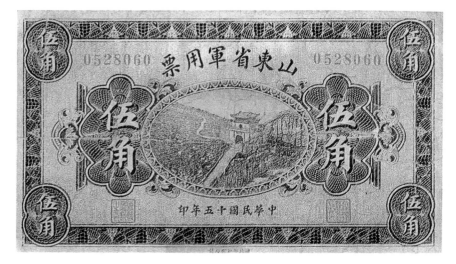

3167

選自《中國軍用鈔票史略》

★

3168

丁張弓良 舊藏

★

3169
丁張弓良 舊藏
★

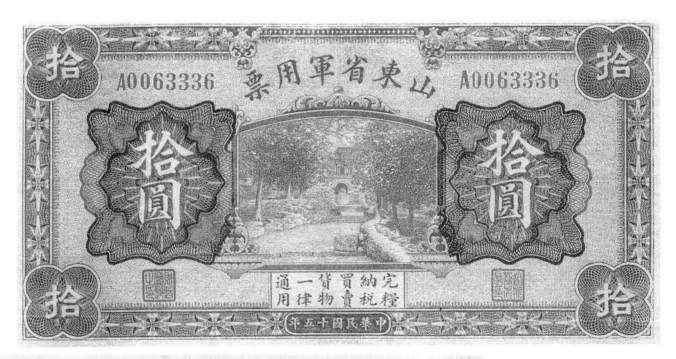

3170
丁張弓良 舊藏
★

3171
吴筹中藏
★

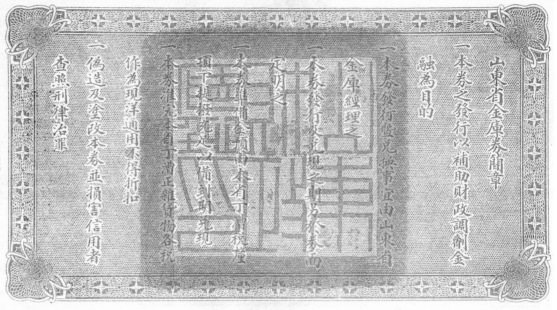

3172
吴筹中藏
★

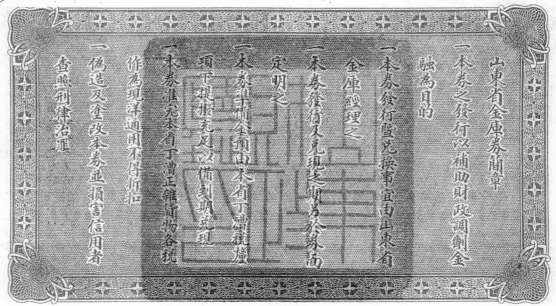

山東省金庫券

0183876　0183876

拾圓

中華民國十五年

民國拾陸年陸月壹日發行
民國拾捌年壹月壹日兌現

3173
吳籌中　藏
★

山東省金庫券簡章

一 本券之發行以補助財政調劑金融為目的

一 本券發行暨兌換事宜由山東省金庫經理之

一 本券其備金預由本省丁漕正雜稅庫項下撥充足以備刻期兌現

一 本券發行及兌現之期另於面定明之

一 本券准完本省丁漕正雜貨物各稅

一 本券作為現洋通用不得折扣

一 偽造及塗改本券並損害信用者查照刑律治罪

3174
選自《中國軍用鈔票史略》
★

直隸省庫定期流通券

二期月滿憑票兌現

中華民國十五年二月

直字第〇〇四二七二號

壹角

日發行

完糧納稅一律通用

3175
選自《中國軍用鈔票史略》
★

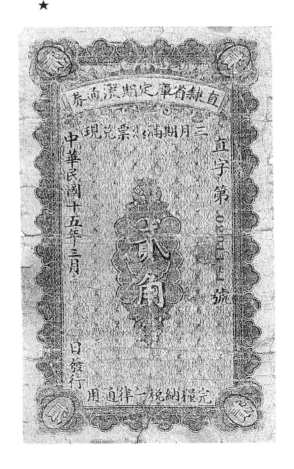

直隸省庫定期流通券

二期月滿憑票兌現

中華民國十五年二月

直字第〇〇二二一一號

貳角

日發行

完糧納稅一律通用

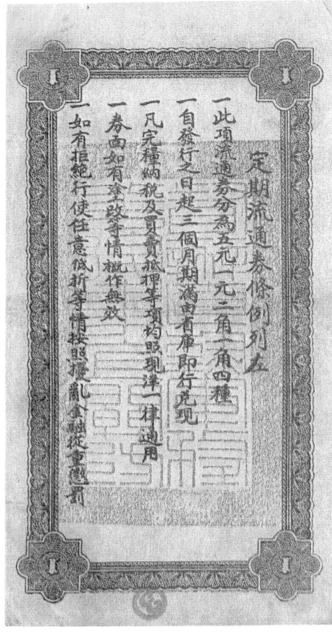

3176
選自《中國軍用鈔票史略》
★

3177
選自《中國軍用鈔票史略》
★

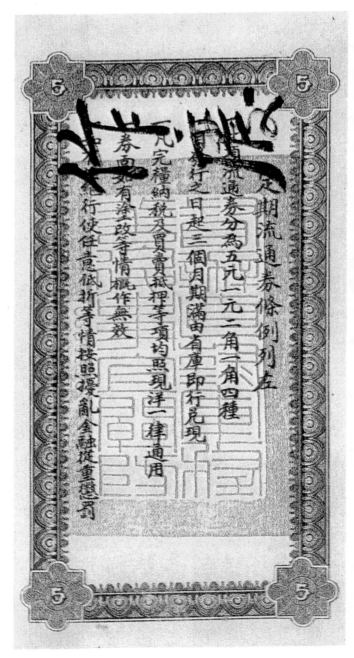

3178
選自《中國軍用鈔票史略》
★

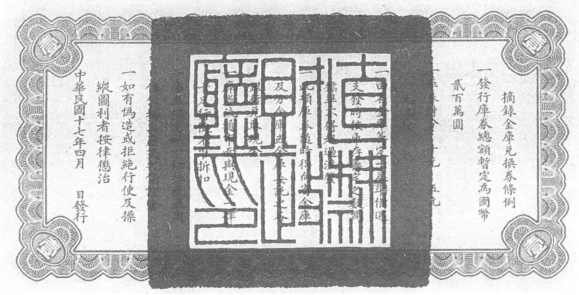

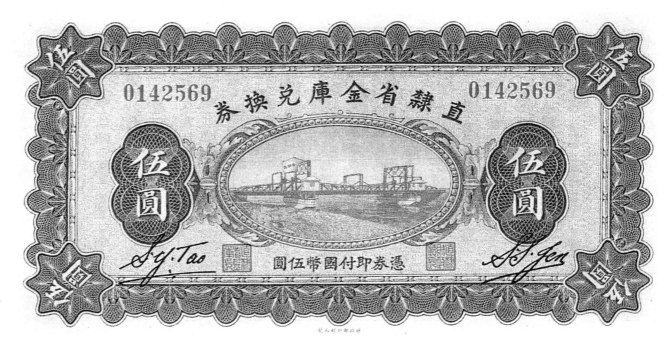

3179
選自《中國軍用鈔票史略》
★

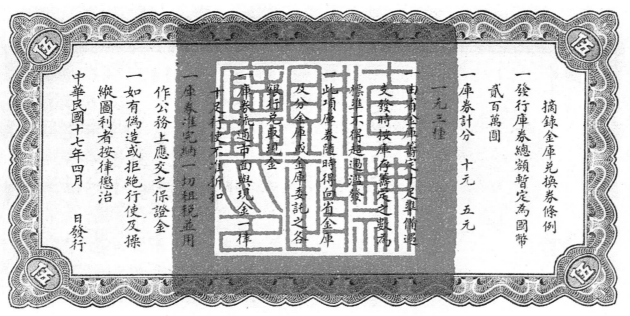

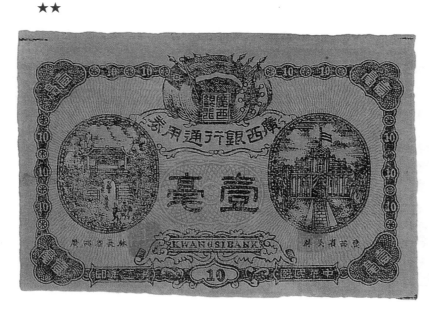

3182
選自《中國軍用鈔票史略》
★★

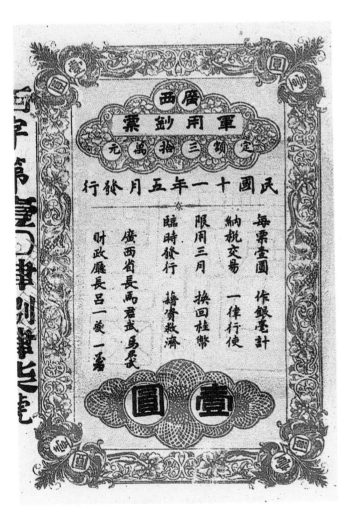

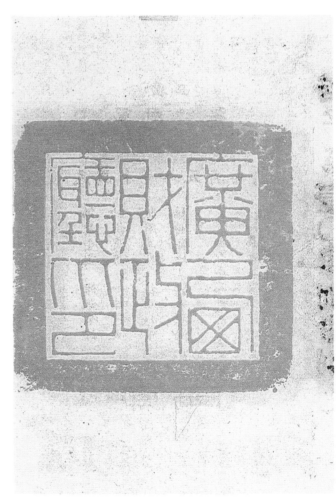

3183

丁張弓良 舊藏

★

3184
蔡小軍　藏
★

3185
丁張弓良　舊藏
★

3186
丁張弓良 舊藏
★★★★

3187

選自《中國軍用鈔票史略》

★

3188

丁張弓良　舊藏

★

3189

選自《中國軍用鈔票史略》

★

3190
選自《中國軍用鈔票史略》
★

3191
選自《中國軍用鈔票史略》
★

3192
丁張弓良 舊藏
★★★

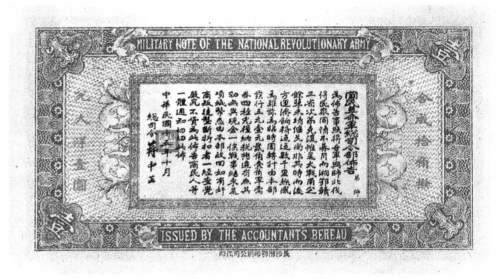

3193
丁張弓良 舊藏
★★★

3194

丁張弓良　舊藏

★★★

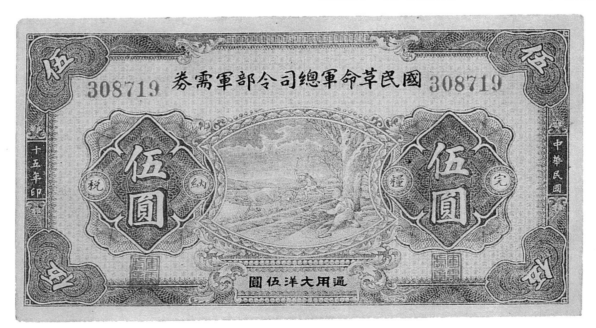

3195

中國人民銀行上海分行　藏

★★★★

3196

選自《中國軍用鈔票史略》

★

3197

選自《中國軍用鈔票史略》

★

3198

選自《中國軍用鈔票史略》

★

3199

丁張弓良 舊藏

★

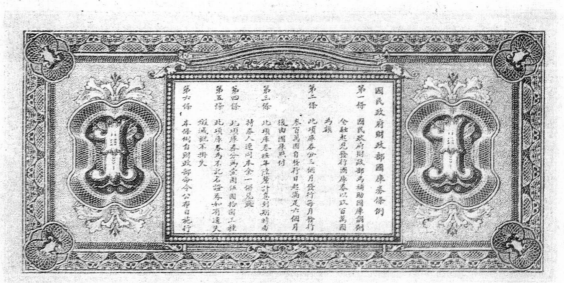

3200

選自《中國軍用鈔票史略》

★

3201

選自《中國軍用鈔票史略》

★

3202
蔡小軍 藏
★

3203
丁張弓良 舊藏
★

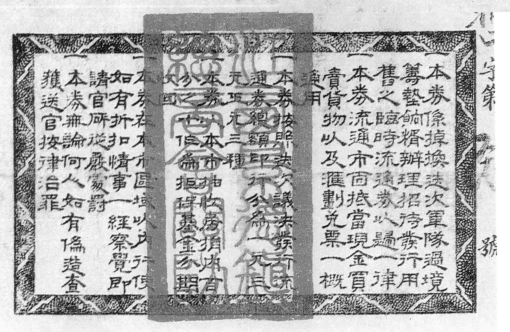

3204
張和平 藏
★

3205
張和平 藏
★

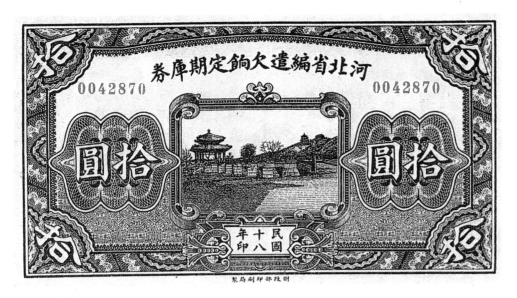

3206
選自《中國軍用鈔票史略》
★★

3207
蔡小軍　藏
★★

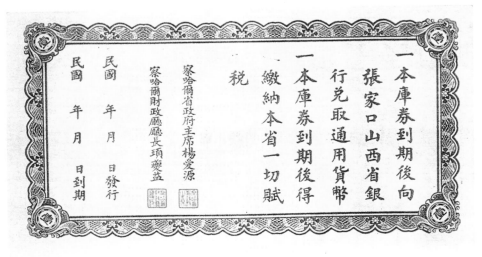

五、中原大戰時期的軍用票

3211
蔡小軍 藏
★★★★

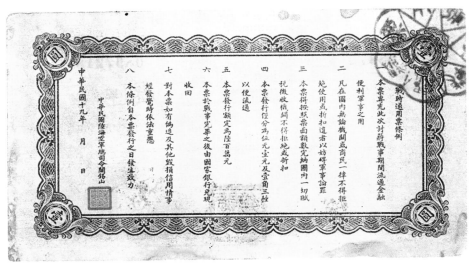

3212
蔡小軍 藏
★★★★

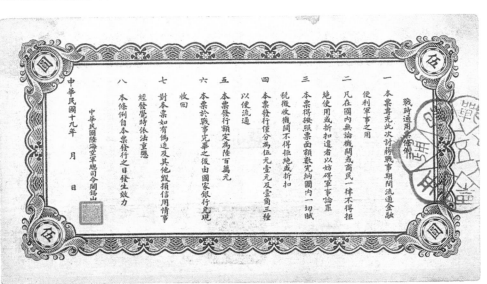

3213

選自《中國軍用鈔票史略》

★★★★

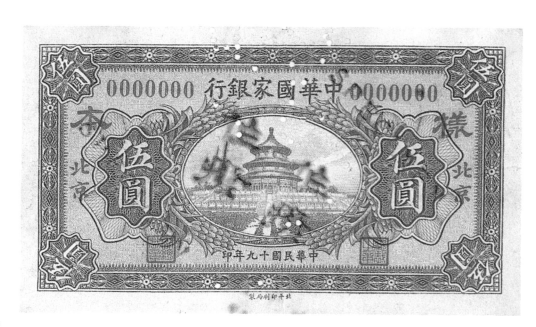

3214

選自《中國軍用鈔票史略》

★★★★

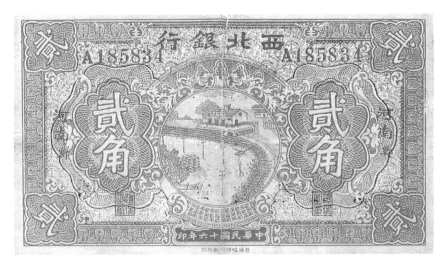

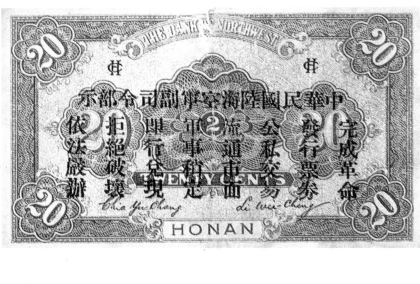

3215
丁張弓良 舊藏
★★

3216
丁張弓良 舊藏
★★★

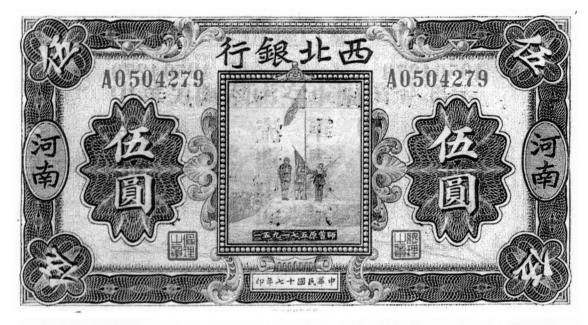

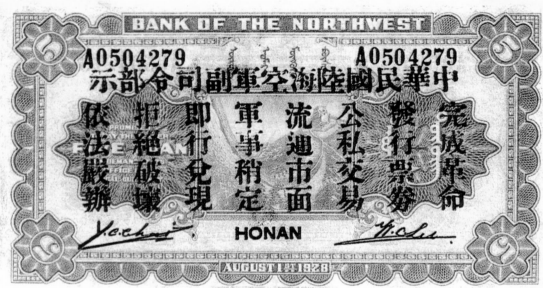

3217
丁張弓良 舊藏
★★★

3218
丁張弓良 舊藏
★★★

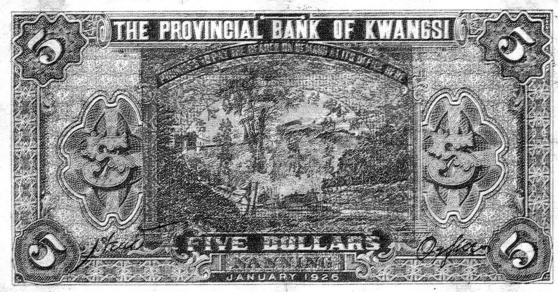

3219
丁張弓良 舊藏
★★★

3220
丁張弓良 舊藏
★★★

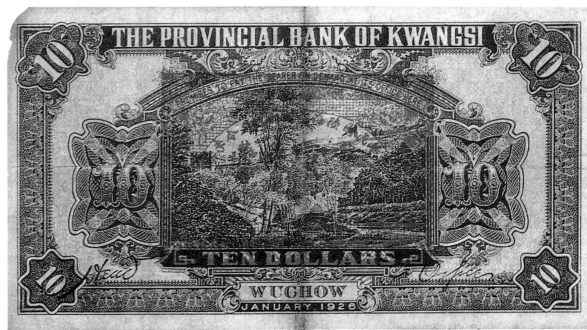

3221
丁張弓良 舊藏
★★★

3222
丁張弓良 舊藏
★

3223
選自《中國軍用鈔票史略》
★

3224
選自《中國軍用鈔票史略》
★

六、抗日以及抗日戰爭時期的軍用票

3225
選自《中國軍用鈔票史略》
★★

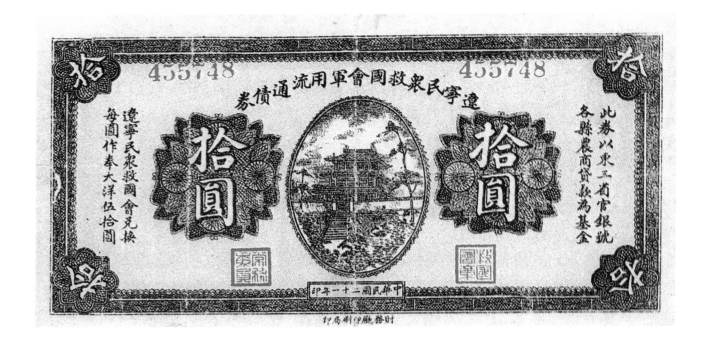

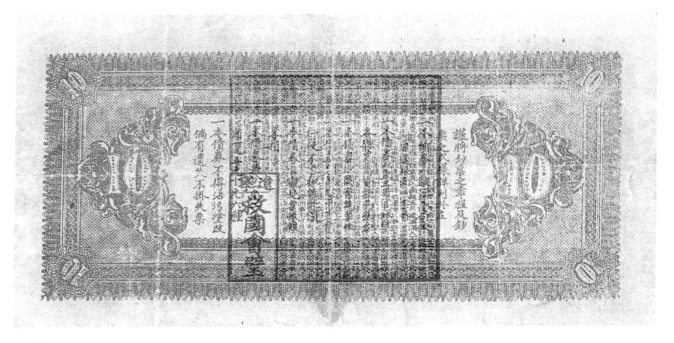

3226
選自《中國軍用鈔票史略》
★★

3227
中國人民銀行上海分行　藏
★★

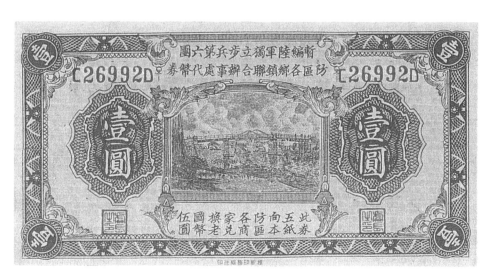

3228
王煒　藏
★★★

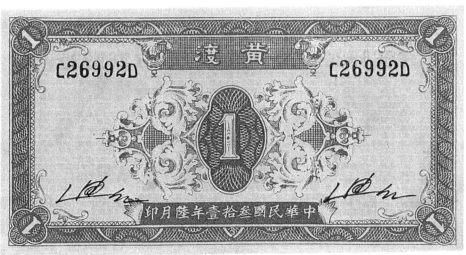

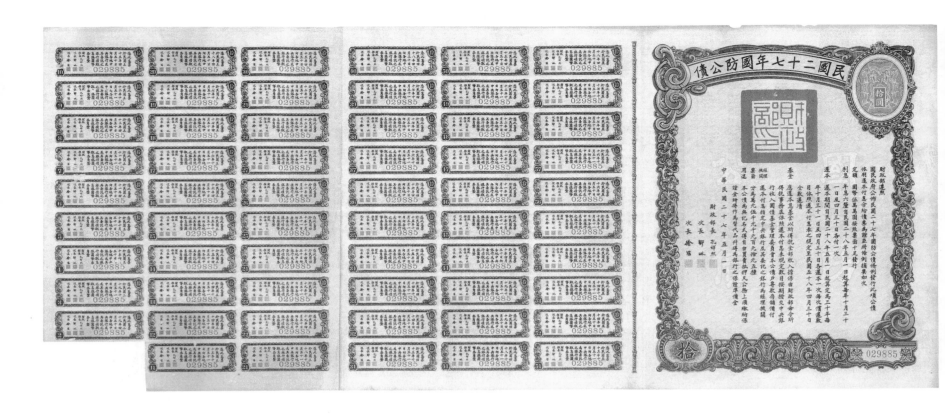

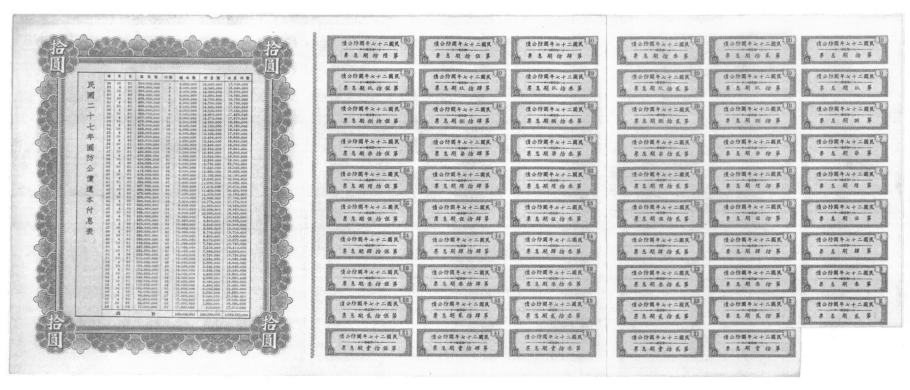

3229

郭乃興　藏

★

（原票尺寸：231 × 550mm）

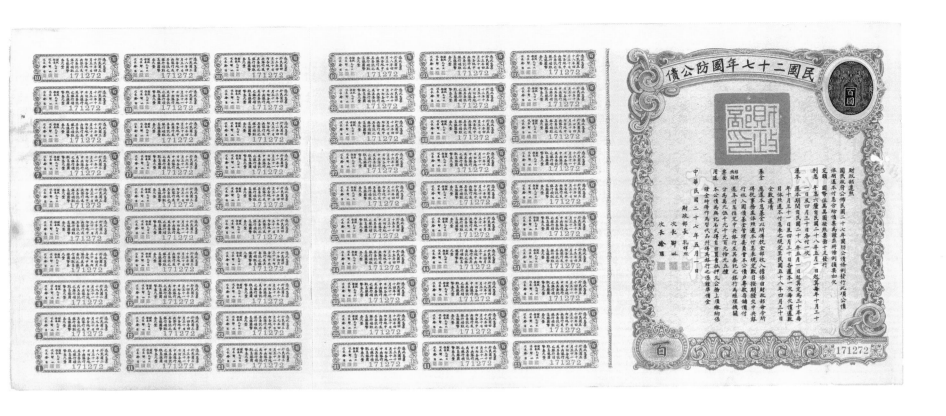

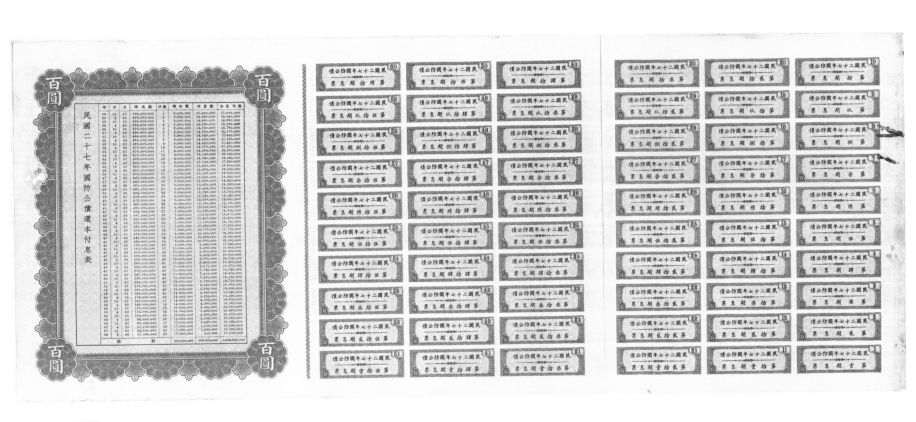

3230

郭乃興 藏

★

（原票尺寸：234 × 557mm）

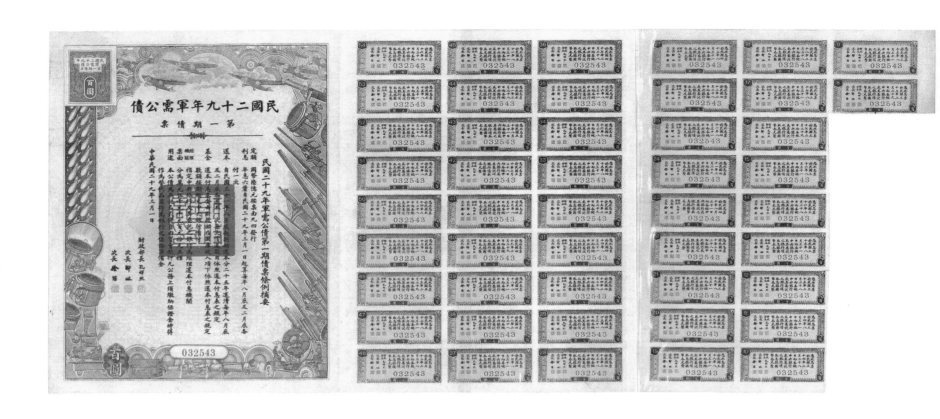

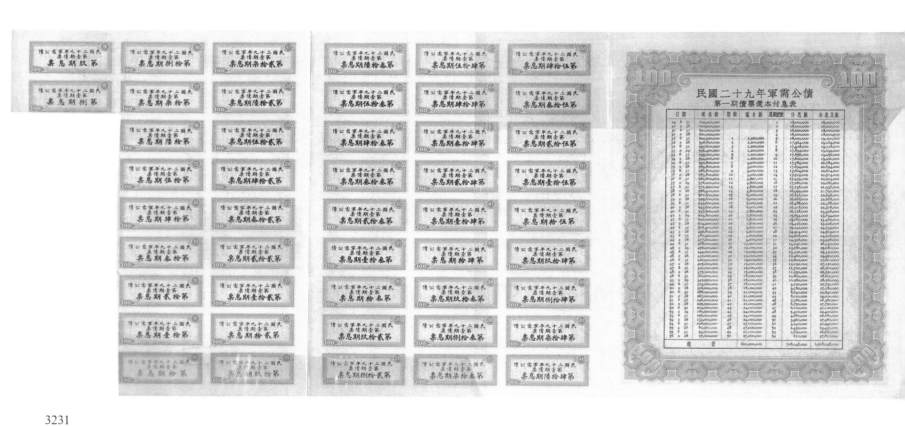

3231

郭乃興　藏

★

（原票尺寸：235 × 554mm）

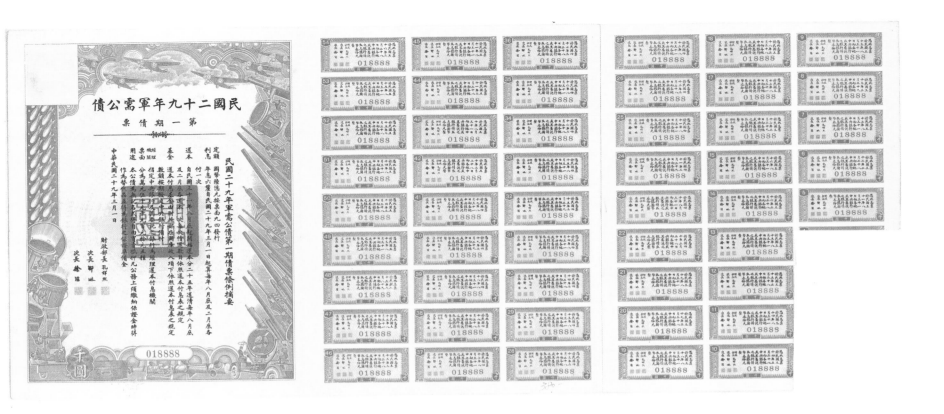

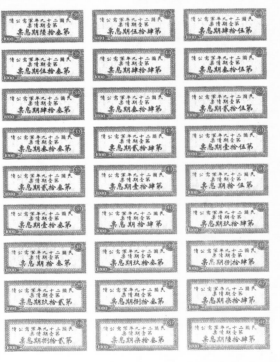

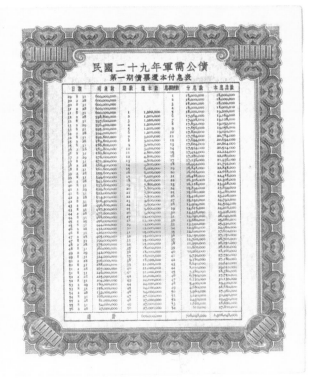

3232

郭乃興　藏

★★

（原票尺寸：235 × 551mm）

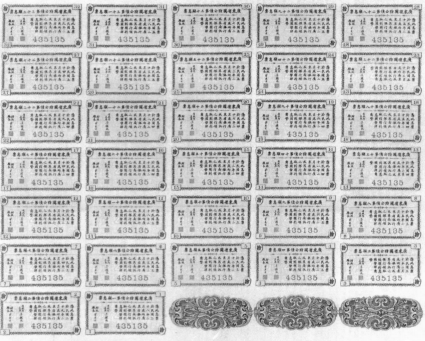

3233

郭乃興 藏

★

（原票尺寸：266 × 349mm）

3234
選自《中國軍用鈔票史略》
★

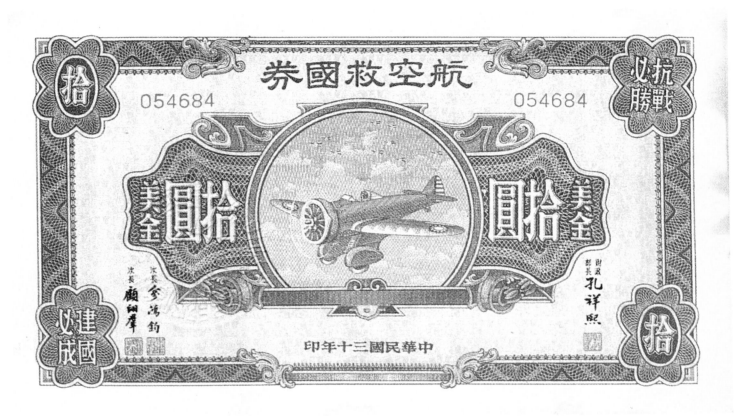

3235
選自《中國軍用鈔票史略》
★

3236
選自《中國軍用鈔票史略》
★

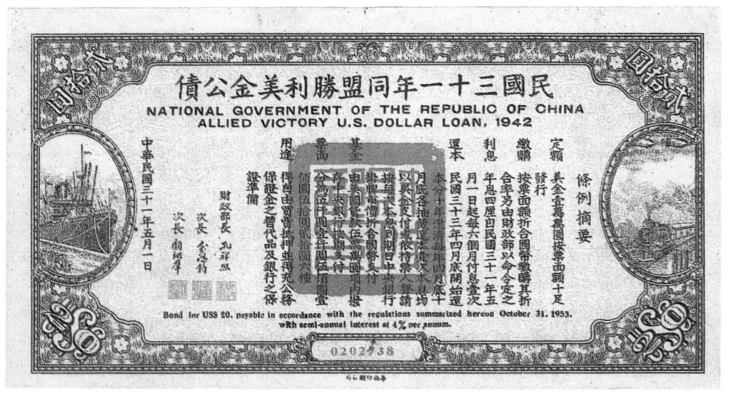

民國三十一年同盟勝利美金公債
NATIONAL GOVERNMENT OF THE REPUBLIC OF CHINA
ALLIED VICTORY U.S. DOLLAR LOAN, 1942

條例摘要

定額　美金壹萬萬圓按票面額十足
發行

徵額　按票面額折合國幣數勝其折
合率為由財政部以命令定之

利息　年息自民國三十一年五
月一日起每六個月付息壹次

還本　民國三十三年四月底開始
本分十年還清每年四月底十

基金　月底各抽籤償還五萬圓由
中央銀行按期撥存

用途　得自由買賣質押並充公務
保證金之替代品及銀行之保
證準備

中華民國三十一年五月一日

財政部長　孔祥熙
次長　　　俞鴻鈞
次長　　　顧翊羣

Bond for US$ 20, payable in accordance with the regulations summarized hereon October 31, 1953, with semi-annual interest at 4% per annum.

0202738

3237
選自《中國軍用鈔票史略》
★

3238
選自《中國軍用鈔票史略》
★

3239
選自《中國軍用鈔票史略》
★

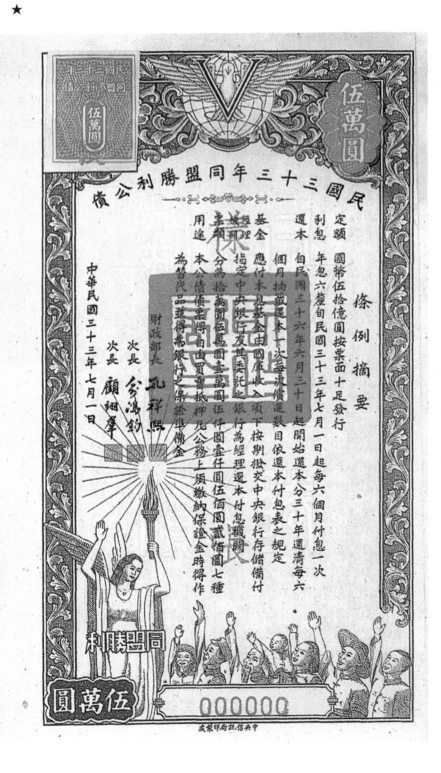

3240
中國人民銀行上海分行　藏
★

3241
中國人民銀行上海分行　藏
★

3242
中國人民銀行上海分行　藏
★

3243
中國人民銀行上海分行　藏
★

［叁］專論

民國初年至實行法幣政策前後的紙幣理論

葉世昌

中國紙幣産生得早，紙幣理論也特別發達。民國年間，在國民政府實行法幣政策前，已經有許多主張實行紙幣流通制度的理論，三十年代達到了高潮。實行法幣政策後，不少學者對新貨幣政策也發表了評論。本文主要概述民國初年至實行法幣政策前的紙幣理論，兼及實行法幣政策初期一些學者對這一政策的主要評論。

一、孫中山的錢幣革命論

孫中山 (1866—1925)，名文，字逸仙，廣東香山人。早年創建興中會和同盟會，提出三民主義學説，多次發動武裝起義，立志推翻清朝。武昌起義後，於 1912 年就任中華民國臨時大總統，不久辭職。同盟會改組爲國民黨，被選爲理事長。1913 年發動"二次革命"，失敗後去日本組織中華革命黨，任總理。1917 年領導護法運動，在廣州任護法軍政府大元帥，後被迫去職。1921 年在廣東任非常大總統，曾計劃北伐。1924 年在廣州召開國民黨第一次全國代表大會，確定聯俄、聯共、扶助農工三大政策。1925 年 3 月 12 日在北京病逝。

民國的紙幣理論以偉大的民主革命先行者孫中山的錢幣革命論開其端。

以袁世凱爲首的北洋政府成立後，財政狀况非常困難，向六國(英、法、德、美、俄、日)銀行團借款沒有成功。而沙皇俄國又炮製蒙古假獨立，企圖控制蒙古。1912 年 12 月 3 日，孫中山發出《倡議錢幣革命對抗沙俄侵略通電》。此通電又名《救亡策》，即要以錢幣革命爲當時中國的救亡措施。

孫中山所説的"錢幣"，相當於現在所説的"貨幣"，故"錢幣革命"即"貨幣革命"。孫中山認爲，紙幣"將必盡奪金銀之用，而爲未來之錢幣"是"天然之進化，勢所必至，理有固然"。但中國還沒有發展到這個階段，現在人爲地加速其進行，所以稱爲"革命"。錢幣革命的主要内容爲："以國家法令所制定紙票爲錢幣，而悉貶金銀爲貨物。國家收支，市廛交易，悉用紙幣，嚴禁金銀，其現作錢幣之兑金銀，祇准向紙幣發行局兑換紙幣，不准在市面流行。"[①]紙幣分一元、十元、百元、千元四種，輔幣有一毫、五毫的銀幣和一仙、五仙的銅幣。

爲了防止紙幣貶值，孫中山對紙幣的發行和銷毀作了嚴格的規定：成立發行局和收毀局。在國家預算制定後，税務處即根據應收賦税數用債券向發行局換取紙幣使用。紙幣通過賦税收回，然後交收毀局銷毀。發行局還通過收兑金銀、貨物或産業發行紙幣，兑到的貨物交公倉發賣，收回的紙幣亦交收毀局銷毀。國家遇有非常之需，由國民代表議决，可加税或按口捐輸，在收到前也可發行紙幣。孫中山認爲實行他的錢幣革命主張不僅能夠立即解决財政困難，而且可以使工商業"一躍千丈"，"市面永無金融恐慌之患"。

孫中山對西方的貨幣流通情况比較了解，所以他的錢幣革命論不僅參考了中國歷史上的紙幣流通經驗，而且更主要的是受到了西方現實社會中信用貨幣盛行的啓示。但當時西方還實行金本位制，故他的貨幣進化思想又表現了他的預見性。因爲祇是一種預見，設想的辦法自然有不完善之處，例如：紙幣收回即銷毀沒有必要；紙幣的發行數量應根據流通需要，而不是根據財政預算和政府的收購商品數；追加預算即可發行紙幣，仍存在着通貨膨脹的可能性；發行紙幣可以增加財政收入，並可能促進工商業的發展,但認爲可以徹底解決財政困難,工商業必一躍千丈,永無金融恐慌,則顯得過份樂觀,具有空想性。

錢幣革命主張提出後,"聞者嘩然,以爲必不可能之事"。②孫中山的主張在當時雖未實行,但"錢幣革命"一詞却得到了廣泛的流傳,成爲實行法幣政策前主張紙幣流通制度的人們的共同語言。

1919 年初,孫中山作《孫文學説》。此書後來編爲《建國方略之一:心理建設》。他舉出十個例證來證明知難行易學説,第二章爲《以用錢爲證》,闡述了貨幣理論。西方有學者將人類的生活程度分爲需要程度、安適程度、繁華程度三級。孫中山用它來説明貨幣發展的三個時代。需要時代爲"日中爲市",即物物交換時代。安適時代產生了貨幣,龜、貝、珠、玉、金、銀等先後成爲貨幣。繁華時代,契券(紙幣)取代金錢之地位。他用第一次世界大戰中資本主義國家放棄金本位來證明"行之得其法,則紙幣與金錢等耳"。③他還指出,三個時代的貨幣存在着"相並而行"的交叉現象。"但在今日,則非用契券,工商事業必不能活動也。而同時兼用金錢亦無不可也,不過不如用契券之便而利大耳。"④

二、 康有爲的紙幣理論

康有爲 (1858—1927),原名祖詒,字廣厦,廣東南海人。清光緒進士。1895 年甲午戰爭爆發後,在北京聯合一千三百多名舉人上書,要求拒和抗戰,變法圖强,史稱"公車上書"。後與梁啓超組織强學會、保國會,宣傳變法。1898 年受光緒皇帝召見,促成百日維新。變法失敗後組織保皇會。

康有爲在清末曾主張實行虚金本位制(金滙兑本位制)。1913 年出版《理財救國論》,除提出建立銀行體系的設想外,還提出了實行不兑現紙幣流通制度的理論和主張。

康有爲認爲紙幣流通需要有實金作準備,但流通則可以專用紙幣,這叫做"必有實金而不以實金行,而善能以虚紙運"。⑤其發行辦法是加進了公債的作用。政府發行公債,賣給中央銀行。中央銀行將公債再賣給各金融機構,各金融機構據此以發行紙幣。中央銀行則按搜集到的金銀,以三分之一或四成爲現金準備,其餘以公債爲保證準備,發行更多的紙幣。紙幣又可以用來向政府購買公債,公債又可以用作保證準備發行紙幣。認爲這樣"運轉於無窮","則術同點金,無而爲有,虚而爲盈,約而爲泰,裕國富民,文明安樂矣"。⑥他建議發行 5 萬萬兩公債,分析其妙用説:"就其實而核之,則國家與銀行皆以紙易紙而已。但以紙易紙,而委曲重叠其法,國家即憑空得五萬萬之用,銀行即憑空得五萬萬之保證準備,民間憑空多得五萬萬之母財(資本)以供運轉流通,於國與民,皆得無量大利,豈不異哉!則公債之妙用爲之,以一舉而三善備焉。"⑦

以公債作爲發行紙幣的保證準備,使貨幣制度具有了現代色彩。按照康有爲的辦法,公債僅賣給金融機構,金融機構據此以發行紙幣,這同政府直接發行紙幣並無實質性的區别。他認爲通過這一辦法,以 3 萬萬兩準備金,可以發行 8 萬萬兩紙幣和 2 萬萬兩輔幣以供流通。增加紙幣發行,的確是"術同點金",但其數量是有限的,不可能"運轉於無窮"。一方面,紙幣的發行要受準備金數量的限制,有多少準備金才能相應地發行多少紙幣;其次,紙幣的發行要受社會對紙幣的需要量的限制,超過了這個數量,紙幣就會貶值。康有爲誇大了發行公債和紙幣的作用,將它提到"救國"的高度,甚至説清朝如採用這一辦法,國可不亡,反映了他好爲大言的習性。

三、 章炳麟的懲假幣論

章炳麟 (1869—1936) 即章太炎,浙江餘杭人。清光緒二十九年(1903 年)因爲鄒容《革命軍》寫序,在上海被捕入獄。三十年,在獄中和蔡元培等成立光復會。三十二年出獄後到日本,參加了同盟會,主編同盟會機關報《民報》。1912 年任中華民國聯合會會長,參加統一黨。同年被袁世凱任爲東三省籌邊使。1913 年被袁幽禁,1916 年獲釋。1917 年參加護法鬥爭。以後逐漸脫離民主革命運動,成爲著名的國學大師。

章炳麟是金屬主義者,越到後來觀點越鮮明。他在清末所寫的《訄書》,民初改爲《檢論》,於 1915 年出版。《訄書》中原有《製幣》一篇,《檢論》中改爲《懲假幣》。這裏的"假幣"不是指僞造貨幣,而是指超過準備金額所發行的紙幣。

章炳麟把貨幣的自然屬性稱爲"素",即本身的素質。先有符合作爲貨幣的"素",才能製造成貨幣。他又指出,一切商品的價值都決定於所花的功(勞動),"功有多少,故直(值)有貴賤"。貨幣同商品交換是"功以擬功,直以擬直",就像以布貿絲一樣,將商品買賣等同於物物交換。

紙幣沒有金屬貨幣的"素"。造紙幣的"功不與採金、銀、銅等,且造一金之幣,與造十金之幣,其功則相若"。它同商品相交換,"紙之體與其直不相應,造紙之役與成物之功不相應",不符合"功以擬功,直以擬直"的交換原則。所以它祇能"徵(取)幣",而不能"代幣"。紙幣流通必須有十足準備,就像"商人之爲期(票)、會(票),未有能以一幣爲二券者矣"。超過了準備金的發行,"其虛實不可以相庚償",就是"徒以欺網其民","故夫以一幣爲數券者,是特政府欲籠天下之利,以奸道誣民也"。這樣強調一幣不能爲二券,在貨幣理論上是錯誤的,但動機則在反對統治者的濫發紙幣,這在當時具有針對性。

四、朱執信的紙幣理論

朱執信 (1885—1920),名大符,廣東番禺人。清光緒三十年(1904 年)留學日本,次年加入同盟會。曾在《民報》上發表《德意志社會革命家列傳》,文中摘譯了《共產黨宣言》,對《資本論》也有評論。回國後從事革命活動。1920 年去廣東策動桂系軍隊反正,在虎門遇害。論貨幣的文章有《中國古代的紙幣》、《千賀博士之金本位廢止論》和《米本位説之批評》。

1919 年至 1920 年間,朱執信、廖仲愷在《建設》雜志上發表文章,宣傳孫中山的錢幣革命論。

朱執信把飛錢、交子、會子、鹽鈔、茶引都作爲紙幣的起源,將它們分成兩類,一類是代表貨幣而產生的(前三種),一類是代表貨物而產生的(後兩種)。他認爲代表貨物是中國古代紙幣的最後歸宿。中國古代的紙幣,開始時大多是兌換券,後來又大多變成了不換紙幣,常常用貨物來收兌(他認爲用賦税收回也相當於用貨物收回)。因此説:"中國之紙幣制度,依於兌換以外之手段以生成、以發達、以鞏固者也",[8]"故實際代表錢幣之紙幣,仍爲代表貨物。"[9]

關於貨幣的價值,朱執信用貨幣數量論和效用價值論來解釋。不換紙幣"以其所預期回收時與之交易之一種物品之推定價值,爲其最後效用"。[10]祇要使不換紙幣有能換取一定貨物的確實保證,就能保有它的價值。因此他指出:"故救今日紙幣之窮,惟有置紙幣之基礎於所代表之貨物,而於其兌現一層,可以置之不問。國家有若干之貨物,以回收若干之紙幣。則當其紙幣流通量過於當時所需之際,紙幣自然來歸於國庫,而物價決無騰貴之虞。"[11]他假定以米、布、絲、茶、鹽、油、煤、糖八種生活必需品來做兌換品,以後如有別的商品成爲重要的生活必需品,也可以加入兌換品的行列。

紙幣兌換商品的標準按物價指數計算。某種商品的物價指數提高,則單位紙幣兌換這種商品的數量就按比例減少;反之,則按比例增加。爲了保持總的物價水平的穩定,加權製成物價總指數。物價總指數穩定,就表示紙幣購買力的穩定。

實行紙幣流通制度在當時世界各國雖已是普遍情況,但還沒有成熟的經驗。朱執信用中國古代紙幣流通的歷史來證明紙幣可以擺脫金屬貨幣,這是有創見的。但是作爲對未來制度的一種設想,不會一開始就很完美。以八種商品作爲兌換準備,同以金、銀作爲兌換準備並無實質性的區別,原來金屬貨幣及其兌換券流通的缺點在這種制度下也仍然存在。原來紙幣的發行數量要受金屬準備數量的限制,現在則要受國家掌握八種商品數量的限制。原來的金屬準備祇佔紙幣發行量的一定比例,現在的商品貯備卻是十足準備,這樣會造成更大的浪費。按個別商品的物價指數兌換紙幣,不可能保持物價總指數的穩定。物價上漲,紙幣兌換的商品數量隨之而減少,就會形成通貨膨脹的局面。

用商品來保證紙幣的購買力不等於紙幣代表貨物。這一點留待下一節再討論。

五、廖仲愷的貨物本位論

廖仲愷 (1877—1925),原名恩煦,廣東歸善(今惠陽)人。生於美國舊金山。清光緒十九年(1893年)回國。二十八年留學日本。三十一年參加同盟會。辛亥革命後回國。曾任國民黨中央財政部長,廣東省財政廳長,廣東省長,國民黨中央工人部長、農民部長等。1925 年 8 月被國民黨右派暗殺。論貨幣的文章有《錢幣革命與建設》和《再論錢幣革命》。

爲了論證孫中山錢幣革命論並非"夢囈幻想",廖仲愷詳細摘錄 1919 年發表的美國學者埃士葛特 (R.Estcourt) 的《金本位將不爲錢幣之基礎》和費雪 (I.Fisher) 的《鞏固錢幣》兩文,然後進行了分析。指出,隨着近代經濟的迅速增長,貨幣材料發生了根本變化,"金銀硬幣不及百一,而紙幣、銀行券、支票、期單等類,百逾九九。大抵國民經濟愈發達,内外貿易愈繁盛,則硬幣行用之範圍亦愈狹小"。[12]特別是歐戰期間,各國普遍以紙幣流通,"此乃進化之程序使然,非人力所能如何者也"。[13]

廖仲愷認爲貨幣應具備"有定值、便取攜、能耐久、易分割"的"四美質"。[14]紙幣、銀行券等符合便取攜、易分割兩條。能耐久一條雖不符合,但可以回收更換。關於有定值,他說:"若論定值,則紙原無價值可言,代表金銀本位錢幣者,則以金銀本位錢幣之價值爲價值";但金銀價值變動無常,不如"以金銀暨其他社會最所需要之貨物爲本位,而以紙爲之代表,較爲適切於實際,而符合科學的方法也"。[15]他假定"以金、銀、銅、鐵、煤、米、麥、豆、糖、鹽、絲、棉十二種,貨物爲"錢幣之本位",作爲紙幣的準備,"而以同價額之錢幣流通於市場"。[16]

廖仲愷設計了紙幣制度的方案:紙幣的單位叫"圓"或別的名稱,下爲毫、分。1 毫以上都用紙幣。銀幣收回熔爲銀錠,可供兌換用,不准流通。清理舊紙幣,用公債收回。新紙幣不能用來彌補財政赤字。盈餘部份撥歸國庫作爲行政和生產費用。國家設立錢幣部,下設製幣、生產、供給、銷毁四局。製幣局負責紙幣的印刷、發行;生產局負責發展生產以供紙幣兌換需要;供給局負責準備貨物的保管、運輸和兌換;銷毁局負責紙幣的銷毁和損益的計算,並將盈餘撥交國庫。政府買賣十二種準備貨物,"價低者多購,價高者少購",以維持貨物之間的"平價"。[17]政府買賣準備貨物必有盈餘,代表這種盈餘的紙幣可以用來發展生產。

廖仲愷的貨物本位論和朱執信的紙幣理論屬於同一類型,上一節的評論有些也適用於這一節。還需要指出的是:廖仲愷設想的紙幣發行辦法仍不是滿足社會對紙幣需要的辦法,因爲發行數量要受政府準備貨物多少的限制。"貨物本位"的名稱也不恰當,因爲"本位"的本意是指由某種貨幣商品承擔價值尺度的職能,起價值尺度作用的貨幣商品衹能是一種(複本位的貨幣商品有兩種,但實際起價值尺度作用的仍是一種),不可能多至十二種。這十二種商品是穩定紙幣幣值的保證,而不是貨幣的本位。

廖仲愷一方面指出單靠改良錢幣對全局無多大益處,另一方面又認爲紙幣可以將中國的贏餘物產"盡化爲流動、固定之資本,用以築道路、開運河、産百物",十年後中國就能"自存自立","斷不至爲資本國之犠牲,竭國民之脂膏,肥外人之囊橐"。[18]這仍然是一種過於樂觀的估計。

六、劉冕執的能力本位論

劉冕執(1872—1944),字聞長,湖南湘潭人。清光緒二十九年十二月(1904 年初)赴日留學。宣統元年(1909 年)畢業於東京帝國大學。回國後,歷任幣制調查局編譯幫辦,北洋政府幣制委員會委員、財政部參事,國民政府文官處參事等。

劉冕執原來主張金銀並行,從 1921 年起放棄了原來的幣制主張。1927 年出版《能力主義與能力本位制》(又名《力融學》),提出了實行"能力本位制"的理論和主張。以後又有《錢幣革命實行方案彙覽》、《統一中國的新經濟政策》等書。還曾向中國國民黨第四屆全國代表大會以及四屆四中全會提出實行錢幣革命議案,並成立中華錢幣革命協進會,出版《錢幣革命》月刊。

所謂能力本位制，就是取消金屬貨幣，實行紙幣制度，祇不過紙幣是按所謂"能力"發行的。這種紙幣稱爲"能力通用券"或"國幣代用券"。劉冕執提出能力本位制，是要解決人類"受制於金錢"的問題。"受制於金錢"包含有兩層意思：

一層意思是量的方面，指受金屬貨幣數量不足的限制。他認爲民國以來入超 60 餘億元，輸出金錢 60 餘億元，1911 年以前六十餘年間也輸出幾十億元(實際情況並非如此)，此外還有賠款或將現銀存到外國銀行或送往國外的情況。所以中國的金錢快要乾了，恐怕連 17 億元都不到。按四億五千萬人口來計算，每人不到 4 元錢，"就是鬭一桌小牌也不够周轉"。[19]如果發行代用券，每人 50 元，總額就約計 200 億元。

另一層意思是質的方面，指受金屬貨幣所具有的特殊地位的限制。劉冕執説："金錢這樣東西，本來是做籌碼，並非穿得吃得的。世界上的人都認他做權利的主體，便有人專門去爭奪他。若把他的主體資格取消，另把那穿得吃得用得的真正權利，扶作真正主體，他那威權便失去了。世界上若沒有這個魔王，那世界便和平了。"[20]認爲實行能力本位制，就能恢復"實物交換之精神，變更實物交換之方法"[21]，使人的能力和物產之間保持一種直接的關係。

從量的方面考慮，取消金屬貨幣的確可以解除貨幣金屬數量不足的束縛，取消金屬貨幣的意義即在於此。從質的方面考慮，取消金屬貨幣並不等於取消貨幣，而貨幣是取消不了的，貨幣的特殊地位並沒有也不可能因取消金屬貨幣而解除。認爲取消金屬貨幣就能消滅貨幣的威權，則是一種主觀幻想。

國幣代用券的發行辦法十分繁瑣。簡單地説，就是個人和機關都可以憑"能力"向發行局申請領券(即發行)。個人發行數不得超過每年財產價值或工作收入的十分之一，機關不得超過每年收入或財產價值的十分之五。代用券流通以十二個月爲限，期滿換領新券。劉冕執企圖用這一辦法增加紙幣發行數量，從而增加發展實業的資本。

增加紙幣數量的目的肯定可以達到，但必然造成通貨膨脹。因爲如果以財產爲保證發行國幣代用券，這種財產本來大部份不構成對貨幣的需要，現在却獲得了發行紙幣的資格；如果以收入爲保證發行國幣代用券，則收入早已是"能力"的代價，現在却生出額外的代價來。其結果可想而知。況且財產和收入也起不了保證紙幣價值的作用，因爲財產不一定賣得出去，收入則可能已被收入者用於消費。

增加紙幣數量不一定都能轉化爲資本。這既要看領用者的主觀條件，還要看客觀條件是否具備。沒有適當的國內外條件，沒有機器、原材料和勞動力，貨幣就不可能成爲資本。劉冕執把資本等同於貨幣，因此認爲實行能力本位制就能做到"觸目皆是資本"。[22]這也是不正確的。

劉冕執把他的能力本位制看作能使中國"起死回生之妙藥"[23]，它能解決一切社會矛盾。其空想性在中國貨幣理論史上也是少見的。

劉冕執有一位積極支持者，名劉子亞 (1894—1970)，字子任，湖南桂陽人，爲宣傳能力本位制出了大力。他稱能力本位爲"物工化幣"，意謂將物產和人工直接化爲貨幣。1941 年，他自費出版《物工化幣論》一書，繼續宣傳其主張。

七、胡召南的經濟救國論

胡召南，湖北竹山人。清宣統二年(1910 年)參加同盟會。1931 年自費印刷《經濟救國計劃書》，廣爲散發。提出以發行絲質救國鈔票爲起點的經濟計劃，作爲"實現三民主義之捷徑辦法"。[24]

胡召南建議，由國民政府和人民共同組成全國性的經濟救國大會，在各省設經濟救國總會，各縣設經濟救國分會，作爲推行絲質救國鈔票的機構。鈔票以十五年爲期，但十年後即以發展各項實業的收入將它兌現收回。在此以前，如某縣人民要求兌現，可由資本保險處派人到該縣設兌現所。特別是內外蒙古、西藏要多設兌現所，推行救國鈔票。如果某縣人民"已經覺悟"，聲明不要兌現，則取消兌換所。如某縣有"愛國同志"願意集股設兌現所，可向資本保險處登記，該縣每年應得的公費歸他們所有。他認爲祇要加強宣傳，"使國人皆明了經濟救國，解除民衆痛苦之真相，則救國鈔票縱然充滿，決無一人(要求)兌現"。[25]祇要"公家不失信用，人民決無折扣之理"。[26]信用就是公家收支一律視爲現金。

胡召南認爲，使用金錢造成了人民的自私自利觀念，造成了貪官污吏、土匪盜賊、貧富對立，以致"釀成打倒資產階級的風潮"和尖鋭的社會矛盾。"先總理有見及此，提倡不兌現的紙幣以救中國，無奈國人皆被現金所迷"，使理想不能實現，"如國人皆以總理之心爲心，中國早已和平矣"。[27]

自私自利是私有制社會的産物,胡召南僅僅將它歸之於金錢。取消金錢,貨幣依然存在。救國鈔票的兌現與否没有全國統一的政策。既然以不兌現爲主,却又不禁止金屬貨幣流通。既然對金錢持否定態度,又準備在建設成功後恢復金屬貨幣流通制度。凡此種種,都説明了理論的淺薄和辦法的混亂。鈔票發行數量高達 200 億元,根本不是當時的經濟社會所能容納。

八、徐青甫的虚糧本位論

徐青甫 (1879—1961),原名鼎年,浙江杭縣(今餘杭)人。清末任幕僚、教師等職。北洋政府時期任中國銀行奉天、青島分行經理,杭州分行副行長,浙江省政務廳長等。國民政府時期任浙江省民政廳長、財政廳長、代理省主席,國民參政員等。建國後任浙江省政協第一、二屆委員。1932 年出版《經濟革命救國論》、《經濟革命論的要旨》、《徐青甫先生演講集》等書。

徐青甫的"經濟革命"是指"改革金融幣制"。他認爲中國缺乏資本,從闢交通、增生産入手反而會增加貧困,祇有從改革金融幣制入手才能迎刃而解。改革幣制不能實行金屬本位制度,因爲維持這種"陳腐幣制,不特背於進化原理",而且"使世界國家社會,受無謂之恐慌"。[28]

徐青甫指出金屬貨幣制度造成了七種弊病:(一)失其本性,貨幣是有價值的"物權",用金銀使人不能正確認識貨幣的性質。(二)擾亂物價,物價受金銀的多少而波動。(三)迷眩財觀,人祇知金銀爲有價值。(四)供不應求,金銀數量不能滿足流通需要。(五)減少流通效用,金銀對流通起阻礙作用。(六)助長罪惡,爲追求貨幣而犯罪。(七)束縛生産,人們貯藏金銀而不貯藏物品,使生産受到限制。中國則更加不能用金銀,因爲如果用銀,外國要用已不充本位之用的銀換我有用之物;如果改金本位,則中國要用物産向外國換金。

徐青甫反對用金銀,但又强調貨幣價值的客觀性。他主張用一種物來定貨幣的價值,而不讓這物直接起貨幣作用,即"用其物權之價,而不用其實物"。[29]具體設計則是虚糧本位制。糧是有價之物,用它的價而不用它的物,所以稱爲"虚糧"。他提出:"以各本國多數地點人民通常食用平年中等産地之粗糧若干,定爲貨幣一單位。其少數地點人民所食用之他糧,以科學分析成本效用之法,定其比代分量,而爲各該地之貨幣單位。"[30]糧食仍私營,價格波動不得超越法定上下限。各地設公倉,至少能容納當地人民半年的口糧。在糧價下落到最低限度時,"人民可將其餘糧售給公倉,公倉有盡數收買之義務,不得拒絶";而在糧價上漲到最高限度時,"人民可按其本户所需之數,持貨幣依限價向公倉購糧,公倉有依數售給之義務"。[31]

在全國設立各級公信所爲管理貨幣金融機關。貨幣由公信所轉賬記數,本縣市行使用支票、本票,外地用滙票。零星使用由各縣市支所發行代用貨幣(紙幣),規定最高行使限額。外出旅行時,大數額可用旅行用款狀向各地公信機關支用,零星用途則使用交通用幣。對外金融機關國營,名"中國銀行"或"中國對外公信所"。總行設上海。對外要另有貨幣本位。採用記賬的辦法是爲了防止罪惡,對内可以"杜絶一切貪惡",對外可以"斷其勾結之路,滅其操縱之具"。[32]徐青甫認爲實行他的"經濟革命主張","則恐慌之病可免,求富之迷可醒;個人可以相安,國際可以免争,達到全體有利,世界和平之境"。[33]

虚糧本位制的空想性主要有四個方面:(一)把貨幣流通和貯藏全部改爲記賬的辦法,會影響人們從事經濟活動的積極性。(二)糧食價格既然可以在一定的範圍内波動,則貨幣的價值仍然是不穩定的。(三)如果要實現糧價的基本穩定,則貨幣總量仍要受到束縛,不可能無限制地增加財政收入和資本。(四)國家調節糧價的能力是有限的,在糧食大歉收或大豐收時,幣值就會大起大落,其幅度可能遠遠超過金屬本位制度下的物價波動。

九、閻錫山的物産證券論

閻錫山 (1883—1960),字伯川,山西五臺河邊村(今屬定襄)人。清光緒三十年(1904 年)留學日本。次年參加同盟會。三十三年進日本士官學校學習。歷任山西都督、山西省長、第三集團軍總司令、第二戰區司令長官、行政院長等。1949 年去臺灣，任“國防部長”等職。

1931 年，閻錫山正式提出了物產證券理論。1934 年出版《物產證券與按勞分配》，後多次重版，内容續有增加。還出版《物產證券討論文》和《錢幣革命的具體實施》等書，宣傳其主張。

閻錫山認爲社會上種種罪惡都由“金代值”和“資私有”而產生。“金代值”指“以金銀作貨幣，而代表工、物價值”，“資私有”指“生產之資本屬於私人所有”。[34]“金代值”造成“二層物產制”，即一層爲物產本身，另一層以貨幣代表物產的價值。這樣就産生了四弊害：違反爲産物而勞動的勞動原則，重金輕物；違反生產愈多生活愈優裕的生活原則，生產多而不能銷售，造成生活困難；違反保障人民生活的政治原則，政府無金銀購買人民的物產，祇得限制人民的工作時間以增加就業；違反互通有無的國際貿易原則，各國爲取得金銀而輸出産品，導致商戰和兵戰。“資私有”不屬於貨幣問題，本文從略。

閻錫山提出取消“金代值”的辦法是實行物產證券制，並把這辦法稱爲“錢幣革命”。他認爲實行物產證券制後就能消滅二層物產制：“人自以物產爲富，不以金銀爲富；人之勞動，亦自爲物產而勞動，不爲金銀而勞動”；“物產雖多……均可按其價值，換得證券”；“物產無論如何多，均可由政府儘量接受……即是儘量與人民以工作之機會”；“國際貿易，純爲互通有無，毫無侵略作用”。[35]這樣就可以消除四弊害。

然而取消金屬貨幣並不等於取消貨幣，因此取消“金代值”也不能取消貨幣“代值”。貨幣“代值”既然不能取消，則所謂“二層物產制”也不能消除。取消“金代值”，至多祇能消除金屬貨幣數量的限制以及因貨幣金屬本身價值變化而引起的物價波動，而不能消除四弊害本身。

閻錫山解釋物產證券説：“‘物產證券’者，政府用法令規定，代表一定價值之法貨，用以接受人民工作產物，並作人民兌換所需物產，及公私支付一切需用者也。”[36]它也是一種紙幣，是“十足之兌現紙幣”。[37]他把物產證券比作物產的相片。“物有若干多，券可發若干多，政府不患不能儘量接受人民之工作產物。發券時，既收回物產，則券有若干多，物即有若干多，人民不患有券而不能兌物。”[38]

物產證券是一種紙幣，紙幣代表商品的價值和金屬貨幣代表商品的價值其道理是一樣的，祇能通過交換得到間接的反映。它並不反映各種具體商品所耗費的個別勞動，而是反映各種商品由社會必要勞動組成的價值。物產證券決不能對所有商品都來者不拒，那些不符合社會需要的産品祇能讓其淘汰。而人民拿到物產證券來兌換商品，則要求兌換自己所需要的商品，政府倉庫中的有些商品必然會因無人問津而積壓。所以，閻錫山對物產證券作用的描述，完全是違背商品生產和流通規律的無稽之談！

十、褚輔成的貨幣革命論

上述劉冕執、徐青甫、閻錫山等人的特殊的紙幣理論都提出於銀價上漲、白銀外流以前。因 1929 年的世界經濟危機，1931 年 9 月，英國放棄金本位，銀價開始上漲。1932 年，中國的白銀開始出超。1933 年 4 月，美國放棄金本位，採取提高銀價政策。而中國則在此時實現了廢兩改元，進入銀本位制時期。1934 年 8 月，美國開始實行白銀國有計劃，高價向國外購銀。中國的白銀外流在 1934 年達到了高潮，爆發了嚴重的 1934 年至 1935 年的金融危機。銀本位制（以銀元爲主幣）剛實行不久，又要面臨如何應付危機問題。於是，有些學者提出了廢止銀本位的主張，褚輔成是其中之一。

褚輔成 (1873—1948)，字慧僧，浙江嘉興人。清光緒三十年（1904 年）留學日本。次年加入同盟會。宣統二年（1910 年）任嘉興商會會長。辛亥革命後任浙江軍政府政治部長、民政廳長、國民黨浙江支部長，議員等。1913 年因反對袁世凱而被捕，袁死後獲釋。1927 年任浙江省臨時政府主席兼民政廳長。同年任上海法科大學校長。該校改名爲上海法學院後，仍任院長，直至去世。1938 年起任歷屆國民參政員。1945 年曾作爲五參政員之一，訪問延安。

1912 年冬，孫中山在杭州作錢幣革命演講時，褚輔成參加了聽講。他認爲，當時錢幣革命的時機尚未成熟。1934 年金融危機嚴重，他特向上海法學院師生作貨幣革命演講，每星期一次，共講了十次。演講由錢步恒記錄，由上海法學院以《貨幣革命十講》爲題印行。

所謂貨幣革命，也就是廢除銀本位制，實行紙幣流通制度。褚輔成也稱這種幣制爲“貨物本位”。他指出貨物本位的改革已成爲國際間的一種新趨勢。“今日英、美、日、俄、德所行之貨幣政策，爲管理貨幣，此說爲英經濟學家鏗士（凱恩斯）所倡。管理云者，謂管理紙幣之發行額，務使與工商企業之需要相適應，使物價可得穩定。"㊴但他不贊成劉冕執的能力本位制和徐青甫的虛糧本位制，認爲兩者都窒礙難行。

褚輔成提出貨幣革命主張的近因是美國的白銀政策，它使中國的經濟和金融危機根本無解決的希望。他從經濟和政治方面分析了中國需要進行貨幣革命的理由。經濟方面的理由有五條：（一）復興農村需要大量資本，祇有實行紙幣制度才有可能。（二）救濟工商業要增加流動資本和減輕利息，也需要用紙幣來解決。（三）白銀外流，金融枯竭，需要變更銀本位，增加通貨，以安定金融。（四）改用貨物本位便於控制進口，挽救入超，使國際收支平衡。（五）現金集中國庫，可以防止白銀外溢。其中第一條是他長期考慮的問題，後面四條則主要針對白銀外流引起的危機而發。政治方面的理由有四條：可以用經濟辦法實現國家統一；可以實施生產建設；可以編遣軍隊；可以有力量救國。這是發行紙幣、增强經濟實力後的結果。

褚輔成主張把紙幣定名爲"貨物兌換券"，以它爲法幣。"是項兌換券，在國內可以兌換貨物，遇有國際貿易，可向國際滙兌局兌換各國滙票"。㊵因此在國際上也可稱爲"金滙兌本位"。法幣與關金單位固定比價，法幣2元值關金1單位。以國產低值金屬製造輔幣。法幣發行後，中央及地方機關均祇准收受法幣，使其他貨幣漸歸消滅。政府收集全國金銀，如以20億元計，以10億元作爲國際滙兌準備金，10億元用於清償外債。

褚輔成的貨幣革命主張比起劉冕執、徐青甫、閻錫山的故弄玄虛要樸實得多，但理論上也有錯誤。如稱幣制名稱爲"貨物本位"，又稱紙幣爲"貨物兌換券"。對紙幣發行數量及使用紙幣效果的估計仍過於樂觀。如說："幣制改革後，全國物產及人民生產力，皆可爲發行紙幣之準備，則貨幣之數量，可隨生產事業而增加，生產建設之資本，不患不足矣。"㊶"全國物產及人民生產力，皆可爲發行紙幣之準備"的說法很危險，很容易成爲政府濫發紙幣的藉口。實際上即使實行紙幣制度，也仍然會有資本不足的問題。

十一、趙蘭坪的紙本位論

趙蘭坪（1898—1989），浙江嘉興人。曾留學日本，獲慶應大學經濟學學士學位。回國後任暨南大學、中央大學和中央政治學校教授。1946年起任國民黨中央候補監察委員。解放前去臺灣。他在1934年10月至1935年7月間，發表了多篇論文討論經濟和金融危機。這些文章彙集爲《現代幣制論》，其中的《中國經濟金融財政之根本自救方案》出版了單行本。

趙蘭坪也是提出廢止銀本位制的代表人物之一。

趙蘭坪認爲中國當時發生經濟危機的主要原因是對外滙價騰貴。因此中國要擺脫危機，也祇有從降低滙價下手，這祇有放棄銀本位，實行"紙本位"（"紙本位"是當時的流行觀點，對它的批評見後）才有可能集中現銀，集中發行。爲了遷就事實，可以中央、中國、交通三行的紙幣統一全國通貨，私立銀行的紙幣以現有發行額爲限，不得增發。待滙價下落到一定程度後再穩定滙價。

實行"紙本位制"會不會引起通貨膨脹？趙蘭坪予以否定。他說中國當時"財政收支，已漸平衡"，"軍政費用，縱有不敷，亦可求之於公債，而無膨脹通貨之必要"。㊷國民政府成立以後財政從未得到平衡，他的說法並不符合實際。

趙蘭坪對"紙本位制"作了理論性的分析。他說："紙本位制，又可名之曰自由本位制，即以紙幣爲本位貨幣。本位貨幣，並不與一定量之貴金屬，保持等價關係。亦即本位貨幣之價值，不受一定量貴金屬之束縛，而有充分自由伸縮之意。"㊸他將"紙本位制"分爲兩種。

第一種又分爲甲、乙兩類：甲類在法律上仍同一定量貴金屬保持等價關係；乙類是事實上、法律上都已脫離一定量貴金屬的束縛，價值大小不受任何限制，能充分自由伸縮。

第二種無正貨（金銀）準備或正貨準備極少，發行不斷增加，幣值下降，下降速度高於通貨膨脹的速度，以致全國通貨總值反而降低，於是又有增發的必要。

趙蘭坪主張的是第一種的乙類"紙本位制"。他指出："若能調節通貨之供求，不受財政上之影響，國際收支，若能平衡，則雖並無正貨準備之紙本位制，亦可通行無阻。"㊹紙幣流通的成功與否，關鍵不在於有無現金準備，趙蘭坪的這一說法是正確的。

趙蘭坪的"紙本位制"主張及提出的具體辦法，後來成了法幣政策的部份內容。他沒有提到同某種外滙建立固定比價。這主張則是姚慶三於 1935 年 4 月發表的《沙遜爵士建議之檢討及施行鎊滙制度之商榷》[45]一文中首先提出的。他認爲英、美、日三國的經濟以英國最爲鞏固,故以實行英鎊滙兑制度最爲適宜。他主張滙價維持在國幣 1 元合 1 先令上。當時中英滙價約爲 1 先令 7 便士,約貶值三分之一。認爲這樣"物價當可回漲至衰落以前之水準,而農工商各業亦不難恢復相當之繁榮矣"。法幣政策規定法幣 1 元合 1 先令 2 便士半,比姚慶三所主張的稍高。

十二、孫冶方對物産證券論的批判

對劉冕執、徐青甫、閻錫山的特殊的紙幣理論,當時已有一些學者提出了批評。以上已提到褚輔成,此外還有馬寅初、章乃器、孫冶方等。章乃器批評這些貨幣主張是"救國有心,實行無術"的"烏托邦思想"。[46]以下祇談孫冶方對物産證券論的批判。

孫冶方 (1908—1983),原名薛萼果,江蘇無錫人。1923 年加入中國社會主義青年團。次年轉爲中國共産黨黨員,任中共無錫支部書記。1925 年去蘇聯莫斯科中山大學學習。1930 年回國。1937 年任中共江蘇省文化工作委員會書記。建國後歷任華東工業部副部長、國家統計局副局長、中國社會科學院經濟研究所所長、中共中央顧問委員會委員。1936 年 3 月在《中國農村》發表了《從"物産證券"談到一般的貨幣理論》。[47]

首先,孫冶方從對資本主義的基本認識上批判物産證券論的錯誤。他指出:"近代許多貨幣改革論者有一個共同的特點,就是他們都不敢從正面來觀察現社會底病症……他們把現社會底一切'病症'都歸罪於貨幣。"這說明他的批判並不是僅僅針對物産證券論。對於閻錫山所説的四弊害,孫冶方逐一作了剖析:

(一)爲金銀而生産。孫冶方指出在商品經濟的社會中,貨幣(金銀)是公認的價值形式,爲金銀而生産"不是金銀本身所造成的,而是以追逐利潤爲目的的資本主義私有生産制度所造成的,金銀祇是代人受過而已"。

(二)造成周期經濟危機。孫冶方分析了資本主義社會造成經濟危機的原因,指出這是無政府狀態的生産造成的必然結果,和金銀無關。

(三)政府不能無償獲得金銀以接受人民的工作產物。孫冶方指出,政府如果接受資本家的剩餘生産品,在大衆購買力日益跌落,尤其在危機期間,這些生産品祇能永久留在政府的倉庫中,"所以如果物産證券可以解決掉危機,那麼轉運公司的提單和貨棧房的棧單早已把經濟危機解決掉了"。

(四)各國因爭奪金銀而引起戰爭。孫冶方説:帝國主義戰爭是爲了追逐利潤,即使取消金銀也不能消滅戰爭。

其次,孫冶方再從貨幣理論上來論證物産證券論的不能成立。商品經濟中存在着私的勞動對社會勞動的矛盾、具體勞動對抽象勞動的矛盾和使用價值對價值的矛盾,特殊商品貨幣使這些矛盾得到了解決,但並沒有消除矛盾,而是以新的形式在發展而擴大着,形成了經濟危機的可能性,"這並不能證明物産證券論者底金銀萬惡論,因爲這種可能性也是商品生産自身的矛盾促成的"。

最後,孫冶方指出物産證券論的烏托邦性質:"'物産證券'實際上便是格萊和歐文的'勞動證券'之變形,'公營商場'實際上也就是歐文的特設商場。'勞動證券'和'特設商場'之失敗是這些烏托邦社會主義思想的實際的批評。"

十三、對法幣政策的討論

1935 年 11 月 4 日,國民政府實行法幣政策後,討論法幣政策的論著很多。英文專著有林維英的《中國之新貨幣制度》(1936 年出版,1937 年出版朱義析翻譯的中文版),中文專著有馬寅初的《中國之新金融政策》(1939 年出版),余捷瓊的《中國的新貨幣政策》(1937 年出版)等。以下分三個問題擇要介紹討論中的觀點。

（一）法幣是什麼制度？

財政部《新貨幣制度説明書》聲稱"新貨幣制度絕非放棄銀本位"。這聲明受到了多人的批評。姚慶三説："此種新制度,謂之鎊滙制度可,謂之管理通貨制度亦無所不可,但絕對不能謂非放棄銀本位;蓋果爲銀本位也,則紙幣可以兌換銀元……徒以準備中尚有若干現銀之存在,而遂謂中國猶未放棄銀本位也,其烏乎可!"[48]馬寅初指出,金、銀本位制度要具備三種資格: 1.自由鑄造,2.自由兌現,3.自由輸出入。實行法幣政策後,這三種資格都已失去,"其已非銀本位,昭然若揭"。[49]

趙蘭坪説法幣是"紙本位"。馬寅初並不完全否認"紙本位"這個名稱,將定義規定爲:"紙本位者,即將紙幣與現金之兌換性完全取消,而以政府之權威爲背景,故又曰命令貨幣。"[50]法幣還有準備金,又同英鎊聯繫,因此不是純粹的"紙本位制"。他認爲當時英國是唯一實行"紙本位制"的國家。

多數人認爲是"管理通貨"。張素民説:"新幣制是一種管理通貨;管理通貨乃是世界上一種進步的貨幣制度,我們今日能採用之,乃是我們的榮幸。"[51]方顯庭説:"管理通貨在今日幾已遍世皆然,歐西各國早有實施,美國日本亦相繼踵行,我國……忽於此時宣布施行者,固爲環境所逼迫,特將此種世界趨勢所促成者也。"[52]也有人不同意是"管理通貨",侯樹彤指出,實施有效的通貨管理至少要有三個前提: 健全的銀行制度;精確的統計材料;深通貨幣問題的人材。這三條中國一條都不具備,所以談通貨管理實嫌太早。

稱法幣爲"滙兌本位"或"鎊滙本位"的有姚慶三、侯樹彤、章乃器、宋子文、馬寅初等。馬寅初指出:"滙兌本位最大目的,在求對外之穩定,國內物價,恐不免或有變動,我國法幣之外滙率,既須穩定,故可稱爲滙兌本位。"[53]林維英則稱,新幣制爲"管理之外滙本位制"或"外滙管理本位制"。[54]余捷瓊認爲,新幣制"就形式上看,頗與外滙本位制相似",而"對內方面實際上成爲紙本位"。[55]

前已指出,"'本位'的本意是指由某種貨幣商品承擔價值尺度的職能。紙幣並不是以紙的價值來承擔價值尺度職能,因此稱它爲"紙本位"是不恰當的。至於稱法幣爲"滙兌本位"或"鎊滙本位",則是源於金滙兌本位。因爲西方已放棄金本位,故祇能去掉"金"字,成"滙兌本位"。因同英鎊掛鈎,故又稱"鎊滙本位"。實際上這兩個名稱也不恰當。英鎊本身已經是紙幣,同紙幣掛鈎的還是紙幣,它們都不是"本位"。故筆者認爲,應稱法幣制度爲"紙幣制度"或"紙幣流通制度"。

（二）會不會導致通貨膨脹？

實行法幣政策後,國民政府財政部長孔祥熙發表宣言,表示決意避免通貨膨脹。《新貨幣制度説明書》也聲明,"新貨幣制度絕非通貨膨脹"。多數學者對這一許諾表示了懷疑和擔心。

楊端六指出,法幣政策未規定紙幣的最高發行額,"惟望政府能早日限制,慎勿濫發"。[56]

方顯庭認爲,通貨管理在過渡時期需要實行通貨膨脹,但應有限度;從長期考慮,則要求"依需要而供給通貨,使物價……能趨安定,不致繼續漲跌"。[57]否則,有如吸食鴉片,"迨毒入膏肓,則悔之已晚,歐戰以後德俄往事,殷鑒不遠也"。[58]周憲文指出,新幣制已造成通貨膨脹的基礎條件,"政府萬一借此機會,實行通貨膨脹,則其前途將不堪設想"。[59]

馬寅初從法幣制度有關規定本身,來分析通貨膨脹的可能性: 1.集中民間儲藏現銀,足以膨脹通貨。2.發行準備加多,足以膨脹通貨。按現銀準備六成計算,如果吸收 6 億元現金,則另可多發 66,600 餘萬元法幣。3.法幣充作存款準備,足以膨脹通貨。其他銀行將原來用作營業準備金的銀元向中央、中國、交通三行兌換法幣,而三行又可將兌到的銀元充作發行準備增加發行。他還指出,紙幣必須"視社會之需要定發行之多少,不得因財政之困難而多發一文,自爲最要之條件,否則其危險實不堪設想"。[60]

（三）法幣是不是英鎊的附庸？

法幣同英鎊建立固定比價,姚慶三認爲並不一定使中國喪失貨幣權。1935 年 9 月,李滋羅斯來華後,姚慶三發表文章説,實行鎊滙制度,中國的貨幣權是否附庸於英國,要看具體情況而定,"如維持鎊滙之基金,完全由我籌措,則今日吾人……加入英鎊集團,他日如以爲非計,則退出可也。權操在我,何得謂爲附庸"。[61]如果基金來自借款,而借款合同中無加入英鎊集團的明文,亦不能視爲喪失貨幣權。

章乃器批評法幣政策使中國成爲英鎊集團的一員,"無限制買賣外幣"的條文是"上了帝國主義的圈套",使中國貨幣"完全失去戰時經濟的作用"。[62]他要求即刻取消"無限制買賣外幣"的條文。

錢俊瑞批評了"認爲中國貨幣同英鎊聯繫祇是一個技術問題"的觀點。指出:"無奈中國是一個半殖民地國家,中國的咽喉是緊握在帝國主義手裏,同時國內割據的情勢還依然存在。在這些條件之下,我們能'自力更生',不借用外力,實行'管理通貨'嗎? 那是絕對不能的。"[63]日本貨幣也同英鎊有穩定的聯繫,也可以説是屬於英鎊集團,但日本與中國不同,"日本是一個征服者,而中國是一個被征服者;日本有相當雄厚的金融資本,中國的銀行資本祇是列強資本的附庸;日本有在世界市場上橫衝直撞的商品,而中國的工業卻幼弱得可憐;最後日本有從事對外侵略的軍備,而中國的軍備在對外的關係上,祇够做'不抵抗主義'的礎石"。[64]因此,同樣是加入英鎊集團,日本貨幣不是英鎊的附庸,而中國卻是,它必然使英國有可能加强對中國政治、經濟的控制。

1936年5月訂立《中美幣制協定》,中國又加入了美元集團。對此,章乃器指出:"目下中國貨幣權,已是英鎊和美元的附庸,而十分的成爲殖民地性的貨幣了","中國貨幣的自主性,完全喪失了"。[65]錢俊瑞在指出這是美國在中國貨幣戰場上的勝利,"帝國主義者都要宰割中國人民"的同時,希望當局利用這種結盟來對付日本的侵略,"不祇使它荼毒我民衆,而要更進一步運用它來打擊我們最大的敵人"。[66]

注: ①《孫中山全集》第二卷第544—546頁,中華書局1982年版。

②③④《孫中山全集》第六卷第175、175、177頁,中華書局1985年版。

⑤⑥⑦康有爲著:《理財救國論》第3、5、22頁。

⑧⑨⑩⑪《朱執信集》上集第447、449、451、457—458頁,中華書局1979年版。

⑫⑬⑭⑮⑯⑰⑱《廖仲愷集》第52、53、52、55、94、96、57—58頁,中華書局1963年版。

⑲劉冕執著:《錢幣革命實行方案彙覽》第243頁,中華錢幣革命協進會湖南分會1933年訂正第6版。

⑳㉑劉冕執著:《能力主義與能力本位制》第79、56頁,中華錢幣革命協進會1933年訂正第3版。

㉒㉓劉冕執著:《錢幣革命實行方案彙覽》第139、289頁,中華錢幣革命協進會湖南分會1933年訂正第6版。

㉔㉕㉖㉗胡召南著:《經濟救國計劃書》第35、40—41、45、37頁。

㉘徐青甫著:《經濟革命救國論》第86頁,浙江經濟學會1932年版。

㉙㉚㉛《徐青甫先生演講集》第二册(4)第6、13—14、14頁。

㉜徐青甫著:《經濟革命救國論》第373頁,浙江經濟學會1932年版。

㉝徐青甫著:《經濟革命論的要旨》第45頁,浙江經濟學會1932年版。

㉞㉟㊱㊲㊳閻錫山著:《物産證券與按勞分配》第3、28—29、34、24、34頁,民社革命出版社出版。

㊴㊵㊶褚輔成著:《貨幣革命十講》第43、44、38頁。

㊷㊸㊹趙蘭坪著:《現代幣制論》第12—13、15—16、19頁,正中書局1936年版。

㊺姚慶三著:《沙遜爵士建議之檢討及施行鎊滙制度之商榷》,載《社會經濟月報》第二卷第四期。

㊻章乃器、錢俊瑞等合著:《中國貨幣制度往哪裏去》第99頁,新知書店1936年版。

㊼孫冶方著:《從"物産證券"談到一般的貨幣理論》,載薛暮橋、馮和法編的《〈中國農村〉論文選》下册第562—574頁,人民出版社1983年版。

㊽姚慶三著:《銀價跌落聲中新貨幣政策之前途及複準備制度之建議》,載吳小甫編的《中國貨幣問題叢論》第156—157頁,貨幣問題研究會1936年版。

㊾㊿馬寅初著:《中國之新金融政策》第303、315頁,商務印書館1936年版。

(51)張素民著:《白銀問題與中國幣制》第140頁,商務印書館1936年版。

(52)方顯庭著:《通貨管理與中國經濟前途》,載吳小甫編的《中國貨幣問題叢論》第286—287頁,貨幣問題研究會1936年版。

(53)馬寅初著:《中國之新金融政策》第312頁,商務印書館1936年版。

(54)林維英著,朱義析譯:《中國之新貨幣制度》第93、170頁,商務印書館1939年版。

(55)余捷瓊著:《中國的新貨幣政策》第146、195頁,商務印書館1937年版。

(56)楊端六著:《財政部的貨幣新法令》,載吳小甫編的《中國貨幣問題叢論》第282頁,貨幣問題研究會1936年版。

(57)(58)方顯庭著:《通貨管理與中國經濟前途》,載吳小甫編的《中國貨幣問題叢論》第293、295頁,貨幣問題研究會1936年版。

(59)周憲文著:《中國新幣制之檢討》,載吳小甫編的《中國貨幣問題叢論》第310頁,貨幣問題研究會1936年版。

(60)馬寅初著:《中國之新金融政策》第315—316頁,商務印書館1936年版。

(61)姚慶三著《李滋羅斯來華與中國幣制前途》,載《社會經濟月報》第二卷第九期。

(62)章乃器著:《中國貨幣金融問題》第14頁,生活書店1936年版。

(63)(64)錢俊瑞著:《中國躍進英鎊集團以後》,《錢俊瑞文集》第291、292頁,中國社會科學出版社1998年版。

(65)章乃器著:《中國貨幣問題》第47頁,大衆文化社1936年版。

(66)錢俊瑞著:《中美白銀協定的透視》,《錢俊瑞文集》第290頁,中國社會科學出版社1998年版。

中國銀行的地名券和暗記券

陳則平

　　民國時期各銀行發行紙幣，以中國銀行數量最多。中國銀行發行的紙幣印有地名者，稱爲"地名券"；亦有加印特定文字的，稱爲"暗記券"。這是當時金融制度下的產物，對於推廣紙幣流通起過一定的積極作用，其他發行銀行也多效尤。以下就中國銀行這兩種鈔券的沿革情況分別簡述之。

一、 發行地名券的經過

　　1911 年辛亥革命後，清朝政府的國家銀行——大清銀行各地分行相繼停業。大清銀行的商股股東在上海組織商股聯合會，呈請南京臨時政府把大清銀行改組爲中國銀行。經臨時大總統孫中山批准，上海中國銀行於 1912 年 2 月 5 日在上海大清銀行原址開業。中國銀行作爲中華民國政府的中央銀行，享有發行兑換券的特權。當時，國家財政拮据，金融停滯，亟待發行鈔券調劑市面。但鈔券印製需時，乃將大清銀行已印成未簽字的鈔券，改印中國銀行行名，加蓋簽字圖章和上海等地名後投放市面。這批改印券有兩種版面，都是美國鈔票公司印製的：

　　（一）李鴻章像券：面額爲壹圓、伍圓、拾圓；（二）黃帝像券：面額爲壹圓、伍圓。

　　其中，壹圓券在初發行時未印地名；伍圓、拾圓券所印地名爲：上海、北京、河南、直隸、漢口、福建、廣東。①

　　以後，中國銀行陸續向美國和英國訂印的鈔券，其券版圖案及顏色，初時全國一律，各地分行發行前在券面兩旁加印省區地名，分別在該省區流通；1917 年以後，各種地名券有用同一圖案不同顏色印製，也有分別用不同圖案不同顏色印製，以便識別。

　　地名券的主要特點，就是由各發行地分行負責兑換銀元。根據 1912 年 12 月北洋政府財政部擬訂，由總統袁世凱批准公佈的《中國銀行兑換券暫行章程》規定：凡完納稅款，交付鐵路、輪船、郵電費用，發放官俸、軍餉和一切官款出納及商民交易，一律通用中國銀行兑換券，不得拒收或折扣貼水；在兑換券所記地名的中國銀行應隨時憑券兑付現金，凡兑換券內印有兩處地名者，在此兩地皆可通行兑換，不取滙費。②

　　1935 年 11 月 4 日，國民政府實行法幣政策以後，鈔券不再兑現，中國銀行新印鈔券，也不再加印地名，改爲發行無地名券。1942 年 7 月 1 日起，全國紙幣發行統一於中央銀行，中國銀行停止發行。在這以前三十年內，中國銀行發行的紙幣流傳最廣，信譽最著，券面版別不下數十種。

二、 發行地名券的必要性

　　首先，是爲了適應當時政治經濟形勢的需要。民國初年，各地軍閥割據，全國的政治既不統一，經濟金融也各自爲政。中國銀行名義上是中央銀行，但沒有控制和調劑全國金融的能力。因此，由各地分行發行兑換券，各發行地分行自行保管準備金並負責兑現，這既是沿襲大清銀行的原有辦法，也是當時客觀形勢的必然結果。

其次，由於國內幣制混亂，各地通用的銀兩、銀元成色不一，價格各異，各地滙兌行市相差甚巨。這一事實限制了兌換券的流通地區和兌現地點。1912 年，中國銀行改印的大清銀行鈔票，其中壹圓券未加地名，不料在 1913 年上海、漢口兩埠的洋釐行市(即銀元和銀兩的比價)高於北京、天津、濟南、開封等地，滬、漢市場上銀元價高，一些商人就從北方收換中國銀行未印地名的壹圓券，運至滬、漢兌取銀元，從中獲利。以致滬、漢兩分行兌進大量壹圓券，而京、津等地則壹圓券稀少，籌碼分佈失去均衡。中國銀行總行於是通令各分行，立即對壹圓券同樣加印地名，商人搬運鈔券投機牟利情事，始告平息。③

再次，發行地名券可以避免因某一地方發生金融風潮，兌換券被擠兌或被迫停兌時，不致牽連其他地方，縮小金融風潮的範圍和影響。例如：

(一)1916 年 5 月 12 日，袁世凱復辟帝制失敗，企圖鎮壓各地起義軍時，爲防止鈔券擠兌以及應付財政需要，由國務院下令中、交兩行對所發行的紙幣和應付款項，暫時停止兌現。中國銀行上海分行經理宋漢章、副經理張公權，鑒於中國銀行上海分行和上海其他華商銀行所發行的紙幣，尚在開始推行階段，信譽正待建立。上海外商銀行鈔券的勢力還很強盛，如果遵令停兌，中國的銀行將從此信用掃地，永無恢復希望，而中國整個金融組織也將無法脫離外商銀行的控制，遂決定拒不執行停兌命令。④當停兌令消息傳開時，人心恐慌，紛紛擠兌。⑤中國銀行上海分行則妥善安排，凡上海地名的中國銀行鈔票敞開兌現，到期存單照常付現。三四日後，風潮平息。從而使長江流域一帶的金融保持穩定，上海中國銀行鈔券的信用賴以樹立。而中國銀行、交通銀行在北京的分行停兌後，市場混亂，又增發鈔票，引起黑市價暴跌。經過十多年的整理，才把不兌現的所謂"京鈔"收回。如果沒有地名券制度，中國銀行上海分行上述照常兌現、付現的行動，就無從實現。

(二)1926 年 2 月，法商烏利文洋行持中國銀行廣東分行所發行的廣東地名兌換券，向中國銀行上海分行兌現。因廣東分行此時被迫停業，鈔券停兌。上海分行根據各分行營業獨立，發行兌換券各冠以當地地名，載明當地兌現，粵行的債務不能責成滬行處理的理由拒兌。該法商對中國銀行上海分行提出訴訟，上海分行以上述理由與法總領事館交涉後，烏利文洋行自行撤銷訴訟。1927 年 1 月，又有法商名尚斯白才者，以中國銀行廣東分行所發廣東地名券 25 萬元要求上海分行兌現未成，在法租界會審公廨起訴。上海分行又以上述理由及 1918 年大理院判例、1926 年財政部批示等爲根據，報請五省聯軍總司令部飭令上海交涉員轉知法公廨勿予受理。結果法會審公廨對原告的訴訟予以駁回。⑥

(三)1927 年 4 月 17 日，武漢國民政府頒佈《集中現金條例》，封存各銀行庫存現金，不准現洋、現銀外運，規定以中央、中國、交通三銀行的鈔券代替現洋，作爲法定支付工具。這項命令公佈後，武漢市民藏匿硬幣，市上連銅元也絕跡，物價大漲。中、交等行的漢口地名券價值跌至對折，而流通在漢口的中國銀行上海地名券則成爲奇貨，爭相收進，其價格甚至高於現洋。因爲現洋不准外運，而上海地名券則可以通過中國銀行上海分行所設的滙兌處換成申滙。自此以後，中國銀行上海地名券流通領域擴大至長江流域及平漢綫一帶。

三、分區發行的地名券

中國銀行發行地名券，初以省會和大城市的分行爲發行銀行，地名繁多，準備金過於分散，收付授受、相互兌換的手續繁瑣。由於各地洋釐與滙水行市的差異，各種地名券之間的兌換，常有貼水，不僅使用不便，也影響兌換券的流通。更因各地地方政權往往以中國銀行的發行庫爲其強行借款的對象，作爲鈔券準備的現金，時被侵佔。爲此，中國銀行總管理處在 1921 年與各分行籌商改變地名券的發行辦法。中國銀行副總裁張公權鑒於南北和議決裂，國家統一無望，各地軍閥橫行，強迫銀行借款之事層見疊出；爲鞏固銀行基礎，祛除民眾疑慮起見，必須力抗軍閥借款，避免壞賬，保護發行準備安全，樹立紙幣信用。因會商各行，統籌具體辦法：(一)集中發行準備於通商大埠；(二)銀行錢莊共享發行利益，共同監督發行準備；(三)總行及分行當局抱定寧可犧牲個人，不可犧牲銀行利益爲原則，以應付軍閥之借款。爲實行第一項辦法，指定天津、上海、漢口三分行爲集中發行區域行，代理總行行使發行職務。⑦之所以指定天津、上海、漢口等地爲區域行，除了地理因素以外，還由於該地都有租界，中外商人云集，可以利用之以避免軍閥的強提強借。

區域行制度於 1922 年春正式實行。全國分爲四個區：

第一區，滬、寧、浙、皖；第二區，津、魯、晋；第三區，漢、贛、渝、黔；第四區，粤、閩。

在此以前，各行發行的兌換券，滬行印上海地名，寧行印江蘇地名，浙行印浙江地名，皖行印安徽地名。在實行區域行制度後，以滬行爲第一區區域行的主辦行，寧、浙、皖行一概發行上海地名券，其兌換券準備金也撥存於滬行。漢行發行的兌換券，加印"鄂、湘、川、陝、汴五省通用"字樣。1928 年增設第五區區域行，包括奉天、哈爾濱分行。1930 年冬再次調整爲四區，將漢口的區域行裁撤。在各區中，以第一區區域行所發行的上海地名券流通最廣，發行量最大。統計如下：[⑧]

年　度 項　目	1931 年年底	1932 年年底	1933 年年底	1934 年年底	1935 年年底
中國銀行發行總數(千元)	191,749	184,426	183,726	204,713	286,245
其中上海地名券(千元)	123,220	112,810	122,230	136,379	177,163

1935 年實行法幣政策後，分區發行制度仍保留了一段時間。至抗日戰爭發生，爲便於全國調撥，1939 年 8 月，總管理處成立集中發行處，各分行不再發行，地名券也從此完成歷史任務。

四、領用暗記券的始創

領用暗記券，就是沒有發行權的銀行或錢莊與發行銀行訂立協議，按一定條件向發行銀行領用一定數量的兌換券，在兌換券上加印暗記(每一領用行莊有個特定的代號，中文或英文均可，如福康錢莊領用，用"福"字；滋豐錢莊領用，用"滋"字)，然後向市上發行。該項暗記券對外仍由發行銀行負責兌現。兌進的暗記券由發行銀行按不同暗記，分別整理後通知有關領券行莊以現金調回，再對外發行。這項領券制度，爲我國創舉，首先由中國銀行開辦。據 1929 年 6 月出版的《上海錢業月報》第九卷第五號《論領券制度》一文中說："此項領券制度，吾人於研究各國發行制度實況與學說時，皆未前見，頗疑其爲吾國發行制度之獨特產物也。"

領券制度，起源於紙幣統一發行的設想。清末民初，各省官銀錢局濫發紙幣，極爲混亂，北洋政府屢有將紙幣發行統一於中國銀行的計劃。1914 年財政部規定："各省官銀錢行號、官商合辦之銀錢行號及發行紙幣之商辦銀錢行號內尚未發行之鈔票，暨印票、印版、戳記，均須交由監理官會同封存保管，非奉財政部的命令，不得開封行用。"對各省各銀錢號不得增發紙幣，已有明文規定。1915 年 10 月，北洋政府正式公佈《取締紙幣條例》，其中規定："凡官商銀錢行號，發行紙幣，除中國銀行外，均須依照本條例辦理"；"凡新設之銀錢行號，或現已設立向未發行紙幣者，皆不得發行"；"業經設立之銀錢行號，有特別條例之規定，准其發行紙幣者，於營業年限內，仍准發行，限滿應即全數收回。無特別條例規定者，自本條例施行之日起，以最近三個月平均數目爲限，不得增發；並由財政部酌定期限，分飭陸續收回。"[⑨]與此同時，財政部飭令中國銀行釐訂《領用兌換券辦法》，俾原有發券各銀行得領用中行券，以代替其已發行的紙幣。雖然，統一紙幣發行在北洋政府時期始終未曾實現，而領券制度對推廣中國銀行兌換券的發行，則頗有積極作用。

最先申請領券的是浙江地方實業銀行。1915 年 5 月，中國銀行與浙江地方實業銀行簽訂了領用兌換券合同。中國銀行在呈報財政部的呈文中說："推行紙幣，原爲幣製統一扼要之端，惟他種銀行領用發行，事屬創舉，保證金及一切手續辦法，必須妥善訂明，行之乃無流弊。"該合同訂明領用兌換券總額 100 萬元，浙行於陸續領用時，應備現金六成、中央公債券一成交中行充作保證，其餘三成由浙行自行保管，中行委託浙江財政廳按月點驗一次，並得派行員會同辦理。中行對浙行所交六成現金，給予年息二釐半，領用的兌換券加印約定的暗記，兩行收兌的兌換券分別按各自暗記互相交換抵冲，差額以現金補足。浙行原發行的浙江銀行鈔票，於 6 月底前收回，嗣後不得自發鈔票。該合同由浙江財政廳長張壽鏞爲保證人，有效期三十年。

1915 年 9 月，浙江興業銀行也與中國銀行訂立領用兌換券合同，領券總額 300 萬元，條件比浙江地方實業銀行優越；但該行自發的鈔券，仍繼續在市上流通。

上列兩份領券合同，現金準備僅六成，且可得年利率二釐半的利息，對領券行頗爲有利，於是引起其他銀行的垂涎。1915 年 6 月新成立的上海商業儲蓄銀行，即向中國銀行總管理處一再要求領用，該行雖然原無發行權,但也獲得了領券的許可。中孚商業銀行也經中國銀行同意,訂立了領券合同。但中國銀行對此較爲愼重,特別是上海分行限制更嚴。上海商業儲蓄銀行領用中國銀行兌換券,初時在漢口、南京、青島、天津等地辦理,至 1924 年才與上海分行訂約。其條件較他地爲嚴,規定的現金準備六成,不計利息;另有現金準備二成由上海商業儲蓄銀行開出即期本票交存於中行,中行有隨時處置之權;保證準備二成,以公債票交存中行。⑩

五、暗記券的推廣與消亡

上海中國銀行的兌換券原祇由少數銀行訂約領用,採用暗記券方式。對錢莊則用遲期領券辦法,即與一些資信良好並能提供相當擔保品的錢莊,約定在一定額度内,由該莊開立五天期本票向中行換取兌換券使用,錢莊由此得五天利息,但是能獲得這項權益的,亦僅少數錢莊。1923 年 11 月,上海金融市場出現"銀洋兩荒",現銀緊縮,籌碼不敷周轉。各錢莊紛紛向中國銀行商請,按照銀行領用暗記券成例,繳存一定數量的準備金,以領取兌換券。上海中國銀行沒有立即允許,遲至 1924 年春,在各錢莊聯合要求下,經過多次磋商,才同意開放。至當年 6 月 2 日止,與中國銀行上海分行訂立領券合同的行莊有二十二家,領券總額計 614 萬元。⑪

這時,所訂合同都規定現金準備六成,不計利息;保證準備三成,應以中央政府所發公債按市價折算,或以合格的房地產憑證按估價七折抵充;其餘一成,由各行莊出具即期本票,中行得隨時向出票行提現。

中國銀行爲取信於持券人,並對各行莊所繳準備金負安全保管責任,特於 1924 年 5 月 4 日召集領券行莊開會,決定將準備金專庫存儲,接受公開檢查。當天,就由領券行莊互推代表三人實地檢查,與應有準備金數目相符,出具檢查報告,在報紙上公佈。並決定此後每月由各行莊輪推代表進行檢查。中國銀行的做法受到社會各界的歡迎,其發行的兌換券愈來愈爲人們所信任,流通額日益擴大。同時,領券行莊也不斷增加,領券數字隨之上升。至 1928 年 4 月,中國銀行上海分行實行發行準備金公開檢查制度。當時上海地名兌換券發行總額 10,085 萬元,約佔全國各分行發行總額的 60%,其中各行莊領券數達 2,432 萬元,⑫佔上海地名券發行額的 24%。

1932 年淞滬戰役後,上海市面緊張,中國銀行向主穩健方針,便收縮發行,對領券也從嚴控制,因而領券金額與比例均趨減少。

除了商業銀行和錢莊領用中國銀行上海分行的暗記券外,中國銀行天津分行在總管理處指示下,於 1935 年 8 月也向上海分行領用暗記券 500 萬元,在鈔券上印 TN 暗記,使用於隴海、平漢鐵路沿綫,即原來滬券流通的毗鄰地帶。

1935 年 11 月,國民政府實行法幣政策後,鈔券停止兌現,暗記券制度已失去存在意義。但是,國民政府爲鼓勵銀錢業收兌銀元、推行法幣,仍沿用領券辦法,允許各行莊以現金準備(銀幣)六成、保證準備(財政部發行的債券按市價 8 折計算)四成交與中央、中國、交通銀行中的任何一行,訂立領券合同,領取十足法幣。現金準備不計利息,保證準備的債券收益歸領券行莊所得。有些行莊不願購買債券,可用法幣存入發行銀行,按定期存款計息。領券合同有效期爲兩年,期滿以法幣領回債券,等於給領券行莊做一筆以公債爲擔保品的免息押款,以示優惠。這時的領券沒有兌現責任,毋需加印暗記,已不屬暗記券範圍了。

六、暗記券的作用

暗記券制度,即領券制度,實際上是發行銀行和領券行莊分享發行兌換券利益的一種辦法。對領券行莊來說,雖無發行權,但如能把暗記券推向社會,則可取得發行的利益;暗記券流通時間越長,流通地域越廣,則分享的發行利益也越厚。對發行銀行來說,可借以提高兌換券的聲譽,有利於兌換券進一步擴大發行。所以,這是發行銀行和領券行莊互相利用的交易。當時享有發行權的銀行,在上海除中國銀行外,還有交通、四明、中國通商、中國實業、四行準備庫(鹽業、金城、中南、大陸四行聯合發行中南銀行鈔票)。中國墾業、中國農工、浙江興業、農商等銀行,也都各自推行領用暗記券制度。由於領券行莊冀求領用最爲社會所歡迎的兌換券,因此以中國銀行的暗記券使用最爲廣泛。

領用暗記券制度所起的社會作用,約如下述:(一)配合整頓幣制和濫發紙幣的混亂局面;(二)削弱多頭發行,使發行權集中於數大銀行之手;(三)擴大了本國銀行的發行陣地,增强了與外鈔掠奪相對抗的能力。《上海錢業月報》1929 年 6 月載文稱:"今日如中國、交通、四行準備庫等皆爲發行銀行之中堅,而具有爲同業歡迎領券之資格者也。其中如中國,尤爲中堅之中堅。""自民國七、八年以至十二、三年間所産生之銀行,莫不以獲得發行權爲急務,而以獲得發行權之經歷衡之,或竟得不償失。同時領券制度日益發達,即無發行權之銀行,亦可訂約領用,利益雖微,立場極穩。故自十四年以降,不復聞有新發券銀行之産生。""吾人默察近年發行銀行之形勢,以爲現距單一發行制之實現,固渺乎其遠;而國內發券之權,將集中於數大發行銀行之手,則其趨勢日益顯著。而促成此種趨勢之原動力,厥爲領券制度之發達。"這一段話扼要説明暗記券制度的作用。

中國的貨幣從銀兩、銀元到紙幣,從官商銀錢行號以及各家洋商銀行競發紙幣到集中於國家銀行發行,經過一段漫長而艱難的道路。作爲中國首創的暗記券制度,爲推廣紙幣以代替銀幣,爲改變紙幣由分散發行到逐步集中發行起了積極的作用,在中國貨幣發展史研究中值得引起我們的重視。

注: ①中國銀行檔案:《中國銀行發行史略》。

②中國人民銀行總行參事室編:《中華民國貨幣史資料》第一輯,上海人民出版社 1986 年版。

③中國銀行檔案:《中國銀行發行史略》。

④《中國銀行二十四年發展史》,台北市傳記文學出版社 1976 年版。

⑤《申報》1916 年 5 月 13 日。

⑥中國銀行檔案(4/1/10)。

⑦《張公權先生年譜初稿》,台北市傳記文學出版社 1982 年版。

⑧《中國銀行歷年營業報告及上海分行決算表》。

⑨中國人民銀行總行參事室編:《中華民國貨幣史資料》第一輯,上海人民出版社 1986 年版。

⑩中國人民銀行上海市分行金融研究所編:《上海商業儲蓄銀行史料》,上海人民出版社 1990 年版。

⑪中國人民銀行上海市分行編:《上海錢莊史料》,上海人民出版社 1960 年版。

⑫《中國銀行上海分行史》,經濟科學出版社 1991 年版。

一九三五年國民政府的幣制改革

洪葭管

1935 年是民國時期金融制度變化十分劇烈的一年。這一年,國民政府採取許多措施推進金融壟斷,還醞釀發行統一公債。但對社會經濟影響最大的,則是幣制改革。

一、幣制改革的背景和關於幣制問題的歷史情況

舊中國原來實行銀本位制(以銀元爲主幣),1934 年由於白銀大量外流,造成通貨緊縮,物價下跌。商店、銀行、錢莊大批倒閉,經濟危機重重,市場局勢緊迫,幣制已到了非改不可的地步。

舊中國的貨幣制度改革問題,遠在十九世紀末二十世紀初就提出來了。1903 年,美國康奈爾大學教授精琦應清朝政府的聘請,組成委員會來華研究中國的幣制問題,探索穩定中國對金本位國家滙兌比價的可能性。他們提出的建議是逐步推行金本位,以每一單位等於 0.50 美元爲基礎進行設計;並提出幣政要由洋員主持,而以得到賠款國的多數滿意爲準繩。這種超越中國經濟實際和損害中國主權的方案,遭到了中國朝野多數人的反對。1911 年至 1912 年間,巴達維亞(今雅加達)的爪哇銀行行長衛斯林博士(荷蘭人),應聘來華擔任幣制顧問。他認爲,中國立即普遍推行金本位或金滙兌本位都是行不通的。他所提出的幣制改革方案是:保留現行銀幣繼續流通使用,同時推行金滙兌本位幣,實行複本位制;最後,舊的銀幣可以陸續從流通中收回,爲新幣所取代;新的貨幣單位將按照金滙兌本位原理,以積存在海外的儲備資產作爲後盾。他預計,這一方案全部實施將要經過二十至三十年時間。此外,清末民初還有不少中外人士提出過種種幣制改革的設想與建議,但其影響和受人重視的程度均不如衛斯林方案。後來,北洋政府於 1914 年頒佈《國幣條例》,釐訂了銀本位制。

國民政府成立後,在 1928 年召開的全國經濟會議上,作出要"爲最後採行金本位而努力"的決議。但實行金本位的條件,遠非短時期所能具備。1929 年,美國普林斯頓大學教授甘末爾,應國民政府之聘來華研究幣制改革問題,專門成立了甘末爾設計委員會。甘末爾是以所謂擅長替經濟落後國家規劃幣制而著名。他提出了《中國逐步採行金本位幣制法草案》,其主要内容是:新幣定名爲"孫",一個"孫"含金 0.601,866 克,折合美金 0.40 元,英金 17.726,5 便士。"孫"是以金計算的貨幣單位,而無須實際鑄造和行使金幣。他認爲,維持金本位幣值的準備金,可來自造幣收益和可供出售的白銀,改革大半可以靠自身的力量來進行,這自然是一種"設想"。不久,世界銀價開始跌落,這一方案更無實現的可能。1929 年底開始,世界銀價暴跌,金貴銀賤,中國的關稅收入大受影響,國民政府的財政當局就套用了甘末爾方案中的建議,從 1930 年 2 月 1 日起實行海關金單位,以代替過去的海關兩。由中央銀行發行"關金券",作爲納稅人繳納關稅之用,從而避免了因金銀比價變動所造成的關稅實際收入的下降,同時可以掌握外滙資源,用來償付到期外債本息。

由於事實的教訓,使人們越來越認識到,維持銀本位制勢必受世界白銀市場價格巨大變動的衝擊。1929 年至 1932 年間是金貴銀賤,一枚中國銀元的價值,曾從 1929 年 1 月合美金 0.40 元,下降到 1932 年 2 月祇合美金 0.20 元。到了 1934 年美國大量收購白銀,世界市場銀價高昂,中國的白銀大量外流,造成通貨緊縮,經濟蕭條,物價下降。1935 年夏季,上海和廣州的批發物價指數達到了最低點。因此,放棄銀本位,切斷銀與國外的聯繫,實行管理通貨和有控制的紙幣制度,就成爲 1935 年幣制改

革方案的核心了。

二、英、美、日對中國貨幣支配權的爭奪

　　實行管理通貨，按照金滙兌本位制的模式實施幣制改革，主要關鍵是需要有一定數量的外滙儲備。這種外滙儲備的來源，一是向美國和世界市場出售白銀換取外滙；二是取得一筆外滙信貸。這兩者都需要尋求外國的支援。當時三個主要侵華國家：一是在中國擁有最多投資和最大商業利益的英國；二是正在實施白銀政策，也正在加強對中國控制的美國；三是虎視眈眈，已侵佔中國東北並正在華北進一步擴張侵略勢力的日本。這三個國家，在侵華利益上包括對中國擁有貨幣支配權方面，矛盾尖銳，爭奪劇烈。

　　1935 年 2 月初，國民政府的財政部長孔祥熙向美國建議，中國要實行幣制改革，"美國的合作是不可少的"，爲此要求美國收購中國擬出售的 2 億盎斯白銀，並擬向美國借款或取得長期信貸 1 億美元，願意把中國的新通貨與美元掛鈎。美國總統羅斯福對孔祥熙的建議答覆是：美國不能認爲中國的建議是切實可行而予以接受；他詢問國民政府"是否考慮到，同時與包括美國在內的那些過去曾經對中國的財政事務表示興趣的外國政府展開對話？"①

　　這時候，英國政府爲綏靖日本，向美國、法國和日本建議，共同商定方案向中國政府進行"集體援助"，並於 3 月 8 日致中國政府照會說：在開始和各國政府進行討論之前，英國希望知道中國的觀點。對於英國的建議，法國表示準備合作；日本對於幾個國家的"集體援助"抱明顯的敵意；美國則採取觀望態度，並決定不派遣代表到上海參加會議。英國見幾個國家共同商討既不可能，就單獨宣佈，決定派英國政府首席財政顧問弗雷德利克·李滋羅斯來中國訪問。8 月初，他取道加拿大來華途中，美國政府不願意邀請他到華盛頓逗留，他又到了日本，但遭到日本政府的冷遇。

　　9 月 21 日，李滋羅斯抵達上海。國民政府財政部顧問美國人楊格，在李滋羅斯到達中國後的第二天，在南京向他介紹了整個局勢和幣制改革的設想。10 月 2 日，孔祥熙和宋子文把中國擬定的幣制改革方案的全部內容告知李滋羅斯。孔祥熙還暗示李滋羅斯，貨幣掛鈎問題也是可以討論的，但李滋羅斯並沒有要求新通貨與英鎊掛鈎，因爲他知道如向中國提供巨額資金用來與英鎊掛鈎，這在政治上容易受到攻擊。最後定出的解決辦法是，在滙率拉低到一個適宜的標度，然後宣佈滙率將穩定在現有水平上，這樣做顯得較爲自然。李滋羅斯贊同已經擬定的中國 1935 年幣制改革的主要內容。由於他作爲英國政府的代表和在國際上的聲望，以及英國在中國宣佈幣制改革後立即表示支持的行動，過去一些文獻多誤認爲他是這一次幣制改革的直接策劃者和主要設計者了。

　　與此同時，國民政府駐美公使施肇基，與美國財政部長摩根索在華盛頓的談判也有了進展。原來，美國政府迫於白銀派議員的壓力，雖然採取了收購白銀的政策，却不願直接購買中國政府出售的白銀，生怕導致中國脫離銀本位。到了 1935 年下半年，羅斯福和白銀派議員都已感覺，到維持高價收購白銀所費不貲，對原定的白銀政策興趣已漸減弱。中國方面，孔祥熙於 10 月 8 日再次電請美國政府收購白銀，聲述局勢嚴重，金融業將崩潰。摩根索準備答應收購，但要求讓他知道中國幣制改革的計劃和售銀後的外滙如何處理。11 月 1 日，孔祥熙把幣制改革的要點電告摩根索，並說明或許在本周末（即 11 月 2,3 日）採取行動。11 月 2 日，摩根索答應，經總統批准可收購 1 億盎斯白銀，但附有許多條件，並提出要有一個能與美元掛鈎的確實聯繫。孔祥熙回電說，中國在幣制改革的佈告上，雖然避免提到與任何外幣有聯繫，但日本仍極爲惱火，倘若與美元掛鈎，美國能否幫助中國向日本解釋。儘管孔祥熙一再呼籲，直到中國宣佈幣制改革後的第十天，美國收購中國第一批白銀才基本上有了定局。

三、幣制改革方案的醖釀與擬訂

　　國民政府準備實行幣制改革，在 1935 年的大部份時間裏已經作了醖釀和草擬。1935 年夏天，國民黨首腦聚會廬山，決定了改革的方案。

據楊格回憶，他和其他兩個美籍顧問林襟宇和羅哈脱，在孔祥熙和宋子文的"合作"下，對幣制改革的設想逐漸完備。總的指導思想是：銀本位制必須放棄，在維持銀本位制下的改革，肯定沒有成功的希望；新的幣制應是滙兑本位制，新幣的對外價值不能處於較高水平；中央銀行和已經由政府完全控制的中國銀行、交通銀行所發行的鈔票，應成爲完全法償的貨幣，中央銀行應成爲中央儲備銀行；白銀全部收歸國有，由中央銀行掌管，在國外出售後充作法幣的外滙儲備；改革需要的外滙儲備來自出售的白銀和外國提供的信貸，而法幣的鞏固則有待於財政收支的平衡。

另外，國民政府内進行幣制改革設計的，主要是孔祥熙、宋子文組織的上海的少數銀行家以及財政部和中央銀行的主要官員。浙江興業銀行總經理徐新六是參與者之一，在他逝世後所發現的他當時所草擬的幣制改革的意見，與後來正式公佈的方案内容基本相同。據當時任財政部錢幣司幫辦，後任錢幣司司長的戴銘禮回憶，只有次長兼錢幣司司長徐堪一個人參與其事。戴本人事先並不知道，他是於11月3日奉召由南京趕到上海，參與擬定幣制改革佈告的文字工作的。他記得，方案的主要内容是從英文稿移譯過來的，對於方案第六條條文的翻譯總是譯不妥帖。宋子文最後説，只要説清由中央、中國、交通三銀行無限制買賣外滙即可，其餘不必多講。財政部佈告的擬稿工作到午夜完成，大家又趕到孔祥熙的住宅，由孔簽字後連夜發出。

按照李滋羅斯的想法，實施改革的日期尚宜推後一些，但孔祥熙、宋子文考慮情況緊急，日本人在華北一帶私運白銀出境十分猖獗；銀行鈔票將停止兑現的傳説越來越盛，黄金飛漲，滙價下跌；從11月2日起，不少人到銀行提取存款和持鈔票兑現，經濟上、政治上均已陷入嚴重窘困的局面，如不及時採取措施，事態發展難以預料。國民政府遂不得不於11月3日深夜，宣告實行幣制改革。

四、幣制改革的實施及其内容

1935年，國民政府在金融局勢極端嚴峻的情況下決定實行幣制改革。改革的實施方式及其内容，由財政部以佈告形式宣佈。財政部佈告中的改革辦法有六項，其要點爲：(一)自1935年11月4日起，以中央、中國、交通三銀行所發行之鈔票定爲法幣。所有完糧納税及一切公私款項之收付，概以法幣爲限，不得行使現金，違者全數没收；(二)中央、中國、交通三銀行以外，曾經財政部核准發行之銀行鈔票，現在流通者，准其照常行使；其發行數額，即以截至11月3日止流通之總額爲限，不得增發；(三)法幣準備金之保管，及其發行收換事宜，設發行準備管理委員會辦理；(四)一切單位和個人持有銀本位幣或其他銀幣、生銀等類者，應自1935年11月4日起，到指定銀行兑換法幣；(五)舊有以銀幣單位訂立的契約，應各照原定數額，於到期之日概以法幣結算收付；(六)爲使法幣對外滙價按照目前價格穩定起見，應由中央、中國、交通三銀行無限制買賣外滙。

這種貨幣制度，實際上就是金滙兑本位制，幣價"釘住"在外滙上，國内行使紙幣，現銀祇作準備金，集中於政府銀行。稍有不同的是，所"釘住"的外滙爲紙幣，而不像金滙兑本位制所"釘住"的外滙爲金幣，因此也有人稱之爲"滙兑本位制"。這種貨幣制度，是中國近代貨幣史上紙幣政策的開始。

財政部佈告上明確規定，祇准中央、中國、交通三銀行發行鈔票，但後來"中國農民銀行"也一定要求繼續發行。1936年初，財政部用"與法幣同樣行使"一句話，就讓它與三行一起發行了。

至於其他原來有發行權的銀行，包括中南銀行、中國實業銀行、浙江興業銀行、中國墾業銀行、四明商業儲蓄銀行、中國通商銀行、中國農工銀行、浙江地方銀行、天津大中銀行、天津邊業銀行、農商銀行、北洋保商銀行等，此後不能再繼續發行鈔票。

財政部關於幣制改革的佈告，是在極其秘密的情況下，以"先斬後奏"的方式發佈的。11月3日，在上海的財政部長孔祥熙致電行政院，强調幣制改革"事關緊急重大，深慮延誤時機，奸人乘隙牟利，搖動全國金融"，因此第二天就要實施。對於財政部這一呈文，中國國民黨第四屆中央委員會第六次全體會議第三次會議決議追認，交國民政府通令施行；國民政府則通過行政院，於11月16日訓令財政部予以追認。

五、幣制改革後國内外的反應

　　法幣政策一經宣佈，國内外反應十分强烈。

　　國内經濟學界，對於 1934 年以來的貨幣金融問題的症結所在，看法和意見都很不一致。有的主張從平衡貿易入手；有的主張首先要改善經濟機構的職能；有的認爲擴充信用是解決之道；也有的不認爲已造成通貨緊縮，因而主張仍可維持兑現，只需把銀本位制進一步健全，包括減低銀的成色等。當然，也有一些經濟學家主張放棄銀本位，採行管理通貨的辦法。

　　幣制改革的辦法宣佈後，金融界、工商界首先注意的是法幣對外滙價。中央銀行的牌價是法幣 1 元合英金 1 先令 2 便士半，這是以五年來對英鎊的平均滙率爲基礎計算出來的。但實際上照世界市場的銀價折合計算，每 1 元應值 1 先令 10 便士半，現在定爲 1 先令 2 便士半，相差 8 便士，也就是每 1 元錢的實際價值被壓低成 0.65 元。也有的人計算，在征收平衡税後，即已壓低銀幣價值 25%，實施新幣制後又壓低 15%，所以 1 元銀幣在國内的價值比海外銀價低了 40%。由於貨幣貶值，幣制改革前那種通貨緊縮、物價不正常下跌的現象即告消失，物價開始回升。上海批發物價指數，如以 1926 年爲 100；1935 年爲 96.4；1936 年 1 月爲 104.3；1937 年 3 月爲 123。物價回升，自然能刺激工商業的發展，如二十支棉紗，幣制改革前每件價祇有 200 元左右，到了 1936 年 12 月已達 273 元，紗廠的收益就大大改善。物價升高，也會提高農業生産者的積極性。物價回升後，作爲債務人的工商業者的償債能力也就隨着提高，這也有利於金融業擺脱因呆滯放款多而造成的困境。法幣的對外滙價降低，無疑能促進出口，限制進口，也會促使外人在華投資的增加。幣制改革前，原先以高價收購外滙的投機者們，這時也紛紛脱售。到 11 月底，中央銀行的外滙儲備也因此增加到 4,500 萬美元。但是另一方面，雖然由於工商業復蘇，可以解除一部分失業威脅，可是在資本家並不相應增加工人工資的情況下，一般職工就要遭受因物價上漲而使生活水平下降之苦了。

　　外國對幣制改革的反應，首先是英國對這一改革的支持。國民政府幣制改革的佈告一公佈，英國駐華公使賈德干就立即發出英皇敕令，要在華的英商和英國僑民遵守這一法令，接受法幣，不得再使用現銀。英國在華的滙豐、麥加利等銀行也率先答應交兑庫存白銀給中國的中央銀行。來自倫敦的評論，普遍贊揚了這次改革。

　　美國方面，開始時態度不明朗，但隨着改革的順利開展，亦轉而予以好評。雖然美國駐華公使詹森强調，美國在華銀行均系私人企業，公使無權命令他們遵守中國法令，如何對待應由各銀行自定，但美國在華的大通、花旗等銀行也很快把白銀移交給中央銀行收兑。

　　日本對新幣制竭力加以抨擊。日本軍部更發出威脅性的攻擊，説幣制改革是對日本的"公開挑戰"，日本將要"被迫採取行動"。日本的外交官責問國民政府爲何撇開日本，單獨與英國方面協商。其實，在 11 月 2 日即幣制改革的前夕，國民政府分别派宋子文、楊格和張嘉璈代表孔祥熙，就幣制改革事通知了英、美、日三國駐華公使。儘管如此，蔣介石還於 11 月 20 日會見日本駐華公使有吉明作了解釋，並説："關於法幣改革，事實上雖聽取了李滋羅斯等英國方面的意見，但同時也由中國駐日公使蔣作賓徵求了高橋藏相的意見。至於具體實施日期，也並未通知英國"。還表示，"關於借款問題，如没有日本同意，絶不單獨進行，現在中國迫切希望中日經濟提攜"云云。[②]日本在上海、廣州、武漢等地的銀行也是最後才交兑白銀，而華北方面的白銀則被日本指使華北當局加以截留。

六、對法幣政策的評價

　　對於這次法幣政策，過去的出版物上是這樣論斷的："國民黨政府以其國家政權力量制定施行的'法幣政策'，是一種典型的殖民地性質的貨幣制度"，"這個政策的實施，是爲了進一步控制和集中全國財富，加强壟斷統治所採取的一個重要步驟；同時也爲以後推行通貨膨脹創造了條件"。

　　現在有些史學論者認爲，對法幣政策不能完全否定，理由是：（一）信用貨幣代替金屬貨幣，是貨幣發展到較高階段，與世界上貨幣發展的總趨勢是相適應的；(二)從法幣政策實施起到抗戰前一段時期止，城市經濟出現繁榮景象；(三)抗戰初期如不實行紙幣政策，龐大的軍費支出就無法維持；(四)至於說法幣帶有殖民地性，固然英、美政府支持法幣政策是爲了取得對中國貨幣的支配權，但從當時複雜的國際形勢來看，也未必不是利用了國際矛盾。

　　對這些看法要進行具體分析。從貨幣發展歷史的角度看，我認爲應該區分它的自然屬性和社會屬性。作爲自然屬性，用包括信用貨幣的紙幣代替金屬貨幣，是貨幣發展進程中的較高階段，是進步的，而且確實也把當時全國混亂的幣制統一起來了；但是作爲社會屬性，它必然體現統治者的意志。當時統治者的意志不僅是解救白銀外流的危機，維持現行政權，而且也是爲了實行壟斷。蔣介石給孔祥熙的電報中說："金融幣制與發行之不統一，其關鍵全在中國、交通兩銀行"，解決之道，就是要這兩行"絕對聽命於中央"。③法幣政策實施後，貨幣就貶值了，開始了人們不大能察覺的輕度的、溫和的通貨膨脹。棉紗漲價，工人工資却沒有增加，紗廠當然賺錢，工商業的所謂繁榮是從這裏得到的。抗日戰爭初期，法幣支持了抗日戰爭，這主要是當時全民抗戰的號召，把老百姓的愛國熱情動員起來了，全力支持法幣的發行、流通；同時西南、西北地區因原來缺乏流通手段，更加像乾燥海綿吸水那樣，使貨幣容納量有較顯著的擴大。但是，後來國民政府採取通貨膨脹的政策，使法幣轉入明顯的通貨膨脹階段。當時，英、美、日三國均想取得對中國的貨幣支配權。四大家族對英、美的態度和對日本的態度是不同的，有時候他們含蓄地以日本加緊侵佔中國領土爲由，爭取英、美的財政援助。很顯然，這是被動的求援，說這是主動利用矛盾就不盡符合實際了。

　　抗日戰爭爆發後，法幣發行額越來越大。被委以維持法幣價格之責的宋子文，於 1938 年 12 月 9 日致函孔祥熙，認爲"各行發行之增加已爲事實上所不能避免，現發行準備對外雖暫不公佈，而內部記帳，自仍應力求核實，以備查核"。④ 主張實行外滙審核辦法，即 3 月 12 日以後，"四行增加發行之數，另行記帳。此項發行額之準備，暫以政府發行之公債抵充，將來即以售得之外滙撥充現金準備，庶帳面分清，不致混淆，將來如須公佈發行數量，亦盡有伸縮餘地。"⑤掌握貨幣發行最高權力的統治集團，這時雖還能注意發行準備等手續，但也已看到法幣前景之不妙。隨着發行越來越猛，通貨膨脹一年比一年嚴重。他們利用手中掌握的金融命脈，一步一步地將其發展成爲官僚資本勢力。事實證明，法幣政策的實施和紙幣的發行，對這些權力集團和家族來說，確實是走向壟斷的極爲重要的一步。這不僅是金融壟斷的最重要措施，又是開始着手壟斷經濟命脈的重要關鍵。這次幣制改革，就開始逐步統一全國紙幣發行、解除經濟金融危機而言，自有其成功的一面。但是，國民黨當政者堅持內政外交諸多錯誤政策，特別是實行無限制地通貨膨脹政策，更加劇了財政金融的危機，最終無法擺脫失敗的命運。

　　注：①《國民政府駐美國公使施肇基與財政部長孔祥熙就幣制改革問題往來磋商電》，1935 年 3 月，中央銀行檔案，藏南京中國第二歷史檔案館。
　　　　②《日本駐南京總領事須磨致其外務省武籐書記官密電》，1935 年 11 月 21 日，《日檔》153/39，藏中國社會科學院經濟研究所。
　　　　③《蔣介石致孔祥熙密電》，1935 年 3 月，國民政府財政部檔案，藏南京中國第二歷史檔案館。
　　　　④⑤《宋子文致孔祥熙函》，中國銀行檔案，藏南京中國第二歷史檔案館。

民國時期軍用票考述

丁張弓良

　　軍用票是專爲適應戰時或軍事緊急狀況的需要,在一定地區和時期内發行的帶有强制流通性質的紙幣。軍用票不像普通紙幣那樣,由金融機構備有一定數量的準備金才發行,而是由軍政機構或其首領,憑藉其權勢或政治號召而發行的。軍政府和軍隊發行的紙幣,都作爲軍用票。在一般情況下,軍用票都規定在一定時間後可以兑現,或等軍事平定後陸續收回,但如軍事失敗或軍政統治被推翻,其所發行的軍用票也就變成廢紙。

　　凡普通銀行券、流通券、兑換券等加蓋了"軍用票"印章的, 均可列入軍用票。凡未經加蓋"軍用票"字樣印章的, 雖然被用於發放軍餉、購買武器或用於其他軍事用途的, 也不列爲軍用票。至於爲軍事需要而發行的各種債券、債票, 除了加蓋有作爲軍用票流通的印章者外, 均不列爲軍用票。

　　民國時期發行軍用票,大致可分爲六個時期: 軍政府和南京臨時政府時期;討伐袁世凱時期;軍閥割據和混戰時期;籌劃北伐時期;北伐戰争時期;中原大戰時期。其中也有某些交叉。此外,還有二十世紀三十年代發行的其他軍用票。

一、民國軍政府和南京臨時政府時期 (1911.10—1912.3)

　　辛亥革命前,孫中山在致力於推翻清朝建立民國的國民革命中,爲籌集軍費,曾在海外先後發行軍需債券、中華民務興利公司債券、中華革命軍銀票、中華民國金幣券等。這類債券大都爲海外華僑所認購,其所籌集的資金,對支持孫中山組織的十次革命起義的軍需支出起了很大作用。在武昌起義後建立的爲期甚短的民國軍政府和南京臨時政府時期,率先發行了民國時期的軍用票。

(一)軍政府時期發行以黄帝紀元爲年號的軍用票

　　辛亥武昌起義成功後,革命軍以武昌爲中央政府所在地,成立軍政府。各省紛紛響應,相繼光復、獨立,並各自在本省成立軍政府。1912 年 1 月 1 日,南京臨時政府成立。在此之前的三個月期間,用"黄帝紀元四千六百零九年"發行了各省不同的軍用票四種。

1. 大漢銀行軍用票

　　1911 年 10 月 29 日,山西宣佈獨立,成立軍政府,公推閻錫山爲都督。軍政府爲解決軍需,創辦大漢銀行,向大户富商借銀 40 萬兩作爲基金,發行大漢銀行軍用票。以黄帝紀元四千六百零九年爲發行日期,面值有壹角、貳角、伍角、壹圓、叁圓、伍圓、拾圓七種,並規定軍餉、賦税一律通用,以田賦税收作抵押擔保。軍政府成立不久,清軍攻入太原,該軍用票即停止流通。1912 年 4 月,閻錫山率軍返回太原,爲籌集軍餉,又成立山西官錢局,發行銀元票,將大漢銀行軍用票全部收回,故大漢銀行軍用票存世極少。

2. 浙江軍政府軍用票

　　1911 年 11 月 5 日,浙江光復,成立軍政府,發行浙江軍政府軍用票。以黄帝紀元四千六百零九年十月初一日爲發行日期,面值爲壹圓,無任何印章,票中央爲盡忠報國的岳飛人像,票背面印有浙江軍政府關於軍用票完糧納税一律通用的通告。該軍用票使用時間極短,發行量也不多,當時革命軍節節勝利,多數由軍政府收回,留存民間極爲稀少。1912年1月後繼續發行軍政府軍用票,改爲中華民國紀年。

3. 中華民國軍用鈔票(上海通用銀元)

1911年11月4日,上海光復,6日成立滬軍都督府,陳其美任滬軍都督,發行中華民國軍用鈔票。以黄帝紀元四千六百零九年九月吉日爲發行日期,面值有伍角、壹元、伍元、拾元四種。券面和券背所印的中、英文文字内容相同,中外都可登記兑現。後由國民政府收回,有的拾元券票面還加蓋有"革命債務調查委員會"、"廿五年三月廿一日"、"已登記"印章,説明通用時間較長。

4. 大漢四川軍政府軍用銀票

1911年11月22日,四川宣佈獨立,成立軍政府。當時,成都發生兵變,所有官銀行號及濬川源銀行、藩庫都被洗劫一空,全省經濟無法維持,軍政府乃設立四川銀行,發行大漢四川軍政府軍用銀票。以黄帝紀元四千六百零九年十二月爲發行日期,面值有壹圓、伍圓兩種。第一次發行300萬元,此後又陸續發行,總計發行達1,500萬元。該銀票規定,一年以後可在四川銀行兑換現銀。但一年後,四川銀行因周轉不靈,無法兑現而停止營業,一切未了之事委託濬川源銀行代辦。

(二)中華民國臨時政府時期發行以民國紀年的軍用票

1912年1月1日,孫中山就任中華民國臨時大總統,宣告中華民國成立,下令改用陽曆,以黄帝紀元四千六百零九年十一月十三日爲中華民國元年元月元日。當時因大量支出軍政費用,財政十分困難,不得不發行軍用票和軍需公債濟急。發行鈔券的日期都用中華民國紀年。

1. 中華民國軍用鈔票

中華民國臨時政府成立後,向華比銀行借款100萬英鎊,年息五釐,九七折收現,此後又借到25萬英鎊,也就是所説的"比國借款"。在有了這筆借款後,中央財政部擔保發行了中華民國軍用鈔票和中華民國南京軍用鈔票。中華民國軍用鈔票面值有壹元、伍元兩種。

2. 中華民國南京軍用鈔票

中華民國南京軍用鈔票與中華民國軍用鈔票在同一時間與背景下發行。中華民國南京軍用鈔票面值爲壹元,印有"南京通用銀元"字樣,專門用於維持南京財政,祇限於南京地區流通。

3. 陸軍部軍事用票

中華民國成立時,爲應付龐大的軍餉和各項開支,陸軍部於1912年2月發行陸軍部軍事用票,其流通不限地區,也不限於軍用,凡是各省官用、公用、商用都可流通,並規定在軍事平定後六個月,由國家銀行收兑。當時爲維持市面和考慮到小本經營者的困難,陸軍部還特設兑換所,規定兑換現洋以2元爲限。陸軍部軍事用票面值有壹圓、伍圓兩種,到陸軍總長黄興6月14日離職爲止,共流通四個多月。

4. 安徽中華銀行軍用票

1911年11月8日,安徽宣佈獨立,成立軍政府。1912年1月發行安徽中華銀行軍用票,面值爲壹圓。券背中間印有一隻雄獅以兩腳抱地球,雄獅頭下以兩面九角十八星軍旗作交叉形。此票背面英文寫明爲軍用票,正面反而没有"軍用"字樣。

5. 皖蕪軍政分府理財部軍用鈔票

安徽省蕪湖軍政分府成立於1912年1月10日。爲了應付金融流通和討袁的需要,發行了皖蕪軍政分府理財部軍用鈔票。面值爲壹圓,没有簽章,也没有條文。

6. 贛省民國銀行軍用券

1911年10月31日,江西宣佈獨立,成立軍政府。爲籌募軍費,於1912年發行贛省民國銀行軍用券,面值有壹圓、伍圓、拾圓三種,採用安徽、南京軍用鈔票圖案。贛省民國銀行由江西官銀錢號改組而成,資本總額爲 200 萬元。1913 年,江西省參加討袁戰爭,因軍需浩大,發行鈔票達 500 餘萬元。後討袁戰爭失敗,因軍用券無法兌現,造成經濟混亂,贛省民國銀行於 1916 年停業。

7. 中華福建銀號通用銀元券

1911 年 11 月 10 日,福建宣佈獨立,成立軍政府。由於軍事費用急增,成立中華福建銀號,於 1912 年 4 月發行中華福建銀號通用銀元券。面值有壹元、貳元、伍元、拾元四種,流通於福建和臺灣。

8. 浙江軍用票

1911 年 11 月 5 日,浙江宣佈獨立,成立軍政府。1912 年 5 月 15 日發行浙江軍用票,目前僅見面值壹圓的一種。票背有浙江都督和財政司通告,内稱此項軍用票由浙江財政司發行,都督擔保。

9. 中華民國粵省軍政府通用銀票

1911 年 11 月 9 日,廣東宣佈獨立,成立軍政府。規定清末廣東官銀錢局發行的銀票由軍政府擔保兌換,仍可照常行使。但由於當時庫銀、軍餉等在混亂時被盜竊、搶劫一空,財政陷入困境。1912 年由軍政府財政部擔保向港商借款 40 萬元,以三個月後加倍償還爲條件,發行中華民國粵省軍政府通用銀票。面值有伍毫、壹圓、貳圓、伍圓四種,其中伍毫、貳圓票由都督胡漢民和財政司長廖仲愷簽名;壹圓、伍圓票由陳炯明代理都督和財政司長李煜堂簽字。票背均有"中華民國粵省軍政府大都督通佈"的告示。

10. 江蘇財政司臨時兌換券

1911 年 11 月 5 日,江蘇宣佈獨立,成立軍政府。1912 年發行江蘇財政司臨時兌換券,面值有壹圓、伍圓、拾圓三種,券上蓋有"中華民國軍政府江蘇財政司"章。

二、討伐袁世凱以及討伐北洋軍閥時期 (1915—1925)

自 1913 年"二次革命"倒袁失敗後,各省幾乎都被置於袁世凱的北洋軍閥勢力之下。袁世凱爲實現其做皇帝的迷夢,廢止了約法,解散了議會,還示意參政院發起籌安會,通電各省恢復帝制,並擬在 1916 年元旦登極,改年號爲洪憲元年。當時,孫中山總結了 1913 年倒袁軍事失敗的教訓,認識到在倒袁軍事中,中國國民黨雖擁有中國半壁江山的勢力,但前後戰爭不到兩個月即告失敗,其原因在於黨内成員複雜,組織渙散,内部不團結。因此,孫中山決定籌組中華革命黨,建立新的革命力量。1914 年 7 月 8 日,中華革命黨在日本東京正式成立。會上,一致推舉孫中山爲總理,以謀再舉革命,並派遣人員深入國内各地,從事討袁活動。

1915 年,雲南首先發動討袁革命戰爭,各省紛起響應,相繼組織了討袁軍、護國軍、靖國軍、共和軍、滇黔聯合軍、中華民國第一軍等各種名義的討袁軍隊。當時,雲南宣佈討袁的會場是在護國寺,因此就以"護國"兩字爲軍名。後來,所有各省討袁軍隊都統稱爲護國軍,各省討袁軍又聯合起來,於是簡稱聯軍。

袁世凱爲實現其復辟帝制的野心,力圖削減非嫡系勢力的軍隊人數,於是克扣各省的軍費。因此,雲南發動討袁戰爭時,僅有兩個師、一個混合旅、十多個獨立步兵連的軍隊編制。當時任中華革命軍大元帥的孫中山,考慮到雲南地處西南一隅,軍力不足,勝敗尚難預料,而決勝之機在於直搗袁世凱的老巢,於是特派居正爲東北軍總司令,統籌直隸(即河北)、山東、山西討袁革命軍的軍事。在此期間,爲解決討袁革命軍的軍用之需,除發行面值拾圓、壹百圓、壹千圓三種中華革命黨債券外,各地還發行了一些軍用票。

1916 年 6 月 6 日袁世凱死後,政權落在北洋軍閥手裏。北洋軍閥内部派系矛盾激烈,各地方軍閥擁兵自重,形成軍閥割據和混戰的局面。在此情況下,不剷除軍閥,無以談救國救民。孫中山爲了打倒軍閥,統一全國,加緊各方面準備工作,並進行不懈的鬥爭。1917 年 7 月,親日的段祺瑞平定張勳復辟,掌握了北方的政權,拒絕恢復已被廢棄的國會和臨時約法,擬用武力統一全國。親英美的西南軍閥陸榮廷、唐繼堯聯合譴責北洋政府解散國會、廢棄臨時約法的行爲,宣佈獨立。孫中山發起護法運動,希望依托西南軍閥實力,反對北洋政權。西南軍閥則也想利用孫中山的威望,借"護法"之名對抗段祺瑞。8月,在廣州召開由南下議員組成的非常國會,成立軍政府,並推舉孫中山爲大元帥,陸榮廷、唐繼堯爲元帥,建立了與段祺瑞相對立的南方政府,形成南北對立的局面。1918年5月,在西南軍閥和反動政客的操縱、排擠下,改組軍政府,廢大元帥首領制爲七總裁合議制,護法運動至此宣告失敗。1920年8月,陳炯明回粵驅趕桂軍,桂軍退出廣東,七總裁的軍政府瓦解。11月,孫中山回到廣州,仍用軍政府的名義,通電宣告重開政務會議。1921年4月7日,非常國會選舉孫中山爲大總統,重新樹起"護法"旗幟,並籌劃北伐。1921年夏,在粵桂戰爭中消滅桂系勢力。孫中山平定廣西後,擬由桂林取道湖南,進兵北伐。但陳炯明與孫中山不合,其掌握廣東大權後,處處阻礙孫中山北伐計劃。1922年春,孫中山率軍返粵,逼陳炯明辭去粵軍司令和廣東省長職。6月16日,陳炯明叛變,孫中山脫險離粵於8月15日到達上海。陳炯明回廣州自任粵軍總司令。1923年1月16日,擁護孫中山、討伐陳炯明的滇桂軍收復廣州。陳炯明率部退往惠州,通電下野。2月21日,孫中山南下廣州,3月1日組成陸海軍大元帥府大本營,多次擊退叛軍陳炯明、沈鴻英部的進攻,控制住珠江三角洲和廣東中部地區,形成革命根據地,並力求鞏固和擴大根據地。

孫中山從護法戰爭的失敗中,深深感到無論是西南軍閥還是北洋軍閥都是一丘之貉。對孫中山來説,爲了反對北洋軍閥而利用西南軍閥,爲了抵制西南軍閥而培植陳炯明,最後陳炯明又叛變,這是慘痛的教訓。爲了打倒軍閥,必須尋求可以依靠的革命力量。孫中山在上海期間,接受蘇俄和中國共產黨的意見,決定改組國民黨,實行聯俄、聯共、扶助農工的三大政策。1924年1月20日至30日,中國國民黨在廣州召開第一次全國代表大會,確定三大政策,改組國民黨,實現國共合作。

1925年初,陳炯明乘孫中山北上之機,舉兵進犯廣州。廣州革命政府組織東征軍討伐,佔領潮汕地區,擊潰陳炯明的主力。3月12日,孫中山在北京逝世。於是,滇桂兩軍陰謀異動,東征軍即回師廣州,第一次東征結束。5月中旬,盤踞在廣州的楊希閔、劉震寰乘東征之際,在廣州公開叛亂。回師的東征軍迅速進行鎮壓,6月中旬擊潰叛軍。9月,陳炯明乘東征軍回師廣州機會,重佔東江地區,自封"粵桂討赤軍總司令",並向廣州進犯。廣州革命政府又組織第二次東征,10月14日攻下惠州,11月初收復東江地區,全殲陳炯明軍,爲統一廣東奠定了基礎,實現了孫中山多年來要把廣東建成一個鞏固的革命根據地,以進一步統一全國的願望。在討伐北洋軍閥時期,各方發行了不少軍用票。

1. 山東護囻軍軍政府軍用手票

護國軍山東軍政府發行的山東護國軍軍政府軍用手票都是小額券,面值有壹角、貳角、伍角三種。這種小額券上的號碼,看起來像是用手臨時蓋上去的,既不整齊,又有印錯和重疊印的,所印的"國"字也寫成"囻"(這是當時以"民"爲國家之主的寫法),印刷也很簡陋,既沒有官章,也沒有軍用票條例佈告和收兑的時限。孫中山看到如此簡陋的軍用票,立即電示居正停止使用。因此,這種軍用票的流通時間極短,數量也很少,特別是以"護國軍"爲名的軍用票更少,這種護國軍軍用票是軍用票收藏中的珍品。

2. 滇粵桂援贛聯軍軍用票

1916年5月8日,護國軍軍務院在廣東肇慶成立,統籌全國軍事,施行戰時及善後一切政務。軍務院鑒於袁世有大舉進攻之勢,於是組建滇粵桂援贛聯軍,以李烈鈞爲總司令。滇粵桂援贛聯軍軍用票由聯軍總司令部核准發行,專供聯軍軍需之用,在市面作毫銀流通,自發行之日起,兩個月後兑現。面值有壹圓、伍圓、拾圓三種。由於聯軍在進軍途中得到袁世凱死訊,故軍事行動停止,這種聯軍軍用票也就不再使用。

3. 中國銀行輔幣券

1916年,蔡鍔領導的護國軍由滇入川時,在雲南自印中國銀行輔幣券,面值有壹角、貳角、伍角三種,帶入四川行用,目前僅見伍角券一種。1916年6月袁世凱死後,討袁戰爭結束,護國軍之名也撤銷,但有的地方仍有以護國軍旗號擁兵割據。1918年,湘西護國軍第二、三路總司令發行的軍用票,見有伍串文一種,票背有該總司令的告示。

4. 國立中華國民銀行券

1921年,孫中山平定廣西後正籌劃北伐,當時爲支付戰爭的龐大軍費,兩廣財政極爲困難。尤以廣西潰軍佔領各地區,以收稅募捐維持軍費,濫發臨時軍用票,十分混亂。於是,孫中山聯合各界創辦國立中華國民銀行,發行中華國民銀行券,面值有壹毫、貳角、伍角、壹圓、伍圓、拾圓六種。票面未加印"軍用"字樣,而加印"國立"兩字,實爲兩廣的連年戰爭和善後地方財政而發行,兼爲軍事進展和統一全國所用。

5. 中華民國靖國軍軍用鈔票

1917年,孫中山任命唐繼堯爲川、滇、黔三省靖國軍總司令。當時,四川、貴州兩省都發生要把駐扎在本省的滇軍趕出境的戰事。唐繼堯爲鞏固他的勢力,以靖國軍總司令名義發出號令:先平定川亂,然後北伐。爲籌集軍費,成立中華民國靖國軍軍用銀行,發行軍用票。

靖國軍軍用鈔票實際發行壹圓、伍圓兩種,但在票背印就的發行條例中則寫明有壹圓、伍圓、拾圓三種。發行條例中所列頭銜是"征閩靖國軍總指揮官李烈鈞"和"雲南靖國軍第六軍軍長方聲濤",但實際上李烈鈞、方聲濤並未去福建。當時,征閩軍是援閩粵軍總司令陳炯明,並由許崇智和鄧鏗分任左右翼指揮,進軍入閩。

6. 雲南靖國軍軍用銀行兌換券

雲南在討袁時期首先響應護國起義,組成護國軍,並先後援贛、援粵,平定川亂,連絡貴州。討袁戰爭停止後,各地軍閥相互爭地、爭權、爭利,留在粵、川、黔的滇軍遭到了停止發給軍餉、軍械的威脅。但是,如果將駐在外省的滇軍撤回雲南,龐大的軍費開支又無力維持。在此情況下,唐繼堯爲保存實力,對當時的非常國會選他爲元帥,也不去就職。而是潛回雲南,一心籌劃軍費,擴充軍隊。於1917年發行"雲南靖國軍軍用銀行兌換券",面值有壹圓、伍圓、拾圓三種。這種兌換券,既沒有收兌期限,也沒有發行條例,一切都由軍用銀行負責。軍用銀行爲防止此券被仿製僞造,在券背加蓋一硃色大印,在券面還加蓋了"靖國聯軍總司令官之章"、"雲南督軍章"等不少印章。

7. 漳州農工商信託有限公司鈔票

孫中山於1918年5月派陳炯明、許崇智、鄧鏗率領援閩粵軍入閩,大敗閩軍,連克數縣,進入漳州。當時爲籌措軍費,與漳州商會聯合農工商界共同組織信託公司發行代軍用票。面值有壹毫、貳毫、伍毫、壹圓四種。票面並未注明"軍用"字樣,它之所以採用公司名義發行代軍用票,是爲了在應付軍餉的同時,取得滙兌的方便。

8. 隴南鎮守使糧食局銅元票

1921年隴南鎮守使糧食局發行銅元票,面值有貳仟圓、叁仟圓、伍仟圓三種。

9. 廣西軍用鈔票

1921年粵桂戰爭中,桂軍戰敗,陸榮廷下野。孫中山派馬君武任廣西省長,着手編遣流散的桂軍。當時僅有劉震寰、馬曉軍、李宗仁等部願意受編,其餘部隊各佔一地,擅自收稅派捐,要挾商會籌餉,造成社會混亂。這些自治軍都不願聽從革命軍所派遣的馬君武省長的命令。在這種情況下,馬君武束手無策,爲解決急需,與財政廳長呂一夔共同署名,於1922年5月發行廣西軍用鈔票,面值爲壹圓券一種,定額30萬元。票背載明:"……限用三月,換回桂幣,臨時發行,藉資救濟。"

10. 廣西臨時軍用票

1921年,陳炯明率師驅逐陸榮廷的桂軍,平定兩廣。不久,自南寧回粵,把持軍政大權,圖謀叛變。11月,被驅逐出廣西的桂軍沈鴻英部,乘革命軍無暇顧及之機,返回廣西,佔據桂林、平樂、柳州一帶。後又附隨其他滇桂軍進入廣東,爲直系軍閥所賞識,被任爲廣東軍務督理。沈鴻英軍爲了解決軍餉,於1922年發行廣西臨時軍用票,面值爲壹圓一種。該軍用票由沈鴻英加蓋私章兩枚,全由他個人負責,既無基金保證,又無兌現時間。沈鴻英於1923年4月公開叛亂,被革命軍討伐,退往南雄。該軍用票在廣西使用,前後僅八個月。

11. 廣西梁華堂軍用票

1922年5月,民團首領梁華堂趁廣西戰亂以及大小軍閥佔山爲王的機會,自稱廣西公民自治軍總司令,率人槍二千餘佔領桂林。9月,滇軍朱培德部佔領桂林,梁華堂軍退走。僅在此近四個月期間,梁華堂發行廣西銀行券、桂林地方銀行券共六種。

12. 大本營度支處軍用鈔票

1923 年 1 月，國民革命軍回粵討伐陳炯明，在廣州的革命民眾也紛紛起來討逆。陳炯明見大勢已去，倉惶逃出廣州。革命軍收復廣東。當時，爲籌集北伐軍餉，由大本營度支處呈准發行大本營度支處軍用鈔票，面值爲伍角一種，並注明各省通用，以利北伐出師之用。

13. 廣東省金庫券

1923 年，大本營爲籌集北伐軍費發行廣東省金庫券。面值有壹圓、伍圓、拾圓三種。拾圓券面加蓋了大本營官章，券背加蓋"大本營軍用票准壹年後作加一算完納錢糧稅務"章，由大本營負責兌現。

14. 四川兌換券，四川官銀號銀元券

軍閥割據時期，川軍內訌，互相殘殺，爭奪地盤，混亂了十餘年。1923 年 6 月，孫中山大元帥任命劉成勳爲四川省長兼川軍總司令，熊克武爲四川討賊軍總司令，賴心輝爲四川討賊軍總指揮。爲了解決龐大的軍餉，令四川省銀行成立重慶官銀號，發行四川兌換券，同時又在成都成立四川官銀號，發行四川官銀號銀元券，並令商場一律行使，不得抗拒。因戰事大量發行軍用票，以致使軍用票貶值。四川兌換券，面值有壹圓、伍圓、拾圓三種，先發行壹圓、拾圓兩種，總額爲 260 餘萬元。四川官銀號銀元券，面值有直式壹圓、伍圓券兩種，橫式僅有壹圓券一種，發行總額爲 299 萬元。1923 年底，北洋軍佔領四川重慶和成都，兩種軍用票停止使用並進行清理。

15. 四川討賊軍第一軍總司令部輔助券

1923 年 6 月，熊克武討賊軍入川。不久，因戰事失利，第一軍退至瀘縣。因沒有糧餉接濟，處境困難，故於是年 12 月向瀘縣地方富商籌集資金 2 萬元用作軍餉，發行面值爲壹角的輔助券臨時軍票，擬於發行後三個月收回銷毀。1924 年 3 月，熊克武率討賊軍殘部離川入貴州境內，致使該輔助券臨時軍票沒有收回銷毀。

16. 貴州銀行券

貴州銀行券於 1924 年發行，面值爲壹圓，附張有"貴州縱隊司令官謝"章；也有無年份的壹圓券，附張有"貴州松桃公署軍用票"章；另有附張有"貴州軍事善後督辦"章的。

17. 貴州財政廳籌餉局銀元券

1925 年，貴州財政廳籌餉局發行銀元券，現僅見面值爲壹圓的銀元券一種。

18. 定滇軍司令部軍用鈔票

1925 年 5 月，北伐軍全力平定滇軍楊希閔、桂軍劉震寰的叛亂。爲應付浩大軍需，由定滇軍司令部發行定滇軍司令部軍用鈔票，面值有壹圓、伍圓、拾圓三種，發行總額爲 100 萬元。承諾由政府於短期內收回。

19. 陳炯明軍用鈔票

1925 年 3 月 12 日孫中山逝世後，陳炯明重佔東江地區，發行軍用鈔票，面值有伍圓一種，作爲軍費。10 月中旬，第二次東征軍直搗陳炯明的根據地惠州，陳炯明逃往香港。於是發行的軍用鈔票如曇花一現，十分稀有。

20. 粵南實業銀行券

1917 年孫中山在廣州就任軍政府大元帥時，在省防軍的基礎上成立了援閩粵軍，委任陳炯明爲總司令，共組建了五個支隊，鄧本殷爲第四支隊司令，駐防海南島。

陳炯明於 1922 年 2 月叛變，被逐出廣州；1925 年 9 月又捲土重來，重佔東江。當時，鄧本殷企圖策應陳炯明軍。爲擴充軍隊，籌集軍餉，以開發實業爲名，設立粵南實業銀行，發行毫洋和大洋壹圓券兩種，印刷精美。後鄧本殷即被南征國民革命軍打敗。實際上銀行尚未開業，鈔票並未發行，流入民間甚少。

三、軍閥割據和混戰時期 (1917—1927)

　　北洋軍是袁世凱培植的軍隊,北洋軍的各派系首領也承認自己是北洋派。在袁世凱當政時,北洋軍勢力控制了中國三分之二的省份,祇有雲南、四川、貴州、廣東、廣西和湖南是北洋軍勢力所不及的地區。這南方六省自討袁護國戰爭以後,便和北洋政府對立。但這六省又分爲兩個區域,滇、川、黔是一個區域,由唐繼堯控制;粵、桂又是一個區域,在桂系勢力範圍控制之下;湖南則常受這兩個區域的勢力所左右。儘管南方反對北方,但南方的局勢也動盪不安,尤其是廣東和四川,陳炯明在廣東謀劃叛亂,四川省內各軍閥連年相互攻擊。而北洋軍閥儘管表面上結成集團,實際上也是各自稱雄。各地軍閥間長期的割據和內戰,使中國人民陷於水深火熱之中。這一時期內,各軍閥爲了打仗,需要大量的軍費,於是濫發臨時軍票。南北各派系軍閥所發行的軍用票,有以下多種。

(一)皖系發行的軍用票

　　皖系以段祺瑞爲首領,徐樹錚爲中心,靳雲鵬、段芝貴、倪嗣冲、張敬堯、傅良佐、吳光新都是皖系大將。段祺瑞把持北方政局時,利用日本借款和日本軍火訓練新軍作爲自己的武力,由徐樹錚統領。

　　1917 年至 1918 年間,湖南是南北戰爭的戰場。直軍在衡陽、祁陽、耒陽一帶;皖軍在寶慶、武崗、長沙、平江一帶;馮玉祥部在常德、桃源;奉軍、蘇軍、魯軍、安武軍等在湘東各縣,而湘西地區則是南方軍的範圍。

　　湖南督軍張敬堯,安徽霍丘人,他的軍隊駐防在長沙、寶慶等地。張敬堯雖然是督軍,但他的勢力範圍僅限於長沙、寶慶一帶。他在長沙大肆貪污,還不擇手段地廣種鴉片收取煙稅,將教育經費移作軍餉,盜賣湖南第一紗廠,盜賣礦山(收 500 萬元賄賂),並以採辦軍米爲由,運米出口征收護照費等等。他爲了進一步搜刮民財,還創辦裕湘銀行,濫發紙幣。皖系發行的軍用票有:

軍用兌換券

　　1918 年,裕湘銀行發行了一種"現銅圓貳拾枚"的軍用兌換券,券背有"前敵總司令張令",令長沙總商會代兌。湖南人民對張敬堯的殘暴統治忍無可忍,各界紛紛掀起"驅張運動"。以譚延闓任總司令的湘軍於 1920 年 6 月將張敬堯趕出長沙,這種軍用兌換券也就變成了廢紙。

(二)直系發行的軍用票

　　直系以馮國璋爲首領,曹錕、李純、王占元、陳光遠都是直系大將。馮國璋曾代理總統。1918年 10 月,徐世昌當選大總統,馮交卸總統職務後,他的直系領袖地位也就隨之結束。直系發行的軍用票有:

1. 安徽全省軍用券

　　皖系倪嗣冲先任安徽省長,繼任安徽督軍,安徽人民在他的統治下痛苦不堪,希望能趕走他。直系爲擴充地盤,於是公推陸建章爲討倪軍總司令,準備突擊安徽倪嗣冲。陸建章建立了安徽討倪軍總司令部,並發行安徽全省軍用券,面值爲壹圓。此券的特點是:指明討伐倪嗣冲,全省通用,意在喚起安徽全省百姓的注意。後來由於奉軍應皖系段祺瑞之邀,迅速入關,討倪戰爭沒有進行,此券亦就停止使用。

2. 河南省銀行臨時軍用票

　　1923 年,豫泉官銀錢局改組爲河南省銀行,總行設在開封,資本總額爲 500 萬元。當時,直系軍隊爲了軍事支出,在河南省銀行券上加蓋"臨時軍用"印章,作軍用票發行。面值有伍圓、拾圓兩種。

1927年，北伐軍由武漢北上，河南省銀行即告停業，這些加蓋"臨時軍用"的票券未能兌現。

（三）奉系發行的軍用票

奉系以張作霖爲首領，以東北三省爲基地，楊宇霆、郭松齡、姜登選、李景林、張宗昌都是奉系大將。1922年4月第一次直奉戰爭爆發後，奉軍很快被直軍擊敗，促使奉系下決心整軍經武。1924年9月，直奉又發生第二次戰爭，奉系利用直系内部分裂，使直系慘敗。奉系發行的軍用票有：

1. 東三省軍用票

第一次直奉戰爭時，張作霖任鎮威軍總司令，由總司令部發行東三省軍用票，面值有壹圓、五圓、拾圓三種。這是當時奉系積極整軍備戰，爲籌劃軍餉和軍械而發行的。第一次直奉戰爭祇打了六天，以奉軍大敗退出關外而告終。由於時間極短，這種軍用票流出很少，而且規定"此券限軍事完竣歸總司令部一律兌現"，所以該軍用票是很難收集到的稀有品。

2. 鎮威第三四方面軍團兵站庫券

張學良、楊宇霆分別任鎮威軍第三、第四方面軍團軍團長時，於1926年發行鎮威第三四方面軍團兵站庫券，面值有壹圓、伍圓、拾圓三種。1927年又發行面值爲壹角、貳角、伍角和壹圓、伍圓等券。

（四）國民軍系（又稱西北軍系）發行的軍用票

國民軍系以馮玉祥爲首領，張之江、宋哲元、鹿鍾麟等人都是西北軍系骨幹。馮玉祥任西北邊防督辦時，自成一系，組織國民軍，駐守西北一帶。1925年，馮玉祥在蘭州設立西北銀行，發行鈔票，用以充實軍餉。在此期間，直系與奉系又化敵爲友，聯合討馮。馮玉祥四面受敵，祇得通電下野，轉赴蘇聯。當時，國民黨的于右任也去了蘇聯，勸説馮玉祥參加國民黨。於是，馮玉祥回到西北，在五原召集流散各地的舊部重組國民軍，仍被推舉爲國民軍總司令。1926年9月17日，于右任代表國民黨中央來到五原，主持馮玉祥軍隊的授旗、誓師典禮（即五原誓師），呼應北伐軍作戰。國民軍系發行的軍用票有：

1. 國民軍聯軍軍用票

1924年10月，第二次直奉戰爭發生時，馮玉祥因與吳佩孚意見不合，脱離直系，不再支持吳佩孚，主張率師回北京倡導和平，迎接孫中山北上主政。馮軍於10月22日順利進入北京城，24日召開軍事會議，組織國民軍聯軍，由馮玉祥任聯軍總司令，發出倡議和平致全國南北軍首領的通電，造成浩大聲勢，控制北方政局。當時，爲應付這種局勢和籌集軍費，於是用陝西富秦銀行壹圓、伍圓、拾圓券加蓋"國民軍聯軍總司令"及"完糧納稅，公私交易，一律通用"等印章，發行軍用券，流通市面。

2. 國民軍金融流通券

1926年9月，馮玉祥在五原誓師和蔣介石的北伐軍相呼應後，廣東革命政府任命于右任爲陝西省主席兼國民聯軍駐陝總司令，以便集中國民軍部隊，會師中原，策應北伐。爲籌集軍費及活躍地方金融，由聯軍駐陝總司令部財政委員會發行國民軍金融流通券，面值有壹角、貳角、伍角、壹圓、貳圓、伍圓六種，另外還發行用陝西富秦錢局的壹角、叄角、伍角券上加蓋"國民軍金融流通券輔幣"和"財政委員會印"兩枚印章的輔幣券三種。在輔幣伍角券背面兩邊，還加印"工農商學兵在國民黨指導之下聯合起來，完成國民革命"兩行字。在軍用票上印口號，僅見此輔幣券。

（五）新直系發行的軍用票

新直系以孫傳芳爲首領。孫是山東人，他受到直系軍閥吳佩孚的提拔，擁有精兵，在湖北、江西、福建形成了一股重要力量。1924年，吳佩孚派孫傳芳援閩，孫傳芳乘機控制了福建。不久，江蘇齊燮元、浙江盧永祥之間發生齊盧之戰，盧永祥戰敗後，孫傳芳任浙江軍務督理，又控制了浙江。第二次直奉戰爭時，直系戰敗，長江一帶爲奉系勢力所控制。孫傳芳在杭州自封爲浙、閩、蘇、贛、皖五省聯軍總司令，向浙江金融界借了軍餉100萬元，兵分五路進攻奉軍。戰爭不到五天，奉軍深恐馮玉祥軍截其

後路,全師倉惶撤退。未經大戰,孫獲大勝,聲勢大增。新直系發行的軍用票有:

1. 財政部軍需滙兌局兌換券

當孫傳芳威震東南時,吳佩孚就乘機出山,於 1925 年 10 月 21 日抵漢口,以"十四省討賊聯軍總司令"名義,發號施令,通電討奉。吳佩孚東山再起,獲得各地原有直系勢力的響應。吳佩孚的討賊聯軍總司令部成立後,爲籌集軍餉,維持地方,在軍務處設立軍需滙兌總局,於 1925 年發行軍需滙兌局兌換券。面值有壹角、貳角、壹圓、伍圓四種,其中壹角、貳角券,祇有滙兌局局長的英文簽名,沒有吳佩孚的 Yu 字英文簽名(吳別號"子玉"),壹圓、伍圓券則有吳佩孚的 Yu 字英文簽名。根據發行條例,該兌換券由於將財政部造紙廠、交通部所有的漢口地皮及其他在漢口的國有不動產,計價約 3,000 萬元的產物契約交漢口總商會作爲該券發行的擔保品,故發行後,信用較好,無人拒用。

2. 江西財政廳有利流通券

1926 年,五省聯軍總司令孫傳芳,統治江、浙、皖、贛、閩五省的軍政。爲抵抗勢如破竹的北伐軍,籌募戰時軍餉,於 9 月底發行江西財政廳有利流通券。面值有壹圓、伍圓、拾圓三種,發行總額爲 200 萬元,全省通用。北伐軍於 11 月 7 日佔領南昌,此種流通券即停止兌現和使用。

(六)魯系(又稱直魯軍系)發行的軍用票

魯系以張宗昌爲首領,褚玉樸是魯系的大將。張宗昌成爲魯系首領,是在 1924 年第二次直奉戰爭時。當時,奉系派遣張宗昌的雜牌部隊打前陣,與直系吳佩孚作戰。適逢馮玉祥倒吳,直系大敗,張作霖論功行賞,以張宗昌的戰功最著,任張宗昌爲山東省軍務督辦。當時,在天津的直系李景林也敗給馮玉祥的國民軍,李景林就聯絡張宗昌組織成直魯聯軍。同時,李景林又促成奉系與吳佩孚聯合,藉以威脅馮玉祥的國民軍。由於山東準備南北兩面同時作戰,故軍需大增。魯系發行的軍用票有:

1. 直魯省軍用券

1927 年發行的直魯省軍用券有兩種,一種是將"直魯省軍用券"的印章加蓋在財政部平市官錢局發行的壹角、伍角券上;另一種是加蓋在山東省銀行發行的壹圓券上。這種軍用券在直、魯兩省通用,是爲了解決與馮玉祥的國民軍作戰所需的軍事費用。

2. 山東省軍用票,山東省金庫券

1927 年冬,張宗昌爲抵抗北伐軍進攻魯南,急於籌集軍費,經北洋政府內閣會議核准,發行山東省軍用票 1,000 萬元。在具體發行中,儘管發行數遠遠超過核准數,但仍嫌不夠,於是再由山東省金庫發行金庫券。山東省軍用票面值有壹角、貳角、伍角、壹圓、伍圓、拾圓六種,山東省金庫券面值有壹圓、伍圓、拾圓三種。北伐軍迅速推進,直魯軍瓦解,軍票、金庫券也就無法兌現。

(七)桂系發行的軍用票

廣西省在武昌起義後就予以響應,並宣佈獨立,由原清巡撫沈秉堃任都督。不久,沈秉堃離去,由陸榮廷任都督。廣西省是一個不富裕的省份,財政依賴廣東協助,市面上流通的是廣東雙毫。陸榮廷任都督後,下令將廣西官銀錢局改組爲廣西銀行,靠發行紙幣維持全省開支。1915 年,雲南討袁,袁世凱擬讓廣西攻滇,陸榮廷以餉械不足爲由,騙取袁世凱軍餉 100 萬元、步槍五千枝,却並不派軍入滇。且在廣東龍濟光奉袁世凱之命率領軍隊經桂攻滇時,陸榮廷又設計將龍濟光軍全部繳械,並宣佈廣西獨立,陸榮廷仍任都督,形成了北洋政府時期的"桂系"。

1916 年,全國討袁聲勢日益浩大。在這種形勢下,袁世凱佈置在南方的北洋派系骨幹開始紛紛離開他,如廣東的龍濟光、湖南的湯薌銘、四川的陳宦都宣佈獨立。袁世凱死後,北洋派段祺瑞任國務總理,龍濟光便取消獨立,投靠段祺瑞,並電請段祺瑞派兵援粵夾擊滇軍,然後再擊桂軍。陸榮廷於是聯絡滇軍驅逐了龍濟光。從此陸榮廷控制了兩廣政權,並任北洋政府的兩廣巡閱使。1920 年 8 月,孫中山命駐漳州的陳炯明軍回粵驅趕桂系軍閥莫榮新,11 月攻佔廣州,桂軍退出廣東。桂系失去廣東後仍企圖收復,於是在 1921 年 6 月發生第二次侵粵戰爭。孫中山以粵軍爲主,聯絡滇軍、黔軍、贛軍,向桂軍進攻。粵軍襲取梧州後,節節進逼,直達

南寧。陸榮廷見大勢已去，通電下野，廣西勢力消滅，北洋政府時代的桂系就此不再存在。桂系發行的軍用票有：

1. 耀武上將軍督理廣西軍務券

1915 年，袁世凱爲實行帝制，用各種辦法控制、籠絡各省都督。廣西陸榮廷，派其次子入京爲侍從武官，袁世凱任陸榮廷爲寧武將軍，後改任耀武上將軍，督理廣西軍務。袁世凱還於是年 6 月 30 日下令裁撤各省都督，改設將軍。廣西銀行於 9 月發行壹毫券，以志紀念。券面地名爲桂林，券背印有"耀武上將軍督理廣西軍務陸"的告示。

2. 桂省發行兩廣通用券

1917 年至 1918 年間，陸榮廷控制了兩廣的政治、經濟和軍事大權。當時，兩廣軍費支出浩大。陸榮廷利用廣東省銀行預先由美國印製好的廣東省銀行兌換券，該兌換券有壹圓、伍圓、拾圓、伍拾圓、壹佰圓五種，現僅見加蓋"桂省發行，兩廣通用，丁糧釐稅，均准完納"字樣的壹圓券一種，於 1918 年 1 月 1 日投放桂省流通。

3. 廣西督軍譚浩明、省長李静誠銀行券

陸榮廷舉薦譚浩明任廣西督軍、李静誠任省長。爲擴大譚浩明、李静誠的聲譽，廣西銀行於 1921 年 2 月發行伍角券，以志紀念。券面地名爲"梧州"，券背印有"廣西督軍譚、廣西省長李"的告示。

4. 廣西邊防督辦軍務券

1921 年 1 月 31 日，北洋政府派陸榮廷督辦廣西邊防軍務。6 月爆發粵桂戰争，陸榮廷失敗退往龍州，命龍州鎮守使黃培桂等籌集軍餉，由廣西銀行發行邊防督辦軍務券伍圓一種。券面地名爲"龍州"，券背印有"廣西邊防軍務陸榮廷佈告"，並加蓋"督辦廣西邊防軍務"印章。

5. 廣西全省綏靖處督辦銀行券

1921 年桂軍失敗後，廣西非常混亂。北洋政府派林俊廷爲廣西全省綏靖督辦。陸榮廷下野後，廣西銀行券發生擠兌，廣西銀行宣告倒閉。市面缺乏紙幣流通，且散兵或客軍佔領一地後自稱自治軍，攫取地方的財政稅收。因此，由省財政部印刷局印製廣西省銀行券，交綏靖督辦負責發行，流通市面，以解決鈔荒，同時也可以維持綏靖處的開支。廣西省銀行券，見有背面加蓋"廣西全省綏靖處督辦之印"、"廣西全省綏靖處會辦之印"和"廣西省財政廳長印"之貳角和壹圓券兩種。

四、北伐戰争時期 (1926—1927)

1926 年 7 月 1 日，在廣東的國民政府發表《北伐宣言》。7 月 9 日，國民革命軍從廣東出師北伐。北伐開始時，北洋軍閥的軍事力量有：吳佩孚二十萬人，據有河南、湖北、湖南、四川、貴州；孫傳芳二十萬人，據有江蘇、浙江、安徽、福建、江西；張作霖所部及所附屬的直、魯軍約三十五萬人，據有東北、熱河、察哈爾、河北、山東。這時，國民革命軍的兵力祗有十萬人左右，財力也大大不及北洋軍閥。戰時軍餉有時還不得不依靠發行軍鈔維持。在北伐時期，國民政府發行的軍用票有：

1. 中央銀行臨時兌換券

1926 年 7 月 10 日，北伐軍攻克長沙，爲籌劃第二期作戰，呈准國民政府發行中央銀行臨時兌換券（列入中央銀行紙幣圖版内），面值有壹圓、伍圓、拾圓三種，發行總額爲 500 萬元。兌換券就近由長沙湘鄂印刷公司印製，於 8 月 26 日正式發行，流通市面。

2. 國民革命軍總司令部軍需券

1926 年 7 月 10 日，北伐軍攻克長沙後，節節勝利。所收復的地區，市面上充斥軍閥所留下來的不

能兌現的軍用票,人民貧窮不堪。總司令部爲調劑經濟,搞活市面和籌集軍餉,由蔣介石署名,發行國民革命軍總司令部軍需券,面值有壹角、貳角、壹圓、伍圓四種。凡北伐軍到達地區均可通用。後如期全部收回,留存民間者極爲稀少。

3. 湘贛桂通用券、湘贛桂三省通用券、鄂湘贛三省通用大洋券

1926 年 10 月 10 日,北伐軍收復武漢。此時軍政各項費用大量增加,雖已發行了臨時兌換券和軍需券,但仍不敷用。於是在舊有的廣州中央銀行券(民國十二年版)券面上加蓋"湘贛桂通用券"、"湘贛桂三省通用券"、"鄂湘贛三省通用大洋券"字樣(已列入中央銀行紙幣圖版內),面值有壹圓、伍圓、拾圓、壹佰圓四種,作爲北伐軍軍費之用。

4. 江西景德鎮總商會臨時流通券

景德鎮生産的瓷器聞名於世,每年出口瓷器賺取的外滙也很可觀。辛亥革命後,江西省每有內戰需要籌措軍費、軍餉時,常以景德鎮的稅收作爲軍鈔發行的抵押。1928 年,北伐軍爲補助墊款軍餉,也同樣通過江西景德鎮商會,以抽收的景德鎮房捐內的 10% 作爲擔保基金,發行景德鎮總商會臨時流通券,面值有壹圓、叁圓、伍圓三種。由總商會負責隨時兌現,信用極佳。該券存世者極少,爲軍用票中珍品。

五、中原大戰時期 (1930.3—11)

北伐戰爭結束後,蔣介石準備實施編遣部隊計劃。1930 年 2 月 23 日,閻錫山、馮玉祥、李宗仁等四十五人,因對國民政府的軍隊編遣計劃不滿,聯名通電,要求對編遣會議的議決重作決定。閻錫山通電要蔣下野,反蔣軍閥紛紛響應。3 月 15 日,馮、閻、桂三軍將領五十七人聯名通電,擁護閻錫山爲"中華民國陸海空軍總司令",馮玉祥、李宗仁爲"副總司令",並發表另組"國民政府"的宣言,因而爆發蔣馮閻戰爭,或稱中原大戰。1930 年 11 月 4 日,閻、馮通電下野,戰爭亦告結束。在中原大戰時期發行的軍用票有:

1. 閻錫山戰時通用票

在中原大戰中任"中華民國陸海空軍總司令"的閻錫山,由總司令部發行戰時通用票,面值有壹角、壹圓、伍圓三種,發行總額爲 600 萬元,並規定在戰事完畢後由國家銀行兌現收回。

2. 中華國家銀行券

閻錫山在中原大戰時,在北京設立中華國家銀行。並設計了壹圓、伍圓的銀元券兩種,準備在戰爭勝利後正式發行,以回收戰時通用券。同時,計劃將此銀元券作爲中央銀行券在全國流通。不料,戰爭不到八個月,閻、馮因戰敗逃離北京,該券就未及發行。

3. 馮玉祥軍用票券

在中原大戰中任"中華民國陸海空軍副總司令"的馮玉祥,在原西北銀行民國十七年券上加印"中華民國陸海空軍副司令示"的告示,作爲軍用票,專用於中原戰爭之軍需。發行的軍用票券,面值有多種,但僅發現面值貳角、壹圓、伍圓、拾圓的票券四種。

4. 李宗仁八省大洋兌換券

在中原大戰中任"中華民國陸海空軍副總司令"的李宗仁,利用舊有的廣西省銀行民國十五年券上加蓋"中華民國陸海空軍副總司令李示"的大印,內有"納稅交易,一律通用,倘有拒絕,按法嚴懲"、"粵、桂、湘、鄂、贛、蘇、浙、皖大洋兌換券"等字樣,作爲軍用券。面值有伍圓、拾圓等,用於解決軍需。

六、其 他

　　中原大戰後,舊軍閥勢力已相繼消滅或削弱,但個別省的地方軍閥如四川、陝西、貴州、新疆等地仍發行有多種軍用票。1931 年九一八事變後,日本關東軍侵佔了東三省,全國民眾掀起抗日運動。東北人民紛紛組織義勇軍、救國軍、自衛軍、救國會等,以游擊戰抵抗日軍的侵略。爲了籌措抗日軍費也發行了一些軍用票。舉其要者有:

1. 四川二十四軍裕通銀行券

　　1927 年,四川二十四軍以劉文輝爲主的各將領,集資創辦裕通銀行。1931 年發行銀行券,面值有壹圓、伍圓、拾圓三種。發行總額達 25 萬元以上,其中自流井分行發行 15 萬元以上;成都發行 10 萬餘元,其餘如瀘縣、宜賓等地也有少量發行。1933 年,劉文輝二十四軍與劉湘二十一軍發生兼併戰爭,劉文輝敗退西康,裕通銀行倒閉。

2. 川陝邊防督辦署臨時軍費借墊券

　　1933 年 3 月,四川邊防軍總司令劉存厚爲籌措軍餉,發行了臨時軍費借墊券。面值有壹圓、伍圓、拾圓三種,發行總額爲 60 萬元。劉存厚原是四川地方軍閥,曾由北洋政府委以各種要職。1929 年初加入中央軍。1933 年初被派駐達縣堵截中國工農紅軍入川。10 月,劉存厚的部隊被紅軍擊潰,11 月被蔣介石免去軍職,借墊券便成爲廢紙。

3. 貴州軍事善後借款券

　　貴州軍事善後借款券於 1933 年發行。目前僅見有面值爲壹圓的借款券一種。

4. 南疆邊防總司令部軍用鈔票

　　1933 年,新疆軍閥混戰。南疆邊防軍總司令馬紹武於 9 月在喀什漢城發行南疆邊防總司令部軍用鈔票,現僅見有面值爲壹圓的軍用券一種。當時,因漢城被圍,物資奇缺,故用油布印製。除在白細布上用桐油浸漬成油布外,還用大小橫條布和小點花布來代替白細布。

5. 遼寧民眾救國會軍用流通債券

　　1931 年九一八事變後,日本關東軍侵佔了中國的東三省,東北人民奮起抗日。爲了籌募抗日游擊區軍需,遼寧民眾救國會於 1932 年發行了軍用流通債券,面值有壹圓、拾圓兩種。券背加蓋硃色方印,其文字爲《諸葛亮後出師表》全文,署名"遼寧救國會璧"。該流通債券以東三省官銀號及各縣農商貸款爲基金,隨時向民眾救國會兌現,發行信用甚佳。

肆 資料

民國時期國家銀行、地方銀行紙幣大事記

民國元年(1912 年)

一月	一日	孫中山在南京就任臨時大總統職,並宣告中華民國成立。
	三日	大清銀行商股聯合會上書孫中山,建議"就原有之大清銀行改爲中國銀行,重新組織,作爲新政府的中央銀行"。
	八日	交通銀行南方股東在滬召集臨時股東聯合會,推張志潜、蔣邦彥爲正副會長,呈交通部立案。於是南北兩股東會聯合一起共策行務。官股由交通部繼承。
	二十四日	孫中山同意將大清銀行改爲中國銀行,由財政部批覆大清銀行商股聯合會,並任命吳鼎昌(達銓)、薛頌瀛(仙舟)爲正、副監督。
	本月	南京臨時政府發行兩種軍用票:中華民國軍用鈔票,面值有壹元和伍元兩種;中華民國南京軍用鈔票,面值有壹元一種。
二月	一日	江蘇省當局撥資金 100 萬元,創設江蘇銀行,總行設在上海,享有發行紙幣特權。
	五日	中國銀行在上海漢口路三號大清銀行舊址開業。在商股聯合會及監督吳鼎昌的建議下,任宋漢章爲經理。爲應付急需,將接收的大清銀行尚未簽字的壹圓、伍圓、拾圓三種鈔券,加印"中國銀行兌換券"和"中華民國元年"字樣,加上圖章和簽名後發行。
	十三日	孫中山向臨時參議院提出辭職,推薦袁世凱繼任臨時大總統。
	十四日	南京中國銀行開業,附設財政部軍用鈔票兌現處。
	十五日	臨時參議院選舉袁世凱爲臨時大總統。
	本月	南京臨時政府成立陸軍部,發行"陸軍部軍事用票",面值有壹圓、伍圓兩種。
		大清銀行商股聯合會致電袁世凱,請追認孫中山批准的將大清銀行改爲中國銀行的決定,袁覆電同意。
三月	十日	袁世凱在北京宣誓就職第二任臨時大總統。
	三十日	北洋政府第一屆內閣成立,吳鼎昌繼續任中國銀行監督。
四月		北洋政府命令在北京設立中國銀行籌備處。
		財政總長熊希齡簡派吳鼎昌籌備北京中國銀行開辦事宜。
五月		交通銀行股東聯合會公舉梁士詒爲該行總理,呈准交通部委任。
六月		中國銀行籌備處與大清銀行清理處分別成立,吳鼎昌任中國銀行籌備處主任。籌備處的職責有四:1.法規章程的草創;2.專門人才的羅聘;3.發行紙幣的準備;4.營業地址的擇定。
七月	十五日	財政部咨文國務院,爲改革幣制設立幣制局及幣制委員會。
		財政部咨文內務、交通等部和各省都督,中國銀行總行將擇日開業,該行所發鈔票,"凡商民人等及郵、電、路、稅、釐各項公私機關,均應一體通用,不得留難折扣"。
八月	一日	北京中國銀行總行在大清銀行舊址成立,袁世凱重新任命吳鼎昌爲該行監督。
		上海中國銀行改爲中國銀行上海分行,丁道津爲行長,項蘭生爲經理,宋漢章爲副經理。
九月	十日	新任財政總長周學熙在財政部內設立籌辦國家銀行事務所,簡派金邦平(伯平)爲總辦,孫多森(蔭庭)爲會辦。吳鼎昌對此極爲不滿,向大總統提請辭職,得到批准。
	二十日	吳鼎昌辭職後,北洋政府任命唐瑞銅(士行)爲中國銀行行長。

二十七日　國務會議通過財政部提出的《擬將中國銀行完全組織並將大清銀行清理處歸併辦理議案》。

十月　十三日　大清銀行商股聯合會在上海《申報》刊登廣告，凡商股仍愿換取中國銀行股票者可到股東會登記。

二十日　財政部公佈幣制委員會名單。派王璟芳爲幣制委員會副會長（會長由財政部次長擔任），項驤、陶德琨、李士熙、吳乃琛、姚東彥、賈士毅、姚傳駒、錢志鋕、張競仁、王世澄、朱神恩、馮閲模、何福麟、宋發祥、袁永廉、楊蔭渠爲會員。

十二月二十三日　財政部簡派孫多森爲中國銀行總行管理，聶其煒（管臣）爲協理。

二十五日　大總統批准公佈《中國銀行兑換券暫行章程》。規定以該銀行所發之兑換券，暫時通行全國。特由政府申令各部暨各省都督民政長，於已設該銀行兑換所之處，所有公私出納，應准一律通行。

是年　各省官銀錢號相繼改爲省銀行者有：陝西省官銀錢號改爲秦豐銀行，江西官銀錢號改爲贛省民國銀行，安徽裕皖官錢局改爲安徽中華銀行，廣西官銀錢號改爲廣西銀行，貴州官錢局改爲貴州銀行等，並均享有發鈔權。此外，各省爲補助軍政費用之不足，還發行軍用票以救眉急。

民國二年（1913 年）

一月　十日　大總統申令：交通銀行兑換券按照《中國銀行兑換券暫行章程》規定，辦理兑換券業務。
交通部令各路局推行交通銀行兑換券。

十四日　財政總長周學熙擬具《幣制委員會章程》，呈請大總統批示施行。

本月　大總統頒發手令，嚴禁各省官辦及官商合辦銀錢行號增發紙幣。

二月　五日　財政部擬訂《整理各省官發紙幣法案》，計十三條。規定各省現在通用之官發紙幣，一律停止增加發行。
財政部公佈《幣制委員會辦事規則》，計十五條。

四月　十五日　財政部公佈《中國銀行則例》，計三十條。規定中國銀行爲官商合辦之股份公司，股份總額 6,000 萬元，分 60 萬股，官商各半，由政府先交所認股份三分之一（按：中國銀行開始營業時，官股祗撥到 2,930,587 元）。有發行兑換券，受政府委託經理國庫及募集或償還公債事務，代國家發行國幣等特權。中國銀行最高領導爲總裁、副總裁，任期五年，由政府簡任。

二十八日　政府簡派孫多森爲中國銀行總裁，聶其煒爲副總裁。由於受梁士詒排擠，兩人於七月離職。

五月　外交部照會各國公使並轉各國銀行：中國銀行係國家中央銀行。
財政部致中國銀行函：每月撥現款及公債各 225 萬元，發行兑換券 450 萬元，用以支付行政經費。

七月　五日　財政部簡派陳威（公猛）爲中國銀行代理總裁，吳乃琛（藎忱）爲代理副總裁。

八月　十五日　中國銀行代理總裁陳威呈財政部文，請諮行直隸、奉天、吉林各省推行中國銀行兑換券。

二十八日　熊希齡任國務總理兼財政總長。改簡派湯睿爲中國銀行總裁，項蘭生爲副總裁。

十一月　四日　財政部令裁撤幣制委員會，所有事宜歸併泉幣司辦理。

十二月二十三日　北洋政府公佈《各省官銀錢行號監理官章程》十三條及《各省官銀錢行號監理官辦公規則》。隨章程公佈，任命各行號監理官，執行監督職務。

是年　據財政部調查，各省紙幣發行額爲 145,574,165 元。

民國三年（1914 年）

二月　八日　北洋政府頒佈《國幣條例》十三條及《國幣條例施行細則》十一條。規定中國貨幣採用純銀本位制，以圓爲單位，圓下爲角，角下爲分，均十進制。每一銀元總重七錢二分，合庫平（北京通行的銀兩計量單位）純銀六錢四分八釐。並規定凡向例納稅,往來交易等用銀兩、銀角、銅元、製錢計算者,須一律按照規定折合國幣,改換計算之名稱,並令中國銀行負責協同推行。條例頒發後,由於政府並未認真推行,以及國內封建金融勢力和在華外商銀行的抵制與破壞,在折合國幣改換計算名稱方面未能實行,商業往還和國際收支仍普遍以銀兩計算。

梁啓超任幣制局總裁,爲袁世凱策劃統一全國幣制。結果一無所成,自劾而去。

本月		財政部以各省紙幣仍有繼續發行之跡,特飭令各監理官嚴查報告,並訓令各省民政長官,嚴禁濫發。
三月	四日	北洋政府再次修正公佈《各省官銀錢行號監理官章程》,擴大管制範圍,凡官立、官商合辦及商辦銀錢行號之發行紙幣者皆適用之。
		財政部幣制局長徐恩元,報財政總長周自齊批准,向美國鈔票公司訂印有袁世凱像的壹圓兌換券一億張。中國銀行以事前未經商議,覆函反對。
本月		北洋政府開始整理各省地方發行的紙幣,具體工作由中國銀行負責。除收回廣東、江西、吉林部份濫幣外,其他各省,因中央財力不足,該行未敢貿然從事,統一各省紙幣計劃就告停頓。
四月	七日	北洋政府公佈《交通銀行則例》,計二十三條。其內容與清廷所頒《中國銀行則例》大致相同,業務範圍除經理國家鐵路、郵政、電報、電話四項收支,辦理國內外滙兌,及享有發行兌換券特權外,擴大爲分理部份國庫,使該行同中國銀行一樣具有國家銀行的資格。
五月	一日	袁世凱公佈《中華民國約法》廢止《中華民國臨時約法》。廢除責任內閣制,採取所謂總統制,極力擴張總統權力,爲陰謀實行帝制作準備。約法規定廢止國務院,設政事堂於總統府,任命徐世昌爲國務卿,周自齊繼續任財政總長。
六月	一日	奉天省內日本人有組織地向官銀錢號擠兌。財政部與中國銀行商定,由該行撥款支持官銀錢號。
		中國銀行廣東分行成立,兼辦收回廣東紙幣事宜。
	十二日	財政總長周自齊呈准將中國銀行改由財政部直轄,視同該部的附屬機構。中國銀行總裁湯睿、副總裁項蘭生反對未果,乃相繼辭職。
八月		袁世凱任命薩福懋爲中國銀行總裁,陳威爲副總裁。薩對袁世凱的所需墊款,完全聽命於梁士詒,當時報紙譏薩福懋爲袁氏公府之"幫帳房"。
本月		財政部發佈《整理東三省紙幣辦法大綱》,規定由中國銀行在東三省發行新紙幣,其他金融機構概不發行。但此大綱未能實行。
十一月		平市官錢局總局在保定成立。後在民國四年、五年,分別在京兆地區及河北、熱河、山西、河南、山東、江蘇、安徽、江西等省設置分局,發行銅元票。後因濫發,至民國十二年大部停止兌現。
十二月二十七日		大總統申令,幣制局着即裁撤,歸併財政部辦理。
是年		財政部又令各省調查紙幣發行總額及貶值情況。統計各省報告,發行總額爲162,920,557 元。當時紙幣能依照面值行使者,僅皖、豫、晉、魯、閩、熱、冀等七省。其他如鄂、湘、粵、桂、贛、滇、新、陝、甘、浙、東三省等地,多按面值之一二成或三四成行使。貶值之後,各省紙幣淨值總額爲 113,419,597 元。

民國四年(1915 年)

一月	十五日	財政部呈大總統文,擬於本部設立幣制委員會,即以前幣制局副總裁章宗元爲委員長,本部泉幣司司長吳乃琛爲副委員長,並遴選前幣制局人員及其他研究幣制具有學識經驗者爲委員。並擬訂《幣制委員會規則》十條。
三月二十七日		財政部擬訂《中國銀行貨幣交換條例》,計二十條,呈請大總統批准執行。該條例規定,於各地中國銀行內設置貨幣交換所,以推廣法定貨幣及兌換紙幣。
五月	十三日	中國銀行與浙江地方實業銀行簽訂領用兌換券合同,這是中國國家銀行實施領券制度的濫觴。
十月	二十日	北洋政府公佈《取締紙幣條例》,計九條。規定"凡新設之銀錢行號,或現已設立向未發行紙幣者,皆不得發行。"除中國銀行外,"業經設立之銀錢行號,有特別條

例之規定,准其發行紙幣者,於營業年限內仍准發行,限滿應即全數收回。無特別條例規定者,自本條例施行之日起,……由財政部酌定期限,分飭陸續收回"。《條例》公佈後,除少數商業銀行暫行停止或緊縮發行,改以領用中國銀行兌換券外,各帝國主義在華銀行及各省官銀錢號均未照辦。

十一月		北洋政府欲再整理各省紙幣,特令幣制委員會計劃整理方法,決定各省籌集收回紙幣資金如下:1. 湖南、湖北、四川、吉林、奉天、黑龍江各省,以借款充之。2. 江西、山東、山西,賣却官有財產充之。3. 直隸、安徽、河南、江蘇,由地方稅收中支出之。4. 甘肅、新疆,以鹽稅收入之剩餘充之。
		計劃擬定後,決定自民國四年十一月開始整理,惟彼時距十二月十一日袁世凱宣佈稱帝爲期甚近,政府要員集全力於洪憲帝制,無暇顧及各省紙幣之整理,此項計劃終不果於行。
十二月	十一日	袁世凱宣佈稱帝。
	二十五日	雲南首揭義旗,反對帝制。黔、湘、桂、粵、浙、陝、川等省,先後通電響應,宣佈獨立,各省組成護國軍,聯合討袁。

民國五年(1916 年)

三月二十二日		袁世凱發表申令,撤銷承認帝位案。
四月二十一日		袁世凱被迫取消帝制後,爲彌補國庫支絀,及籌劃鎮壓討袁軍所需之軍費,任命周自齊爲中國銀行總裁(五月二十日起兼署財政總長),大量提取中國銀行庫存現金。同時,交通銀行庫存在梁士詒指使下,已被提用一空。
五月	十二日	中國、交通兩行現金被大量提取後,天津等地中國、交通兩行發生擠兌,形勢岌岌可危。北洋政府乃下令於本日起,中、交兩行所發行之兌換券,停止兌現。停兌令下達後,京、津外籍銀行立即拒收中、交兩行鈔票,市場物價隨之上漲,北京糧價劇漲二成。中國銀行上海分行在江浙資產階級支持下,以股東聯合會名義宣佈,將中國銀行上海分行全部財產交外國律師保管,並由股東會負責,對印有上海地名之中國銀行兌換券一律照常兌現,到期存款,繼續支付。稍後,天津等地中國銀行陸續恢復兌現。長期未兌現者有北京、廣東、四川等行。交通銀行在接到停兌令後,除漢口、東三省兩行,因地方政治關係未能停兌,河南行因官廳限制每人初准兌現 10 元,嗣亦停兌外,其餘各行均告停兌。
六月	六日	袁世凱稱帝未成而病死,黎元洪繼任大總統。皖系軍閥首領段祺瑞重組內閣,陳錦濤任財政總長,推薦徐恩元爲中國銀行總裁。
十月二十六日		北京中國銀行兌換券開始兌現,但由於現金不足及北洋政府繼續增發紙幣,開兌僅三日即無力繼續。十月三十日起限制兌現,十二月底第二次停兌,京鈔價格下跌至六折左右。

民國六年(1917 年)

一月	二十日	段祺瑞以整理交通銀行,恢復該行鈔票兌現名義,向日本的朝鮮、臺灣、興業三銀行借款日金 500 萬元。貸款由寺內私人代表西原龜三經手辦理,至民國七年九月底止,由西原經手貸給段祺瑞之款項共達 14,500 萬日元,即有名之"西原借款"。
本月		交通銀行總管理處召集第一屆行務會議,決定主要業務四項:1.恢復信用;2.招徠滙兌;3.聯絡國庫;4.便利存款。
三月		日本人再次到奉天中國銀行擠兌,中方與日總領事交涉不成,雙方決定成立中日金融調節委員會進行談判,中行派徐鼎年參加。
四月		財政總長陳錦濤因舞弊案被撤職查辦,由李思浩繼任財政總長。
		交通銀行上海及蘇、浙兩省分支行滙兌所發行之兌換券,一律照常開兌並照常營業。嗣後,全國各分支行滙兌所一律兌現。
六月	四日	奉大總統令,免去徐恩元中國銀行總裁職務,由李思浩兼任。

	十二日	奉天省發佈《限制中、交兩行紙幣發行和兑換辦法》。
七月	十二日	張勳復辟失敗。黎元洪辭去大總統職,直系軍閥馮國璋以副總統代行大總統職權。皖系軍閥段祺瑞在打敗張勳後於十七日重組內閣。梁啓超任財政總長,王克敏被任爲中國銀行總裁,中國銀行上海分行副經理張嘉璈被任爲副總裁。
八月		月初,張嘉璈赴北京履新;月中,向財政部提出整理中國銀行辦法三點: 修改則例,限制對政府墊款,整理北京中行發行的不兑現券——京鈔。
十一月二十二日		馮國璋准段祺瑞辭去內閣總理職。
		大總統敕令公佈修正後的《中國銀行則例》,計三十條。修改要點爲: 1.股本改爲先招 1,000 萬元,分 10 萬股,每股 100 元,政府酌量認購以資提倡;2.總裁、副總裁改由政府就股東會選出之董事中任命;3.股東總會爲最高權力機構。
	三十日	北洋政府特任王士珍署國務總理,准財政總長梁啓超去職。
十二月	一日	王克敏繼任財政總長,暫兼中國銀行總裁。
是年		中國銀行緊縮機構。各地軍閥混戰益烈,北洋政府政令行使範圍更加縮小。中國銀行以經營困難,將全國機構由一百七十七處縮減至年底的一百二十六處。

民國七年(1918 年)

一月二十五日		大總統批准《中國銀行章程》。
二月	十七日	中國銀行在北京召開第一屆股東總會。選舉董事施肇曾等十一人,監事盧學溥等五人,共十六人。
	二十四日	大總統令,簡派馮耿光爲中國銀行總裁,張嘉璈連任副總裁。
三月	中旬	中國、交通兩行呈請北洋政府,以庚子賠款展期五年賠付的款項爲擔保,發行七年期公債 4,800 萬元,直接抵銷兩行政府墊款,用以收回京鈔,中、交兩行各得半數。
四月	中旬	政府續發七年長期公債 4,500 萬元,仍指定供整理京鈔之用。
七月	八日	上海銀行公會成立,有十三家銀行入會,推宋漢章、陳光甫爲正副會長。
八月二十四日		湖南督軍兼省長張敬堯在長沙創設裕湘銀行,發行銀元票、銅元票。至民國九年六月,張逃離長沙,該行隨即倒閉。
本月		湖南軍閥譚延闓、趙恒惕在郴州、永新一帶成立永州銀行,發行大洋票、小洋票、常洋票。
九月	十四日	中國、交通兩銀行以對政府財政墊款纍增不已,兩行發行之京鈔已跌至五折左右,要求財政部設法維持。
十月	十二日	財政部按中國、交通兩行請求,以公函聲明自十二月一日起不再令兩行墊付京鈔。
是年		國內戰亂不已,各省軍費多由官銀錢行號以發鈔充之,致全國發行數額更爲增加,發行機構較前益亂。

民國八年(1919 年)

一月	一日	山西官錢局改組爲山西省銀行,資本總額爲 300 萬元,設總管理處於太原,代理省金庫發行兑換券,及經營一般銀行業務。
四月二十八日		北洋政府中之安福系操縱衆議院,通過恢復民國二年頒佈之《中國銀行則例》提案(按: 該則例規定中國銀行總裁、副總裁直接由政府任命,不經過董事會)。中國銀行當即召開第二次股東會議,向北洋政府聲明,不承認該項議案。以後在北方軍閥其他派系、南方軍閥及江浙等地金融資本集團反對下,該項議案未能實行。
七月二十一日		中國銀行商股股東聯合總會正、副幹事長致電大總統、國務院、財政部,提出整理京鈔辦法六條,主要內容爲: 1.由中行發行短期債票 1,000 萬元,分年兑付,准以京鈔購買;2.此後京鈔發行額衹准減少,不得增多;3.中國銀行不得再代政府墊款。

民國九年（1920 年）

三月	七日	大總統令，制止各省官錢行號濫發鈔票，着由財政部會同幣制局詳訂限制辦法，通飭遵行，並責成各銀行監理官嚴密糾察。
六月二十八日		財政部與幣制局，將前頒《取締紙幣條例》增擴爲十四條，作爲《修正取締紙幣條例》呈准公佈，重付實施。條例要點前後相似。爲檢查執行情況，由幣制局呈准設立貨幣檢查委員會，但收效甚微，各省依然濫發，鈔價不斷下跌，最甚者爲東北三省和兩湖、兩廣等地。
八月		中國銀行爲保護發行準備安全，樹立紙幣信用，決定建立分區發行制度。指定上海、天津、漢口三行爲集中發行區域，代理總處行使發行職能。隨後，交通銀行亦實行類似的分區發行制度，國家銀行紙幣的信譽大增。
九月二十二日		交通銀行開始發放京鈔分年定期存單，持鈔人得以京鈔作爲存款，六年分還。
十月		財政部發行九年整理金融六釐短期公債 6,000 萬元，以債款 3,600 萬元償還中國、交通兩行京鈔墊款。兩行京鈔得漸次收回。總括停兌一案，延時四載有餘。
十二月	五日	第一屆全國銀行公會聯合會在上海開幕。會議討論了幣制問題，認爲政府對於兌換券制度，執何方針，何者宜准，何者宜斥，未聞有何宣示。而對於已發行者，亦未嘗有檢查、監督之舉，流弊所至，必至相率濫發，擾亂金融，一旦有擠兌之事，全國將蒙其殃及。會議建議國務院、財政部確定兌換券制度。
是年		新成立的有發鈔權的省銀行有：安徽省銀行，六月創設於蚌埠；東三省銀行，十月創設於哈爾濱。

民國十年（1921 年）

一月	十五日	安徽中華銀行重新成立於安慶（該行第一次成立於民國元年，由裕皖官錢局改組而成，民國二年七月因遭兵變搶掠而停業），隨即發行銀元票、銅元票。
四月		第二屆全國銀行公會聯合會在天津召開。會議又對財政部與幣制局提出迅速確立發行制度的建議。
八月	三十日	幣制局草擬《銀行公庫兌換券條例》，計十二條。其要點爲：1.由各地銀行公會聯合組成公庫，發行公庫兌換券；公庫先從津滬漢三處設立。此制實行後，除特准發行之中國、交通兩行兌換券外，無論何種銀行，財政部、幣制局均不得再許其有發行權。2.此項兌換券不載發行地名，全國一律通行。3.此項兌換券須按照發行額，以現金準備七成、保證準備三成爲準備金。4.凡依照中華民國法律設立之銀行，業經財政部核准註冊者，備足準備，得向公庫承領兌換券。5.中、交兩行仍得繼續發行，並得按照規定，備足準備向公庫領用兌換券，其他業經發行有紙幣之銀行，應由財政部及幣制局酌定限期，悉數收回，或由該行呈請取消其發行權。在發行權未取消以前，不得承領此項兌換券。上述公庫兌換券制度提出後，國內政治上連續發生重大變更，致此項辦法未能實行，各地幣制混亂如故。
十一月	十二日	天津中國、交通兩行發生擠兌風潮。十五日，漢口中、交兩行也發生擠兌。十六日，擠兌風潮波及北京。不得已暫時採取限制兌現。
十二月	一日	京津兩地中國銀行通告無限制兌現。交通銀行延至翌年一月亦恢復兌現。
	三十日	天津中國銀行首先公開發行準備。

民國十一年（1922 年）

一月	六日	交通銀行北京、天津、張家口三地同時恢復無限制兌現。
四月	五日	大總統指令公佈修改後的《中國銀行章程》。
本月		奉天省當局向北京交通銀行強迫提取第五版空白兌換券 500 萬元。未印地名及簽字，加印年月日及在京、津交通銀行兌現字樣，用於北京、天津等地。
六月		北洋政府財政部發行定期兌換券 200 萬元，用以補助京師各機關行政費用及軍

警餉糈。月息一分。規定自七月一日起,每月兌付 20 萬元,十個月兌完,本息基金由鹽餘項下撥付。

十月	財政部再次發行有利兌換券 200 萬元;翌年二月又發行有利流通券 200 萬元;七月再發行特別流通券 300 萬元,共 700 萬元,本息基金規定均由鹽餘項下撥付。但後來此項鹽餘被財政部挪作他用,將各券還本期延至十年以上,最終仍不了了之。
十一月	交通銀行試辦分區發行,將該行發行地點劃分爲天津、上海、漢口、奉天、哈爾濱五區,每區設發行總庫,凡區內各分支行領用兌換券,應以現金六成,有價證券四成,交入總庫作爲定額準備,再交二成現金作爲額外準備。四六準備遂成定制。
是年	甘肅省銀行成立於蘭州,發行紙幣,有銀元票及善後流通券。四川二十一軍軍長劉湘在重慶創設中和銀行,發行無息存票,簡稱"中和券"。

民國十二年(1923 年)

二月	交通銀行訂定同業兌換券領用辦法,分長期領用與短期領用兩種,由天津第一區發行總庫先行試辦長期領用辦法一種。
三月二十三日	浙江地方實業銀行劃分官商股本,官股稱浙江地方銀行,設總行於杭州,隨後經財政部核准,恢復發行業務。
七月	河南省銀行成立於開封,由直魯豫巡閱使吳佩孚籌辦,發行的紙幣有銀元票、銅元票、金庫流通券、有息債券等多種。翌年,直系失敗,該行鈔票停止兌現。
十月	王克敏就任北洋政府財政總長,辭去中國銀行總裁。北洋政府改派中行董事金還爲中國銀行總裁。
十一月	上海錢莊業因銀洋兩荒,籌碼不敷周轉,向中國銀行提出領券申請,當時因故未能實現,延至第二年初才告解決。
十二月　十五日	奉大總統令,幣制局着即裁撤,由財政部接收辦理。 財政部擬訂《公庫兌換券條例》,計十條,與民國十年條例精神基本一致。所不同者,發行機關限定爲官立各銀行組織之公庫,並規定此項辦法實行後,不允有特准發行銀行如中、交兩行者另有發行;不論任何銀行,亦不論前曾有無發行權,皆得繳足準備,領用公庫兌換券。此項辦法,較前積極,但由於當時國內政局動盪不安,兵禍連綿,無法實現。
是年	四川各路軍閥在重慶、成都先後成立四川銀行、四川官銀號、重慶官銀行,濫發紙幣。

民國十三年(1924 年)

二月　十六日	財政部泉幣司接辦前幣制局所管鈔券各事項後,擬訂整頓辦法四條,主要精神是未發者不准發行,已發者不准增發,報總次長核示,但無下文。
六月	交通銀行與東三省官銀號商妥收回前奉省當局空白兌換券 500 萬元,至八月實收回 4,999,453 元,在奉天切角銷毀。
七月　十五日	奉天興業銀行與東三省銀行合併,改名東三省官銀號,發行奉票紙幣。
八月　十五日	孫中山領導的廣東軍政府在廣州成立中央銀行,由宋子文任行長,黃隆生、林麗生任副行長,規定有發行貨幣的特權。開業時即發行銀元券和銀元輔幣券,在廣東省流通。
十一月　一日	馮玉祥創辦之西北銀行在張家口成立。該行爲國民軍錢庫,近於軍用銀行,隨國民軍四處遷移。總行曾設張家口、開封、歸綏等地,發行的紙幣地名很多,有陝西、河南、北京、天津、山東、甘肅、寧夏、熱河、綏遠、多倫、張家口、西安、包頭、蘭州、鄭州、泰安、漢中、平涼、豐鎮、陝州、興安等。該行在中原大戰馮玉祥失敗後,基本結束。
是年	南方發生蘇浙之戰,北方發生直奉之戰。軍費之需,多由發鈔。國內紙幣混亂情形更盛於前。

民國十四年(1925 年)

五月　三十日　上海南京路老閘捕房前發生英國巡捕槍殺市民學生事件,造成震驚世界的"五卅慘案"。上海和各地人民開展拒用英、日鈔票的鬥爭。

十二月　各地軍閥爲便於籌款和搜刮,紛紛自設銀行,同年新設和復業之銀行中,即有新邊業銀行、山東省銀行等六家,濫發不兌現鈔票强制推行。軍閥倒臺,鈔票即形同廢紙。據上海《銀行週報》統計,至民國十四年底各軍閥機關銀行所發鈔票票值如：張作霖東三省官銀號發行奉票達 5 億餘元,票價不到二折,湖北官錢局票值一折左右,豫鈔大洋票值二折左右,山東省軍用票值二折多,福建臺伏票、直隸軍用票、西北銀行鈔票均在二三折之間。

民國十五年(1926 年）

二月　一日　奉票因濫發暴落,500 元紙幣兌銀元 1 元,次年四月更跌爲 1,000 元紙幣兌換銀元 1 元。

五月　三十日　中國銀行第九屆股東總會在北京舉行,改選了任滿董事,金還、張嘉璈連任總裁、副總裁。

六月　北洋政府臨時執政段祺瑞被國民軍驅逐下臺,北方陷入無政府狀態。

七月　九日　國民革命軍出師北伐,宋子文電飭出發各軍,對於沿途之中國銀行一律保護。

八月　一日　廣東中央銀行向當地銀行及商界借款 1,000 萬元,移充紙幣兌換資金。

本月　北伐軍發行湘、贛、桂三省中央銀行通行紙幣 200 萬元,以原廣東中央銀行券券面上加蓋"湘贛桂通用券"、"湘贛桂三省通用券"戳記行使。

十月　十日　國民革命軍攻克武昌。

十一月二十四日　漢口中國銀行發生擠兌風潮,因準備充分,很快平息。

　　二十六日　國民政府正式決定遷都武漢,並籌建中央銀行。

民國十六年(1927 年）

一月　十六日　漢口中央銀行正式開業,陳行擔任行長,發行面額壹圓、伍圓、拾圓、伍拾圓、壹百圓兌換券五種,印有"漢口"地名。

三月二十五日　國民革命軍抵達上海,前敵總指揮白崇禧致函上海銀行、錢莊等公會,籌措軍餉。

四月　四日　國民革命軍總司令蔣介石特派財政委員會主任陳光甫,向上海銀、錢行號兩公會借墊 300 萬元,以二‧五附稅作抵,訂立借款合同。銀行公會各會員行墊借 200 萬元,錢業公會各會員錢莊墊借 100 萬元。

　　十二日　蔣介石在上海發動政變,另立國民黨中央和國民政府。

　　十七日　武漢國民政府頒布《集中現金條例》,計七條。規定禁止現洋、現銀出境,封存現洋約 400 萬元。凡繳納國稅及流通市面,均以中央銀行(廣州)及中國、交通兩行發行之漢口通用紙幣爲限。

　　十八日　蔣介石在南京成立國民政府。

　　二十八日　北伐軍總司令部電令：凡印有"漢口"字樣之中國、交通兩行鈔票,不得向他省兩行任意迫令兌現。

七月　十五日　汪精衛在武漢發動政變,寧漢合流。

八月　月初　漢口中央、中國、交通三行鈔票跌至二折,各地滙兌不通。商業停頓,物價騰漲,市民怨聲載道。

十二月　南京國民政府積極籌備中央銀行開業,明定中央銀行爲特定國家銀行,由國民政府設置經營之,並設籌備處於上海。

是年　新成立的省銀行有西康省銀行,停業的有直隸省銀行。

民國十七年(1928 年）

六月　二十日　國民政府在上海召開全國經濟會議,擬議了《國家銀行制度大綱》,討論了整理舊債等問題。

七月	一日	國民政府在南京舉行全國財政會議,商定《整理財政大綱》,確定要組織國家銀行。
十月	六日	《中央銀行條例》經國府會議修正通過,正式公佈。條例計二十條。規定中央銀行資本額爲 2,000 萬元,由國庫一次撥足,總行設於上海,任命財政部長宋子文兼總裁,陳行爲副總裁。
	二十六日	國民政府公佈《中國銀行條例》,計二十四條。特許該行爲國際滙兑銀行,股本總額 2,500 萬元,分 25 萬股,其中政府認股 500 萬元。
十一月	一日	中央銀行總行在上海正式開業。
	十六日	國民政府公佈《交通銀行條例》,計二十三條。特許該行爲發展全國實業之銀行,股本總額 1,000 萬元,其中政府認股 200 萬元。
本月		中國、交通兩行的總管理處均遷移至上海。
是年		新成立的有發鈔權的省地銀行有:江西裕民銀行,河南農工銀行,江蘇農民銀行,湖北省銀行等。

民國十八年(1929 年)

一月		財政部公佈《銀行注册章程》,規定各銀行均須補辦注册手續。凡民國十六年前所有特許發行之各銀行,均於補請注册時經財政部分別查核,其業經發行,尚無濫發情形者,仍予暫照成案辦理;若尚未發行,則概不予照准。
	三十日	財政部又公佈《兑换券印製及運送規則》,計八條。該規則主要內容是:銀行因增發新券或改换舊券而定製兑换券時,應詳述理由,呈經財政部核准後,方得辦理。該規則除中央銀行外,各銀行均須遵守。
本月		直奉戰爭爆發,奉軍强行提走中國銀行在奉省的庫存準備金。
二月		財政部令江蘇省銀行,撤銷該行發鈔權。
三月		行政院通令各省政府,從嚴取締各省縣屬地方錢莊商號私發票券。
五月	十七日	張學良爲統一東北地區的幣制,在奉省組成由東三省官銀號、邊業銀行和中國、交通兩行參加的"四行號聯合發行準備庫"。
十二月三十一日		國民政府公佈《銀行運送鈔幣免驗護照規則》,以補《兑换券印製及運送規則》之不足。
是年		新成立的省市銀行有:湖南省銀行,河北省銀行,甘肅農工銀行,南昌市立銀行等。

民國十九年(1930 年)

一月二十四日		受世界性經濟危機的影響,國際金價猛漲,銀價劇跌,金銀比價從以前的一比十五,變爲一比六十。中國作爲世界唯一用銀國家,銀價下跌,致使國家銀滙低落,嚴重影響貨幣穩定。針對金貴銀賤,國民政府海關頒發第一一六八號佈告,規定自二月一日起,凡存入關棧貨物,於出棧時,應按海關金單位征税,並訂定每一海關金單位合關平銀八錢二分二釐。
五月	十五日	行政院命令,禁止金貨出口及外國銀幣進口。
七月		因爆發閻錫山、馮玉祥聯合反對蔣介石的中原大戰,山西省銀行爲支持這場戰爭,發行了大量紙幣,幣值狂跌,閻錫山下令停止兑現。
是年		新成立的省地銀行有:江西建設銀行,新疆省銀行,陝西省銀行,陝北地方實業銀行,以及四川二十一軍總金庫等,均發行鈔票。

民國二十年(1931 年)

三月	三十日	國民政府公佈《銀行法》。
四月二十四日		財政部致中央銀行函,由該行發行海關關金本位鈔票。

五月	一日	中央銀行上海分行發行關金兌換券。該項金幣券,規定每一單位等於美金 0.40 元,票面計有拾分、廿分、壹圓、伍圓、拾圓五種,發行數額尚未定,準備金以六成現金存庫,四成以國外卓著之銀行金債票充之。凡有海關及中央銀行分行之處,需用金單位繳納進口稅者,均由上海運往,以應所需。
八月	一日	國民政府頒佈《銀行兌換券發行稅法》,計十一條。規定凡政府特許發行兌換券的銀行,均須完納兌換券發行稅。發行稅率,按實際保證準備數額,定爲 1.25%(原定爲 2.5%,幾經磋商減爲 1.25%)。
九月	十八日	九一八事變發生,日本關東軍侵佔瀋陽,封閉瀋陽中國、交通兩行。
	二十一日	日軍佔領吉林市,關閉中國、交通兩行吉林支行。
十月	十一日	日本關東軍司令部爲加強對華資銀行的控制,任命一大批日籍現役軍官擔任銀行監理官。東北中國、交通兩行機構都派駐了日籍銀行監理官。
十一月	十八日	西藏地方政府的近代金融機構——造幣廠成立於拉薩,發行紙幣章嘎。
是年		新成立的省地銀行有:新疆商業銀行,寧夏省銀行,青海省金庫及富隴銀行。

民國二十一年(1932 年)

一月二十八日	日本侵略軍製造事端,爆發淞滬戰爭。上海市商會決定全市停業。
二月　　四日	上海銀錢業根據需要,先行復業,並分別組織財產保管委員會。
三月　三十日	僞滿政府公佈遼寧四行號聯合發行準備庫整理辦法,宣佈解散該庫。
六月二十七日	僞滿財政部公佈《舊貨幣清理辦法》,自七月一日起實行。關於中國、交通兩行的鈔票,以其現在已發行的哈爾濱大洋票的額度爲限,可以流通使用,但在本辦法實行後五年內,應全部收回。
是年	新成立或重新改組成立的省地銀行有:富滇新銀行,山東民生銀行,廣西省銀行,四川西北銀行及二十八軍總金庫等。

民國二十二年(1933 年)

三月	二日	財政部頒佈《廢兩改元令》。
	八日	財政部公佈《銀本位幣鑄造條例》,計十五條。規定,銀本位幣定名爲"元",每元總重 26.6971 公分,含銀 88%、銅 12%,即含純銀 23.493,448 公分。並規定,銀本位幣之鑄造,專屬於中央造幣廠。中央造幣廠設於上海,是由中國銀行與同業於民國二十年建議財政部設立的,並由中國銀行組織銀團貸款 250 萬元予以支持。
	十日	廢兩改元先從上海實施,規定銀兩 7 錢 1 分 5 釐合銀幣 1 元。財政部委託中央、中國、交通三行組成銀兩、銀元兌換委員會,辦理兌換事宜。
四月	六日	全國推行廢兩改元,一切交易一律改用銀元,不得再用銀兩,仍由中央、中國、交通三行辦理兌換事宜。
		財政部訓令關務署長,即日電令各關監督暨總稅務司,轉電所屬,自本日起,凡有以銀條、銀塊、銀錠及其他可供鑄幣之銀類運送出口者,除中央造幣廠廠條外,征稅 2.25%。
七月二十二日		中國與澳大利亞、加拿大、美國、印度、墨西哥、西班牙、秘魯等國簽訂倫敦白銀協定。該協定第四條規定:"中國政府自 1934 年 1 月 1 日起,四年之內,應不將其由熔毀貨幣所得之生銀出售。"
十二月二十一日		美國宣佈以每盎斯 0.64 美元的價格收買國內採掘的白銀,把原來每盎斯白銀的價格幾乎提高了 1 倍。

民國二十三年(1934 年)

三月	四日	國民政府公佈《儲蓄銀行法》。
五月二十一日		國民政府在南京召開第二次全國財政會議,會議討論了整理幣制問題,與省地方銀行相關的有《取締各省市擅設地方銀行案》和《取締私鑄銀銅幣、私發票幣以肅

幣政案》。二十七日閉會後,財政部於六月通令各省市,切實取締私鑄銀銅幣及私發票幣。

六月	十九日	美國國會通過《購銀法案》,在國內外同時購買白銀,使世界市場銀價不斷猛漲,造成中國國內白銀大量外流。
七月		僞滿政府爲統一幣制,下令禁止中國銀行哈爾濱國幣券流通。
十月	十五日	財政部決定暫行征收銀出口稅以防止巨額白銀繼續流出。銀出口稅稅率如次:1.銀本位幣及中央造幣廠廠條,征出口稅 10%,減去鑄費 2.25%,凈征 7.75%;2.大條寶銀及其他銀類,加征出口稅 7.75%,合原定 2.25%,共爲 10%。如倫敦銀價折合上海滙兌之比價,與中央銀行當日照市核定之滙價相差之數,除繳納上述出口稅外,而仍有不足時,應按其不足之數並行加征平衡稅。
	十六日	國民政府設立國外滙兌平市委員會,由中央、中國、交通三行各指派一人組成,決定每日應征平衡稅標準。
十二月二十八日		東三省各地中國銀行十三處分支機構,按日僞《銀行法》中有關重新進行登記且必須脫離關內總行的規定,重新換取了新的營業執照。
是年		中國白銀净出口量,不包括走私,爲 25,700 萬元。其中,六分之五是從美國《收購白銀法案》通過後至十月十五日止,不到四個月的時間運出的。由於大量白銀潮水般外流,使中國存銀嚴重下降,銀根奇緊,金融梗塞,物價下跌,工商各業資金周轉困難。

民國二十四年(1935 年)

一月		財政部復呈准行政院,將財政部原核准的已停業尚在清理以及未開始發行的各銀行之發行權,概行取消。
三月	一日	國民政府公佈《郵政儲金滙業局組織法》,並根據這一組織法,改組原郵政儲金滙業總局爲郵政儲金滙業局,改隸郵政總局。
	十五日	國民政府公佈《設立省銀行或地方銀行及領用或發行兌換券暫行辦法》,計十三條。規定省地方銀行不得發行壹圓及壹圓以上兌換券,但爲充裕省地方銀行籌碼,以便調劑農村金融,呈請財政部核准後,可發行壹圓以下各種輔幣券。
	二十七日	立法院通過發行《民國二十四年金融公債條例》。該項公債係用作充實中央、中國、交通三銀行基金及撥還中央銀行代理國庫墊款。
	二十八日	財政部長孔祥熙向中國銀行發佈訓令,中國銀行官股由原 500 萬元增爲 3,000 萬元(後減爲 2,000 萬元),新增官股發給金融公債預約券,並修正《中國銀行條例》。 國民政府任命孔祥熙爲中央銀行總裁,張嘉璈、陳行爲副總裁。
四月		國民政府將中央銀行資本增至 1 億元,新增加的部份中 3,000 萬元是以金融公債抵充,4,000 萬元是銀行墊支。 財政部指令宋子文爲中國銀行董事長,張嘉璈向中行董事會提出辭呈,財政部專令批准宋漢章爲中國銀行總經理。 豫鄂皖贛四省農民銀行,改組爲中國農民銀行,業務區域擴及全國,享有鈔票發行權。
五月二十三日		國民政府頒佈《中央銀行法》,同時廢止民國十七年十月六日修正公佈的《中央銀行條例》。
十月		國民政府設立中央信託局,資本總額 1,000 萬元,由中央銀行一次撥足。總局設於上海,由中央銀行總裁孔祥熙兼任該局理事長。
十一月	四日	國民政府實施法幣改革,規定中央、中國、交通三行(翌年一月二十日加入中國農民銀行)所發行鈔票,定爲法幣。中央、中國、交通三行以外,曾經財政部核准發行之銀行鈔票,現在流通者,准其照常行使;其發行數額,即以截至十一月三日止流通之總額爲限,不得增發;由財政部酌定限期,逐漸以中央銀行鈔票換回,並將流通總額之法定準備金,連同已印未發之新鈔,及已收回之舊鈔,悉數交由發行準備管理委員會保管;其核准印製中之新鈔,並俟印就時,一併照交保管。

| 十六日 | 財政部爲督促各省銀行的發行接收事宜,特再規定辦法三項:1.省銀行發行之鈔券,應以十一月三日之流通總額爲限,此外不得續有發行。2.已印未發、已發收回之新舊各券,即日由當地中央、中國、交通三行,會同點收封存,負責保管。3.現在流通鈔券之現金準備暨保證準備,並應趕速由中央、中國、交通三行會同分別點驗查存,列表報部,以憑核辦。 |

是年　全國銀行倒閉或停業二十家,錢莊亦紛紛倒閉,僅上海即達十一家之多。從此,以中央銀行爲首,包括中國銀行、交通銀行、中國農民銀行、中央信託局、郵政儲金滙業局(俗稱"四行兩局")組成了國家壟斷資本的信用體系,加強了對全國金融的控制。

民國二十五年(1936 年)

一月二十五日　發行準備管理委員會檢查中央、中國、交通三行法幣發行及準備情況,結果如下:1.中央銀行發行總額 220,641,090 元,準備金總額 220,641,090 元;2.中國銀行發行總額 308,118,309.42 元,準備金總額 308,118,309.42 元;3.交通銀行發行總額 190,809,700 元,準備金總額 190,809,700 元。合計中央、中國、交通三行發行總額 719,569,099.42 元,準備金總額 719,569,099.42 元。

二月二十八日　財政部以中國農民銀行之分支行處,在多數省市均已設立,爲便利起見,特令該行接收各省地方銀行之發行。除河南農工銀行、湖北省銀行、浙江地方銀行、湖南省銀行、陝西省銀行之發行部份,業由中央、中國、交通三行接收外,其餘各省省銀行或類似省銀行之發行部份,應統由中國農民銀行接收。

十月　十六日　財政部爲限制省地方銀行印發輔幣券,公佈《省銀行或地方銀行印製輔幣券暫行規則》,計六條。規定省銀行或地方銀行印製輔幣券時,應事前呈准,並由部代印;印成後應交存當地中央銀行保管,於需用時分批請領。

是年　國內物價開始回升,工商業出現復蘇景象。

民國二十六年(1937 年)

三月　財政部將中國通商銀行、中國實業銀行、四明商業儲蓄銀行改組爲"官商合辦"銀行,納入了國家壟斷資本的信用體系。

七月　六日　財政部訂《粵省毫券折合國幣比率並實施辦法》,計四條。規定以毫洋券 1.44 元折合法幣 1 元爲法定比率,准其照舊行使,其發行準備悉數移存發行準備管理委員會廣州分會負責保管。

　　七日　日本侵略軍在盧溝橋發動事變,向中國守軍進攻,抗日戰爭全面爆發。

本月　中央銀行、中國銀行、交通銀行、中國農民銀行四行聯合辦事處在上海成立,作爲共同審核貸款的業務機構。

八月　五日　財政部授權中央、中國、交通三行在上海合組放款委員會。

　　九日　上海中央、中國、交通、農民四行聯合貼放委員會正式成立。

　十三日　日軍在上海發動侵略戰爭,上海金融業面臨嚴峻局勢。國民政府令全國銀行業自十三日起停業兩天。

　十四日　財政部頒佈《非常時期安定金融辦法》,命令自十六日起在全國實行。上海銀錢兩業公會爲便利工商業營業資金的周轉,擬定補充辦法四條,呈准財政部同時實行。

　十七日　上海銀錢業復業。

十月　中國、交通兩行總管理處遵財政部令遷南京,並於漢口、香港兩地添設臨時管理機構。

十一月　中國軍隊撤離上海,財政部命令中國、交通兩行總管理處轉飭上海分行留在租界內,繼續執行分行業務。

本月　國民政府正式宣佈西遷重慶,後將重慶定爲戰時陪都。

十二月　一日　財政部訂《整理桂鈔辦法》,計六條。規定以桂幣 2 元折合法幣 1 元爲法定比率,准其照常流通,其發行準備悉數移存發行準備管理委員會廣西分會負責保管。

民國二十七年(1938 年)

三月	十日	僞華北臨時政府發佈了《舊通貨整理辦法》,限期禁止法幣流通。
	十二日	財政部頒佈《購買外滙請核辦法》三條及《購買外滙請核規則》六條,規定從十四日起施行。從此,國民政府開始實行進出口外滙管理。
六月	一日	財政部在漢口召開全國金融會議,各省市代表七十四人到會,會議討論了抗戰以來各地金融經濟狀況及《地方金融機構改善綱要》的實施情況。
	十日	僞華北臨時政府公告,自六月十日以後,禁止中央、中國、交通、農民四銀行紙幣在華北流通。
八月	八日	僞華北臨時政府公告,舊法幣貶值,規定中國、交通兩行紙幣以九折兌換僞中國聯合準備銀行券(簡稱"聯銀券")。
九月二十四日		財政部爲統一戰時金融機構,在重慶召開第二次全國銀行會議,其重要議題爲如何鞏固法幣。
十月		武漢撤守,抗日戰爭進入相持階段。
十二月	三十日	僞華北臨時政府再度公告,自翌年二月二十日起,對中國及交通銀行紙幣再度貶值,按六折兌換"聯銀券",其目的是爲了加速以僞券統一華北地區的金融市場。
	是年	日僞破壞我國法幣、套取外滙基金的企圖層出不窮,鬥爭十分尖銳。

民國二十八年(1939 年)

三月	六日	財政部召集各省地方銀行及中央、中國、交通、農民四行首腦人員,在重慶舉行第二次地方金融會議,至十日會議結束。會議議定: 戰區省地方銀行有發行壹圓券或輔幣券之必要者,應先擬具運用計劃暨發行數目,呈請財政部核准發行,以應戰地需要,其行使範圍僅限於戰區,不得在後方發行。印刷則由中央信託局統一辦理。
	十日	中英貨幣平衡滙兌基金合同簽字,成立中英外滙平衡基金委員會。基金總額1,000 萬英鎊,中英兩國銀行各任半數。中國方面由中國、交通兩行擔任(中行承擔 325 萬英鎊,交行承擔 175 萬英鎊)。基金會在上海、香港買賣外滙,用以平抑滙價。
	二十八日	中央銀行常務理事會決議: 本年一月一日起,四行發行法幣,增加之數可暫以金公債充作現金準備,另帳登記。
九月	八日	國民政府公佈《戰時健全中央金融機構辦法綱要》,由中央、中國、交通、農民四行合組聯合辦事總處,負責辦理政府戰時金融政策有關各特種業務。
十月	一日	四聯總處在重慶正式成立,設理事會。由蔣介石任理事會主席,財政部授權四聯總處理事會主席,在非常時期內對四行"可爲便宜之措施,並代行其職權"。
十二月		法幣發行額爲 429,000 萬元,較民國二十六年六月增加 2 倍。

民國二十九年(1940 年)

三月	三十日	汪僞國民政府在南京成立。
五月	十一日	財政部公佈《管理各省省銀行或地方銀行發行壹圓券及輔幣券辦法》十五條和《各省省銀行或地方銀行舊有發行鈔券整理辦法》三條,以鞏固省鈔信用。對於發行準備之成數保管,以及鈔券之印刷保管,均有詳密規定(發行準備原定爲現金六成、保證四成,同年九月十五日修正爲現金四成、保證六成)。
八月	七日	財政部公佈《非常時期管理銀行暫行辦法》,計十條(翌年十二月修正擴充爲十五條)。

十二月　十九日　　汪僞國民政府公佈《中央儲備銀行法》。

民國三十年(1941 年)

一月　　六日　　財政部通過四聯總處電令上海四行拒收僞鈔,不與僞行往來。

三月二十二日　　上海各行抵制汪僞中央儲備銀行券(簡稱"中儲券")的流通,汪僞特務在中行別業內將中國銀行職員及家屬一百二十八人強行捕去,經交涉後於四月八日交保釋放。

四月　　一日　　中美、中英分別簽訂外滙平準基金借款協定,並成立中美、中英平準基金委員會。由英國財政部墊款英金 500 萬鎊,美國財政部墊款美金 5,000 萬元,中央、中國、交通、農民四行合墊美金 2,000 萬元,民國二十八年簽訂的中英平準基金 1,000 萬鎊亦由該會接收和運用,合計共有英金 1,500 萬鎊,美金 7,000 萬元,用以穩定法幣在外滙市場上的價格。三十三年三月該會結束,英、美財政部墊款均予以償還。

四月　十六日　　汪僞特工總部傳訊中國銀行上海分行主任級以上職員九人,在分批送回時,被埋伏在中行別業門前的汪僞特務槍擊,死二人,傷一人,是爲震驚一時的上海極司非而路(今萬航渡路)中行別業血案。

六月　　一日　　僞滿政府爲加強金融統制,規定僞滿境內祇准保留中國銀行一家,其餘華商銀行如交通、金城等銀行一律關閉。

十二月　　八日　　太平洋戰爭爆發。日軍進佔上海租界,上海中央、中國、交通、農民四行均被日軍接管。太平洋戰爭爆發後,國內券料供應由財政部統籌辦理。財政部以前核准增發之省鈔,尚未印刷竣事者,俱奉令停止,鈔紙則由財政部收購,各省省鈔之增印,予以中止。

十二月　　　　　法幣發行額已達 151 億元,較民國二十六年六月增加近 10 倍,通貨膨脹速度顯著加速。

民國三十一年(1942 年)

二月　　一日　　國民政府提高海關金單位即由每單位含純金 0.601,866 克提高到每單位含純金 0.888,61 克,和美金等值;同時可按一比二十兌換法幣,並增發貳拾圓、伍拾圓、壹佰圓、伍佰圓面額券流通市面。至此,關金兌換券失去原來發行的意義,而變爲大額流通貨幣。

三月二十二日　　四聯總處奉蔣介石手令,對中央、中國、交通、農民四行加強統制,並提出七點飭令,特別注重限制四行發行鈔券,改由中央統一發行。

　　二十五日　　財政部公佈《發行美金節約建國儲蓄券辦法》,規定中國、交通、農民三行暨中央信託局、郵政儲金滙業局依照該辦法發行美金節約建國儲蓄券,並按法幣 100 元折合美金 5 元之比率由儲戶以法幣折購,期限分一年、二年、三年三種,到期時由儲戶向原發售行局支取本息,可按當時比率付法幣或付美金。

五月二十八日　　四聯總處理事會通過《統一發行辦法草案》,計六條。規定全國鈔券發行應集中於中央銀行辦理,所有地方銀行發行的鈔券應由財政部規定辦法限期結束。中央、交通、農民三行發行鈔券應移交給中央銀行接收。六月十六日正式公佈《統一發行實施辦法》。

　　三十一日　　汪僞政府公佈《整理舊幣條例》,限期禁止法幣流通,中央、中國、交通三行所發鈔券按二比一的比率換取"中儲券"。

七月　　一日　　國民政府正式宣佈,鈔券發行集中於中央銀行。

十二月三十一日　　中國、交通、農民三行發行準備現金部份全數轉移中央銀行。

是年　　　　　鈔券統一發行實施後,全國通貨悉由中央銀行負調劑金融之責。本年度軍政餉糈及文化教育建設事業支出浩大,法幣發行額達 344 億元,較上年度 151 億元,約增加 1.3 倍。

<h1 style="text-align:center">民國三十二年(1943 年)</h1>

三月	四日	財政部致陝西省政府電,核准陝西省銀行發行定額本票 500 萬元。
	十九日	財政部致中央銀行函,小鈔缺乏地區可由當地中央銀行發行小額定額本票。
六月二十九日		財政部頒發渝錢幣字第三零三五五號訓令,增加中國銀行、交通銀行、中國農民銀行官股,使該三行資本總額各達 6,000 萬元。
十二月	六日	中央銀行爲在西藏推行法幣,與康藏貿易公司商定通滙辦法數項,不日即可實行。

<h1 style="text-align:center">民國三十三年(1944 年)</h1>

| 六月二十八日 | | 財政部委託中央銀行,先就重慶、成都、昆明、西安、桂林、蘭州各地試辦黃金存款儲蓄及法幣折合黃金存款儲蓄,以吸收游資,平抑物價。 |
| 九月 | 十五日 | 中央銀行委託中國銀行、交通銀行、中國農民銀行、中央信託局、郵政儲金滙業局,在重慶、成都、昆明、貴陽、桂林、西安、蘭州舉辦黃金存款及法幣折合黃金存款儲蓄。據統計,到翌年六月停辦時爲止,共收回法幣 800 多億元(包括出售黃金現貨)。 |

<h1 style="text-align:center">民國三十四年(1945 年)</h1>

三月	十日	財政部錢幣司在第五次部務會上報告,用發行定額本票和搶購淪陷區印鈔材料以解決東南各省鈔票供應。經召集四聯總處、中央銀行及中央信託局印製處會商結果,由中央銀行電知永康、永安、上饒三分行,在東南各地發行伍仟、壹萬、貳萬、伍萬定額本票,視同鈔券行使。
	二十七日	財政部電覆四聯總處,核准余漢謀司令長官發行本票 5 億元的要求。
本月		財政部指示中國銀行,在長江以南鄰近戰區區域辦理法幣折合黃金存款儲蓄,以就地回籠法幣供應軍需。
五月二十九日		財政部決定,即日起停止執行《出售黃金現貨辦法》。
六月二十五日		財政部決定,即日起停辦法幣折合黃金存款儲蓄。
八月	十五日	日本宣告無條件投降,抗日戰爭勝利結束。
九月	中旬	財政部京滬區財政金融特派員辦公處在上海成立,四行二局亦同時回滬籌備復業。
	二十六日	財政部公告,"中儲券"以二百比一兌換法幣,期限自十一月一日起至翌年三月三十一日止。
十月二十五日		財政部公佈《中央銀行台灣流通券發行辦法》,計七條。規定台灣流通券爲台灣省境內流通之法幣。券面有壹圓、伍圓、拾圓、伍拾圓、壹佰圓五種。
十一月	二日	財政部公佈《中央銀行東北九省流通券發行辦法》,計七條。規定東北流通券爲東北九省(抗日戰爭勝利後,國民政府將東北三省劃分爲東北九省)境內流通之法幣,券面有壹圓、伍圓、拾圓、伍拾圓、壹佰圓五種。後又發行伍佰圓、壹仟圓、貳仟圓、伍仟圓、壹萬圓券。規定該流通券與法幣的兌換比率爲一比十,即 1 元流通券兌換 10 元法幣。並規定等值收兌僞滿洲中央銀行券。
	十五日	四聯總處通過《京滬區三行兩局復業所需鈔券之接濟與發行定額本票之臨時處理辦法》,規定京、滬區開始復業三個月內,三行兩局准許發行定額本票,面額分壹仟圓、伍仟圓、壹萬圓、伍萬圓四種,總額以 200 億元爲限。
	二十一日	財政部佈告,"聯銀券"以五比一兌換法幣,期限自翌年一月一日起至四月三十日止。

<h1 style="text-align:center">民國三十五年(1946 年)</h1>

| 一月 | 四日 | 中央銀行在新疆地區發行"新疆省流通券"。同年四月,因發現券背的維文"新疆省"被篡改爲"中國土耳其斯坦",中央銀行立即下令停止發行,並收回已發行的 |

新疆省流通券。

二月二十五日　國防最高委員會通過《開放外滙市場案》，將現行官價外滙率（即美金 1 元合法幣 20 元）予以廢止，規定中央銀行應察酌市面情形並依照供求實況，隨時供給或收買外滙，以資調節。

國民政府公佈《中央銀行管理外滙暫行辦法》，計三十二條。其中，第二十九條規定黃金得自由買賣。該辦法定於三月四日起施行。

三月　　四日　中央銀行核定二十九家銀行爲經營外滙的指定銀行，同日公佈對美金滙率爲法幣 2,020 元合美金 1 元。

四月　十七日　國民政府行政院通過財政部制定的《管理銀行辦法》，同時廢止《非常時期管理銀行暫行辦法》。

八月　十七日　中央銀行提高美滙牌價，法幣 3,350 元合美金 1 元。

十一月　十七日　國民政府公佈《修正進出口貿易暫行辦法》，重新限制和管理外滙。

是年　　　　從三月四日外滙市場正式開放起，至十一月十七日止的八個多月裏，中央銀行及各指定銀行共售出外滙計美元 381,552,461 元、英鎊 16,761 鎊、港幣 24,325,589 元。

民國三十六年（1947 年）

二月　十七日　國民政府公佈《經濟緊急措施方案》和《加強金融業務管制辦法》。凍結商品價格和工資，禁止黃金、外幣的公開買賣，私人藏有的外滙須向有關機構申報。同日提高美滙牌價，法幣 12,000 元合美金 1 元。

四月二十三日　面額萬圓的法幣正式發行。

七月二十一日　國民政府全國經濟委員會通過《經濟改革方案》。

八月　十七日　國民政府公佈《中央銀行管理外滙辦法》和《進出口貿易辦法》。其要點爲：設置外滙平衡基金委員會，調節外滙供需，並定美金 1 元合法幣 12,000 元爲官價外滙，其適用範圍遵照政府命令辦理；另定外滙市價一種，由外滙平衡基金委員會察酌市價情形，逐日予以核定公佈，以作進出口貨物結滙滙價。

　　　十八日　公佈美滙牌價爲美金 1 元合法幣 39,000 元，其他各滙照此推算。

九月　　一日　國民政府公佈新《銀行法》（民國二十年三月三十日公佈之《銀行法》着即廢止，又二十三年三月四日公佈之《儲蓄銀行法》着即廢止）。

十二月　　二日　國民政府政務會議決定在滬、津、漢、穗四市設立金融管理局。

　　　　十日　中央銀行發行壹仟圓、貳仟圓關金券。

　　三十一日　中央銀行發行伍仟圓關金券。

民國三十七年（1948 年）

五月　　五日　中央銀行致財政部長俞鴻鈞密函，在國外已訂印而未交鈔券餘額內，改印關金大面額券。

　　　十一日　中央銀行發行局長梁平呈總裁文，鈔券供不應求，擬在國內各印鈔廠秘密籌印萬圓關金券。

六月二十八日　中央銀行呈行政院長翁文灝文，擬加印關金券壹萬圓、貳萬伍仟圓、伍萬圓三種大面額鈔券。

七月　十九日　中央銀行公告，即日起發行壹萬圓、貳萬伍仟圓、伍萬圓、貳拾伍萬圓四種關金券。

八月　十九日　國民政府頒佈《財政經濟緊急處分令》以及《金圓券發行辦法》十七條。宣佈實行幣制改革，廢除法幣、關金券和流通券，以金圓券爲本位，十足發行金圓券。金圓券每元法定含純金 0.222,17 克，由中央銀行發行，發行總額以 20 億元爲限。

　　二十三日　中央銀行開始發行金圓券，面值有壹角、貳角、伍角、壹圓、伍圓、拾圓、伍拾圓、壹佰圓八種。規定，以前發行的法幣以 300 萬元兌換金圓券 1 元，關金券以 15 萬元兌換金圓券 1 元，東北九省流通券以 30 萬元兌換金圓券 1 元，收兌的截止時間爲十一月二十日。同時,國民政府還規定人民手中持有的黃金、白銀、外幣等也必須在九月三十日前兌換成金圓券。

十一月	十一日	國民政府行政院通過《修正金圓券發行辦法》,計二十條。宣佈准許人民持有黃金、白銀、外幣;並宣佈把每元金圓券的含金量由 0.222,17 克降爲 0.044,434 克,即由原黃金每兩合 200 元金圓券提高到每兩合 1,000 元。修正辦法還規定,撤銷金圓券的發行限額,物價由限價改爲議價。
十二月	一日	在蔣介石的親自策劃下,中央銀行將第一批黃金 200 萬兩運往台灣,隨後又南運銀元 1,000 萬元至廣州。1949 年 1 月,再運黃金 57 萬兩、銀元 2,200 萬元至廈門。國民黨京滬杭警備總司令湯恩伯逃離上海前夕,又拿走了中央銀行庫存黃金 19.8 萬兩、銀元 146 萬元。

民國三十八年(1949 年)

二月二十五日		總統令頒佈《財政金融改革案》。其中,關於金融幣制方面的規定爲: 1.金銀准許人民買賣;2.銀元准許流通買賣;3.中央銀行收兌外幣,應參照黃金市價及外滙移轉證價格計算。
三月		各地皆鬧鈔荒,形勢愈演愈烈。中央銀行開始發行伍佰圓、壹仟圓、伍仟圓、壹萬圓面額金圓券,隨後又發行伍萬圓、拾萬圓券,五月份再發行伍拾萬圓、壹佰萬圓券。該行還印就了伍佰萬圓券,但來不及發行,上海已經解放。
七月	二日	逃到廣州的國民政府行政院公佈《銀元及銀元兌換券發行辦法》,計十五條。規定國幣以銀元爲單位,自即日起恢復銀本位制,銀元 1 元含純銀 23.493,448 克,所發銀元券可十足兌現銀元,在銀元鑄造未充分時,銀元券得以用黃金兌現,各種銀元一律等價流通。券面有壹分、伍分、壹角、貳角、伍角、壹圓、伍圓、拾圓、伍拾圓、壹佰圓 10 種,其中伍拾圓、壹佰圓券未發行。規定,金圓券 5 億元可向中央銀行兌換銀元券 1 元。銀元券僅在廣州、重慶等地行用過。大陸完全解放後,銀元券即被徹底廢除。

民國時期國家銀行紙幣概況表

一、中央銀行紙幣

編號	券　名	票型	面　額	年　份	印刷單位	來　源	等級	說　明
0001	銀元券	橫	壹圓	1923年(民國十二年)	美國鈔票公司	許義宗舊藏	2	樣張
0002	銀元券	橫	壹圓	1923年(民國十二年)	美國鈔票公司	許義宗舊藏	1	
0003	銀元券	橫	壹圓	1923年(民國十二年)	美國鈔票公司	許義宗舊藏	1	
0004	銀元券	橫	伍圓	1923年(民國十二年)	美國鈔票公司	許義宗舊藏	2	
0005	銀元券	橫	伍圓	1923年(民國十二年)	美國鈔票公司	許義宗舊藏	3	樣張
0006	銀元券	橫	拾圓	1923年(民國十二年)	美國鈔票公司	許義宗舊藏	4	樣張
0007	銀元券	橫	拾圓	1923年(民國十二年)	美國鈔票公司	許義宗舊藏	3	
0008	銀元券	橫	伍拾圓	1923年(民國十二年)	美國鈔票公司	許義宗舊藏	4	樣張
0009	銀元券	橫	壹百圓	1923年(民國十二年)	美國鈔票公司	許義宗舊藏	4	樣張
0010	銀元券	橫	壹圓	1923年(民國十二年)	美國鈔票公司	吳籌中藏	2	廣州總行
0011	銀元券	橫	壹圓	1923年(民國十二年)	美國鈔票公司	許義宗舊藏	2	廣州總行
0012	銀元券	橫	伍圓	1923年(民國十二年)	美國鈔票公司	吳籌中藏	3	廣州總行
0013	銀元券	橫	伍圓	1923年(民國十二年)	美國鈔票公司	許義宗舊藏	3	廣州總行
0014	銀元券	橫	拾圓	1923年(民國十二年)	美國鈔票公司	吳籌中藏	4	廣州總行
0015	銀元券	橫	壹圓	1923年(民國十二年)	美國鈔票公司	吳籌中藏	1	汕頭·無字冠
0016	銀元券	橫	壹圓	1923年(民國十二年)	美國鈔票公司	吳籌中藏	1	汕頭·單字冠
0017	銀元券	橫	壹圓	1923年(民國十二年)	美國鈔票公司	許義宗舊藏	1	汕頭加圓藏
0018	銀元券	橫	伍圓	1923年(民國十二年)	美國鈔票公司	許義宗舊藏	2	樣票·汕頭
0019	銀元券	橫	伍拾圓	1923年(民國十二年)	美國鈔票公司	選自《集幣會刊》	2	汕頭
0020	銀元券	橫	壹圓	1923年(民國十二年)	美國鈔票公司	許義宗舊藏	2	北海
0021	銀元券	橫	伍圓	1923年(民國十二年)	美國鈔票公司	許義宗舊藏	3	北海·樣張
0022	銀元券	橫	伍圓	1923年(民國十二年)	美國鈔票公司	選自《中國紙幣之沿革》	2	北海
0023	銀元券	橫	伍圓	1923年(民國十二年)	美國鈔票公司	選自《中國紙幣圖說》	4	愛國紀念
0024	銀元券	橫	拾圓	1923年(民國十二年)	美國鈔票公司	選自《中國紙幣圖說》	4	愛國紀念
0025	銀元券	橫	壹圓	1923年(民國十二年)	美國鈔票公司	吳籌中藏	1	廣東·無字冠
0026	銀元券	橫	壹圓	1923年(民國十二年)	美國鈔票公司	吳籌中藏	1	廣東·單字冠
0027	銀元券	橫	伍圓	1923年(民國十二年)	美國鈔票公司	選自《香港誠利郵鈔》	2	廣東
0028	銀元券	橫	拾圓	1923年(民國十二年)	美國鈔票公司	吳籌中藏	3	廣東
0029	銀元券	橫	拾圓	1923年(民國十二年)	美國鈔票公司	吳籌中藏	3	廣東
0030	銀元券	橫	壹圓	1923年(民國十二年)	美國鈔票公司	選自《中國紙幣圖說》	2	樣張
0031	銀元券	橫	壹圓	1923年(民國十二年)	美國鈔票公司	選自《中國紙幣圖說》	1	
0032	銀元券	橫	壹圓	1923年(民國十二年)	美國鈔票公司	選自《中國紙幣圖說》	1	
0033	銀元券	橫	伍圓	1923年(民國十二年)	美國鈔票公司	選自《中國紙幣圖說》	3	樣張
0034	銀元券	橫	伍圓	1923年(民國十二年)	美國鈔票公司	選自《中國紙幣之沿革》	2	
0035	銀元券	橫	拾圓	1923年(民國十二年)	美國鈔票公司	吳籌中藏	3	
0036	銀元券	橫	拾圓	1923年(民國十二年)	美國鈔票公司	吳籌中藏	3	
0037	銀元券	橫	伍圓	1923年(民國十二年)	美國鈔票公司	許義宗舊藏	2	
0038	銀元券	橫	伍圓	1923年(民國十二年)	美國鈔票公司	許義宗舊藏	2	
0039	銀元券	橫	拾圓	1923年(民國十二年)	美國鈔票公司	許義宗舊藏	4	樣張
0040	銀元券	橫	拾圓	1923年(民國十二年)	美國鈔票公司	許義宗舊藏	3	

編號	券　名	票型	面　額	年　　份	印刷單位	來　源	等級	説　明
0041	銀元券	橫	拾圓	1923 年（民國十二年）	美國鈔票公司	上海博物館藏	3	
0042	銀元券	橫	拾圓	1923 年（民國十二年）	美國鈔票公司	選自《中國紙幣圖説》	3	
0043	銀元券	橫	伍拾圓	1923 年（民國十二年）	美國鈔票公司	選自《中國紙幣圖説》	4	樣張
0044	銀元券	橫	壹百圓	1923 年（民國十二年）	美國鈔票公司	許義宗舊藏	4	樣張
0045	銀元券	橫	壹圓	1923 年（民國十二年）	美國鈔票公司	丁張弓良舊藏	2	湘、贛、桂通用券
0046	銀元券	橫	伍圓	1923 年（民國十二年）	美國鈔票公司	選自《中國軍用鈔票史略》	2	湘、贛、桂通用券
0047	銀元券	橫	拾圓	1923 年（民國十二年）	美國鈔票公司	吳籌中藏	3	湘、贛、桂通用券
0048	銀元券	橫	壹百圓	1923 年（民國十二年）	美國鈔票公司	選自《中國軍用鈔票史略》	3	湘、贛、桂通用券
0049	銀元券	橫	壹圓	1923 年（民國十二年）	美國鈔票公司	丁張弓良舊藏	1	湘、贛、桂三省通用券
0050	銀元券	橫	伍圓	1923 年（民國十二年）	美國鈔票公司	選自《中國軍用鈔票史略》	2	湘、贛、桂三省通用券
0051	銀元券	橫	拾圓	1923 年（民國十二年）	美國鈔票公司	選自《中國軍用鈔票史略》	3	湘、贛、桂三省通用券
0052	大洋券	橫	壹圓	1923 年（民國十二年）	美國鈔票公司	丁張弓良舊藏	2	鄂、湘、贛三省通用大洋券
0053	大洋券	橫	伍圓	1923 年（民國十二年）	美國鈔票公司	丁張弓良舊藏	3	鄂、湘、贛三省通用大洋券
0054	大洋券	橫	拾圓	1923 年（民國十二年）	美國鈔票公司	丁張弓良舊藏	4	鄂、湘、贛三省通用大洋券
0055	銀元券	橫	壹圓	1923 年（民國十二年）	美國鈔票公司	選自《中國紙幣圖説》	2	樣張、梅菉
0056	銀元券	橫	伍圓	1923 年（民國十二年）	美國鈔票公司	選自《中國紙幣圖説》	3	樣張、韶州
0057	銀元券	橫	拾圓	1923 年（民國十二年）	美國鈔票公司	選自《中國紙幣圖説》	4	樣張、海口
0058	銀元券	橫	伍拾圓	1923 年（民國十二年）	美國鈔票公司	選自《中國紙幣圖説》	4	樣張、江門
0059	國幣輔幣券	橫	壹角	無年份	美國鈔票公司	選自《中國紙幣圖説》	1	無字冠
0060	國幣輔幣券	橫	壹角	無年份	美國鈔票公司	吳籌中藏	1	單字冠
0061	國幣輔幣券	橫	壹角	無年份	美國鈔票公司	吳籌中藏	1	雙字冠
0062	國幣輔幣券	橫	貳角	無年份	美國鈔票公司	吳籌中藏	1	單字冠
0063	國幣輔幣券	橫	貳角	無年份	美國鈔票公司	吳籌中藏	1	雙字冠
0064	大洋券	橫	壹圓	1926 年（民國十五年）	美國鈔票公司	上海博物館藏	1	漢口
0065	大洋券	橫	伍圓	1926 年（民國十五年）	美國鈔票公司	上海博物館藏	2	漢口
0066	大洋券	橫	拾圓	1926 年（民國十五年）	美國鈔票公司	上海博物館藏	3	漢口
0067	大洋券	橫	伍拾圓	1926 年（民國十五年）	美國鈔票公司	選自《中國紙幣圖説》	4	樣張
0068	大洋券	橫	伍拾圓	1926 年（民國十五年）	美國鈔票公司	吳籌中藏	3	漢口
0069	大洋券	橫	壹百圓	1926 年（民國十五年）	美國鈔票公司	選自《中國紙幣圖説》	4	樣張
0070	大洋券	橫	壹百圓	1926 年（民國十五年）	美國鈔票公司	選自《中國紙幣圖説》	4	漢口
0071	大洋券	橫	壹圓	1926 年（民國十五年）	美國鈔票公司	選自《中國紙幣圖説》	1	福建
0072	大洋券	橫	伍圓	1926 年（民國十五年）	美國鈔票公司	王煒提供	2	福建
0073	大洋券	橫	拾圓	1926 年（民國十五年）	美國鈔票公司	王煒提供	3	福建
0074	大洋券	橫	壹圓	1926 年（民國十五年）	美國鈔票公司	吳籌中藏	1	四川兌換券·重慶
0075	大洋券	橫	伍圓	1926 年（民國十五年）	美國鈔票公司	吳籌中藏	2	四川兌換券·重慶
0076	大洋券	橫	拾圓	1926 年（民國十五年）	美國鈔票公司	吳籌中藏	3	四川兌換券·重慶
0077	大洋券	橫	壹圓	1926 年（民國十五年）	美國鈔票公司	選自《中國民間錢幣珍藏》	1	海口
0078	大洋券	橫	伍圓	1926 年（民國十五年）	美國鈔票公司	選自《中國紙幣圖説》	2	海口
0079	大洋券	橫	伍圓	1926 年（民國十五年）	美國鈔票公司	選自《中國紙幣圖説》	2	上海
0080	臨時兌換券	橫	壹圓	1926 年（民國十五年）	長沙湘鄂印刷公司	選自《中國紙幣圖説》	1	紅號碼
0081	臨時兌換券	橫	壹圓	1926 年（民國十五年）	長沙湘鄂印刷公司	選自《中國紙幣圖説》	1	藍號碼
0082	臨時兌換券	橫	壹圓	1926 年（民國十五年）	長沙湘鄂印刷公司	中國人民銀行上海分行藏	1	檢查票數
0083	臨時兌換券	橫	伍圓	1926 年（民國十五年）	長沙湘鄂印刷公司	選自《中國紙幣圖説》	2	
0084	臨時兌換券	橫	伍圓	1926 年（民國十五年）	長沙湘鄂印刷公司	丁張弓良舊藏	2	贛縣之印
0085	臨時兌換券	橫	拾圓	1926 年（民國十五年）	長沙湘鄂印刷公司	丁張弓良舊藏	2	
0086	臨時兌換券	橫	拾圓	1926 年（民國十五年）	長沙湘鄂印刷公司	吳籌中藏	2	贛縣之印
0087	銅元券	橫	拾枚	無年份	中華書局有限公司	吳籌中藏	1	限陝省境内通用
0088	銅元券	橫	貳拾枚	無年份	中華書局有限公司	上海博物館藏	3	
0089	銅元券	橫	貳拾枚	無年份	中華書局有限公司	上海博物館藏	1	限陝省境内通用
0090	銅元券	橫	伍拾枚	無年份	中華書局有限公司	吳籌中藏	3	限陝省境内通用

續表

編號	券 名	票型	面 額	年 份	印刷單位	來 源	等級	説 明
0091	大洋輔幣券	橫	伍角	1927年(民國十六年)		上海博物館藏	2	
0092	國幣券	橫	壹圓	1928年(民國十七年)	美國鈔票公司	選自《中國紙幣圖説》	1	樣本、上海
0093	國幣券	橫	壹圓	1928年(民國十七年)	美國鈔票公司	吳籌中藏		上海
0094	國幣券	橫	壹圓	1928年(民國十七年)	美國鈔票公司	選自《中國紙幣圖説》		
0095	國幣券	橫	壹圓	1928年(民國十七年)	美國鈔票公司	選自《中國紙幣圖説》		
0096	國幣券	橫	伍圓	1928年(民國十七年)	美國鈔票公司	選自《中國紙幣圖説》	1	樣本、上海
0097	國幣券	橫	伍圓	1928年(民國十七年)	美國鈔票公司	選自《中國紙幣圖説》		上海、雙字冠
0098	國幣券	橫	伍圓	1928年(民國十七年)	美國鈔票公司	吳籌中藏		上海、三字冠
0099	國幣券	橫	伍圓	1928年(民國十七年)	美國鈔票公司	吳籌中藏		上海、三字冠
0100	國幣券	橫	伍圓	1928年(民國十七年)	美國鈔票公司	選自《中國紙幣圖説》		上海、三字冠
0101	國幣券	橫	伍圓	1928年(民國十七年)	美國鈔票公司	選自《中國紙幣圖説》		上海、三字冠
0102	國幣券	橫	拾圓	1928年(民國十七年)	美國鈔票公司	選自《中國紙幣圖説》	1	樣本、上海
0103	國幣券	橫	拾圓	1928年(民國十七年)	美國鈔票公司	吳籌中藏		
0104	國幣券	橫	拾圓	1928年(民國十七年)	美國鈔票公司	吳籌中藏		
0105	國幣券	橫	拾圓	1928年(民國十七年)	美國鈔票公司	吳籌中藏		
0106	國幣券	橫	拾圓	1928年(民國十七年)	美國鈔票公司	吳籌中藏		
0107	國幣券	橫	拾圓	1928年(民國十七年)	美國鈔票公司	吳籌中藏		
0108	國幣券	橫	伍拾圓	1928年(民國十七年)	美國鈔票公司	選自《中國紙幣圖説》	1	樣本、上海
0109	國幣券	橫	伍拾圓	1928年(民國十七年)	美國鈔票公司	選自《中國紙幣圖説》	1	重慶、雙字冠
0110	國幣券	橫	伍拾圓	1928年(民國十七年)	美國鈔票公司	吳籌中藏	1	重慶、三字冠
0111	國幣券	橫	伍拾圓	1928年(民國十七年)	美國鈔票公司	吳籌中藏	1	上海、三字冠
0112	國幣券	橫	伍拾圓	1928年(民國十七年)	美國鈔票公司	吳籌中藏	1	上海、四字冠
0113	國幣券	橫	壹百圓	1928年(民國十七年)	美國鈔票公司	選自《中國紙幣圖説》	1	樣本、上海
0114	國幣券	橫	壹百圓	1928年(民國十七年)	美國鈔票公司	吳籌中藏	1	上海
0115	國幣券	橫	壹百圓	1928年(民國十七年)	美國鈔票公司	吳籌中藏	1	上海
0116	國幣券	橫	壹百圓	1928年(民國十七年)	美國鈔票公司	選自《中國紙幣圖説》	1	上海
0117	國幣券	橫	壹百圓	1928年(民國十七年)	美國鈔票公司	吳籌中藏	1	上海改重慶
0118	國幣券	橫	伍圓	1930年(民國十九年)	美國鈔票公司	稽昂藏	2	樣本、上海
0119	國幣券	橫	伍圓	1930年(民國十九年)	美國鈔票公司	選自《中國紙幣圖説》	1	上海、無面號碼
0120	國幣券	橫	伍圓	1930年(民國十九年)	美國鈔票公司	選自《中國紙幣圖説》	1	上海、無字冠
0121	國幣券	橫	伍圓	1930年(民國十九年)	美國鈔票公司	選自《中國紙幣圖説》		上海、單字冠
0122	國幣券	橫	伍圓	1930年(民國十九年)	美國鈔票公司	吳籌中藏		上海、單字冠
0123	國幣券	橫	伍圓	1930年(民國十九年)	美國鈔票公司	吳籌中藏		上海、雙字冠
0124	國幣券	橫	伍圓	1930年(民國十九年)	美國鈔票公司	選自《中國紙幣圖説》		上海、雙字冠
0125	國幣券	橫	伍圓	1930年(民國十九年)	美國鈔票公司	吳籌中藏		上海、單字冠
0126	國幣券	橫	伍圓	1930年(民國十九年)	美國鈔票公司	吳籌中藏		上海、雙字冠
0127	國幣輔幣券	橫	壹角	無年份	中華書局有限公司	選自《中國紙幣圖説》		無字冠
0128	國幣輔幣券	橫	壹角	無年份	中華書局有限公司	選自《中國紙幣圖説》		單字冠
0129	國幣輔幣券	橫	壹角	無年份	中華書局有限公司	吳籌中藏		雙字冠
0130	國幣輔幣券	橫	貳角	無年份	中華書局有限公司	選自《中國紙幣圖説》		無字冠
0131	國幣輔幣券	橫	貳角	無年份	中華書局有限公司	選自《中國紙幣圖説》		雙字冠
0132	國幣輔幣券	橫	貳角	無年份	中華書局有限公司	吳籌中藏		單字冠
0133	國幣輔幣券	橫	貳角伍分	無年份	中華書局有限公司	選自《中國紙幣圖説》		無字冠
0134	國幣輔幣券	橫	貳角伍分	無年份	中華書局有限公司	選自《中國紙幣圖説》		單字冠
0135	國幣輔幣券	橫	貳角伍分	無年份	中華書局有限公司	吳籌中藏		雙字冠
0136	國幣輔幣券	橫	伍角	無年份	中華書局有限公司	選自《中國紙幣圖説》		無字冠
0137	國幣輔幣券	橫	伍角	無年份	中華書局有限公司	吳籌中藏		單字冠
0138	國幣輔幣券	橫	伍角	無年份	中華書局有限公司	選自《中國紙幣圖説》		雙字冠
0139	國幣券	橫	壹圓	1935年(民國二十四年)	中華書局有限公司	吳籌中藏	2	重慶
0140	國幣券	橫	伍圓	1935年(民國二十四年)	中華書局有限公司	吳籌中藏	1	重慶

編號	券　　名	票型	面額	年　　份	印刷單位	來　　源	等級	說　　明
0141	國幣券	橫	拾圓	1935 年(民國二十四年)	中華書局有限公司	吳籌中藏	1	重慶
0142	銅元券	橫	拾枚	無年份	中華書局有限公司	吳籌中藏		改：四川省通用、五分紅色
0143	銅元券	橫	拾枚	無年份	中華書局有限公司	吳籌中藏		改：四川省通用、五分黑色
0144	銅元券	橫	貳拾枚	無年份	中華書局有限公司	吳籌中藏		改：四川省通用、壹角紅色
0145	銅元券	橫	貳拾枚	無年份	中華書局有限公司	吳籌中藏		改：四川省通用、壹角紅色
0146	銅元券	橫	伍拾枚	無年份	中華書局有限公司	選自《中國紙幣圖説》		改：四川省通用、貳角伍分紅色
0147	銅元券	橫	伍拾枚	無年份	中華書局有限公司	吳籌中藏		改：四川省通用、貳角伍分紅色
0148	國幣輔幣券	直	壹角	無年份	財政部印刷局	上海博物館藏	3	
0149	國幣輔幣券	直	貳角	無年份	財政部印刷局	吳籌中藏	3	
0150	國幣輔幣券	橫	壹角	無年份	美國鈔票公司	選自《中國紙幣圖説》		
0151	國幣輔幣券	橫	貳角	無年份	美國鈔票公司	選自《中國紙幣圖説》		
0152	國幣券	橫	壹圓	1934 年(民國二十三年)	英國華德路公司	吳籌中藏	2	中國農民銀行改中央銀行
0153	國幣券	橫	壹圓	1934 年(民國二十三年)	英國華德路公司	吳籌中藏	2	中國農民銀行改中央銀行、上海
0154	國幣券	橫	壹圓	1934 年(民國二十三年)	英國華德路公司	吳籌中藏	2	中國農民銀行改中央銀行、北平
0155	國幣券	橫	壹圓	1934 年(民國二十三年)	英國華德路公司	吳籌中藏	2	中國農民銀行改中央銀行、天津
0156	國幣券	橫	伍圓	1920 年(民國九年)	美國鈔票公司	吳籌中藏	2	四明銀行改中央銀行、上海
0157	法幣券	橫	壹圓	1936 年(民國二十五年)	中華書局有限公司	選自《中國紙幣圖説》	3	
0158	法幣券	橫	壹圓	1936 年(民國二十五年)	中華書局有限公司	吳籌中藏		
0159	法幣券	橫	壹圓	1936 年(民國二十五年)	中華書局有限公司	吳籌中藏		
0160	法幣券	橫	壹圓	1936 年(民國二十五年)	中華書局有限公司	選自《中國紙幣圖説》		
0161	法幣券	橫	伍圓	1937 年(民國二十六年)	中華書局有限公司	吳籌中藏		
0162	法幣券	橫	拾圓	1937 年(民國二十六年)	中華書局有限公司	吳籌中藏		
0163	法幣券	橫	拾圓	1937 年(民國二十六年)	中華書局有限公司	許義宗舊藏		
0164	法幣輔幣券	橫	壹角	1940 年(民國二十九年)	中華書局有限公司	吳籌中藏		
0165	法幣輔幣券	橫	貳角	1940 年(民國二十九年)	中華書局有限公司	吳籌中藏		
0166	法幣券	橫	拾圓	1940 年(民國二十九年)	中華書局有限公司	吳籌中藏		
0167	法幣券	橫	伍拾圓	1940 年(民國二十九年)	中華書局有限公司	上海博物館藏		重慶
0168	法幣券	橫	貳圓	1941 年(民國三十年)	中華書局有限公司	吳籌中藏		單字冠
0169	法幣券	橫	貳圓	1941 年(民國三十年)	中華書局有限公司	選自《中國紙幣圖説》		雙字冠
0170	法幣券	橫	伍圓	1941 年(民國三十年)	中華書局有限公司	吳籌中藏		
0171	法幣券	橫	伍圓	1941 年(民國三十年)	中華書局有限公司	選自《中國紙幣圖説》		重慶
0172	法幣券	橫	伍仟圓	1947 年(民國三十六年)	中華書局有限公司	吳籌中藏		
0173	法幣券	橫	壹萬圓	1947 年(民國三十六年)	中華書局有限公司	吳籌中藏		
0174	法幣券	橫	壹萬圓	1947 年(民國三十六年)	中華書局有限公司	許義宗舊藏		
0175	法幣券	橫	壹萬圓	1947 年(民國三十六年)	中華書局有限公司	吳籌中藏		
0176	法幣券	橫	壹圓	1936 年(民國二十五年)	英國華德路公司	許義宗舊藏	1	樣本券
0177	法幣券	橫	壹圓	1936 年(民國二十五年)	英國華德路公司	吳籌中藏		
0178	法幣券	橫	壹圓	1936 年(民國二十五年)	英國華德路公司	吳籌中藏		
0179	法幣券	橫	壹圓	1936 年(民國二十五年)	英國華德路公司	吳籌中藏		
0180	法幣券	橫	伍圓	1936 年(民國二十五年)	英國華德路公司	許義宗舊藏	1	樣本券
0181	法幣券	橫	伍圓	1936 年(民國二十五年)	英國華德路公司	吳籌中藏		
0182	法幣券	橫	伍圓	1936 年(民國二十五年)	英國華德路公司	吳籌中藏		
0183	法幣券	橫	拾圓	1936 年(民國二十五年)	英國華德路公司	選自《中國紙幣圖説》	1	樣本券
0184	法幣券	橫	拾圓	1936 年(民國二十五年)	英國華德路公司	吳籌中藏		
0185	法幣券	橫	拾圓	1936 年(民國二十五年)	英國華德路公司	吳籌中藏		
0186	法幣券	橫	拾圓	1936 年(民國二十五年)	英國華德路公司	吳籌中藏		
0187	法幣券	橫	伍拾圓	1936 年(民國二十五年)	英國華德路公司	許義宗舊藏	1	樣本券
0188	法幣券	橫	伍拾圓	1936 年(民國二十五年)	英國華德路公司	吳籌中藏		
0189	法幣券	橫	伍拾圓	1936 年(民國二十五年)	英國華德路公司	吳籌中藏		重慶
0190	法幣券	橫	壹百圓	1936 年(民國二十五年)	英國華德路公司	吳籌中藏		

續表

編號	券 名	票型	面 額	年 份	印刷單位	來 源	等級	説 明
0191	法幣券	橫	伍百圓	1936 年(民國二十五年)	英國華德路公司	許義宗舊藏	1	樣本券
0192	法幣券	橫	伍百圓	1936 年(民國二十五年)	英國華德路公司	吳籌中藏	1	
0193	法幣券	橫	壹圓	1936 年(民國二十五年)	英國華德路公司	吳籌中藏	1	加印藏文
0194	法幣券	橫	伍圓	1936 年(民國二十五年)	英國華德路公司	吳籌中藏	1	加印藏文
0195	法幣券	橫	拾圓	1936 年(民國二十五年)	英國華德路公司	吳籌中藏	1	加印藏文
0196	法幣券	橫	拾圓	1936 年(民國二十五年)	英國華德路公司	許義宗舊藏	1	加印藏文
0197	法幣券	橫	伍拾圓	1936 年(民國二十五年)	英國華德路公司	丁張弓良舊藏	2	加印藏文
0198	法幣券	橫	壹百圓	1936 年(民國二十五年)	英國華德路公司	丁張弓良舊藏	2	加印藏文
0199	法幣券	橫	伍圓	1941 年(民國三十年)	英國華德路公司	許義宗舊藏	1	樣本券
0200	法幣券	橫	拾圓	1941 年(民國三十年)	英國華德路公司	許義宗舊藏	1	樣本券
0201	法幣券	橫	拾圓	1941 年(民國三十年)	英國華德路公司	吳籌中藏		
0202	法幣券	橫	拾圓	1941 年(民國三十年)	英國華德路公司	吳籌中藏		
0203	法幣券	橫	拾圓	1941 年(民國三十年)	英國華德路公司	吳籌中藏		
0204	法幣券	橫	拾圓	1941 年(民國三十年)	英國華德路公司	吳籌中藏		
0205	法幣券	橫	拾圓	1941 年(民國三十年)	英國華德路公司	吳籌中藏		
0206	法幣券	橫	壹百圓	1944 年(民國三十三年)	英國華德路公司	許義宗舊藏	3	樣本券
0207	法幣券	橫	壹百圓	1944 年(民國三十三年)	英國華德路公司	許義宗舊藏	2	
0208	法幣券	橫	伍百圓	1944 年(民國三十三年)	英國華德路公司	吳籌中藏		
0209	法幣券	橫	貳仟圓	1946 年(民國三十五年)	英國華德路公司	許義宗舊藏	1	樣本券
0210	法幣券	橫	貳仟圓	1946 年(民國三十五年)	英國華德路公司	吳籌中藏		
0211	法幣券	橫	壹圓	1936 年(民國二十五年)	德納羅印鈔公司	吳籌中藏		
0212	法幣券	橫	壹圓	1936 年(民國二十五年)	德納羅印鈔公司	吳籌中藏		
0213	法幣券	橫	壹圓	1936 年(民國二十五年)	德納羅印鈔公司	許義宗舊藏		
0214	法幣券	橫	伍圓	1936 年(民國二十五年)	德納羅印鈔公司	許義宗舊藏	1	樣本
0215	法幣券	橫	伍圓	1936 年(民國二十五年)	德納羅印鈔公司	吳籌中藏		
0216	法幣券	橫	伍圓	1936 年(民國二十五年)	德納羅印鈔公司	吳籌中藏		
0217	法幣券	橫	拾圓	1936 年(民國二十五年)	德納羅印鈔公司	吳籌中藏		
0218	法幣券	橫	拾圓	1936 年(民國二十五年)	德納羅印鈔公司	吳籌中藏		
0219	法幣券	橫	拾圓	1936 年(民國二十五年)	德納羅印鈔公司	吳籌中藏		
0220	法幣券	橫	貳圓	1941 年(民國三十年)	德納羅印鈔公司	許義宗舊藏	3	
0221	法幣券	橫	貳圓	1941 年(民國三十年)	德納羅印鈔公司	許義宗舊藏	1	
0222	法幣券	橫	貳圓	1941 年(民國三十年)	德納羅印鈔公司	許義宗舊藏		
0223	法幣券	橫	貳圓	1941 年(民國三十年)	德納羅印鈔公司	吳籌中藏		
0224	法幣券	橫	伍圓	1941 年(民國三十年)	德納羅印鈔公司	許義宗舊藏	1	樣本
0225	法幣券	橫	伍圓	1941 年(民國三十年)	德納羅印鈔公司	吳籌中藏		
0226	法幣券	橫	伍圓	1941 年(民國三十年)	德納羅印鈔公司	許義宗舊藏		
0227	法幣券	橫	伍圓	1941 年(民國三十年)	德納羅印鈔公司	許義宗舊藏		
0228	法幣券	橫	伍圓	1941 年(民國三十年)	德納羅印鈔公司	許義宗舊藏		
0229	法幣券	橫	伍圓	1941 年(民國三十年)	德納羅印鈔公司	吳籌中藏		
0230	法幣券	橫	伍圓	1942 年(民國三十一年)	德納羅印鈔公司	吳籌中藏		
0231	法幣券	橫	伍圓	1942 年(民國三十一年)	德納羅印鈔公司	選自《中國紙幣圖説》		
0232	法幣券	橫	拾圓	1942 年(民國三十一年)	德納羅印鈔公司	選自《中國紙幣圖説》		
0233	法幣券	橫	拾圓	1942 年(民國三十一年)	德納羅印鈔公司	吳籌中藏		
0234	法幣券	橫	拾圓	1942 年(民國三十一年)	德納羅印鈔公司	吳籌中藏		
0235	法幣券	橫	拾圓	1942 年(民國三十一年)	德納羅印鈔公司	吳籌中藏		
0236	法幣券	橫	伍百圓	1942 年(民國三十一年)	德納羅印鈔公司	王煒提供	1	票樣
0237	法幣券	橫	伍百圓	1942 年(民國三十一年)	德納羅印鈔公司	吳籌中藏		
0238	法幣券	橫	壹仟圓	1942 年(民國三十一年)	德納羅印鈔公司	選自《中國紙幣圖説》	1	票樣
0239	法幣券	橫	壹仟圓	1942 年(民國三十一年)	德納羅印鈔公司	吳籌中藏		
0240	法幣券	橫	貳仟圓	1942 年(民國三十一年)	德納羅印鈔公司	選自《中國紙幣圖説》	1	樣本

編號	券　　名	票型	面　　額	年　　份	印　刷　單　位	來　　源	等級	説　　明
0241	法幣券	橫	貳仟圓	1942 年(民國三十一年)	德納羅印鈔公司	吳籌中藏		
0242	法幣券	橫	伍拾圓	1944 年(民國三十三年)	德納羅印鈔公司	吳籌中藏		
0243	法幣券	橫	壹百圓	1944 年(民國三十三年)	德納羅印鈔公司	吳籌中藏		
0244	法幣券	橫	伍百圓	1944 年(民國三十三年)	德納羅印鈔公司	吳籌中藏		
0245	法幣券	橫	伍仟圓	1947 年(民國三十六年)	德納羅印鈔公司	吳籌中藏		
0246	法幣券	橫	壹萬圓	1947 年(民國三十六年)	德納羅印鈔公司	吳籌中藏		
0247	法幣券	橫	壹萬圓	1947 年(民國三十六年)	德納羅印鈔公司	王煒提供		
0248	法幣輔幣券	橫	壹分	1939 年(民國二十八年)	美商永寧有限公司	選自《中國紙幣圖説》		
0249	法幣輔幣券	橫	壹分	1939 年(民國二十八年)	美商永寧有限公司	選自《中國紙幣圖説》		
0250	法幣輔幣券	橫	壹分	1939 年(民國二十八年)	美商永寧有限公司	吳籌中藏		
0251	法幣輔幣券	橫	伍分	1939 年(民國二十八年)	美商永寧有限公司	選自《中國紙幣圖説》		
0252	法幣輔幣券	橫	伍分	1939 年(民國二十八年)	美商永寧有限公司	吳籌中藏		
0253	法幣輔幣券	橫	伍分	1939 年(民國二十八年)	美商永寧有限公司	選自《中國紙幣圖説》		
0254	法幣券	橫	伍拾圓	1941 年(民國三十年)	西北印刷公司	上海博物館藏	1	
0255	法幣券	橫	拾圓	1941 年(民國三十年)	中央信託局印製處	吳籌中藏		
0256	法幣券	橫	拾圓	1941 年(民國三十年)	中央信託局印製處	吳籌中藏		
0257	法幣券	橫	伍拾圓	1941 年(民國三十年)	中央信託局印製處	吳籌中藏		
0258	法幣券	橫	拾圓	1942 年(民國三十一年)	中央信託局印製處	選自《中國紙幣圖説》	1	樣張
0259	法幣券	橫	拾圓	1942 年(民國三十一年)	中央信託局印製處	吳籌中藏		
0260	法幣券	橫	拾圓	1942 年(民國三十一年)	中央信託局印製處	選自《中國紙幣圖説》		
0261	法幣券	橫	貳拾圓	1942 年(民國三十一年)	中央信託局印製處	吳籌中藏		
0262	法幣券	橫	壹百圓	1942 年(民國三十一年)	中央信託局印製處	選自《中國紙幣圖説》	1	樣張
0263	法幣券	橫	壹百圓	1942 年(民國三十一年)	中央信託局印製處	吳籌中藏		
0264	法幣券	橫	壹百圓	1942 年(民國三十一年)	中央信託局印製處	吳籌中藏		
0265	法幣券	橫	壹百圓	1943 年(民國三十二年)	中央信託局印製處	吳籌中藏		
0266	法幣券	橫	壹百圓	1944 年(民國三十三年)	中央信託局印製處	吳籌中藏		
0267	法幣券	橫	壹百圓	1944 年(民國三十三年)	中央信託局印製處	吳籌中藏		
0268	法幣券	橫	壹百圓	1944 年(民國三十三年)	中央信託局印製處	吳籌中藏		
0269	法幣券	橫	壹百圓	1944 年(民國三十三年)	中央信託局印製處	吳籌中藏		
0270	法幣券	橫	伍佰圓	1944 年(民國三十三年)	中央信託局印製處	吳籌中藏		
0271	法幣券	橫	壹仟圓	1944 年(民國三十三年)	中央信託局印製處	吳籌中藏		
0272	法幣券	橫	伍拾圓	1941 年(民國三十年)	福建百城印務局	王煒提供	1	
0273	法幣券	橫	壹百圓	1942 年(民國三十一年)	福建百城印務局	王煒提供		
0274	法幣券	橫	伍百圓	1945 年(民國三十四年)	福建百城印務局	王煒提供	1	樣張
0275	法幣券	橫	伍百圓	1945 年(民國三十四年)	福建百城印務局	王煒提供		
0276	法幣券	橫	壹仟圓	1945 年(民國三十四年)	福建百城印務局	王煒提供	1	樣張
0277	法幣券	橫	壹仟圓	1945 年(民國三十四年)	福建百城印務局	王煒提供		
0278	法幣券	橫	拾圓	1941 年(民國三十年)	美商保安鈔票公司	選自《中國紙幣圖説》	1	樣本
0279	法幣券	橫	拾圓	1941 年(民國三十年)	美商保安鈔票公司	吳籌中藏		
0280	法幣券	橫	拾圓	1941 年(民國三十年)	美商保安鈔票公司	吳籌中藏		
0281	法幣券	橫	貳拾圓	1941 年(民國三十年)	美商保安鈔票公司	選自《中國紙幣圖説》	1	樣本
0282	法幣券	橫	貳拾圓	1941 年(民國三十年)	美商保安鈔票公司	吳籌中藏		
0283	法幣券	橫	貳拾圓	1941 年(民國三十年)	美商保安鈔票公司	吳籌中藏		
0284	法幣券	橫	壹佰圓	1941 年(民國三十年)	美商保安鈔票公司	吳籌中藏		
0285	法幣券	橫	伍佰圓	1945 年(民國三十四年)	美商保安鈔票公司	選自《中國紙幣圖説》	1	樣本
0286	法幣券	橫	伍佰圓	1945 年(民國三十四年)	美商保安鈔票公司	吳籌中藏		
0287	法幣券	橫	壹仟圓	1945 年(民國三十四年)	美商保安鈔票公司	吳籌中藏		
0288	法幣券	橫	壹仟圓	1945 年(民國三十四年)	美商保安鈔票公司	選自《中國紙幣圖説》	1	樣本
0289	法幣券	橫	壹仟圓	1945 年(民國三十四年)	美商保安鈔票公司	吳籌中藏		
0290	法幣券	橫	壹萬圓	1947 年(民國三十六年)	美商保安鈔票公司	吳籌中藏		

續表

編號	券　名	票型	面　額	年　份	印刷單位	來　源	等級	説　明
0291	法幣券	橫	拾圓	1942年(民國三十一年)	大東書局有限公司	選自《中國紙幣圖説》	1	樣本
0292	法幣券	橫	拾圓	1942年(民國三十一年)	大東書局有限公司	吳籌中藏		
0293	法幣券	橫	貳佰圓	1945年(民國三十四年)	大東書局重慶廠	上海博物館藏		
0294	法幣券	橫	壹仟圓	1945年(民國三十四年)	大東書局重慶廠	吳籌中藏		
0295	法幣券	橫	貳仟圓	1945年(民國三十四年)	大東書局重慶廠	許義宗舊藏	1	樣張
0296	法幣券	橫	貳仟圓	1945年(民國三十四年)	大東書局重慶廠	吳籌中藏		
0297	法幣券	橫	貳仟伍佰圓	1945年(民國三十四年)	大東書局重慶廠	吳籌中藏		
0298	法幣券	橫	貳仟伍佰圓	1945年(民國三十四年)	大東書局重慶廠	許義宗舊藏		
0299	法幣券	橫	壹百圓	1942年(民國三十一年)	中國大業公司	許義宗舊藏		
0300	法幣券	橫	壹百圓	1942年(民國三十一年)	中國大業公司	吳籌中藏		
0301	法幣券	橫	貳百圓	1944年(民國三十三年)	中國大業公司	許義宗舊藏	1	樣本
0302	法幣券	橫	貳百圓	1944年(民國三十三年)	中國大業公司	吳籌中藏		
0303	法幣券	橫	肆百圓	1944年(民國三十三年)	中國大業公司	上海博物館藏		
0304	法幣券	橫	肆百圓	1944年(民國三十三年)	中國大業公司	許義宗舊藏		
0305	法幣券	橫	肆佰圓	1944年(民國三十三年)	中國大業公司	吳籌中藏		
0306	法幣券	橫	壹仟圓	1944年(民國三十三年)	中國大業公司	吳籌中藏		
0307	法幣券	橫	壹仟圓	1945年(民國三十四年)	中國大業公司	許義宗舊藏	1	樣本
0308	法幣券	橫	壹仟圓	1945年(民國三十四年)	中國大業公司	吳籌中藏		
0309	法幣券	橫	壹仟圓	1945年(民國三十四年)	中國大業公司	許義宗舊藏		
0310	法幣券	橫	貳仟圓	1945年(民國三十四年)	中國大業公司	吳籌中藏		
0311	法幣券	橫	貳仟圓	1945年(民國三十四年)	中國大業公司	許義宗舊藏		
0312	法幣券	橫	伍仟圓	1945年(民國三十四年)	中國大業公司	許義宗舊藏	1	樣本
0313	法幣券	橫	伍仟圓	1945年(民國三十四年)	中國大業公司	吳籌中藏		
0314	法幣券	橫	伍仟圓	1945年(民國三十四年)	中國大業公司	許義宗舊藏		
0315	法幣券	橫	伍仟圓	1945年(民國三十四年)	中國大業公司	吳籌中藏		
0316	法幣券	橫	伍仟圓	1947年(民國三十六年)	中國大業公司	許義宗舊藏		
0317	法幣券	橫	伍仟圓	1947年(民國三十六年)	中國大業公司	吳籌中藏		
0318	法幣券	橫	壹萬圓	1947年(民國三十六年)	中國大業公司	許義宗舊藏	1	樣張
0319	法幣券	橫	壹萬圓	1947年(民國三十六年)	中國大業公司	吳籌中藏		
0320	法幣券	橫	壹萬圓	1947年(民國三十六年)	中國大業公司	吳籌中藏		
0321	法幣券	橫	伍佰圓	1944年(民國三十三年)	英美鈔票公司	許義宗舊藏	1	樣本
0322	法幣券	橫	伍佰圓	1944年(民國三十三年)	英美鈔票公司	吳籌中藏		
0323	法幣券	橫	壹仟圓	1945年(民國三十四年)	美國西方鈔票印務公司	吳籌中藏		
0324	法幣券	橫	壹百圓	1945年(民國三十四年)	華南印刷公司	吳籌中藏		
0325	法幣券	橫	壹仟圓	1945年(民國三十四年)	華南印刷公司	許義宗舊藏	1	樣張
0326	法幣券	橫	壹仟圓	1945年(民國三十四年)	華南印刷公司	吳籌中藏		
0327	法幣券	橫	貳仟伍百圓	1945年(民國三十四年)	華南印刷公司	許義宗舊藏	2	樣張
0328	法幣券	橫	貳仟伍百圓	1945年(民國三十四年)	華南印刷公司	吳籌中藏	1	
0329	法幣券	橫	肆佰圓	1945年(民國三十四年)	中央印製廠	許義宗舊藏	1	樣張
0330	法幣券	橫	肆佰圓	1945年(民國三十四年)	中央印製廠	吳籌中藏		
0331	法幣券	橫	伍佰圓	1945年(民國三十四年)	中央印製廠	許義宗舊藏	1	樣張
0332	法幣券	橫	伍佰圓	1945年(民國三十四年)	中央印製廠	吳籌中藏		
0333	法幣券	橫	壹仟圓	1945年(民國三十四年)	中央印製廠	吳籌中藏		
0334	法幣券	橫	壹仟圓	1945年(民國三十四年)	中央印製廠	許義宗舊藏	1	樣張
0335	法幣券	橫	壹仟圓	1945年(民國三十四年)	中央印製廠	吳籌中藏		
0336	法幣券	橫	壹仟圓	1945年(民國三十四年)	中央印製廠	許義宗舊藏	1	樣張
0337	法幣券	橫	壹仟圓	1945年(民國三十四年)	中央印製廠	吳籌中藏		
0338	法幣券	橫	貳仟圓	1945年(民國三十四年)	中央印製廠	吳籌中藏		
0339	法幣券	橫	貳仟圓	1945年(民國三十四年)	中央印製廠	許義宗舊藏	1	樣張
0340	法幣券	橫	貳仟圓	1945年(民國三十四年)	中央印製廠	吳籌中藏		

編號	券　　名	票型	面　額	年　份	印刷單位	來　源	等級	説　明
0341	法幣券	橫	伍仟圓	1945 年(民國三十四年)	中央印製廠	許義宗舊藏	1	樣張
0342	法幣券	橫	伍仟圓	1945 年(民國三十四年)	中央印製廠	吳籌中藏		
0343	法幣券	橫	伍仟圓	1947 年(民國三十六年)	中央印製廠	吳籌中藏		
0344	法幣券	橫	壹萬圓	1947 年(民國三十六年)	中央印製廠	吳籌中藏		
0345	法幣券	橫	壹萬圓	1947 年(民國三十六年)	中央印製廠	中國人民銀行上海分行藏		
0346	法幣券	橫	拾圓	1945 年(民國三十四年)	中央印製廠上海廠	吳籌中藏		
0347	法幣券	橫	伍拾圓	1945 年(民國三十四年)	中央印製廠上海廠	許義宗舊藏	1	樣券
0348	法幣券	橫	伍拾圓	1945 年(民國三十四年)	中央印製廠上海廠	吳籌中藏		
0349	法幣券	橫	壹百圓	1945 年(民國三十四年)	中央印製廠上海廠	吳籌中藏		
0350	法幣券	橫	伍佰圓	1945 年(民國三十四年)	中央印製廠上海廠	吳籌中藏		
0351	法幣券	橫	壹仟圓	1945 年(民國三十四年)	中央印製廠上海廠	吳籌中藏		
0352	法幣券	橫	壹仟圓	1945 年(民國三十四年)	中央印製廠上海廠	吳籌中藏		
0353	法幣券	橫	貳仟圓	1947 年(民國三十六年)	中央印製廠上海廠	吳籌中藏		
0354	法幣券	橫	伍仟圓	1947 年(民國三十六年)	中央印製廠上海廠	吳籌中藏		
0355	法幣券	橫	壹萬圓	1947 年(民國三十六年)	中央印製廠上海廠	吳籌中藏		
0356	法幣券	橫	壹萬圓	1947 年(民國三十六年)	中央印製廠北平廠	吳籌中藏		
0357	東北九省流通券	橫	壹圓	1945 年(民國三十四年)	中央印製廠上海廠	吳籌中藏	1	
0358	東北九省流通券	橫	伍圓	1945 年(民國三十四年)	中央印製廠上海廠	吳籌中藏	1	
0359	東北九省流通券	橫	伍圓	1945 年(民國三十四年)	中央印製廠北平廠	上海博物館藏	3	
0360	東北九省流通券	橫	拾圓	1945 年(民國三十四年)	中央印製廠上海廠	吳籌中藏		
0361	東北九省流通券	橫	伍拾圓	1945 年(民國三十四年)	中央印製廠	吳籌中藏	1	
0362	東北九省流通券	橫	壹佰圓	1945 年(民國三十四年)	中央印製廠上海廠	吳籌中藏		
0363	東北九省流通券	橫	伍百圓	1946 年(民國三十五年)	中央印製廠上海廠	吳籌中藏		
0364	東北九省流通券	橫	伍百圓	1947 年(民國三十六年)	中央印製廠北平廠	吳籌中藏	1	
0365	東北九省流通券	橫	伍佰圓	1947 年(民國三十六年)	中央印製廠上海廠	吳籌中藏		
0366	東北九省流通券	橫	壹仟圓	1947 年(民國三十六年)	中央印製廠	吳籌中藏		
0367	東北九省流通券	橫	貳仟圓	1947 年(民國三十六年)	中央印製廠	吳籌中藏		
0368	東北九省流通券	橫	貳仟圓	1948 年(民國三十七年)	中央印製廠	吳籌中藏		
0369	東北九省流通券	橫	伍仟圓	1948 年(民國三十七年)	中央印製廠	吳籌中藏		
0370	東北九省流通券	橫	伍仟圓	1948 年(民國三十七年)	中央印製廠	中國人民銀行上海分行藏	1	
0371	東北九省流通券	橫	壹萬圓	1948 年(民國三十七年)	中央印製廠	中國人民銀行上海分行藏		
0372	法幣券	橫	伍佰圓	1945 年(民國三十四年)	美商保安鈔票公司	選自《中國軍用鈔票史略》	2	東北、杜聿明
0373	新疆省流通券	橫	伍拾圓	1945 年(民國三十四年)	中央印製廠	中國人民銀行上海分行藏	4	樣張
0374	新疆省流通券	橫	伍拾圓	1945 年(民國三十四年)	中央印製廠	選自《中國紙幣圖説》	3	
0375	新疆省流通券	橫	壹佰圓	1945 年(民國三十四年)	中央印製廠	中國人民銀行上海分行藏	4	樣張
0376	新疆省流通券	橫	壹佰圓	1945 年(民國三十四年)	中央印製廠	選自《中國紙幣圖説》	4	
0377	台灣流通券	橫	拾圓	1945 年(民國三十四年)	中央印製廠上海廠	中國人民銀行上海分行藏	4	樣張
0378	台灣流通券	橫	拾圓	1945 年(民國三十四年)	中央印製廠上海廠	上海博物館藏	4	
0379	台灣流通券	橫	伍拾圓	1945 年(民國三十四年)	中央印製廠上海廠	中國人民銀行上海分行藏	4	樣張
0380	台灣流通券	橫	壹佰圓	1945 年(民國三十四年)	中央印製廠上海廠	選自《中國紙幣圖説》	4	
0381	越南流通券	橫	伍圓	1945 年(民國三十四年)	中央印製廠	中國人民銀行上海分行藏	4	樣張
0382	越南流通券	橫	伍圓	1945 年(民國三十四年)	中央印製廠	上海博物館藏	4	
0383	越南流通券	橫	拾圓	1945 年(民國三十四年)	中央印製廠	中國人民銀行上海分行藏	4	樣張
0384	越南流通券	橫	拾圓	1945 年(民國三十四年)	中央印製廠	上海博物館藏	4	
0385	越南流通券	橫	伍拾圓	1945 年(民國三十四年)	中央印製廠	中國人民銀行上海分行藏	4	樣張
0386	越南流通券	橫	伍拾圓	1945 年(民國三十四年)	中央印製廠	上海博物館藏	4	
0387	關金輔幣券	直	拾分	1930 年(民國十九年)	美國鈔票公司	稽昂藏	2	樣張
0388	關金輔幣券	直	拾分	1930 年(民國十九年)	美國鈔票公司	吳籌中藏	1	無字冠
0389	關金輔幣券	直	拾分	1930 年(民國十九年)	美國鈔票公司	吳籌中藏	1	單字冠
0390	關金輔幣券	直	拾分	1930 年(民國十九年)	美國鈔票公司	選自《中國紙幣圖説》	1	雙字冠

續表

編號	券　名	票型	面　額	年　份	印刷單位	來　源	等級	説　明
0391	關金輔幣券	直	廿分	1930 年(民國十九年)	美國鈔票公司	稽昂藏	2	樣張
0392	關金輔幣券	直	廿分	1930 年(民國十九年)	美國鈔票公司	吳籌中藏		無字冠
0393	關金輔幣券	直	廿分	1930 年(民國十九年)	美國鈔票公司	吳籌中藏		單字冠
0394	關金券	直	壹圓	1930 年(民國十九年)	美國鈔票公司	稽昂藏	2	樣張
0395	關金券	直	壹圓	1930 年(民國十九年)	美國鈔票公司	吳籌中藏		無字冠
0396	關金券	直	壹圓	1930 年(民國十九年)	美國鈔票公司	吳籌中藏		單字冠
0397	關金券	直	壹圓	1930 年(民國十九年)	美國鈔票公司	許義宗舊藏		單字冠
0398	關金券	直	壹圓	1930 年(民國十九年)	美國鈔票公司	吳籌中藏		雙字冠
0399	關金券	直	伍圓	1930 年(民國十九年)	美國鈔票公司	稽昂藏	2	樣張
0400	關金券	直	伍圓	1930 年(民國十九年)	美國鈔票公司	許義宗舊藏		單字冠
0401	關金券	直	伍圓	1930 年(民國十九年)	美國鈔票公司	吳籌中藏		雙字冠
0402	關金券	直	伍圓	1930 年(民國十九年)	美國鈔票公司	吳籌中藏		無字冠
0403	關金券	直	伍圓	1930 年(民國十九年)	美國鈔票公司	吳籌中藏		單字冠
0404	關金券	直	拾圓	1930 年(民國十九年)	美國鈔票公司	稽昂藏	2	樣張
0405	關金券	直	拾圓	1930 年(民國十九年)	美國鈔票公司	許義宗舊藏		單字冠
0406	關金券	直	拾圓	1930 年(民國十九年)	美國鈔票公司	吳籌中藏		雙字冠
0407	關金券	直	拾圓	1930 年(民國十九年)	美國鈔票公司	許義宗舊藏		無字冠
0408	關金券	直	貳拾圓	1930 年(民國十九年)	美國鈔票公司	許義宗舊藏		無字冠
0409	關金券	直	貳拾圓	1930 年(民國十九年)	美國鈔票公司	吳籌中藏		單字冠
0410	關金券	直	貳拾圓	1930 年(民國十九年)	美國鈔票公司	中國人民銀行上海分行藏		雙字冠
0411	關金券	直	伍拾圓	1930 年(民國十九年)	美國鈔票公司	稽昂藏	2	樣張
0412	關金券	直	伍拾圓	1930 年(民國十九年)	美國鈔票公司	許義宗舊藏		無字冠
0413	關金券	直	伍拾圓	1930 年(民國十九年)	美國鈔票公司	許義宗舊藏		單字冠
0414	關金券	直	伍拾圓	1930 年(民國十九年)	美國鈔票公司	吳籌中藏		雙字冠
0415	關金券	直	壹百圓	1930 年(民國十九年)	美國鈔票公司	稽昂藏	2	樣張
0416	關金券	直	壹百圓	1930 年(民國十九年)	美國鈔票公司	許義宗舊藏		無字冠
0417	關金券	直	壹百圓	1930 年(民國十九年)	美國鈔票公司	吳籌中藏		單字冠
0418	關金券	直	壹百圓	1930 年(民國十九年)	美國鈔票公司	吳籌中藏		雙字冠
0419	關金券	直	貳佰伍拾圓	1930 年(民國十九年)	美國鈔票公司	選自《中國紙幣圖説》	1	樣本
0420	關金券	直	貳佰伍拾圓	1930 年(民國十九年)	美國鈔票公司	選自《中國紙幣圖説》		無字冠
0421	關金券	直	貳佰伍拾圓	1930 年(民國十九年)	美國鈔票公司	吳籌中藏		雙字冠
0422	關金券	直	伍佰圓	1930 年(民國十九年)	美國鈔票公司	稽昂藏	2	樣張
0423	關金券	直	伍佰圓	1930 年(民國十九年)	美國鈔票公司	許義宗舊藏		無字冠
0424	關金券	直	伍佰圓	1930 年(民國十九年)	美國鈔票公司	吳籌中藏		單字冠
0425	關金券	直	伍佰圓	1930 年(民國十九年)	美國鈔票公司	許義宗舊藏		雙字冠
0426	關金券	直	伍佰圓	1947 年(民國三十六年)	美國鈔票公司	吳籌中藏		雙字冠
0427	關金券	直	貳仟圓	1947 年(民國三十六年)	美國鈔票公司	稽昂藏	2	樣張 5 號碼
0428	關金券	直	貳仟圓	1947 年(民國三十六年)	美國鈔票公司	稽昂藏	2	樣張 6 號碼
0429	關金券	直	貳仟圓	1947 年(民國三十六年)	美國鈔票公司	許義宗舊藏		無字冠
0430	關金券	直	貳仟圓	1947 年(民國三十六年)	美國鈔票公司	吳籌中藏		單字冠
0431	關金券	直	貳仟圓	1947 年(民國三十六年)	美國鈔票公司	許義宗舊藏		前雙字冠
0432	關金券	直	貳仟圓	1947 年(民國三十六年)	美國鈔票公司	許義宗舊藏		雙字冠
0433	關金券	直	貳仟圓	1947 年(民國三十六年)	美國鈔票公司	許義宗舊藏		三字冠
0434	關金券	直	伍仟圓	1948 年(民國三十七年)	美國鈔票公司	許義宗舊藏	2	試樣票
0435	關金券	直	伍仟圓	1948 年(民國三十七年)	美國鈔票公司	稽昂藏	2	樣張
0436	關金券	直	伍仟圓	1948 年(民國三十七年)	美國鈔票公司	許義宗舊藏		無字冠
0437	關金券	直	伍仟圓	1948 年(民國三十七年)	美國鈔票公司	吳籌中藏		單字冠
0438	關金券	直	伍仟圓	1948 年(民國三十七年)	美國鈔票公司	許義宗舊藏		雙字冠
0439	關金券	直	貳萬伍仟圓	1948 年(民國三十七年)	美國鈔票公司	許義宗舊藏	1	樣本
0440	關金券	直	貳萬伍仟圓	1948 年(民國三十七年)	美國鈔票公司	吳籌中藏	1	無字冠

編號	券　名	票型	面　額	年　份	印刷單位	來　源	等級	說　明
0441	關金券	直	貳萬伍仟圓	1948 年(民國三十七年)	美國鈔票公司	許義宗舊藏	1	單字冠
0442	關金券	直	貳萬伍仟圓	1948 年(民國三十七年)	美國鈔票公司	嵇昂藏	2	樣張
0443	關金券	直	貳拾伍萬圓	1948 年(民國三十七年)	美國鈔票公司	選自《中國紙幣圖說》	2	試樣票
0444	關金券	橫	壹佰圓	1947 年(民國三十六年)	英國華德路公司	許義宗舊藏	4	樣本券
0445	關金券	橫	壹佰圓	1947 年(民國三十六年)	英國華德路公司	馮志苗藏	4	樣本券
0446	關金券	橫	伍佰圓	1947 年(民國三十六年)	英國華德路公司	吳籌中藏	1	
0447	關金券	直	壹萬圓	1948 年(民國三十七年)	英國華德路公司	吳籌中藏	3	
0448	關金券	直	貳仟圓	1947 年(民國三十六年)	德納羅印鈔公司	許義宗舊藏	1	樣本
0449	關金券	直	貳仟圓	1947 年(民國三十六年)	德納羅印鈔公司	吳籌中藏		
0450	關金券	直	伍仟圓	1947 年(民國三十六年)	德納羅印鈔公司	許義宗舊藏	1	樣本
0451	關金券	直	伍仟圓	1947 年(民國三十六年)	德納羅印鈔公司	吳籌中藏		
0452	關金券	直	壹萬圓	1947 年(民國三十六年)	德納羅印鈔公司	選自《中國紙幣圖說》	1	樣本
0453	關金券	直	壹萬圓	1947 年(民國三十六年)	德納羅印鈔公司	吳籌中藏		
0454	關金券	直	壹仟圓	1947 年(民國三十六年)	大業印刷公司	吳籌中藏		
0455	關金券	直	貳仟圓	1947 年(民國三十六年)	大業印刷公司	吳籌中藏		
0456	關金券	直	壹仟圓	1947 年(民國三十六年)	中華書局有限公司	吳籌中藏		
0457	關金券	直	壹仟圓	1947 年(民國三十六年)	中華書局有限公司	選自《中國紙幣圖說》	1	樣張
0458	關金券	直	壹仟圓	1947 年(民國三十六年)	中華書局有限公司	吳籌中藏		
0459	關金券	直	貳仟圓	1947 年(民國三十六年)	中華書局有限公司	選自《中國紙幣圖說》	1	樣張
0460	關金券	直	貳仟圓	1947 年(民國三十六年)	中華書局有限公司	吳籌中藏		
0461	關金券	直	貳仟伍佰圓	1947 年(民國三十六年)	中華書局有限公司	選自《中國紙幣圖說》	1	樣張
0462	關金券	直	貳仟伍佰圓	1947 年(民國三十六年)	中華書局有限公司	吳籌中藏		
0463	關金券	直	伍仟圓	1947 年(民國三十六年)	中華書局有限公司	選自《中國紙幣圖說》	1	樣張
0464	關金券	直	伍仟圓	1947 年(民國三十六年)	中華書局有限公司	吳籌中藏		
0465	關金券	直	伍仟圓	1948 年(民國三十七年)	中華書局有限公司	選自《中國紙幣圖說》	1	樣張
0466	關金券	直	伍仟圓	1948 年(民國三十七年)	中華書局有限公司	吳籌中藏		
0467	關金券	直	貳萬伍仟圓	1948 年(民國三十七年)	中華書局有限公司	選自《中國紙幣圖說》	2	樣張
0468	關金券	直	貳萬伍仟圓	1948 年(民國三十七年)	中華書局有限公司	吳籌中藏	1	
0469	關金券	直	伍萬圓	1948 年(民國三十七年)	中華書局有限公司	選自《中國紙幣圖說》	3	樣張
0470	關金券	直	伍萬圓	1948 年(民國三十七年)	中華書局有限公司	上海博物館藏	3	
0471	關金券	直	伍萬圓	1948 年(民國三十七年)	中央印製廠	中國人民銀行上海分行藏	3	
0472	關金券	直	伍佰圓	1947 年(民國三十六年)	美商保安鈔票公司	選自《中國紙幣圖說》	1	樣本
0473	關金券	直	伍佰圓	1947 年(民國三十六年)	美商保安鈔票公司	吳籌中藏		
0474	關金券	直	貳仟圓	1947 年(民國三十六年)	美商保安鈔票公司	選自《中國紙幣圖說》	1	樣本
0475	關金券	直	貳仟圓	1947 年(民國三十六年)	美商保安鈔票公司	吳籌中藏		
0476	關金券	直	伍仟圓	1948 年(民國三十七年)	美商保安鈔票公司	選自《中國紙幣圖說》	1	樣本
0477	關金券	直	伍仟圓	1948 年(民國三十七年)	美商保安鈔票公司	吳籌中藏		
0478	關金券	直	壹萬圓	1948 年(民國三十七年)	美商保安鈔票公司	選自《中國紙幣圖說》	1	樣本
0479	關金券	直	壹萬圓	1948 年(民國三十七年)	美商保安鈔票公司	吳籌中藏		
0480	關金券	直	壹仟圓	1947 年(民國三十六年)	中央印製廠	吳籌中藏		雙字冠
0481	關金券	直	壹仟圓	1947 年(民國三十六年)	中央印製廠	選自《中國紙幣圖說》		三字冠
0482	關金券	直	壹仟圓	1947 年(民國三十六年)	中央印製廠	選自《中國紙幣圖說》		雙字冠
0483	關金券	直	壹仟圓	1947 年(民國三十六年)	中央印製廠	選自《中國紙幣圖說》		三字冠
0484	關金券	直	貳仟圓	1947 年(民國三十六年)	中央印製廠	吳籌中藏		
0485	關金券	直	伍仟圓	1947 年(民國三十六年)	中央印製廠	吳籌中藏		
0486	關金券	直	伍仟圓	1947 年(民國三十六年)	中央印製廠	許義宗舊藏	1	樣張
0487	關金券	直	伍仟圓	1947 年(民國三十六年)	中央印製廠	吳籌中藏		
0488	關金券	直	伍仟圓	1947 年(民國三十六年)	中央印製廠	吳籌中藏		
0489	關金券	直	貳仟圓	1948 年(民國三十七年)	中央印製廠	吳籌中藏		
0490	關金券	直	貳仟伍佰圓	1948 年(民國三十七年)	中央印製廠	吳籌中藏		

編號	券 名	票型	面 額	年 份	印 刷 單 位	來 源	等級	説 明
0491	關金券	直	伍仟圓	1948年（民國三十七年）	中央印製廠	許義宗舊藏	1	樣張
0492	關金券	直	伍仟圓	1948年（民國三十七年）	中央印製廠	吳籌中藏		
0493	關金券	直	伍仟圓	1948年（民國三十七年）	中央印製廠	許義宗舊藏		
0494	關金券	直	壹萬圓	1948年（民國三十七年）	中央印製廠	吳籌中藏		
0495	關金券	直	貳萬伍仟圓	1948年（民國三十七年）	中央印製廠	許義宗舊藏	1	樣張
0496	關金券	直	貳萬伍仟圓	1948年（民國三十七年）	中央印製廠	吳籌中藏		
0497	關金券	直	伍萬圓	1948年（民國三十七年）	中央印製廠	吳籌中藏	1	
0498	關金券	直	伍萬圓	1948年（民國三十七年）	中央印製廠	吳籌中藏		
0499	關金券	直	伍萬圓	1948年（民國三十七年）	中央印製廠	吳籌中藏		
0500	關金券	直	伍萬圓	1948年（民國三十七年）	中央印製廠	吳籌中藏	1	
0501	關金券	直	貳拾伍萬圓	1948年（民國三十七年）	中央印製廠	許義宗舊藏	2	樣張
0502	關金券	直	貳拾伍萬圓	1948年（民國三十七年）	中央印製廠	許義宗舊藏	1	
0503	金圓券	橫	壹圓	1945年	美國鈔票公司	許義宗舊藏	2	試樣票
0504	金圓券	橫	壹圓	1945年	美國鈔票公司	稽昂藏	2	樣張
0505	金圓券	橫	壹圓	1945年	美國鈔票公司	稽昂藏	2	樣本
0506	金圓券	橫	壹圓	1945年	美國鈔票公司	吳籌中藏		無字冠
0507	金圓券	橫	壹圓	1945年	美國鈔票公司	許義宗舊藏		單字冠
0508	金圓券	橫	壹圓	1945年	美國鈔票公司	許義宗舊藏		雙字冠
0509	金圓券	橫	伍圓	1945年	美國鈔票公司	稽昂藏	2	樣張
0510	金圓券	橫	伍圓	1945年	美國鈔票公司	吳籌中藏		無字冠
0511	金圓券	橫	伍圓	1945年	美國鈔票公司	許義宗舊藏		單字冠
0512	金圓券	橫	伍圓	1945年	美國鈔票公司	吳籌中藏		雙字冠
0513	金圓券	橫	拾圓	1945年	美國鈔票公司	稽昂藏	2	樣張
0514	金圓券	橫	拾圓	1945年	美國鈔票公司	吳籌中藏		無字冠
0515	金圓券	橫	拾圓	1945年	美國鈔票公司	吳籌中藏		單字冠
0516	金圓券	橫	拾圓	1945年	美國鈔票公司	吳籌中藏		雙字冠
0517	金圓券	橫	貳拾圓	1945年	美國鈔票公司	許義宗舊藏	1	試樣票
0518	金圓券	橫	貳拾圓	1945年	美國鈔票公司	吳籌中藏		無字冠
0519	金圓券	橫	貳拾圓	1945年	美國鈔票公司	許義宗舊藏		單字冠
0520	金圓券	橫	貳拾圓	1945年	美國鈔票公司	許義宗舊藏		雙字冠
0521	金圓券	橫	伍拾圓	1945年	美國鈔票公司	許義宗舊藏	2	試樣票
0522	金圓券	橫	伍拾圓	1945年	美國鈔票公司	稽昂藏	2	樣張
0523	金圓券	橫	伍拾圓	1945年	美國鈔票公司	稽昂藏	2	樣張
0524	金圓券	橫	伍拾圓	1945年	美國鈔票公司	吳籌中藏		
0525	金圓券	橫	伍拾圓	1945年	美國鈔票公司	吳籌中藏		
0526	金圓券	橫	伍拾圓	1945年	美國鈔票公司	許義宗舊藏		
0527	金圓券	橫	伍拾圓	1945年	美國鈔票公司	吳籌中藏		
0528	金圓券	橫	壹百圓	1945年	美國鈔票公司	吳籌中藏		無字冠
0529	金圓券	橫	壹百圓	1945年	美國鈔票公司	吳籌中藏		單字冠
0530	金圓券	橫	壹百圓	1945年	美國鈔票公司	許義宗舊藏		雙字冠
0531	金圓券	橫	貳百圓	1945年	美國鈔票公司	許義宗舊藏	3	試樣票
0532	金圓券	橫	伍仟圓	1948年	美國鈔票公司	許義宗舊藏	3	試樣票
0533	金圓券	橫	拾萬圓	1948年	美國鈔票公司	日本 宮崎イリ藏	3	試樣票
0534	金圓券	橫	伍拾萬圓	1948年	美國鈔票公司	日本 宮崎イリ藏	3	試樣票
0535	金圓輔幣券	橫	壹角	1946年	德納羅鈔票公司	吳籌中藏		
0536	金圓輔幣券	橫	貳角	1946年	德納羅鈔票公司	選自《中國紙幣圖説》	1	樣本
0537	金圓輔幣券	橫	貳角	1946年	德納羅鈔票公司	吳籌中藏		
0538	金圓券	橫	伍拾圓	1948年	德納羅鈔票公司	選自《中國紙幣圖説》		
0539	金圓券	橫	伍萬圓	1949年	德納羅鈔票公司	選自《中國紙幣圖説》		
0540	金圓輔幣券	橫	伍角	1945年	美商保安鈔票公司	選自《中國紙幣圖説》	1	

編號	券　名	票型	面　額	年　份	印刷單位	來　源	等級	説　明
0541	金圓券	橫	伍圓	1945 年(民國三十四年)	美商保安鈔票公司	吳籌中藏	4	
0542	金圓券	橫	伍拾圓	1948 年	美商保安鈔票公司	吳籌中藏	3	
0543	金圓券	橫	伍拾萬圓	1949 年	美商保安鈔票公司	選自《中國紙幣圖説》	3	
0544	金圓輔幣券	橫	伍角	1948 年	中央印製廠	吳籌中藏		
0545	金圓券	橫	拾圓	1948 年	中央印製廠	選自《中國紙幣圖説》	1	樣張
0546	金圓券	橫	拾圓	1948 年	中央印製廠	吳籌中藏		
0547	金圓券	橫	貳拾圓	1948 年	中央印製廠	吳籌中藏		
0548	金圓券	橫	伍拾圓	1948 年	中央印製廠	選自《中國紙幣圖説》	1	樣張
0549	金圓券	橫	伍拾圓	1948 年	中央印製廠	吳籌中藏		
0550	金圓券	橫	壹佰圓	1948 年	中央印製廠	馮志苗藏		
0551	金圓券	橫	壹佰圓	1948 年	中央印製廠	吳籌中藏		
0552	金圓券	橫	壹佰圓	1948 年	中央印製廠	選自《中國紙幣圖説》	1	樣張
0553	金圓券	橫	壹佰圓	1949 年	中央印製廠	吳籌中藏		
0554	金圓券	橫	伍佰圓	1949 年	中央印製廠	吳籌中藏		
0555	金圓券	橫	壹仟圓	1949 年	中央印製廠	吳籌中藏		
0556	金圓券	橫	壹仟圓	1949 年	中央印製廠	吳籌中藏		
0557	金圓券	橫	壹仟圓	1949 年	中央印製廠特約一廠	吳籌中藏		
0558	金圓券	橫	壹仟圓	1949 年	中央印製廠特約二廠	吳籌中藏		
0559	金圓券	橫	壹仟圓	1949 年	中央印製廠特約三廠	吳籌中藏		
0560	金圓券	橫	壹仟圓	1949 年	中央印製廠特約四廠	吳籌中藏		
0561	金圓券	橫	伍仟圓	1949 年	中央印製廠	吳籌中藏		
0562	金圓券	橫	伍仟圓	1949 年	中央印製廠特約三廠	吳籌中藏		
0563	金圓券	橫	壹萬圓	1949 年	中央印製廠	吳籌中藏		
0564	金圓券	橫	壹萬圓	1949 年	中央印製廠特約一廠	吳籌中藏		
0565	金圓券	橫	伍萬圓	1949 年	中央印製廠	吳籌中藏		
0566	金圓券	橫	伍萬圓	1949 年	中央印製廠	吳籌中藏		
0567	金圓券	橫	伍萬圓	1949 年	中央印製廠特約二廠	吳籌中藏		
0568	金圓券	橫	拾萬圓	1949 年	中央印製廠	吳籌中藏		
0569	金圓券	橫	拾萬圓	1949 年	中央印製廠特約一廠	吳籌中藏		
0570	金圓券	橫	拾萬圓	1949 年	中央印製廠特約二廠	吳籌中藏		
0571	金圓券	橫	拾萬圓	1949 年	中央印製廠特約三廠	吳籌中藏		
0572	金圓券	橫	拾萬圓	1949 年	中央印製廠特約四廠	吳籌中藏		
0573	金圓券	橫	拾萬圓	1949 年	中央印製廠台北廠	選自《中國紙幣圖説》	2	
0574	金圓券	橫	伍拾萬圓	1949 年	中央印製廠	吳籌中藏		
0575	金圓券	橫	伍拾萬圓	1949 年	中央印製廠特約一廠	吳籌中藏		
0576	金圓券	橫	伍拾萬圓	1949 年	中央印製廠特約二廠	吳籌中藏		
0577	金圓券	橫	伍拾萬圓	1949 年	中央印製廠特約三廠	吳籌中藏		
0578	金圓券	橫	伍拾萬圓	1949 年	中央印製廠特約四廠	吳籌中藏		
0579	金圓券	橫	伍拾萬圓	1949 年	中央印製廠台北廠	選自《中國紙幣圖説》	2	
0580	金圓券	橫	壹佰萬圓	1949 年	中央印製廠	選自《中國紙幣圖説》	2	
0581	金圓券	橫	伍佰萬圓	1949 年	中央印製廠	英國　伍益嘉藏	2	
0582	金圓輔幣券	橫	壹角	1949 年	中央印製廠	英國　伍益嘉藏	4	
0583	金圓輔幣券	橫	貳角	1949 年	中央印製廠	英國　伍益嘉藏	4	
0584	金圓券	橫	貳拾圓	1948 年	中華書局股份有限公司	許義宗舊藏	1	樣張
0585	金圓券	橫	貳拾圓	1948 年	中華書局股份有限公司	吳籌中藏		
0586	金圓券	橫	伍拾圓	1948 年	中華書局股份有限公司	吳籌中藏		
0587	金圓券	橫	壹佰圓	1948 年	中華書局股份有限公司	許義宗舊藏	1	樣張
0588	金圓券	橫	壹佰圓	1948 年	中華書局股份有限公司	吳籌中藏		
0589	金圓券	橫	伍佰圓	1949 年	中華書局股份有限公司	吳籌中藏		
0590	金圓券	橫	壹仟圓	1949 年	中華書局股份有限公司	吳籌中藏		

編號	券　名	票型	面　額	年　份	印刷單位	來　源	等級	説　明
0591	金圓券	橫	伍仟圓	1949 年	中華書局股份有限公司	吳籌中藏		
0592	金圓券	橫	壹萬圓	1949 年	中華書局股份有限公司	吳籌中藏		
0593	金圓券	橫	拾萬圓	1949 年	中華書局股份有限公司	吳籌中藏		
0594	金圓券	橫	伍拾萬圓	1949 年	中華書局股份有限公司	中國人民銀行上海分行藏		
0595	金圓券	橫	壹佰萬圓	1949 年	中華書局股份有限公司	吳籌中藏	1	
0596	金圓券	橫	伍佰萬圓	1949 年	中華書局股份有限公司	選自《中國紙幣圖説》	2	
0597	銀元輔幣券	橫	伍分	1949 年(民國三十八年)	中華書局股份有限公司	選自《中國紙幣圖説》	3	
0598	銀元輔幣券	橫	壹角	1949 年(民國三十八年)	中華書局股份有限公司	吳籌中藏		
0599	銀元輔幣券	橫	壹角	1949 年(民國三十八年)	中華書局股份有限公司	選自《中國紙幣圖説》		
0600	銀元輔幣券	橫	貳角	1949 年(民國三十八年)	中華書局股份有限公司	吳籌中藏		
0601	銀元輔幣券	橫	貳角	1949 年(民國三十八年)	中華書局股份有限公司	選自《中國紙幣圖説》		
0602	銀元輔幣券	橫	伍角	1949 年(民國三十八年)	中華書局股份有限公司	選自《中國紙幣圖説》	2	
0603	銀元券	橫	壹圓	1949 年(民國三十八年)	中華書局股份有限公司	吳籌中藏		
0604	銀元券	橫	伍圓	1949 年(民國三十八年)	中華書局股份有限公司	許義宗舊藏		
0605	銀元券	橫	拾圓	1949 年(民國三十八年)	中華書局股份有限公司	許義宗舊藏		
0606	銀元券	橫	壹圓	1949 年(民國三十八年)	中華書局股份有限公司	吳籌中藏		廣州
0607	銀元券	橫	伍圓	1949 年(民國三十八年)	中華書局股份有限公司	吳籌中藏	1	廣州
0608	銀元券	橫	拾圓	1949 年(民國三十八年)	中華書局股份有限公司	吳籌中藏	1	廣州
0609	銀元券	橫	拾圓	1949 年(民國三十八年)	中華書局股份有限公司	許義宗舊藏	1	廣州
0610	銀元輔幣券	直	壹分	1949 年(民國三十八年)	中央印製廠重慶廠	馮志苗藏		重慶
0611	銀元輔幣券	直	伍分	1949 年(民國三十八年)	中央印製廠重慶廠	上海博物館藏		重慶
0612	銀元輔幣券	直	壹角	1949 年(民國三十八年)	中央印製廠重慶廠	許義宗舊藏	1	重慶
0613	銀元輔幣券	直	壹角	1949 年(民國三十八年)	中央印製廠重慶廠	上海博物館藏	1	重慶
0614	銀元輔幣券	直	貳角	1949 年(民國三十八年)	中央印製廠重慶廠	上海博物館藏	3	重慶
0615	銀元輔幣券	直	伍角	1949 年(民國三十八年)	中央印製廠重慶廠	上海博物館藏	3	重慶
0616	銀元輔幣券	直	伍角	1949 年(民國三十八年)	中央印製廠重慶廠	許義宗舊藏	3	重慶
0617	銀元券	橫	壹圓	1949 年(民國三十八年)	中華書局股份有限公司	吳籌中藏		重慶
0618	銀元券	橫	伍圓	1949 年(民國三十八年)	中華書局股份有限公司	吳籌中藏		重慶
0619	銀元券	橫	拾圓	1949 年(民國三十八年)	中華書局股份有限公司	吳籌中藏	2	重慶
0620	銀元券	橫	壹佰圓	1949 年(民國三十八年)	中華書局股份有限公司	許義宗舊藏	4	重慶
0621	銀元輔幣券	直	伍分	1949 年(民國三十八年)		上海博物館藏	2	青島
0622	銀元輔幣券	直	壹角	1949 年(民國三十八年)		上海博物館藏	2	青島
0623	銀元輔幣券	直	伍角	1949 年(民國三十八年)		許義宗舊藏	3	青島
0624	金圓券定額本票	直	伍佰圓			郭乃興藏	1	
0625	金圓券本票	直	伍萬圓		中央印製廠	上海博物館藏	2	業務局
0626	金圓券本票	直	伍萬圓		中央印製廠	許義宗舊藏	2	業務局
0627	金圓券本票	直	拾萬圓	民國三十八年四月四日	中央印製廠	許義宗舊藏	2	業務局
0628	金圓券定額本票	直	伍拾萬圓	民國三十八年四月三十日	六聯印刷公司	上海博物館藏	2	業務局
0629	金圓券定額本票	直	伍拾萬圓	民國三十八年四月三十日	六聯印刷公司	許義宗舊藏	2	業務局
0630	金圓券定額本票	直	壹佰萬圓	民國三十八年五月二日	六聯印刷公司	許義宗舊藏	2	業務局
0631	金圓券定額本票	直	伍佰萬圓	民國三十八年五月六日	六聯印刷公司	許義宗舊藏	2	業務局
0632	東北流通券本票	直	壹佰萬圓	民國三十七年九月十六日		選自《中國紙幣圖説》	2	東北流通券·長春分行
0633	東北流通券本票	直	伍佰萬圓	民國三十七年		選自《中國紙幣圖説》	2	東北流通券·長春分行，改作肆佰伍拾萬圓
0634	東北流通券本票	直	伍佰萬圓	民國三十七年八月二十三日		選自《中國紙幣圖説》	2	東北流通券·長春分行
0635	東北流通券本票	直	伍仟萬圓	民國三十七年八月十六日		選自《中國紙幣圖説》	2	東北流通券·長春分行
0636	東北流通券本票	直	陸仟萬圓	民國三十七年		選自《中國紙幣圖説》	2	東北流通券·長春分行
0637	東北流通券本票	直	壹億貳仟萬圓	民國三十七年十月四日		選自《中國紙幣圖説》	3	東北流通券·長春分行
0638	東北流通券本票	直	壹億捌仟萬圓	民國三十七年		選自《中國紙幣圖説》	3	東北流通券·長春分行
0639	東北流通券本票	直	拾萬圓	民國三十七年四月二十日		選自《中國紙幣圖説》	1	東北流通券·瀋陽分行
0640	東北流通券本票	直	伍拾萬圓			選自《中國紙幣圖説》	2	東北流通券·瀋陽分行

編號	券　名	票型	面　額	年　　份	印刷單位	來　源	等級	説　明
0641	東北流通券本票	直	壹佰萬圓			選自《中國紙幣圖説》	2	東北流通券·瀋陽分行
0642	東北流通券本票	直	叁佰萬圓	民國三十七年八月二日		選自《中國紙幣圖説》	2	東北流通券·瀋陽分行
0643	東北流通券本票	直	伍佰萬圓	民國三十七年八月二日		選自《中國紙幣圖説》	2	東北流通券·瀋陽分行
0644	金圓券定額本票	直	貳萬圓	民國三十八年四月二十五日	中央印製廠	選自《中國紙幣圖説》	1	福州分行
0645	金圓券定額本票	直	叁萬圓	民國三十八年四月二十五日	中央印製廠	王煒提供	2	福州分行
0646	金圓券定額本票	直	肆萬圓	民國三十八年四月二十五日	中央印製廠	王煒提供	2	福州分行
0647	金圓券定額本票	直	伍萬圓	民國三十八年四月二十五日	中央印製廠	王煒提供	2	福州分行
0648	金圓券定額本票	直	拾萬圓	民國三十八年四月二十五日	中央印製廠	王煒提供	2	福州分行
0649	金圓券本票	直	伍拾萬圓	民國三十八年五月三日		王煒提供	2	福州分行
0650	金圓券本票	直	壹仟圓	民國三十八年四月		王煒提供	1	福州分行
0651	金圓券本票	直	壹萬圓	民國三十八年四月		王煒提供	2	福州分行
0652	金圓券本票	直	貳萬圓	民國三十八年四月		王煒提供	2	福州分行
0653	金圓券本票	直	拾萬圓	民國三十八年四月		王煒提供	2	福州分行
0654	金圓券本票	直	伍拾萬圓	民國三十八年四月		王煒提供	2	福州分行
0655	金圓券定額本票	直	貳仟圓	民國三十八年四月十三日		選自《中國紙幣圖説》	1	成都分行
0656	金圓券定額本票	直	伍仟圓	民國三十八年四月十六日		選自《中國紙幣圖説》	1	成都分行
0657	金圓券定額本票	直	壹萬圓	民國三十八年四月十八日		選自《中國紙幣圖説》	1	成都分行
0658	金圓券本票	直	伍佰圓			選自《中國紙幣圖説》	1	重慶分行
0659	金圓券本票	直	伍萬圓	民國三十八年四月二十九日		許義宗舊藏	2	重慶分行
0660	金圓券本票	直	拾萬圓	民國三十八年四月二十九日		許義宗舊藏	2	重慶分行
0661	金圓券本票	直	伍拾萬圓	民國三十八年四月二十九日		許義宗舊藏	2	重慶分行
0662	金圓券本票	直	壹佰萬圓	民國三十八年五月二日		許義宗舊藏	2	重慶分行
0663	金圓券本票	直	伍佰萬圓	民國三十八年六月一日		選自《中國紙幣圖説》	2	重慶分行
0664	金圓券定額本票	直	壹萬圓			選自《中國紙幣圖説》	1	漢口分行
0665	國幣券本票	直	壹仟圓	民國三十四年		選自《中國紙幣圖説》	1	南昌分行
0666	關金券聯票	直	伍仟圓			存雲亭藏	4	試色四聯未成票

二、中國銀行紙幣

編號	券　名	票型	面　額	年　　份	印刷單位	來　源	等級	説　明
0667	兑換券	横	壹圓	民國元年	美國鈔票公司	中國人民銀行上海分行藏	4	大清銀行改中國銀行·李鴻章像
0668	兑換券	横	伍圓	民國元年	美國鈔票公司	中國人民銀行上海分行藏	4	大清銀行改中國銀行·李鴻章像·見本·上海
0669	兑換券	横	拾圓	民國元年	美國鈔票公司	中國人民銀行上海分行藏	4	大清銀行改中國銀行·李鴻章像·見本·上海
0670	兑換券	横	拾圓	民國元年	美國鈔票公司	吳籌中藏	4	大清銀行改中國銀行·李鴻章像·上海
0671	兑換券	横	壹圓	民國元年	美國鈔票公司	中國人民銀行上海分行藏	4	大清銀行改中國銀行·李鴻章像·樣本·北京
0672	兑換券	横	伍圓	民國元年	美國鈔票公司	許義宗舊藏	3	大清銀行改中國銀行·李鴻章像·北京
0673	兑換券	横	壹圓	民國元年	美國鈔票公司	中國人民銀行上海分行藏	3	大清銀行改中國銀行·李鴻章像·樣票·天津
0674	兑換券	横	伍圓	民國元年	美國鈔票公司	中國人民銀行上海分行藏	4	大清銀行改中國銀行·李鴻章像·樣票·天津
0675	兑換券	横	拾圓	民國元年	美國鈔票公司	中國人民銀行上海分行藏	4	大清銀行改中國銀行·李鴻章像·樣票·天津
0676	兑換券	横	伍圓	民國元年	美國鈔票公司	中國人民銀行上海分行藏	4	大清銀行改中國銀行·李鴻章像·漢口
0677	兑換券	横	拾圓	民國元年	美國鈔票公司	中國人民銀行上海分行藏	4	大清銀行改中國銀行·李鴻章像·漢口
0678	兑換券	横	壹圓	民國元年	美國鈔票公司	中國人民銀行上海分行藏	4	大清銀行改中國銀行·李鴻章像·樣本·河南
0679	兑換券	横	壹圓	民國元年	美國鈔票公司	中國人民銀行上海分行藏	4	大清銀行改中國銀行·李鴻章像·樣本·河南
0680	兑換券	横	伍圓	民國元年	美國鈔票公司	中國人民銀行上海分行藏	4	大清銀行改中國銀行·李鴻章像·樣本·河南
0681	兑換券	横	拾圓	民國元年	美國鈔票公司	中國人民銀行上海分行藏	4	大清銀行改中國銀行·李鴻章像·樣子·河南
0682	兑換券	横	壹圓	民國元年	美國鈔票公司	中國人民銀行上海分行藏	3	大清銀行改中國銀行·李鴻章像·樣子·山東
0683	兑換券	横	伍圓	民國元年	美國鈔票公司	中國人民銀行上海分行藏	4	大清銀行改中國銀行·李鴻章像·樣子·山東
0684	兑換券	横	拾圓	民國元年	美國鈔票公司	中國人民銀行上海分行藏	4	大清銀行改中國銀行·李鴻章像·樣子·山東
0685	兑換券	横	壹圓	民國元年	美國鈔票公司	許義宗舊藏	2	大清銀行改中國銀行·李鴻章像·東三省

續表

編號	券　名	票型	面　額	年　份	印刷單位	來　源	等級	説　明
0686	兌換券	橫	壹圓	民國三年	美國鈔票公司	中國人民銀行上海分行藏	2	大清銀行改中國銀行·李鴻章像·樣本·直隸
0687	兌換券	橫	壹圓	1912 年（民國元年）	美國鈔票公司	許義宗舊藏	2	黃帝像·試樣票
0688	兌換券	橫	壹圓	1912 年（民國元年）	美國鈔票公司	中國人民銀行上海分行藏	2	黃帝像·樣本
0689	兌換券	橫	壹圓	1913 年（民國二年）	美國鈔票公司	中國人民銀行上海分行藏	2	黃帝像·樣本
0690	兌換券	橫	伍圓	1912 年（民國元年）	美國鈔票公司	許義宗舊藏	3	黃帝像·試樣票
0691	兌換券	橫	伍圓	1912 年（民國元年）	美國鈔票公司	中國人民銀行上海分行藏	4	黃帝像·樣本
0692	兌換券	橫	伍圓	1913 年（民國二年）	美國鈔票公司	中國人民銀行上海分行藏	4	黃帝像·樣本
0693	兌換券	橫	拾圓	1912 年（民國元年）	美國鈔票公司	許義宗舊藏	4	黃帝像·試樣票
0694	兌換券	橫	拾圓	1912 年（民國元年）	美國鈔票公司	中國人民銀行上海分行藏	4	黃帝像·樣本
0695	兌換券	橫	貳拾圓	1913 年（民國二年）	美國鈔票公司	中國人民銀行上海分行藏	4	黃帝像·樣本
0696	兌換券	橫	伍拾圓	1913 年（民國二年）	美國鈔票公司	中國人民銀行上海分行藏	4	黃帝像·樣本
0697	兌換券	橫	壹百圓	1913 年（民國二年）	美國鈔票公司	中國人民銀行上海分行藏	4	黃帝像·樣本
0698	兌換券	橫	壹圓	1912 年（民國元年）	美國鈔票公司	許義宗舊藏	2	黃帝像·北京
0699	兌換券	橫	伍圓	1912 年（民國元年）	美國鈔票公司	上海博物館藏	3	黃帝像·北京
0700	兌換券	橫	拾圓	1912 年（民國元年）	美國鈔票公司	上海博物館藏	4	黃帝像·樣本·北京
0701	兌換券	橫	伍拾圓	1913 年（民國二年）	美國鈔票公司	上海博物館藏	4	黃帝像·樣本·北京
0702	兌換券	橫	壹百圓	1913 年（民國二年）	美國鈔票公司	上海博物館藏	4	黃帝像·樣本·北京
0703	兌換券	橫	壹圓	1912 年（民國元年）	美國鈔票公司	中國人民銀行上海分行藏	2	黃帝像·樣本·江蘇
0704	兌換券	橫	伍圓	1912 年（民國元年）	美國鈔票公司	中國人民銀行上海分行藏	3	黃帝像·樣本·江蘇
0705	兌換券	橫	拾圓	1912 年（民國元年）	美國鈔票公司	中國人民銀行上海分行藏	4	黃帝像·樣本·江蘇
0706	兌換券	橫	壹圓	1912 年（民國元年）	美國鈔票公司	中國人民銀行上海分行藏	2	黃帝像·票樣·浙江
0707	兌換券	橫	伍圓	1912 年（民國元年）	美國鈔票公司	中國人民銀行上海分行藏	3	黃帝像·票樣·浙江
0708	兌換券	橫	拾圓	1912 年（民國元年）	美國鈔票公司	中國人民銀行上海分行藏	4	黃帝像·票樣·浙江
0709	兌換券	橫	壹圓	1912 年（民國元年）	美國鈔票公司	中國人民銀行上海分行藏	2	黃帝像·樣本·安徽
0710	兌換券	橫	伍圓	1912 年（民國元年）	美國鈔票公司	中國人民銀行上海分行藏	3	黃帝像·樣本·安徽
0711	兌換券	橫	拾圓	1912 年（民國元年）	美國鈔票公司	中國人民銀行上海分行藏	4	黃帝像·樣本·安徽
0712	兌換券	橫	壹圓	1912 年（民國元年）	美國鈔票公司	吳籌中藏	2	黃帝像·張家口
0713	兌換券	橫	伍圓	1912 年（民國元年）	美國鈔票公司	吳籌中藏	3	黃帝像·張家口
0714	兌換券	橫	拾圓	1912 年（民國元年）	美國鈔票公司	吳籌中藏	4	黃帝像·張家口
0715	兌換券	橫	壹圓	1912 年（民國元年）	美國鈔票公司	上海博物館藏	1	黃帝像·雲南
0716	兌換券	橫	壹圓	1912 年（民國元年）	美國鈔票公司	中國人民銀行上海分行藏	1	黃帝像·雲南·蓋印
0717	兌換券	橫	伍圓	1912 年（民國元年）	美國鈔票公司	中國人民銀行上海分行藏	2	黃帝像·雲南
0718	兌換券	橫	伍圓	1912 年（民國元年）	美國鈔票公司	上海博物館藏	2	黃帝像·雲南·蓋印
0719	兌換券	橫	拾圓	1912 年（民國元年）	美國鈔票公司	上海博物館藏	3	黃帝像·雲南
0720	兌換券	橫	壹圓	1912 年（民國元年）	美國鈔票公司	中國人民銀行上海分行藏	2	黃帝像·樣本·四川
0721	兌換券	橫	壹圓	1912 年（民國元年）	美國鈔票公司	中國人民銀行上海分行藏	2	黃帝像·四川·重慶
0722	兌換券	橫	伍圓	1912 年（民國元年）	美國鈔票公司	中國人民銀行上海分行藏	3	黃帝像·樣本·四川
0723	兌換券	橫	伍圓	1912 年（民國元年）	美國鈔票公司	中國人民銀行上海分行藏	3	黃帝像·四川·重慶
0724	兌換券	橫	拾圓	1912 年（民國元年）	美國鈔票公司	中國人民銀行上海分行藏	4	黃帝像·樣本·四川
0725	兌換券	橫	拾圓	1912 年（民國元年）	美國鈔票公司	中國人民銀行上海分行藏	4	黃帝像·樣本·四川
0726	兌換券	橫	壹圓	1912 年（民國元年）	美國鈔票公司	中國人民銀行上海分行藏	2	黃帝像·樣本·歸綏
0727	兌換券	橫	壹圓	1912 年（民國元年）	美國鈔票公司	上海博物館藏	2	黃帝像·歸綏
0728	兌換券	橫	伍圓	1912 年（民國元年）	美國鈔票公司	中國人民銀行上海分行藏	3	黃帝像·樣本·歸綏
0729	兌換券	橫	拾圓	1912 年（民國元年）	美國鈔票公司	中國人民銀行上海分行藏	4	黃帝像·樣本·歸綏
0730	兌換券	橫	壹圓	1912 年（民國元年）	美國鈔票公司	中國人民銀行上海分行藏	2	黃帝像·樣本·奉天·奉大洋
0731	兌換券	橫	伍圓	1912 年（民國元年）	美國鈔票公司	中國人民銀行上海分行藏	3	黃帝像·樣本·奉天·奉大洋
0732	兌換券	橫	拾圓	1912 年（民國元年）	美國鈔票公司	中國人民銀行上海分行藏	4	黃帝像·樣本·奉天·奉大洋
0733	兌換券	橫	壹圓	1913 年（民國二年）	美國鈔票公司	中國人民銀行上海分行藏	3	黃帝像·樣本·福建省通用
0734	兌換券	橫	伍圓	1913 年（民國二年）	美國鈔票公司	中國人民銀行上海分行藏	4	黃帝像·樣本·福建省通用
0735	兌換券	橫	壹圓	1912 年（民國元年）	美國鈔票公司	中國人民銀行上海分行藏	2	黃帝像·樣本·福建通用

編號	券 名	票型	面 額	年 份	印 刷 單 位	來 源	等級	説 明
0736	兌換券	橫	伍圓	1912 年(民國元年)	美國鈔票公司	中國人民銀行上海分行藏	4	黃帝像·樣本·福建通用
0737	兌換券	橫	拾圓	1913 年(民國二年)	美國鈔票公司	中國人民銀行上海分行藏	4	黃帝像·樣本·福建通用
0738	兌換券	橫	伍圓	1912 年(民國元年)	美國鈔票公司	中國人民銀行上海分行藏	3	黃帝像·樣本·福建
0739	兌換券	橫	拾圓	1912 年(民國元年)	美國鈔票公司	中國人民銀行上海分行藏	4	黃帝像·樣本·福建
0740	兌換券	橫	壹圓	1912 年(民國元年)	美國鈔票公司	中國人民銀行上海分行藏	2	黃帝像·樣本·山西
0741	兌換券	橫	伍圓	1912 年(民國元年)	美國鈔票公司	中國人民銀行上海分行藏	3	黃帝像·樣本·山西
0742	兌換券	橫	拾圓	1912 年(民國元年)	美國鈔票公司	中國人民銀行上海分行藏	4	黃帝像·樣本·山西
0743	兌換券	橫	拾圓	1912 年(民國元年)	美國鈔票公司	上海博物館藏	4	黃帝像·山西
0744	兌換券	橫	壹圓	1912 年(民國元年)	美國鈔票公司	中國人民銀行上海分行藏	2	黃帝像·樣本·山東
0745	兌換券	橫	壹圓	1913 年(民國二年)	美國鈔票公司	中國人民銀行上海分行藏	1	黃帝像·樣本·山東
0746	兌換券	橫	壹圓	1913 年(民國二年)	美國鈔票公司	中國人民銀行上海分行藏	1	黃帝像·樣本·山東
0747	兌換券	橫	伍圓	1912 年(民國元年)	美國鈔票公司	中國人民銀行上海分行藏	3	黃帝像·樣本·山東
0748	兌換券	橫	拾圓	1912 年(民國元年)	美國鈔票公司	中國人民銀行上海分行藏	4	黃帝像·樣本·山東
0749	兌換券	橫	拾圓	1912 年(民國元年)	美國鈔票公司	吳籌中藏	4	黃帝像·山東
0750	兌換券	橫	壹圓	1912 年(民國元年)	美國鈔票公司	許義宗舊藏	1	黃帝像·廣東通用
0751	兌換券	橫	壹圓	1913 年(民國二年)	美國鈔票公司	中國人民銀行上海分行藏	1	黃帝像·廣東
0752	兌換券	橫	壹圓	1913 年(民國二年)	美國鈔票公司	上海博物館藏	1	黃帝像·廣東
0753	兌換券	橫	伍圓	1912 年(民國元年)	美國鈔票公司	中國人民銀行上海分行藏	3	黃帝像·樣本·廣東
0754	兌換券	橫	伍圓	1912 年(民國元年)	美國鈔票公司	上海博物館藏	3	黃帝像·廣東
0755	兌換券	橫	拾圓	1912 年(民國元年)	美國鈔票公司	中國人民銀行上海分行藏	4	黃帝像·樣本·廣東
0756	兌換券	橫	拾圓	1912 年(民國元年)	美國鈔票公司	上海博物館藏	4	黃帝像·廣東
0757	兌換券	橫	壹圓	1912 年(民國元年)	美國鈔票公司	吳籌中藏	1	黃帝像·樣本·東三省·奉天
0758	兌換券	橫	拾圓	1912 年(民國元年)	美國鈔票公司	中國人民銀行上海分行藏	3	黃帝像·樣本·東三省·奉天
0759	兌換券	橫	壹圓	1912 年(民國元年)	美國鈔票公司	中國人民銀行上海分行藏	1	黃帝像·樣本·東三省通用
0760	兌換券	橫	伍圓	1912 年(民國元年)	美國鈔票公司	中國人民銀行上海分行藏	3	黃帝像·樣本·東三省通用
0761	兌換券	橫	拾圓	1912 年(民國元年)	美國鈔票公司	中國人民銀行上海分行藏	4	黃帝像·樣本·東三省通用
0762	兌換券	橫	伍圓	1912 年(民國元年)	美國鈔票公司	上海博物館藏	2	黃帝像·樣本·東三省
0763	兌換券	橫	壹圓	1912 年(民國元年)	美國鈔票公司	中國人民銀行上海分行藏	2	黃帝像·樣本·江西
0764	兌換券	橫	壹圓	1912 年(民國元年)	美國鈔票公司	中國人民銀行上海分行藏	2	黃帝像·樣本·江西
0765	兌換券	橫	壹圓	1912 年(民國元年)	美國鈔票公司	上海博物館藏	2	黃帝像·江西
0766	滙兌券	橫	伍圓	1912 年(民國元年)	美國鈔票公司	中國人民銀行上海分行藏	3	黃帝像·樣本·江西
0767	滙兌券	橫	拾圓	1912 年(民國元年)	美國鈔票公司	中國人民銀行上海分行藏	4	黃帝像·樣本·江西
0768	兌換券	橫	壹圓	1912 年(民國元年)	美國鈔票公司	上海博物館藏	2	黃帝像·陝西
0769	兌換券	橫	拾圓	1912 年(民國元年)	美國鈔票公司	上海博物館藏	4	黃帝像·陝西
0770	兌換券	橫	壹圓	1912 年(民國元年)	美國鈔票公司	中國人民銀行上海分行藏	2	黃帝像·樣本·天津
0771	兌換券	橫	伍圓	1912 年(民國元年)	美國鈔票公司	中國人民銀行上海分行藏	3	黃帝像·樣本·天津
0772	兌換券	橫	伍圓	1912 年(民國元年)	美國鈔票公司	吳籌中提供	3	黃帝像·天津
0773	兌換券	橫	拾圓	1912 年(民國元年)	美國鈔票公司	中國人民銀行上海分行藏	3	黃帝像·樣本·天津
0774	兌換券	橫	壹圓	1912 年(民國元年)	美國鈔票公司	吳籌中藏	2	黃帝像·貴州
0775	兌換券	橫	伍圓	1912 年(民國元年)	美國鈔票公司	上海博物館藏	3	黃帝像·貴州
0776	兌換券	橫	壹圓	1912 年(民國元年)	美國鈔票公司	中國人民銀行上海分行藏	2	黃帝像·樣本·煙臺
0777	兌換券	橫	伍圓	1912 年(民國元年)	美國鈔票公司	中國人民銀行上海分行藏	3	黃帝像·樣本·煙臺
0778	兌換券	橫	伍圓	1912 年(民國元年)	美國鈔票公司	中國人民銀行上海分行藏	3	黃帝像·樣本·煙臺
0779	兌換券	橫	伍圓	1912 年(民國元年)	美國鈔票公司	吳籌中藏	3	黃帝像·上海
0780	兌換券	橫	壹圓	1912 年(民國元年)	美國鈔票公司	中國人民銀行上海分行藏	2	黃帝像·樣本·漢口
0781	兌換券	橫	壹圓	1912 年(民國元年)	美國鈔票公司	上海博物館藏	2	黃帝像·直隸
0782	兌換券	橫	拾圓	1912 年(民國元年)	美國鈔票公司	許義宗舊藏	4	黃帝像·直隸
0783	兌換券	橫	壹圓	1912 年(民國元年)	美國鈔票公司	上海博物館藏	2	黃帝像·湖南
0784	兌換券	橫	拾圓	1912 年(民國元年)	美國鈔票公司	上海博物館藏	4	黃帝像·河南
0785	小銀元券	橫	壹圓	1915 年	美國鈔票公司	中國人民銀行上海分行藏	3	黃帝像·樣本

續表

編號	券名	票型	面額	年份	印刷單位	來源	等級	説明
0786	小銀元券	橫	壹圓	1915年	美國鈔票公司	吳籌中提供	3	黃帝像·樣本
0787	小銀元券	橫	壹圓	1915年	美國鈔票公司	中國人民銀行上海分行藏	3	黃帝像
0788	小銀元券	橫	伍圓	1915年	美國鈔票公司	中國人民銀行上海分行藏	4	黃帝像·樣本
0789	小銀元券	橫	伍圓	1915年	美國鈔票公司	吳籌中提供	4	黃帝像·樣本
0790	小銀元券	橫	伍圓	1915年	美國鈔票公司	中國人民銀行上海分行藏	4	黃帝像
0791	小銀元券	橫	拾圓	1915年	美國鈔票公司	中國人民銀行上海分行藏	4	黃帝像·樣本
0792	小銀元券	橫	拾圓	1915年	美國鈔票公司	吳籌中提供	4	黃帝像·樣本
0793	小銀元券	橫	拾圓	1915年	美國鈔票公司	中國人民銀行上海分行藏	4	黃帝像
0794	銀元券	橫	壹圓	民國元年二月吉日	上海商務印書館	中國人民銀行上海分行藏	4	樣本券·南京
0795	銀元券	橫	伍圓	民國元年二月吉日	上海商務印書館	中國人民銀行上海分行藏	4	樣本券·南京
0796	兌換券	橫	壹圓	1913年(民國二年)	美國鈔票公司	中國人民銀行上海分行藏	4	北京
0797	國幣券	橫	壹圓	1914年(民國三年)	美國鈔票公司	吳籌中藏	3	袁世凱像·樣本
0798	國幣券	橫	壹圓	1914年(民國三年)	美國鈔票公司	上海博物館藏	3	袁世凱像·單字冠
0799	國幣券	橫	壹圓	1914年(民國三年)	美國鈔票公司	吳籌中藏	3	袁世凱像·雙字冠
0800	國幣券	橫	伍圓	1914年(民國三年)	美國鈔票公司	吳籌中藏	3	袁世凱像·樣本
0801	國幣券	橫	伍圓	1914年(民國三年)	美國鈔票公司	上海博物館藏	3	袁世凱像·單字冠
0802	國幣券	橫	拾圓	1914年(民國三年)	美國鈔票公司	吳籌中藏	4	袁世凱像·樣本
0803	國幣券	橫	拾圓	1914年(民國三年)	美國鈔票公司	上海博物館藏	4	袁世凱像·單字冠
0804	國幣券	橫	伍拾圓	1914年(民國三年)	美國鈔票公司	吳籌中藏	4	袁世凱像·樣本
0805	國幣券	橫	伍拾圓	1914年(民國三年)	美國鈔票公司	吳籌中藏	4	袁世凱像·樣本
0806	國幣券	橫	伍拾圓	1914年(民國三年)	美國鈔票公司	上海博物館藏	4	袁世凱像·單字冠
0807	國幣券	橫	壹百圓	1914年(民國三年)	美國鈔票公司	吳籌中藏	4	袁世凱像·樣本
0808	國幣券	橫	壹百圓	1914年(民國三年)	美國鈔票公司	上海博物館藏	4	袁世凱像·單字冠
0809	共和紀念兌換券	橫	壹圓	無年份	財政部印刷局	中國人民銀行上海分行藏	4	袁世凱像·樣本
0810	共和紀念兌換券	橫	壹圓	無年份	財政部印刷局	中國人民銀行上海分行藏	4	袁世凱像·樣本
0811	共和紀念兌換券	橫	壹圓	無年份	財政部印刷局	吳籌中藏	4	袁世凱像·樣本
0812	小銀元輔幣券	橫	貳角	1914年	財政部印刷局	中國人民銀行上海分行藏	2	東三省
0813	小銀元輔幣券	橫	貳角	1914年	財政部印刷局	吳籌中藏	2	東三省
0814	小銀元輔幣券	橫	伍角	1914年	財政部印刷局	上海博物館藏	2	東三省
0815	小銀元輔幣券	橫	伍角	1914年	財政部印刷局	中國人民銀行上海分行藏	2	東三省
0816	兌換券	橫	壹圓	1917年(民國六年)	美國鈔票公司	許義宗舊藏	2	黎元洪像·樣本
0817	兌換券	橫	伍圓	1917年(民國六年)	美國鈔票公司	許義宗舊藏	3	黎元洪像·樣本
0818	兌換券	橫	拾圓	1917年(民國六年)	美國鈔票公司	吳籌中藏	4	黎元洪像·樣本
0819	兌換券	橫	伍拾圓	1917年(民國六年)	美國鈔票公司	許義宗舊藏	4	黎元洪像·樣本
0820	兌換券	橫	壹百圓	1917年(民國六年)	美國鈔票公司	許義宗舊藏	4	黎元洪像·樣本
0821	國幣輔幣券	橫	伍分	無年份	財政部印刷局	上海博物館藏	3	哈爾濱
0822	小銀元輔幣券	橫	壹角	民國六年十月	財政部印刷局	許義宗舊藏	2	樣本
0823	小銀元輔幣券	橫	壹角	民國六年十月	財政部印刷局	中國人民銀行上海分行藏	2	東三省
0824	小銀元輔幣券	橫	壹角	民國六年十月	財政部印刷局	許義宗舊藏	2	東三省
0825	輔幣兌換券	橫	壹角	1917年(民國六年)	財政部印刷局	苗培貴藏	2	樣本
0826	輔幣兌換券	橫	貳角	1917年(民國六年)	財政部印刷局	苗培貴藏	2	樣本
0827	輔幣兌換券	橫	貳角	1917年(民國六年)	財政部印刷局	許義宗舊藏	2	樣本
0828	輔幣兌換券	橫	伍角	1917年(民國六年)	財政部印刷局	許義宗舊藏	2	樣本
0829	輔幣兌換券	橫	伍角	1917年(民國六年)	財政部印刷局	許義宗舊藏	2	樣本
0830	輔幣兌換券	橫	壹角	1917年(民國六年)	財政部印刷局	中國人民銀行上海分行藏	2	山東·青島
0831	輔幣兌換券	橫	貳角	1917年(民國六年)	財政部印刷局	中國人民銀行上海分行藏	2	樣本·山東
0832	輔幣兌換券	橫	伍角	1917年(民國六年)	財政部印刷局	中國人民銀行上海分行藏	2	樣本·山東·青島
0833	輔幣兌換券	橫	壹角	1917年(民國六年)	財政部印刷局	中國人民銀行上海分行藏	2	山西
0834	輔幣兌換券	橫	貳角	1917年(民國六年)	財政部印刷局	中國人民銀行上海分行藏	2	山西
0835	輔幣兌換券	橫	伍角	1917年(民國六年)	財政部印刷局	中國人民銀行上海分行藏	2	樣本·山西

編號	券　名	票型	面　額	年　份	印 刷 單 位	來　源	等級	説　明
0836	輔幣兑換券	橫	貳角	1917年(民國六年)	財政部印刷局	中國人民銀行上海分行藏	2	樣本·江西
0837	輔幣兑換券	橫	伍角	1917年(民國六年)	財政部印刷局	中國人民銀行上海分行藏	2	樣本·江西
0838	輔幣兑換券	橫	貳角	1917年(民國六年)	財政部印刷局	中國人民銀行上海分行藏	2	樣本·清江浦
0839	輔幣兑換券	橫	壹角	1917年(民國六年)	財政部印刷局	中國人民銀行上海分行藏	2	樣本·保定
0840	輔幣兑換券	橫	貳角	1917年(民國六年)	財政部印刷局	中國人民銀行上海分行藏	2	樣本·保定
0841	輔幣兑換券	橫	伍角	1917年(民國六年)	財政部印刷局	中國人民銀行上海分行藏	2	樣本·保定
0842	輔幣兑換券	橫	壹角	1917年(民國六年)	財政部印刷局	上海博物館藏	2	哈爾濱
0843	輔幣兑換券	橫	貳角	1917年(民國六年)	財政部印刷局	上海博物館藏	2	哈爾濱
0844	輔幣兑換券	橫	伍角	1917年(民國六年)	財政部印刷局	上海博物館藏	2	哈爾濱
0845	輔幣兑換券	橫	壹角	1917年(民國六年)	財政部印刷局	中國人民銀行上海分行藏	2	樣本·張家口
0846	輔幣兑換券	橫	壹角	1917年(民國六年)	財政部印刷局	上海博物館藏	2	張家口
0847	輔幣兑換券	橫	貳角	1917年(民國六年)	財政部印刷局	上海博物館藏	2	張家口
0848	輔幣兑換券	橫	貳角	1917年(民國六年)	財政部印刷局	中國人民銀行上海分行藏	2	樣本·張家口
0849	輔幣兑換券	橫	伍角	1917年(民國六年)	財政部印刷局	許義宗舊藏	2	樣本·張家口
0850	輔幣兑換券	橫	伍角	1917年(民國六年)	財政部印刷局	上海博物館藏	2	張家口
0851	輔幣兑換券	橫	壹角	1917年(民國六年)	財政部印刷局	許義宗舊藏	2	歸綏
0852	輔幣兑換券	橫	壹角	1917年(民國六年)	財政部印刷局	中國人民銀行上海分行藏	2	歸綏
0853	輔幣兑換券	橫	伍角	1917年(民國六年)	財政部印刷局	中國人民銀行上海分行藏	2	樣本·歸綏
0854	國幣輔幣券	橫	伍分	1918年	美國鈔票公司	中國人民銀行上海分行藏	1	樣本·哈爾濱
0855	國幣輔幣券	橫	壹角	1918年	美國鈔票公司	許義宗舊藏	1	哈爾濱
0856	國幣輔幣券	橫	壹角	1918年	美國鈔票公司	吳籌中藏	1	哈爾濱改上海
0857	國幣輔幣券	橫	壹角	1918年	美國鈔票公司	上海博物館藏	1	哈爾濱改上海
0858	國幣輔幣券	橫	壹角	1918年	美國鈔票公司	上海博物館藏	1	哈爾濱·監理官印
0859	國幣輔幣券	橫	貳角	1918年	美國鈔票公司	苗培貴藏	2	哈爾濱改上海
0860	兑換券	橫	壹圓	1917年(民國六年)	美國鈔票公司	選自《中國紙幣圖説》	3	樣本·天津
0861	兑換券	橫	伍圓	1917年(民國六年)	美國鈔票公司	選自《中國紙幣圖説》	3	樣本·天津
0862	兑換券	橫	拾圓	1917年(民國六年)	美國鈔票公司	中國人民銀行上海分行藏	4	樣本·天津
0863	兑換券	橫	伍拾圓	1917年(民國六年)	美國鈔票公司	選自《中國紙幣圖説》	4	樣本·天津
0864	兑換券	橫	壹百圓	1917年(民國六年)	美國鈔票公司	選自《中國紙幣圖説》	4	樣本·天津
0865	兑換券	橫	壹圓	1918年(民國七年)	美國鈔票公司	選自《中國紙幣圖説》	2	樣本·上海
0866	兑換券	橫	壹圓	1918年(民國七年)	美國鈔票公司	苗培貴藏	2	樣本·上海
0867	兑換券	橫	伍圓	1918年(民國七年)	美國鈔票公司	中國人民銀行上海分行藏	3	樣本·上海
0868	兑換券	橫	伍圓	1918年(民國七年)	美國鈔票公司	上海博物館藏	3	上海
0869	兑換券	橫	拾圓	1918年(民國七年)	美國鈔票公司	選自《中國紙幣圖説》	3	樣本·上海
0870	兑換券	橫	拾圓	1918年(民國七年)	美國鈔票公司	苗培貴藏	3	樣本·上海
0871	兑換券	橫	拾圓	1918年(民國七年)	美國鈔票公司	上海博物館藏	3	上海
0872	兑換券	橫	伍拾圓	1918年(民國七年)	美國鈔票公司	選自《中國紙幣圖説》	4	樣本·上海
0873	兑換券	橫	壹百圓	1918年(民國七年)	美國鈔票公司	選自《中國紙幣圖説》	4	樣本·上海
0874	兑換券	橫	壹百圓	1918年(民國七年)	美國鈔票公司	吳籌中藏	4	天津
0875	兑換券	橫	壹百圓	1918年(民國七年)	美國鈔票公司	上海博物館藏	4	天津
0876	銅元券	直	壹吊文	民國七年九月	財政部印刷局	上海博物館藏	2	山東
0877	銅元券	直	貳吊文	民國七年九月	財政部印刷局	上海博物館藏	2	山東
0878	銅元券	直	伍吊文	民國七年九月	財政部印刷局	苗培貴藏	3	山東
0879	銅元券	直	伍吊文	民國七年九月	財政部印刷局	上海博物館藏	3	山東
0880	銅元券	直	壹百枚	民國七年九月	財政部印刷局	吳籌中藏	2	山東·煙臺
0881	國幣券	橫	壹圓	1918年(民國七年)	美國鈔票公司	選自《中國紙幣圖説》	1	江蘇·江蘇
0882	國幣券	橫	伍圓	1918年(民國七年)	美國鈔票公司	上海博物館藏	2	江蘇·江蘇
0883	國幣券	橫	拾圓	1918年(民國七年)	美國鈔票公司	上海博物館藏	2	江蘇·江蘇
0884	國幣券	橫	壹圓	1918年(民國七年)	美國鈔票公司	選自《中國紙幣圖説》	1	樣本·浙江·浙江
0885	國幣券	橫	壹圓	1918年(民國七年)	美國鈔票公司	中國人民銀行上海分行藏	1	浙江·浙江

續表

編號	券名	票型	面額	年份	印刷單位	來源	等級	說明
0886	國幣券	橫	伍圓	1918年(民國七年)	美國鈔票公司	選自《中國紙幣圖說》	2	樣本·浙江·浙江
0887	國幣券	橫	伍圓	1918年(民國七年)	美國鈔票公司	上海博物館藏	2	浙江·浙江
0888	國幣券	橫	拾圓	1918年(民國七年)	美國鈔票公司	許義宗舊藏	2	樣本·浙江
0889	國幣券	橫	拾圓	1918年(民國七年)	美國鈔票公司	上海博物館藏	2	浙江·浙江
0890	國幣券	橫	壹圓	1918年(民國七年)	美國鈔票公司	許義宗舊藏	2	樣本·安徽·安徽
0891	國幣券	橫	壹圓	1918年(民國七年)	美國鈔票公司	上海博物館藏	2	安徽·安徽改六安
0892	國幣券	橫	伍圓	1918年(民國七年)	美國鈔票公司	上海博物館藏	2	安徽·安徽
0893	國幣券	橫	拾圓	1918年(民國七年)	美國鈔票公司	許義宗舊藏	2	樣本·安徽·安徽
0894	國幣券	橫	拾圓	1918年(民國七年)	美國鈔票公司	上海博物館藏	2	安徽·安徽
0895	國幣券	橫	壹圓	1918年(民國七年)	美國鈔票公司	許義宗舊藏		票樣·上海·上海
0896	國幣券	橫	壹圓	1918年(民國七年)	美國鈔票公司	吳籌中藏		上海·上海
0897	國幣券	橫	壹圓	1918年(民國七年)	美國鈔票公司	許義宗舊藏		上海·上海
0898	國幣券	橫	壹圓	1918年(民國七年)	美國鈔票公司	吳籌中藏		上海·上海
0899	國幣券	橫	壹圓	1918年(民國七年)	美國鈔票公司	許義宗舊藏		上海·上海
0900	國幣券	橫	壹圓	1918年(民國七年)	美國鈔票公司	吳籌中藏		上海·上海
0901	國幣券	橫	壹圓	1918年(民國七年)	美國鈔票公司	吳籌中藏		上海·上海
0902	國幣券	橫	壹圓	1918年(民國七年)	美國鈔票公司	吳籌中藏		上海·上海
0903	國幣券	橫	壹圓	1918年(民國七年)	美國鈔票公司	吳籌中藏	1	北京·北京改上海·上海
0904	國幣券	橫	伍圓	1918年(民國七年)	美國鈔票公司	吳籌中藏	1	上海·上海
0905	國幣券	橫	伍圓	1918年(民國七年)	美國鈔票公司	吳籌中藏	1	上海·上海
0906	國幣券	橫	伍圓	1918年(民國七年)	美國鈔票公司	許義宗舊藏	1	上海·上海
0907	國幣券	橫	伍圓	1918年(民國七年)	美國鈔票公司	許義宗舊藏	1	北京·北京改上海·上海
0908	國幣券	橫	拾圓	1918年(民國七年)	美國鈔票公司	許義宗舊藏	1	樣張·上海·上海
0909	國幣券	橫	壹圓	1918年(民國七年)	美國鈔票公司	苗培貴藏	1	天津·天津
0910	國幣券	橫	壹圓	1918年(民國七年)	美國鈔票公司	吳籌中藏	1	天津·天津
0911	國幣券	橫	壹圓	1918年(民國七年)	美國鈔票公司	苗培貴藏	1	張家口·張家口改天津·天津
0912	國幣券	橫	伍圓	1918年(民國七年)	美國鈔票公司	許義宗舊藏	1	天津·天津
0913	國幣券	橫	伍圓	1918年(民國七年)	美國鈔票公司	苗培貴藏	1	天津·天津
0914	國幣券	橫	伍圓	1918年(民國七年)	美國鈔票公司	吳籌中藏	1	天津·天津
0915	國幣券	橫	伍圓	1918年(民國七年)	美國鈔票公司	上海博物館藏	1	北京·北京改天津
0916	國幣券	橫	拾圓	1918年(民國七年)	美國鈔票公司	吳籌中藏	2	天津·天津
0917	國幣券	橫	拾圓	1918年(民國七年)	美國鈔票公司	吳籌中藏	2	天津·天津
0918	國幣券	橫	拾圓	1918年(民國七年)	美國鈔票公司	苗培貴藏	2	北京·北京改天津
0919	國幣券	橫	壹圓	1918年(民國七年)	美國鈔票公司	選自《中國紙幣圖說》	2	樣本·北京·北京
0920	國幣券	橫	伍圓	1918年(民國七年)	美國鈔票公司	許義宗舊藏	2	樣本·北京·北京
0921	國幣券	橫	拾圓	1918年(民國七年)	美國鈔票公司	許義宗舊藏	3	樣本·北京·北京
0922	國幣券	橫	壹圓	1918年(民國七年)	美國鈔票公司	上海博物館藏	2	漢口·漢口·五省通用
0923	國幣券	橫	壹圓	1918年(民國七年)	美國鈔票公司	苗培貴藏	1	漢口·漢口
0924	國幣券	橫	伍圓	1918年(民國七年)	美國鈔票公司	上海博物館藏	3	漢口·漢口·五省通用
0925	國幣券	橫	伍圓	1918年(民國七年)	美國鈔票公司	上海博物館藏	2	漢口·漢口
0926	國幣券	橫	伍圓	1918年(民國七年)	美國鈔票公司	苗培貴藏	2	漢口·漢口
0927	國幣券	橫	拾圓	1918年(民國七年)	美國鈔票公司	苗培貴藏	3	漢口·漢口·五省通用
0928	國幣券	橫	拾圓	1918年(民國七年)	美國鈔票公司	許義宗舊藏	2	樣本·漢口·漢口
0929	國幣券	橫	拾圓	1918年(民國七年)	美國鈔票公司	苗培貴藏	2	漢口·漢口
0930	國幣券	橫	拾圓	1918年(民國七年)	美國鈔票公司	上海博物館藏	2	漢口·漢口
0931	國幣券	橫	壹圓	1918年(民國七年)	美國鈔票公司	許義宗舊藏	1	樣本·山東·山東
0932	國幣券	橫	壹圓	1918年(民國七年)	美國鈔票公司	吳籌中藏	1	山東·山東
0933	國幣券	橫	壹圓	1918年(民國七年)	美國鈔票公司	上海博物館藏	1	山東·山東·濟南
0934	國幣券	橫	壹圓	1918年(民國七年)	美國鈔票公司	許義宗舊藏	1	山東·山東·煙臺
0935	國幣券	橫	壹圓	1918年(民國七年)	美國鈔票公司	許義宗舊藏	1	山東·山東·煙臺

編號	券　名	票型	面　額	年　份	印刷單位	來　源	等級	説　明
0936	國幣券	橫	壹圓	1918 年(民國七年)	美國鈔票公司	吳籌中藏	1	山東·山東·青島
0937	國幣券	橫	壹圓	1918 年(民國七年)	美國鈔票公司	吳籌中藏	1	山東·山東·青島
0938	國幣券	橫	壹圓	1918 年(民國七年)	美國鈔票公司	吳籌中藏	1	山東·山東·青島
0939	國幣券	橫	伍圓	1918 年(民國七年)	美國鈔票公司	許義宗舊藏	2	樣本·山東·山東
0940	國幣券	橫	伍圓	1918 年(民國七年)	美國鈔票公司	吳籌中藏	1	山東·山東·煙臺
0941	國幣券	橫	伍圓	1918 年(民國七年)	美國鈔票公司	苗培貴藏	1	山東·山東·青島
0942	國幣券	橫	伍圓	1918 年(民國七年)	美國鈔票公司	吳籌中藏	1	山東·山東·青島
0943	國幣券	橫	伍圓	1918 年(民國七年)	美國鈔票公司	吳籌中藏	1	山東·山東·青島
0944	國幣券	橫	伍圓	1918 年(民國七年)	美國鈔票公司	吳籌中藏	1	山東·山東·青島
0945	國幣券	橫	拾圓	1918 年(民國七年)	美國鈔票公司	許義宗舊藏	2	樣本·山東·山東
0946	國幣券	橫	拾圓	1918 年(民國七年)	美國鈔票公司	苗培貴藏	2	山東·山東
0947	國幣券	橫	拾圓	1918 年(民國七年)	美國鈔票公司	吳籌中藏	2	山東·山東
0948	國幣券	橫	拾圓	1918 年(民國七年)	美國鈔票公司	吳籌中藏	2	山東·山東·煙臺改威海衛
0949	國幣券	橫	拾圓	1918 年(民國七年)	美國鈔票公司	吳籌中藏	2	山東·山東·威海衛
0950	國幣券	橫	拾圓	1918 年(民國七年)	美國鈔票公司	苗培貴藏	2	山東·山東·威海衛
0951	國幣券	橫	拾圓	1918 年(民國七年)	美國鈔票公司	苗培貴藏	2	山東·山東·煙臺
0952	國幣券	橫	拾圓	1918 年(民國七年)	美國鈔票公司	苗培貴藏	2	山東·山東·青島
0953	國幣券	橫	拾圓	1918 年(民國七年)	美國鈔票公司	吳籌中藏	2	山東·山東·青島
0954	國幣券	橫	拾圓	1918 年(民國七年)	美國鈔票公司	吳籌中藏	2	山東·山東·青島
0955	國幣券	橫	伍圓	1918 年(民國七年)	美國鈔票公司	吳籌中藏	2	山東·山東·臨清
0956	國幣券	橫	壹圓	1918 年(民國七年)	美國鈔票公司	許義宗舊藏	2	樣本·四川·四川
0957	國幣券	橫	壹圓	1918 年(民國七年)	美國鈔票公司	吳籌中藏	1	四川·四川·重慶兑現
0958	國幣券	橫	壹圓	1918 年(民國七年)	美國鈔票公司	選自《中國紙幣圖説》	1	四川·四川·重慶兑現
0959	國幣券	橫	壹圓	1918 年(民國七年)	美國鈔票公司	吳籌中藏	1	四川·四川·成都
0960	國幣券	橫	壹圓	1918 年(民國七年)	美國鈔票公司	許義宗舊藏	1	四川·四川·嘉定兑現
0961	國幣券	橫	伍圓	1918 年(民國七年)	美國鈔票公司	許義宗舊藏	2	樣本·四川·四川
0962	國幣券	橫	伍圓	1918 年(民國七年)	美國鈔票公司	吳籌中藏	2	四川·四川·成都
0963	國幣券	橫	拾圓	1918 年(民國七年)	美國鈔票公司	苗培貴藏	2	四川·四川
0964	國幣券	橫	拾圓	1918 年(民國七年)	美國鈔票公司	上海博物館藏	2	四川·四川·重慶兑現
0965	國幣券	橫	壹圓	1918 年(民國七年)	美國鈔票公司	選自《中國紙幣圖説》	1	樣本·江西·江西
0966	國幣券	橫	伍圓	1918 年(民國七年)	美國鈔票公司	選自《中國紙幣圖説》	2	樣本·江西·江西
0967	國幣券	橫	拾圓	1918 年(民國七年)	美國鈔票公司	許義宗舊藏	1	樣本·江西·江西
0968	國幣券	橫	壹圓	1918 年(民國七年)	美國鈔票公司	選自《中國紙幣圖説》	1	樣本·山西·山西
0969	國幣券	橫	伍圓	1918 年(民國七年)	美國鈔票公司	選自《中國紙幣圖説》	2	樣本·山西·山西
0970	國幣券	橫	拾圓	1918 年(民國七年)	美國鈔票公司	許義宗舊藏	2	樣本·山西·山西
0971	國幣券	橫	壹圓	1918 年(民國七年)	美國鈔票公司	選自《中國紙幣圖説》	1	樣本·張家口·張家口
0972	國幣券	橫	伍圓	1918 年(民國七年)	美國鈔票公司	許義宗舊藏	2	樣本·張家口·張家口
0973	國幣券	橫	拾圓	1918 年(民國七年)	美國鈔票公司	許義宗舊藏	2	樣本·張家口·張家口
0974	國幣券	橫	壹圓	1918 年(民國七年)	美國鈔票公司	選自《中國紙幣圖説》	1	樣本·哈爾濱·哈爾濱
0975	國幣券	橫	伍圓	1918 年(民國七年)	美國鈔票公司	選自《中國紙幣圖説》	2	樣本·哈爾濱·哈爾濱
0976	國幣券	橫	拾圓	1918 年(民國七年)	美國鈔票公司	許義宗舊藏	2	樣本·哈爾濱·哈爾濱
0977	國幣券	橫	壹圓	1918 年(民國七年)	美國鈔票公司	苗培貴藏	1	福建·福建
0978	國幣券	橫	伍圓	1918 年(民國七年)	美國鈔票公司	王煒藏	2	福建·福建
0979	國幣券	橫	拾圓	1918 年(民國七年)	美國鈔票公司	王煒藏	2	福建·福建
0980	國幣券	橫	壹圓	1918 年(民國七年)	美國鈔票公司	王煒藏	1	福建·福建·福州
0981	國幣券	橫	伍圓	1918 年(民國七年)	美國鈔票公司	許義宗舊藏	2	樣本·福建·福建·福州
0982	國幣券	橫	伍圓	1918 年(民國七年)	美國鈔票公司	王煒藏	2	福建·福建·福州
0983	國幣券	橫	拾圓	1918 年(民國七年)	美國鈔票公司	王煒藏	2	福建·福建·福州
0984	國幣券	橫	壹圓	1918 年(民國七年)	美國鈔票公司	王煒藏	1	福建·福建·廈門
0985	國幣券	橫	伍圓	1918 年(民國七年)	美國鈔票公司	苗培貴藏	2	福建·福建·廈門

編號	券　名	票型	面　額	年　份	印刷單位	來　源	等級	説　明
0986	國幣券	橫	拾圓	1918年(民國七年)	美國鈔票公司	苗培貴藏	2	福建·福建
0987	銅元券	橫	拾枚	民國八年三月	財政部印製局	吳籌中藏	1	無號票
0988	銅元券	橫	拾枚	民國八年三月	財政部印製局	中國人民銀行上海分行藏	1	九江
0989	銅元券	橫	拾枚	民國八年三月	財政部印製局	中國人民銀行上海分行藏	1	九江
0990	銅元券	橫	伍拾枚	民國八年三月	財政部印製局	上海博物館藏	2	張家口
0991	銅元券	橫	壹百枚	民國十年二月	財政部印製局	中國人民銀行上海分行藏	2	樣本·九江
0992	國幣券	橫	壹圓	民國八年五月	財政部印製局	吳籌中藏	1	無號票
0993	國幣券	橫	壹圓	民國八年五月	財政部印製局	許義宗舊藏	1	東三省·哈爾濱
0994	國幣券	橫	伍圓	民國八年五月	財政部印製局	許義宗舊藏	1	無號票
0995	國幣券	橫	伍圓	民國八年五月	財政部印製局	吳籌中藏	1	東三省·哈爾濱
0996	國幣券	橫	拾圓	民國八年五月	財政部印製局	吳籌中藏	2	無號票
0997	國幣券	橫	拾圓	民國八年五月	財政部印製局	許義宗舊藏	2	東三省·哈爾濱
0998	國幣券	橫	拾圓	1924年(民國十三年)	美國鈔票公司	中國人民銀行上海分行藏	2	樣本·上海·上海
0999	國幣券	橫	拾圓	1924年(民國十三年)	美國鈔票公司	吳籌中藏	2	上海·上海
1000	國幣券	橫	拾圓	1924年(民國十三年)	美國鈔票公司	苗培貴藏	2	上海·上海
1001	國幣券	橫	拾圓	1924年(民國十三年)	美國鈔票公司	許義宗舊藏	2	上海·上海
1002	國幣輔幣券	直	壹角	1925年(民國十四年)	美國鈔票公司	中國人民銀行上海分行藏		
1003	國幣輔幣券	直	壹角	1925年(民國十四年)	美國鈔票公司	中國人民銀行上海分行藏		
1004	國幣輔幣券	直	壹角	1925年(民國十四年)	美國鈔票公司	中國人民銀行上海分行藏		
1005	國幣輔幣券	直	壹角	1925年(民國十四年)	美國鈔票公司	吳籌中藏		
1006	國幣輔幣券	直	壹角	1925年(民國十四年)	美國鈔票公司	中國人民銀行上海分行藏		
1007	國幣輔幣券	直	貳角	1925年(民國十四年)	美國鈔票公司	許義宗舊藏	1	
1008	國幣輔幣券	直	貳角	1925年(民國十四年)	美國鈔票公司	許義宗舊藏	1	
1009	國幣輔幣券	直	貳角	1925年(民國十四年)	美國鈔票公司	中國人民銀行上海分行藏	1	
1010	國幣輔幣券	直	貳角	1925年(民國十四年)	美國鈔票公司	中國人民銀行上海分行藏	1	
1011	國幣輔幣券	直	貳角	1925年(民國十四年)	美國鈔票公司	王煒藏	1	
1012	國幣輔幣券	直	伍角	1925年(民國十四年)	美國鈔票公司	許義宗舊藏	1	
1013	國幣輔幣券	直	伍角	1925年(民國十四年)	美國鈔票公司	中國人民銀行上海分行藏	1	
1014	國幣輔幣券	直	伍角	1925年(民國十四年)	美國鈔票公司	許義宗舊藏	1	
1015	大洋券	橫	壹圓	1925年(民國十四年)	美國鈔票公司	許義宗舊藏	2	樣本·奉天
1016	大洋券	橫	伍圓	1925年(民國十四年)	美國鈔票公司	許義宗舊藏	3	樣本·奉天
1017	大洋券	橫	伍圓	1925年(民國十四年)	美國鈔票公司	上海博物館藏	3	樣本·奉天·遼寧兌換
1018	大洋券	橫	拾圓	1925年(民國十四年)	美國鈔票公司	許義宗舊藏	3	樣本·奉天
1019	大洋券	橫	拾圓	1925年(民國十四年)	美國鈔票公司	上海博物館藏	3	樣本·奉天·遼寧兌換
1020	國幣券	橫	伍圓	1926年(民國十五年)	美國鈔票公司	許義宗舊藏	2	試樣票·上海
1021	國幣券	橫	伍圓	1926年(民國十五年)	美國鈔票公司	王煒藏		上海·上海
1022	國幣券	橫	伍圓	1926年(民國十五年)	美國鈔票公司	許義宗舊藏		上海·上海
1023	國幣券	橫	伍圓	1926年(民國十五年)	美國鈔票公司	許義宗舊藏		上海·上海
1024	國幣券	橫	伍圓	1926年(民國十五年)	美國鈔票公司	許義宗舊藏		上海·上海
1025	國幣券	橫	伍圓	1926年(民國十五年)	美國鈔票公司	許義宗舊藏		上海·上海
1026	國幣券	橫	伍圓	1926年(民國十五年)	美國鈔票公司	許義宗舊藏		上海·上海
1027	國幣券	橫	伍圓	1926年(民國十五年)	美國鈔票公司	吳籌中藏		上海·上海
1028	國幣券	橫	伍圓	1926年(民國十五年)	美國鈔票公司	許義宗舊藏		上海·上海
1029	銀元券	橫	壹圓	1930年(民國十九年)	美國鈔票公司	王煒藏	1	廈門·廈門
1030	銀元券	橫	壹圓	1930年(民國十九年)	美國鈔票公司	吳籌中藏		廈門·廈門
1031	銀元券	橫	伍圓	1930年(民國十九年)	美國鈔票公司	吳籌中藏		廈門·廈門
1032	銀元券	橫	伍圓	1930年(民國十九年)	美國鈔票公司	王煒藏	2	廈門·廈門
1033	銀元券	橫	拾圓	1930年(民國十九年)	美國鈔票公司	王煒藏	2	廈門·廈門
1034	國幣券	橫	伍圓	1931年(民國二十年)	德納羅印鈔公司	吳籌中藏		天津
1035	國幣券	橫	伍圓	1931年(民國二十年)	德納羅印鈔公司	許義宗舊藏		天津

編號	券　名	票型	面　額	年　份	印刷單位	來　源	等級	説　明
1036	國幣券	横	伍圓	1931 年(民國二十年)	德納羅印鈔公司	苗培貴藏		天津
1037	國幣券	横	壹圓	1934 年(民國二十三年)	德納羅印鈔公司	許義宗舊藏		山東·山東
1038	國幣券	横	壹圓	1934 年(民國二十三年)	德納羅印鈔公司	吴籌中藏		山東·山東
1039	國幣券	横	壹圓	1934 年(民國二十三年)	德納羅印鈔公司	許義宗舊藏		山東·山東
1040	國幣券	横	伍圓	1934 年(民國二十三年)	德納羅印鈔公司	許義宗舊藏	1	山東·山東
1041	國幣券	横	伍圓	1934 年(民國二十三年)	德納羅印鈔公司	吴籌中藏	1	山東·山東
1042	國幣券	横	伍圓	1934 年(民國二十三年)	德納羅印鈔公司	吴籌中藏		山東·山東·煙臺
1043	國幣券	横	伍圓	1934 年(民國二十三年)	德納羅印鈔公司	吴籌中藏		山東·山東·青島
1044	國幣券	横	伍圓	1934 年(民國二十三年)	德納羅印鈔公司	吴籌中藏		山東·山東·威海衛
1045	國幣券	横	拾圓	1934 年(民國二十三年)	德納羅印鈔公司	許義宗舊藏	1	山東·山東
1046	國幣券	横	拾圓	1934 年(民國二十三年)	德納羅印鈔公司	吴籌中藏	1	山東·山東
1047	國幣券	横	拾圓	1934 年(民國二十三年)	德納羅印鈔公司	苗培貴藏	1	山東·山東
1048	國幣券	横	壹圓	1934 年(民國二十三年)	德納羅印鈔公司	苗培貴藏	4	天津
1049	國幣券	横	壹圓	1934 年(民國二十三年)	德納羅印鈔公司	許義宗舊藏	4	天津
1050	國幣券	横	拾圓	1934 年(民國二十三年)	德納羅印鈔公司	苗培貴藏		天津
1051	國幣券	横	拾圓	1934 年(民國二十三年)	德納羅印鈔公司	吴籌中藏		天津
1052	國幣券	横	壹圓	1935 年(民國二十四年)	德納羅印鈔公司	吴籌中藏		天津
1053	國幣券	横	壹圓	1935 年(民國二十四年)	英國華德路公司	許義宗舊藏		試樣票·上海
1054	國幣券	横	壹圓	1935 年(民國二十四年)	英國華德路公司	苗培貴藏		上海
1055	國幣券	横	壹圓	1935 年(民國二十四年)	英國華德路公司	吴籌中藏		上海
1056	國幣券	横	伍圓	1935 年(民國二十四年)	德納羅印鈔公司	吴籌中藏		
1057	國幣券	横	伍圓	1935 年(民國二十四年)	德納羅印鈔公司	吴籌中藏		
1058	國幣券	横	壹圓	1936 年(民國二十五年)	德納羅印鈔公司	吴籌中藏		
1059	國幣券	横	壹圓	1936 年(民國二十五年)	德納羅印鈔公司	許義宗舊藏		
1060	國幣券	横	壹圓	1937 年(民國二十六年)	德納羅印鈔公司	吴籌中藏		
1061	國幣券	横	壹圓	1937 年(民國二十六年)	德納羅印鈔公司	許義宗舊藏		
1062	國幣券	横	伍圓	1937 年(民國二十六年)	德納羅印鈔公司	苗培貴藏		
1063	國幣券	横	拾圓	1937 年(民國二十六年)	德納羅印鈔公司	吴籌中藏		
1064	國幣券	横	拾圓	1937 年(民國二十六年)	德納羅印鈔公司	苗培貴藏		
1065	國幣券	横	壹圓	1939 年(民國二十八年)	美國鈔票公司	許義宗舊藏	3	廖仲愷像·樣本
1066	國幣券	横	壹圓	1939 年(民國二十八年)	美國鈔票公司	選自《中華集幣會刊》	3	廖仲愷像·樣本
1067	國幣券	横	伍圓	1939 年(民國二十八年)	美國鈔票公司	許義宗舊藏	3	廖仲愷像·樣本
1068	國幣券	横	伍圓	1939 年(民國二十八年)	美國鈔票公司	選自《中華集幣會刊》	3	廖仲愷像·樣本
1069	國幣券	横	拾圓	1939 年(民國二十八年)	美國鈔票公司	許義宗舊藏	3	廖仲愷像·樣本
1070	國幣券	横	拾圓	1939 年(民國二十八年)	美國鈔票公司	選自《中華集幣會刊》	3	廖仲愷像·樣本
1071	國幣輔幣券	横	壹角			吴籌中藏		
1072	國幣輔幣券	横	貳角			吴籌中藏		
1073	國幣券	横	伍圓	1940 年(民國二十九年)	美國鈔票公司	吴籌中藏		單字冠
1074	國幣券	横	伍圓	1940 年(民國二十九年)	美國鈔票公司	苗培貴藏		雙字冠
1075	國幣券	横	拾圓	1940 年(民國二十九年)	美國鈔票公司	吴籌中藏		單字冠
1076	國幣券	横	拾圓	1940 年(民國二十九年)	美國鈔票公司	苗培貴藏		雙字冠
1077	國幣券	横	拾圓	1940 年(民國二十九年)	美國鈔票公司	吴籌中藏		重慶·雙字冠
1078	國幣券	横	貳拾伍圓	1940 年(民國二十九年)	美國鈔票公司	吴籌中藏		單字冠
1079	國幣券	横	伍拾圓	1940 年(民國二十九年)	美國鈔票公司	中國人民銀行上海分行藏		重慶·單字冠
1080	國幣券	横	伍拾圓	1940 年(民國二十九年)	美國鈔票公司	吴籌中藏		重慶·雙字冠
1081	國幣券	横	壹百圓	1940 年(民國二十九年)	美國鈔票公司	中國人民銀行上海分行藏		樣本
1082	國幣券	横	壹百圓	1940 年(民國二十九年)	美國鈔票公司	苗培貴藏		無字冠
1083	國幣券	横	壹百圓	1940 年(民國二十九年)	美國鈔票公司	苗培貴藏		單字冠
1084	國幣券	横	壹百圓	1940 年(民國二十九年)	美國鈔票公司	吴籌中藏		重慶·單字冠
1085	國幣券	横	伍圓	1941 年(民國三十年)	商務印書館有限公司	上海博物館藏		無字冠

編號	券　名	票型	面　額	年　份	印刷單位	來　源	等級	説　明
1086	國幣券	橫	伍圓	1941 年（民國三十年）	商務印書館有限公司	苗培貴藏		單字冠
1087	國幣券	橫	拾圓	1941 年（民國三十年）	商務印書館有限公司	苗培貴藏		無字冠
1088	國幣券	橫	拾圓	1941 年（民國三十年）	商務印書館有限公司	上海博物館藏		單字冠
1089	國幣輔幣券	直	壹毫	1941 年（民國三十年）		吳籌中提供	1	樣本
1090	國幣輔幣券	直	壹毫	1941 年（民國三十年）		許義宗舊藏	1	
1091	國幣輔幣券	直	貳毫	1941 年（民國三十年）		吳籌中提供	1	樣本
1092	國幣輔幣券	直	貳毫	1941 年（民國三十年）		許義宗舊藏	1	
1093	國幣券	直	壹圓	1941 年（民國三十年）	美國鈔票公司	許義宗舊藏	2	單字冠
1094	國幣券	直	壹圓	1941 年（民國三十年）	美國鈔票公司	許義宗舊藏	2	雙字冠
1095	國幣券	直	伍圓	1941 年（民國三十年）	美國鈔票公司	吳籌中提供	2	樣本
1096	國幣券	直	伍圓	1941 年（民國三十年）	美國鈔票公司	許義宗舊藏	2	無字冠
1097	國幣券	直	伍圓	1941 年（民國三十年）	美國鈔票公司	許義宗舊藏	2	單字冠
1098	國幣券	直	拾圓	1941 年（民國三十年）	美國鈔票公司	吳籌中提供	2	樣本
1099	國幣券	直	拾圓	1941 年（民國三十年）	美國鈔票公司	許義宗舊藏	2	
1100	國幣券	直	壹百圓	1941 年（民國三十年）	美國鈔票公司	許義宗舊藏	3	
1101	國幣券	直	伍百圓	1941 年（民國三十年）	美國鈔票公司	許義宗舊藏	4	
1102	國幣券	橫	伍拾圓	1942 年（民國三十一年）	大東書局有限公司	許義宗舊藏		無字冠
1103	國幣券	橫	伍拾圓	1942 年（民國三十一年）	大東書局有限公司	吳籌中藏		單字冠
1104	國幣券	橫	伍佰圓	1942 年（民國三十一年）	美國鈔票公司	苗培貴藏	3	無字冠
1105	國幣券	橫	伍佰圓	1942 年（民國三十一年）	美國鈔票公司	許義宗舊藏	3	單字冠
1106	國幣券	橫	壹仟圓	1942 年（民國三十一年）	美國鈔票公司	苗培貴藏	4	無字冠
1107	國幣券本票	直	伍佰圓	民國三十四年		吳籌中提供	2	南昌
1108	金圓券本票	直	伍仟圓	民國三十八年		許義宗舊藏	2	管理處儲蓄部
1109	金圓券本票	直	壹萬圓	民國三十八年		許義宗舊藏	2	管理處儲蓄部
1110	金圓券本票	直	貳萬圓	民國三十八年		許義宗舊藏	2	管理處儲蓄部

三、交通銀行紙幣

編號	券　名	票型	面　額	年　份	印刷單位	來　源	等級	説　明
1111	銀元券	橫	壹圓	1912 年（民國元年）		上海博物館藏	3	五色旗·樣票
1112	銀元券	橫	伍圓	1912 年（民國元年）		選自《交通銀行發行紙幣圖册》	3	五色旗·樣票
1113	銀元券	橫	拾圓	1912 年（民國元年）		選自《中國紙幣圖説》	3	五色旗·樣票·浦口
1114	銀元券	橫	壹圓	1912 年（民國元年）		上海博物館藏	3	五色旗·票樣·天津
1115	銀元券	橫	壹圓	1912 年（民國元年）		選自《中國紙幣圖説》	3	五色旗·樣票·太原
1116	銀元券	橫	壹圓	1912 年（民國元年）		選自《中國紙幣圖説》	3	五色旗·湖南
1117	銀元券	橫	伍圓	1912 年（民國元年）		選自《中國紙幣圖説》	3	五色旗·北京
1118	銀元券	橫	伍圓	1912 年（民國元年）		選自《中國紙幣圖説》	3	五色旗·樣票·營口
1119	銀元券	橫	伍圓	1912 年（民國元年）		上海博物館藏	3	五色旗·上海
1120	銀元券	橫	伍圓	1912 年（民國元年）		上海博物館藏	3	五色旗·票樣·漢口
1121	銀元券	橫	拾圓	1912 年（民國元年）		上海博物館藏	4	五色旗·票樣·漢口
1122	銀元券	橫	拾圓	1912 年（民國元年）		上海博物館藏	4	五色旗·樣票·上海·無錫
1123	銀元券	橫	拾圓	1912 年（民國元年）		上海博物館藏	4	五色旗·票樣·張家口
1124	銀元券	橫	拾圓	1912 年（民國元年）		上海博物館藏	4	五色旗·樣票·河南
1125	銀元券	橫	拾圓	1912 年（民國元年）		選自《中國紙幣圖説》	4	五色旗·浦口
1126	銀元券	橫	拾圓	1912 年（民國元年）		許義宗舊藏	4	五色旗·樣票·天津
1127	小銀元輔幣券	橫	伍角	1912 年（民國元年）		上海博物館藏	2	五色旗·營口
1128	小銀元輔幣券	橫	拾角	1912 年（民國元年）		上海博物館藏	3	五色旗·營口
1129	小銀元輔幣券	橫	拾角	1912 年（民國元年）		吳籌中提供	3	五色旗·奉天
1130	小銀元輔幣券	橫	伍拾角	1912 年（民國元年）		上海博物館藏	4	五色旗·營口
1131	小銀元輔幣券	橫	伍拾角	1912 年（民國元年）		選自《中國紙幣圖説》	4	五色旗·樣子·長春

編號	券 名	票型	面 額	年 份	印 刷 單 位	來 源	等級	説 明
1132	小銀元輔幣券	横	伍拾角	1912 年(民國元年)		選自《交通銀行發行紙幣圖册》	3	五色旗·奉天
1133	小銀元輔幣券	横	壹佰角	1912 年(民國元年)		上海博物館藏	4	五色旗·奉天
1134	銀元券	直	壹圓	1912 年(民國元年)		選自《中國紙幣圖説》	3	北京
1135	銀元券	直	伍圓	1912 年(民國元年)		上海博物館藏	4	北京
1136	銀兩券	直	貳兩	1912 年(民國元年)		選自《交通銀行發行紙幣圖册》	4	北京
1137	銀兩券	直	叁兩	1912 年(民國元年)		上海博物館藏	4	北京
1138	銅元券	直	貳拾枚	1913 年(民國二年)		選自《交通銀行發行紙幣圖册》	3	
1139	銅元券	直	壹百枚	1913 年(民國二年)		上海博物館藏	4	樣票·揚州
1140	銅元券	直	壹百枚	1913 年(民國二年)		吳籌中提供	4	樣票·沙市
1141	銅元券	直	壹百枚	1913 年(民國二年)		吳籌中提供	4	徐州
1142	銅元券	直	壹百枚	1913 年(民國二年)		選自《中國紙幣圖説》	4	樣票·徐州
1143	銅元券	直	壹百枚	1913 年(民國二年)		選自《交通銀行發行紙幣圖册》	4	清江
1144	銅元券	直	伍百枚	1915 年(民國四年)		選自《交通銀行發行紙幣圖册》	4	山東煙臺
1145	銀元券	横	壹圓	1913 年(民國二年)	美國鈔票公司	選自《中國紙幣圖説》	2	樣票
1146	銀元券	横	伍圓	1913 年(民國二年)	美國鈔票公司	選自《中國紙幣圖説》	2	樣票
1147	銀元券	横	拾圓	1913 年(民國二年)	美國鈔票公司	選自《中國紙幣圖説》	2	樣票
1148	銀元券	横	伍拾圓	1913 年(民國二年)	美國鈔票公司	選自《中國紙幣圖説》	3	樣票
1149	銀元券	横	壹百圓	1913 年(民國二年)	美國鈔票公司	選自《中國紙幣圖説》	3	樣票
1150	銀元券	横	壹圓	1913 年(民國二年)	美國鈔票公司	上海博物館藏	2	樣本·奉天
1151	銀元券	横	壹圓	1913 年(民國二年)	美國鈔票公司	上海博物館藏	2	奉天
1152	銀元券	横	伍圓	1913 年(民國二年)	美國鈔票公司	上海博物館藏	3	樣本·奉天
1153	銀元券	横	拾圓	1913 年(民國二年)	美國鈔票公司	上海博物館藏	4	樣本·奉天
1154	銀元券	横	拾圓	1913 年(民國二年)	美國鈔票公司	上海博物館藏	4	奉天
1155	銀元券	横	壹圓	1913 年(民國二年)	美國鈔票公司	上海博物館藏	2	樣本·長春
1156	銀元券	横	壹圓	1913 年(民國二年)	美國鈔票公司	上海博物館藏	2	長春·大洋券改小銀元券
1157	銀元券	横	壹圓	1913 年(民國二年)	美國鈔票公司	選自《中國紙幣圖説》	2	長春·大洋券改小銀元券
1158	銀元券	横	伍圓	1913 年(民國二年)	美國鈔票公司	吳籌中藏	3	長春·大洋券改小銀元券
1159	銀元券	横	拾圓	1913 年(民國二年)	美國鈔票公司	上海博物館藏	4	樣本·長春·大洋券改小銀元券
1160	銀元券	横	伍拾圓	1913 年(民國二年)	美國鈔票公司	上海博物館藏	4	樣本·長春·大洋券改小銀元券
1161	銀元券	横	壹百圓	1913 年(民國二年)	美國鈔票公司	上海博物館藏	4	樣本·長春·大洋券改小銀元券
1162	銀元券	横	壹圓	1913 年(民國二年)	美國鈔票公司	上海博物館藏	2	樣本·黑龍江·大洋券改小銀元券
1163	銀元券	横	伍圓	1913 年(民國二年)	美國鈔票公司	上海博物館藏	3	樣本·黑龍江·大洋券改小銀元券
1164	銀元券	横	拾圓	1913 年(民國二年)	美國鈔票公司	上海博物館藏	4	樣本·黑龍江·大洋券改小銀元券
1165	銀元券	横	壹圓	1913 年(民國二年)	美國鈔票公司	上海博物館藏	2	營口
1166	銀元券	横	伍圓	1913 年(民國二年)	美國鈔票公司	上海博物館藏	3	營口
1167	銀元券	横	拾圓	1913 年(民國二年)	美國鈔票公司	上海博物館藏	4	營口
1168	銀元券	横	壹圓	1913 年(民國二年)	美國鈔票公司	上海博物館藏	2	樣票·北京
1169	銀元券	横	壹圓	1913 年(民國二年)	美國鈔票公司	上海博物館藏	2	北京
1170	銀元券	横	伍圓	1913 年(民國二年)	美國鈔票公司	上海博物館藏	3	票樣·北京
1171	銀元券	横	伍圓	1913 年(民國二年)	美國鈔票公司	許義宗舊藏	3	北京
1172	銀元券	横	拾圓	1913 年(民國二年)	美國鈔票公司	上海博物館藏	4	票樣·北京
1173	銀元券	横	拾圓	1913 年(民國二年)	美國鈔票公司	選自《交通銀行發行紙幣圖册》	4	北京
1174	銀元券	横	壹圓	1913 年(民國二年)	美國鈔票公司	吳籌中藏	2	江蘇
1175	銀元券	横	伍圓	1913 年(民國二年)	美國鈔票公司	許義宗舊藏	3	江蘇
1176	銀元券	横	拾圓	1913 年(民國二年)	美國鈔票公司	吳籌中提供	3	江蘇
1177	銀元券	横	壹百圓	1913 年(民國二年)	美國鈔票公司	吳籌中藏	4	樣票·江蘇
1178	銀元券	横	壹圓	1913 年(民國二年)	美國鈔票公司	吳籌中提供	2	樣票·嶽州
1179	銀元券	横	伍圓	1913 年(民國二年)	美國鈔票公司	吳籌中提供	3	樣票·嶽州
1180	銀元券	横	壹圓	1913 年(民國二年)	美國鈔票公司	上海博物館藏	2	樣子·煙臺
1181	銀元券	横	伍圓	1913 年(民國二年)	美國鈔票公司	上海博物館藏	3	樣子·煙臺

編號	券 名	票型	面 額	年 份	印刷單位	來 源	等級	説 明
1182	銀元券	橫	拾圓	1913 年(民國二年)	美國鈔票公司	上海博物館藏	4	樣子·煙臺
1183	銀元券	橫	壹圓	1913 年(民國二年)	美國鈔票公司	上海博物館藏	2	票樣·漢口
1184	銀元券	橫	伍圓	1913 年(民國二年)	美國鈔票公司	上海博物館藏	3	票樣·漢口
1185	銀元券	橫	拾圓	1913 年(民國二年)	美國鈔票公司	上海博物館藏	4	票樣·漢口
1186	銀元券	橫	壹圓	1913 年(民國二年)	美國鈔票公司	選自《交通銀行發行紙幣圖册》	2	蕪湖
1187	銀元券	橫	伍圓	1913 年(民國二年)	美國鈔票公司	選自《交通銀行發行紙幣圖册》	3	蕪湖
1188	銀元券	橫	拾圓	1913 年(民國二年)	美國鈔票公司	選自《交通銀行發行紙幣圖册》	4	蕪湖
1189	銀元券	橫	壹圓	1913 年(民國二年)	美國鈔票公司	上海博物館藏	2	票樣·張家口
1190	銀元券	橫	伍圓	1913 年(民國二年)	美國鈔票公司	上海博物館藏	3	票樣·張家口
1191	銀元券	橫	拾圓	1913 年(民國二年)	美國鈔票公司	上海博物館藏	4	票樣·張家口
1192	銀元券	橫	壹百圓	1913 年(民國二年)	美國鈔票公司	選自《中國紙幣圖説》	4	票樣·張家口
1193	銀元券	橫	壹圓	1913 年(民國二年)	美國鈔票公司	上海博物館藏	2	安徽
1194	銀元券	橫	壹圓	1913 年(民國二年)	美國鈔票公司	上海博物館藏	2	重慶
1195	銀元券	橫	伍圓	1913 年(民國二年)	美國鈔票公司	上海博物館藏	3	重慶
1196	銀元券	橫	拾圓	1913 年(民國二年)	美國鈔票公司	上海博物館藏	4	重慶
1197	銀元券	橫	壹圓	1913 年(民國二年)	美國鈔票公司	上海博物館藏	2	票樣·天津
1198	銀元券	橫	伍圓	1913 年(民國二年)	美國鈔票公司	上海博物館藏	3	票樣·天津
1199	銀元券	橫	拾圓	1913 年(民國二年)	美國鈔票公司	上海博物館藏	4	票樣·天津
1200	銀元券	橫	壹圓	1913 年(民國二年)	美國鈔票公司	上海博物館藏	2	票樣·濟南
1201	銀元券	橫	伍圓	1913 年(民國二年)	美國鈔票公司	上海博物館藏	3	票樣·濟南
1202	銀元券	橫	拾圓	1913 年(民國二年)	美國鈔票公司	上海博物館藏	4	票樣·濟南
1203	銀元券	橫	壹圓	1913 年(民國二年)	美國鈔票公司	上海博物館藏	2	票樣·河南
1204	銀元券	橫	伍圓	1913 年(民國二年)	美國鈔票公司	上海博物館藏	3	票樣·河南
1205	銀元券	橫	拾圓	1913 年(民國二年)	美國鈔票公司	上海博物館藏	4	票樣·河南
1206	銀元券	橫	壹圓	1913 年(民國二年)	美國鈔票公司	上海博物館藏	2	湖南
1207	銀元券	橫	伍圓	1913 年(民國二年)	美國鈔票公司	上海博物館藏	3	湖南
1208	銀元券	橫	拾圓	1913 年(民國二年)	美國鈔票公司	上海博物館藏	4	湖南
1209	銀元券	橫	壹圓	1913 年(民國二年)	美國鈔票公司	吳籌中提供	2	上海
1210	銀元券	橫	伍圓	1913 年(民國二年)	美國鈔票公司	上海博物館藏	3	上海
1211	銀元券	橫	伍圓	1913 年(民國二年)	美國鈔票公司	許義宗舊藏	3	票樣·上海·寧波
1212	銀元券	橫	拾圓	1913 年(民國二年)	美國鈔票公司	上海博物館藏	4	上海
1213	銀元券	橫	伍拾圓	1913 年(民國二年)	美國鈔票公司	吳籌中提供	4	上海
1214	銀元券	橫	伍圓	1913 年(民國二年)	美國鈔票公司	上海博物館藏	3	票樣·無錫
1215	銀元券	橫	拾圓	1913 年(民國二年)	美國鈔票公司	上海博物館藏	4	票樣·無錫
1216	銀元券	橫	壹圓	1913 年(民國二年)	美國鈔票公司	上海博物館藏	2	浙江
1217	銀元券	橫	伍圓	1913 年(民國二年)	美國鈔票公司	上海博物館藏	3	浙江
1218	銀元券	橫	拾圓	1913 年(民國二年)	美國鈔票公司	上海博物館藏	4	浙江
1219	銀元券	橫	壹圓	1913 年(民國二年)	美國鈔票公司	吳籌中藏	2	揚州
1220	銀元券	橫	伍圓	1913 年(民國二年)	美國鈔票公司	上海博物館藏	3	票樣·揚州
1221	銀元券	橫	拾圓	1913 年(民國二年)	美國鈔票公司	上海博物館藏	4	票樣·揚州
1222	銀元券	橫	伍拾圓	1913 年(民國二年)	美國鈔票公司	選自《交通銀行發行紙幣圖册》	3	揚州
1223	銀元券	橫	壹百圓	1913 年(民國二年)	美國鈔票公司	吳籌中提供	4	揚州
1224	銀元券	橫	壹圓	1913 年(民國二年)	美國鈔票公司	上海博物館藏	2	浦口
1225	銀元券	橫	伍圓	1913 年(民國二年)	美國鈔票公司	上海博物館藏	3	票樣·浦口
1226	銀元券	橫	拾圓	1913 年(民國二年)	美國鈔票公司	上海博物館藏	4	票樣·浦口
1227	國幣輔幣券	橫	伍分	民國三年	財政部印刷局	選自《中國紙幣圖説》	1	
1228	國幣輔幣券	橫	壹角	民國三年	財政部印刷局	選自《中國紙幣圖説》	1	
1229	國幣輔幣券	橫	貳角	民國三年	財政部印刷局	選自《中國紙幣圖説》	1	
1230	國幣輔幣券	橫	伍角	民國三年	財政部印刷局	選自《中國紙幣圖説》	2	
1231	國幣輔幣券	橫	壹角	民國三年	財政部印刷局	吳籌中藏	1	張家口

編號	券　　名	票型	面　額	年　　份	印　刷　單　位	來　　源	等級	説　　明
1232	國幣輔幣券	橫	貳角	民國三年	財政部印刷局	吳籌中藏	1	張家口
1233	國幣輔幣券	橫	壹角	民國三年	財政部印刷局	吳籌中藏	1	石家莊
1234	國幣輔幣券	橫	貳角	民國三年	財政部印刷局	吳籌中藏	1	石家莊
1235	國幣輔幣券	橫	貳角	民國三年	財政部印刷局	吳籌中藏	2	包頭
1236	國幣輔幣券	橫	壹角	民國三年	財政部印刷局	選自《中國紙幣圖説》	1	威海衛
1237	國幣輔幣券	橫	貳角	民國三年	財政部印刷局	選自《中國紙幣圖説》	1	威海衛
1238	國幣輔幣券	橫	貳角	民國三年	財政部印刷局	選自《中國紙幣圖説》	1	威海衛
1239	國幣輔幣券	橫	伍角	民國三年	財政部印刷局	上海博物館藏	2	黑河
1240	國幣輔幣券	橫	壹角	民國三年	財政部印刷局	選自《中國紙幣圖説》	1	青島
1241	國幣輔幣券	橫	貳角	民國三年	財政部印刷局	選自《中國紙幣圖説》	1	青島
1242	國幣輔幣券	橫	壹角	民國三年	財政部印刷局	選自《交通銀行發行紙幣圖册》	1	樣本·哈爾濱
1243	國幣輔幣券	橫	貳角	民國三年	財政部印刷局	選自《交通銀行發行紙幣圖册》	1	樣本·哈爾濱
1244	國幣輔幣券	橫	伍角	民國三年	財政部印刷局	選自《交通銀行發行紙幣圖册》	2	哈爾濱
1245	國幣券	橫	壹圓	1914年(民國三年)	美國鈔票公司	選自《中國紙幣圖説》	2	樣票·棕色
1246	國幣券	橫	壹圓	1914年(民國三年)	美國鈔票公司	選自《中國紙幣圖説》	2	上海·藍色
1247	國幣券	橫	壹圓	1914年(民國三年)	美國鈔票公司	許義宗舊藏	2	樣票·紫色
1248	國幣券	橫	伍圓	1914年(民國三年)	美國鈔票公司	許義宗舊藏	2	樣票·橄色
1249	國幣券	橫	伍圓	1914年(民國三年)	美國鈔票公司	許義宗舊藏	2	樣票·藍色
1250	國幣券	橫	伍圓	1914年(民國三年)	美國鈔票公司	許義宗舊藏	2	樣票·紅色
1251	國幣券	橫	伍圓	1914年(民國三年)	美國鈔票公司	許義宗舊藏	2	樣票·棕色
1252	國幣券	橫	伍圓	1914年(民國三年)	美國鈔票公司	許義宗舊藏	2	樣票·橘黃色
1253	國幣券	橫	拾圓	1914年(民國三年)	美國鈔票公司	許義宗舊藏	2	試樣票
1254	國幣券	橫	拾圓	1914年(民國三年)	美國鈔票公司	許義宗舊藏	2	樣票·綠色
1255	國幣券	橫	拾圓	1914年(民國三年)	美國鈔票公司	許義宗舊藏	2	樣票·紅色
1256	國幣券	橫	拾圓	1914年(民國三年)	美國鈔票公司	許義宗舊藏	2	樣票·紫色
1257	國幣券	橫	拾圓	1914年(民國三年)	美國鈔票公司	許義宗舊藏	2	樣票·藍色
1258	國幣券	橫	伍拾圓	1914年(民國三年)	美國鈔票公司	中國人民銀行上海分行藏	1	樣本·橘黃色
1259	國幣券	橫	壹圓	1914年(民國三年)	美國鈔票公司	上海博物館藏	1	樣本·浦口
1260	國幣券	橫	伍圓	1914年(民國三年)	美國鈔票公司	上海博物館藏	2	樣本·浦口
1261	國幣券	橫	拾圓	1914年(民國三年)	美國鈔票公司	上海博物館藏	2	樣本·浦口
1262	國幣券	橫	壹圓	1914年(民國三年)	美國鈔票公司	上海博物館藏	1	樣本·無錫
1263	國幣券	橫	伍圓	1914年(民國三年)	美國鈔票公司	上海博物館藏	2	樣本·無錫
1264	國幣券	橫	拾圓	1914年(民國三年)	美國鈔票公司	上海博物館藏	2	樣本·無錫
1265	國幣券	橫	壹圓	1914年(民國三年)	美國鈔票公司	上海博物館藏	1	樣本·南京
1266	國幣券	橫	伍圓	1914年(民國三年)	美國鈔票公司	上海博物館藏	2	樣本·南京
1267	國幣券	橫	拾圓	1914年(民國三年)	美國鈔票公司	上海博物館藏	2	樣本·南京
1268	國幣券	橫	壹圓	1914年(民國三年)	美國鈔票公司	上海博物館藏	1	樣本·揚州
1269	國幣券	橫	伍圓	1914年(民國三年)	美國鈔票公司	上海博物館藏	2	樣本·揚州
1270	國幣券	橫	拾圓	1914年(民國三年)	美國鈔票公司	上海博物館藏	2	樣本·揚州
1271	國幣券	橫	壹圓	1914年(民國三年)	美國鈔票公司	上海博物館藏	1	樣本·安徽
1272	國幣券	橫	伍圓	1914年(民國三年)	美國鈔票公司	上海博物館藏	2	樣本·安徽
1273	國幣券	橫	拾圓	1914年(民國三年)	美國鈔票公司	上海博物館藏	2	樣本·安徽
1274	國幣券	橫	伍拾圓	1914年(民國三年)	美國鈔票公司	上海博物館藏	3	樣本·安徽
1275	國幣券	橫	壹百圓	1914年(民國三年)	美國鈔票公司	上海博物館藏	3	樣本·安徽
1276	國幣券	橫	壹百圓	1914年(民國三年)	美國鈔票公司	上海博物館藏	3	樣本·江蘇
1277	國幣券	橫	壹圓	1914年(民國三年)	美國鈔票公司	上海博物館藏	1	樣本·江蘇
1278	國幣券	橫	壹圓	1914年(民國三年)	美國鈔票公司	吳籌中藏	1	江蘇
1279	國幣券	橫	伍圓	1914年(民國三年)	美國鈔票公司	上海博物館藏	2	樣本·江蘇
1280	國幣券	橫	拾圓	1914年(民國三年)	美國鈔票公司	上海博物館藏	2	樣本·江蘇
1281	國幣券	橫	伍拾圓	1914年(民國三年)	美國鈔票公司	上海博物館藏	3	樣本·江蘇

編號	券　名	票型	面　額	年　份	印刷單位	來　源	等級	説　明
1282	國幣券	橫	壹圓	1914 年(民國三年)	美國鈔票公司	上海博物館藏	1	樣本·上海
1283	國幣券	橫	壹圓	1914 年(民國三年)	美國鈔票公司	吳籌中藏		上海
1284	國幣券	橫	壹圓	1914 年(民國三年)	美國鈔票公司	吳籌中藏		上海
1285	國幣券	橫	壹圓	1914 年(民國三年)	美國鈔票公司	吳籌中藏		上海
1286	國幣券	橫	伍圓	1914 年(民國三年)	美國鈔票公司	吳籌中藏		上海
1287	國幣券	橫	伍圓	1914 年(民國三年)	美國鈔票公司	吳籌中藏		上海
1288	國幣券	橫	伍圓	1914 年(民國三年)	美國鈔票公司	吳籌中藏		上海
1289	國幣券	橫	拾圓	1914 年(民國三年)	美國鈔票公司	吳籌中藏		上海
1290	國幣券	橫	拾圓	1914 年(民國三年)	美國鈔票公司	中國人民銀行上海分行藏		上海
1291	國幣券	橫	拾圓	1914 年(民國三年)	美國鈔票公司	吳籌中藏		上海
1292	國幣券	橫	伍拾圓	1914 年(民國三年)	美國鈔票公司	吳籌中藏	1	上海
1293	國幣券	橫	壹百圓	1914 年(民國三年)	美國鈔票公司	吳籌中藏	1	上海
1294	國幣券	橫	壹圓	1914 年(民國三年)	美國鈔票公司	吳籌中藏	1	浙江
1295	國幣券	橫	伍圓	1914 年(民國三年)	美國鈔票公司	上海博物館藏	2	樣本·浙江
1296	國幣券	橫	拾圓	1914 年(民國三年)	美國鈔票公司	上海博物館藏	2	樣本·浙江
1297	國幣券	橫	壹圓	1914 年(民國三年)	美國鈔票公司	上海博物館藏	1	樣本·九江
1298	國幣券	橫	伍圓	1914 年(民國三年)	美國鈔票公司	上海博物館藏	2	樣本·九江
1299	國幣券	橫	伍圓	1914 年(民國三年)	美國鈔票公司	吳籌中藏	2	九江
1300	國幣券	橫	拾圓	1914 年(民國三年)	美國鈔票公司	上海博物館藏	2	樣本·九江
1301	國幣券	橫	伍拾圓	1914 年(民國三年)	美國鈔票公司	上海博物館藏	3	樣本·九江
1302	國幣券	橫	壹百圓	1914 年(民國三年)	美國鈔票公司	上海博物館藏	3	樣本·九江
1303	國幣券	橫	壹圓	1914 年(民國三年)	美國鈔票公司	上海博物館藏	1	樣本·漢口
1304	國幣券	橫	壹圓	1914 年(民國三年)	美國鈔票公司	吳籌中藏	1	漢口
1305	國幣券	橫	壹圓	1914 年(民國三年)	美國鈔票公司	吳籌中藏	1	漢口
1306	國幣券	橫	伍圓	1914 年(民國三年)	美國鈔票公司	上海博物館藏	2	樣本·漢口
1307	國幣券	橫	伍圓	1914 年(民國三年)	美國鈔票公司	吳籌中藏	2	漢口
1308	國幣券	橫	拾圓	1914 年(民國三年)	美國鈔票公司	上海博物館藏	2	樣本·漢口
1309	國幣券	橫	伍拾圓	1914 年(民國三年)	美國鈔票公司	上海博物館藏	3	樣本·漢口
1310	國幣券	橫	壹百圓	1914 年(民國三年)	美國鈔票公司	上海博物館藏	3	樣本·漢口
1311	國幣券	橫	壹圓	1914 年(民國三年)	美國鈔票公司	上海博物館藏	1	樣本·山東
1312	國幣券	橫	伍圓	1914 年(民國三年)	美國鈔票公司	上海博物館藏	1	樣本·山東
1313	國幣券	橫	伍圓	1914 年(民國三年)	美國鈔票公司	中國人民銀行上海分行藏	1	山東
1314	國幣券	橫	拾圓	1914 年(民國三年)	美國鈔票公司	上海博物館藏	1	樣本·山東
1315	國幣券	橫	拾圓	1914 年(民國三年)	美國鈔票公司	吳籌中藏	1	山東
1316	國幣券	橫	拾圓	1914 年(民國三年)	美國鈔票公司	吳籌中藏	1	山東
1317	國幣券	橫	伍拾圓	1914 年(民國三年)	美國鈔票公司	上海博物館藏	2	樣本·山東
1318	國幣券	橫	壹百圓	1914 年(民國三年)	美國鈔票公司	上海博物館藏	2	樣本·山東
1319	國幣券	橫	壹圓	1914 年(民國三年)	美國鈔票公司	吳籌中藏	1	青島
1320	國幣券	橫	伍圓	1914 年(民國三年)	美國鈔票公司	上海博物館藏	2	樣本·青島
1321	國幣券	橫	拾圓	1914 年(民國三年)	美國鈔票公司	上海博物館藏	2	樣本·青島
1322	國幣券	橫	伍圓	1914 年(民國三年)	美國鈔票公司	吳籌中藏	2	西安
1323	國幣券	橫	壹圓	1914 年(民國三年)	美國鈔票公司	上海博物館藏	1	樣本·煙臺
1324	國幣券	橫	伍圓	1914 年(民國三年)	美國鈔票公司	上海博物館藏	2	樣本·煙臺
1325	國幣券	橫	伍圓	1914 年(民國三年)	美國鈔票公司	吳籌中藏	2	煙臺
1326	國幣券	橫	拾圓	1914 年(民國三年)	美國鈔票公司	上海博物館藏	2	樣本·煙臺
1327	國幣券	橫	伍拾圓	1914 年(民國三年)	美國鈔票公司	上海博物館藏	3	樣本·煙臺
1328	國幣券	橫	壹百圓	1914 年(民國三年)	美國鈔票公司	上海博物館藏	3	樣本·煙臺
1329	國幣券	橫	伍圓	1914 年(民國三年)	美國鈔票公司	選自《交通銀行發行紙幣圖册》		票樣·北京
1330	國幣券	橫	伍拾圓	1914 年(民國三年)	美國鈔票公司	嵇昂藏	3	樣本·北京
1331	國幣券	橫	壹圓	1914 年(民國三年)	美國鈔票公司	上海博物館藏		樣本·天津

編號	券　名	票型	面　額	年　　份	印刷單位	來　源	等級	説　明
1332	國幣券	橫	壹圓	1914 年(民國三年)	美國鈔票公司	吳籌中藏		天津
1333	國幣券	橫	壹圓	1914 年(民國三年)	美國鈔票公司	吳籌中藏		天津
1334	國幣券	橫	伍圓	1914 年(民國三年)	美國鈔票公司	上海博物館藏		樣本・天津
1335	國幣券	橫	伍圓	1914 年(民國三年)	美國鈔票公司	吳籌中藏		天津
1336	國幣券	橫	伍圓	1914 年(民國三年)	美國鈔票公司	吳籌中藏		天津
1337	國幣券	橫	伍圓	1914 年(民國三年)	美國鈔票公司	吳籌中藏		天津
1338	國幣券	橫	伍圓	1914 年(民國三年)	美國鈔票公司	吳籌中藏		天津
1339	國幣券	橫	伍圓	1914 年(民國三年)	美國鈔票公司	吳籌中藏		天津
1340	國幣券	橫	伍圓	1914 年(民國三年)	美國鈔票公司	吳籌中藏		天津
1341	國幣券	橫	拾圓	1914 年(民國三年)	美國鈔票公司	上海博物館藏		樣本・天津
1342	國幣券	橫	拾圓	1914 年(民國三年)	美國鈔票公司	吳籌中藏		天津
1343	國幣券	橫	拾圓	1914 年(民國三年)	美國鈔票公司	吳籌中藏		天津
1344	國幣券	橫	拾圓	1914 年(民國三年)	美國鈔票公司	吳籌中藏		天津
1345	國幣券	橫	伍拾圓	1914 年(民國三年)	美國鈔票公司	上海博物館藏	1	樣本・天津
1346	國幣券	橫	伍拾圓	1914 年(民國三年)	美國鈔票公司	吳籌中藏	1	天津
1347	國幣券	橫	伍拾圓	1914 年(民國三年)	美國鈔票公司	吳籌中藏	1	天津
1348	國幣券	橫	伍拾圓	1914 年(民國三年)	美國鈔票公司	吳籌中藏	1	天津
1349	國幣券	橫	伍拾圓	1914 年(民國三年)	美國鈔票公司	吳籌中藏	1	天津
1350	國幣券	橫	壹百圓	1914 年(民國三年)	美國鈔票公司	上海博物館藏	1	樣本・天津
1351	國幣券	橫	壹百圓	1914 年(民國三年)	美國鈔票公司	吳籌中藏	1	天津
1352	國幣券	橫	壹圓	1914 年(民國三年)	美國鈔票公司	吳籌中藏		重慶
1353	國幣券	橫	伍圓	1914 年(民國三年)	美國鈔票公司	吳籌中藏		重慶
1354	國幣券	橫	拾圓	1914 年(民國三年)	美國鈔票公司	吳籌中藏		重慶
1355	國幣券	橫	伍拾圓	1914 年(民國三年)	美國鈔票公司	吳籌中藏	1	重慶
1356	國幣券	橫	壹百圓	1914 年(民國三年)	美國鈔票公司	吳籌中藏	1	重慶
1357	國幣券	橫	壹圓	1914 年(民國三年)	美國鈔票公司	王煒藏		厦門・福州
1358	國幣券	橫	伍圓	1914 年(民國三年)	美國鈔票公司	王煒提供		厦門
1359	國幣券	橫	伍圓	1914 年(民國三年)	美國鈔票公司	王煒提供		厦門・福州
1360	國幣券	橫	伍圓	1914 年(民國三年)	美國鈔票公司	吳籌中藏		厦門
1361	國幣券	橫	拾圓	1914 年(民國三年)	美國鈔票公司	吳籌中藏	1	厦門・福州
1362	國幣券	橫	拾圓	1914 年(民國三年)	美國鈔票公司	王煒提供	1	厦門・福州
1363	國幣券	橫	拾圓	1914 年(民國三年)	美國鈔票公司	王煒提供		厦門
1364	國幣券	橫	拾圓	1914 年(民國三年)	美國鈔票公司	吳籌中藏		厦門
1365	國幣券	橫	壹圓	1914 年(民國三年)	美國鈔票公司	上海博物館藏	1	樣本・河南
1366	國幣券	橫	伍圓	1914 年(民國三年)	美國鈔票公司	上海博物館藏	2	樣本・河南
1367	國幣券	橫	拾圓	1914 年(民國三年)	美國鈔票公司	上海博物館藏	2	樣本・河南
1368	國幣券	橫	伍拾圓	1914 年(民國三年)	美國鈔票公司	上海博物館藏	3	樣本・河南
1369	國幣券	橫	壹百圓	1914 年(民國三年)	美國鈔票公司	上海博物館藏	3	樣本・河南
1370	國幣券	橫	壹圓	1914 年(民國三年)	美國鈔票公司	上海博物館藏	1	樣本・張家口
1371	國幣券	橫	伍圓	1914 年(民國三年)	美國鈔票公司	上海博物館藏	2	樣本・張家口
1372	國幣券	橫	拾圓	1914 年(民國三年)	美國鈔票公司	吳籌中提供	2	樣本・張家口
1373	國幣券	橫	伍拾圓	1914 年(民國三年)	美國鈔票公司	上海博物館藏	3	樣本・張家口
1374	國幣券	橫	壹圓	1914 年(民國三年)	美國鈔票公司	上海博物館藏	1	樣本・長春
1375	國幣券	橫	伍圓	1914 年(民國三年)	美國鈔票公司	上海博物館藏	2	樣本・長春
1376	國幣券	橫	拾圓	1914 年(民國三年)	美國鈔票公司	選自《交通銀行發行紙幣圖册》	2	樣本・長春
1377	國幣券	橫	伍拾圓	1914 年(民國三年)	美國鈔票公司	上海博物館藏	3	樣本・長春
1378	國幣券	橫	壹百圓	1914 年(民國三年)	美國鈔票公司	上海博物館藏	3	樣本・長春
1379	國幣券	橫	壹圓	1914 年(民國三年)	美國鈔票公司	上海博物館藏	1	樣本・奉天
1380	國幣券	橫	伍圓	1914 年(民國三年)	美國鈔票公司	上海博物館藏	2	樣本・奉天
1381	國幣券	橫	拾圓	1914 年(民國三年)	美國鈔票公司	上海博物館藏	2	樣本・奉天

編號	券 名	票型	面 額	年 份	印 刷 單 位	來 源	等級	説 明
1382	國幣券	橫	伍拾圓	1914 年(民國三年)	美國鈔票公司	上海博物館藏	3	樣本·奉天
1383	國幣券	橫	壹百圓	1914 年(民國三年)	美國鈔票公司	上海博物館藏	3	樣本·奉天
1384	國幣券	橫	壹圓	1914 年(民國三年)	美國鈔票公司	上海博物館藏	1	樣本·歸化
1385	國幣券	橫	伍圓	1914 年(民國三年)	美國鈔票公司	上海博物館藏	2	樣本·歸化
1386	國幣券	橫	拾圓	1914 年(民國三年)	美國鈔票公司	上海博物館藏	2	樣本·歸化
1387	國幣券	橫	壹圓	1914 年(民國三年)	美國鈔票公司	上海博物館藏	1	樣本·多倫
1388	國幣券	橫	伍圓	1914 年(民國三年)	美國鈔票公司	上海博物館藏	2	樣本·多倫
1389	國幣券	橫	拾圓	1914 年(民國三年)	美國鈔票公司	上海博物館藏	2	樣本·多倫
1390	京錢票	直	壹吊	無年份		吳籌中提供	3	煙臺·龍口
1391	京錢票	直	貳吊	無年份		選自《交通銀行發行紙幣圖册》	4	煙臺·龍口
1392	京錢票	直	叁吊	無年份		吳籌中提供	4	煙臺·龍口
1393	京錢票	直	伍吊	無年份		吳籌中提供	4	煙臺·龍口
1394	市錢票	直	壹仟文	民國四年四月		吳籌中提供	3	煙臺
1395	市錢票	直	叁仟文	民國四年四月		吳籌中提供	4	山東·煙臺
1396	市錢票	直	伍仟文	民國四年四月		吳籌中提供	4	山東·煙臺
1397	小銀元輔幣券	橫	伍角	1915 年(民國四年)	美國鈔票公司	上海博物館藏	2	長春
1398	小銀元輔幣券	橫	拾角	1915 年(民國四年)	美國鈔票公司	上海博物館藏	3	長春
1399	小銀元輔幣券	橫	伍拾角	1915 年(民國四年)	美國鈔票公司	上海博物館藏	4	長春
1400	小銀元輔幣券	橫	壹百角	1915 年(民國四年)	美國鈔票公司	上海博物館藏	4	長春
1401	小銀元輔幣券	橫	伍角	1915 年(民國四年)	美國鈔票公司	上海博物館藏	2	奉天
1402	小銀元輔幣券	橫	拾角	1915 年(民國四年)	美國鈔票公司	上海博物館藏	3	奉天
1403	小銀元輔幣券	橫	伍拾角	1915 年(民國四年)	美國鈔票公司	上海博物館藏	4	奉天
1404	小銀元輔幣券	橫	壹百角	1915 年(民國四年)	美國鈔票公司	上海博物館藏	4	奉天
1405	小銀元輔幣券	橫	壹角	1917 年(民國六年)	財政部印刷局	上海博物館藏	2	長春
1406	小銀元輔幣券	橫	貳角	1917 年(民國六年)	財政部印刷局	吳籌中提供	2	長春
1407	小銀元輔幣券	橫	伍角	1917 年(民國六年)	財政部印刷局	吳籌中提供	3	樣票·長春
1408	國幣券	橫	伍圓	1919 年(民國八年)	財政部印刷局	吳籌中提供	2	無號碼
1409	國幣券	橫	拾圓	1919 年(民國八年)	財政部印刷局	吳籌中提供	2	無號碼
1410	國幣券	橫	壹圓	1919 年(民國八年)	財政部印刷局	上海博物館藏	1	哈爾濱
1411	國幣券	橫	伍圓	1919 年(民國八年)	財政部印刷局	上海博物館藏	2	哈爾濱
1412	國幣券	橫	拾圓	1919 年(民國八年)	財政部印刷局	上海博物館藏	2	哈爾濱
1413	國幣券	橫	壹圓	1919 年(民國八年)	財政部印刷局	上海博物館藏	2	樣本·黑河
1414	國幣券	橫	伍圓	1919 年(民國八年)	財政部印刷局	上海博物館藏	3	樣本·黑河
1415	國幣券	橫	拾圓	1919 年(民國八年)	財政部印刷局	上海博物館藏	3	樣本·黑河
1416	國幣券	橫	壹圓	1920 年(民國九年)	美國鈔票公司	上海博物館藏	2	樣本·哈爾濱
1417	國幣券	橫	伍圓	1920 年(民國九年)	美國鈔票公司	上海博物館藏	3	樣本·哈爾濱
1418	國幣券	橫	拾圓	1920 年(民國九年)	美國鈔票公司	上海博物館藏	3	樣本·哈爾濱
1419	國幣券	橫	伍拾圓	1920 年(民國九年)	美國鈔票公司	上海博物館藏	4	哈爾濱
1420	國幣券	橫	壹圓	1923 年(民國十二年)	美國鈔票公司	上海博物館藏	2	奉天
1421	國幣券	橫	伍圓	1923 年(民國十二年)	美國鈔票公司	吳籌中藏	2	奉天
1422	國幣券	橫	拾圓	1923 年(民國十二年)	美國鈔票公司	上海博物館藏	3	奉天
1423	國幣券	橫	伍圓	1924 年(民國十三年)	倫敦華德路公司	上海博物館藏	2	漢口
1424	國幣券	橫	伍圓	1924 年(民國十三年)	倫敦華德路公司	上海博物館藏	2	九江
1425	國幣券	橫	拾圓	1924 年(民國十三年)	倫敦華德路公司	吳籌中提供	3	九江
1426	國幣券	橫	壹圓	1924 年(民國十三年)	倫敦華德路公司	上海博物館藏	1	上海
1427	國幣券	橫	伍圓	1924 年(民國十三年)	倫敦華德路公司	上海博物館藏	2	上海
1428	國幣券	橫	拾圓	1924 年(民國十三年)	倫敦華德路公司	上海博物館藏	3	上海
1429	國幣券	橫	貳拾圓	1924 年(民國十三年)	倫敦華德路公司	吳籌中藏	4	上海
1430	小銀元輔幣券	橫	壹角	1925 年(民國十四年)	財政部印刷局	吳籌中藏	1	樣本
1431	小銀元輔幣券	橫	貳角	1925 年(民國十四年)	財政部印刷局	吳籌中藏	1	樣本

編號	券　　名	票型	面　額	年　　份	印　刷　單　位	來　　源	等級	説　　明
1432	小銀元輔幣券	橫	壹角	1925 年(民國十四年)	財政部印刷局	上海博物館藏		上海
1433	小銀元輔幣券	橫	貳角	1925 年(民國十四年)	財政部印刷局	上海博物館藏		上海
1434	小銀元輔幣券	橫	壹角	1925 年(民國十四年)	財政部印刷局	吳籌中藏	1	京津改石家莊
1435	小銀元輔幣券	橫	壹角	1925 年(民國十四年)	財政部印刷局	吳籌中藏	1	石家莊
1436	小銀元輔幣券	橫	貳角	1925 年(民國十四年)	財政部印刷局	吳籌中藏	1	京津改石家莊
1437	小銀元輔幣券	橫	壹角	1925 年(民國十四年)	財政部印刷局	上海博物館藏	1	青島
1438	國幣輔幣券	橫	貳角	1925 年(民國十四年)	倫敦華德路公司	吳籌中藏	1	樣本
1439	國幣輔幣券	橫	壹角	1927 年(民國十六年)	倫敦華德路公司	上海博物館藏		上海
1440	國幣輔幣券	橫	貳角	1927 年(民國十六年)	倫敦華德路公司	上海博物館藏		上海
1441	國幣輔幣券	橫	壹角	1927 年(民國十六年)	倫敦華德路公司	上海博物館藏	1	張家口
1442	國幣輔幣券	橫	貳角	1927 年(民國十六年)	倫敦華德路公司	上海博物館藏	1	張家口
1443	國幣輔幣券	橫	貳角	1927 年(民國十六年)	倫敦華德路公司	吳籌中藏	1	石家莊
1444	國幣輔幣券	橫	壹角	1927 年(民國十六年)	倫敦華德路公司	吳籌中藏	1	青島
1445	國幣輔幣券	橫	壹角	1927 年(民國十六年)	倫敦華德路公司	上海博物館藏	1	青島
1446	國幣輔幣券	橫	貳角	1927 年(民國十六年)	倫敦華德路公司	吳籌中藏	1	青島
1447	國幣輔幣券	橫	貳角	1927 年(民國十六年)	倫敦華德路公司	上海博物館藏	1	青島
1448	國幣券	橫	壹圓	1927 年(民國十六年)	美國鈔票公司	吳籌中藏		上海・上海
1449	國幣券	橫	壹圓	1927 年(民國十六年)	美國鈔票公司	吳籌中藏		上海・上海
1450	國幣券	橫	伍圓	1927 年(民國十六年)	美國鈔票公司	吳籌中藏		上海・上海
1451	國幣券	橫	伍圓	1927 年(民國十六年)	美國鈔票公司	吳籌中藏		上海・上海
1452	國幣券	橫	拾圓	1927 年(民國十六年)	美國鈔票公司	吳籌中藏		上海・上海
1453	國幣券	橫	拾圓	1927 年(民國十六年)	美國鈔票公司	吳籌中藏		上海・上海
1454	國幣券	橫	壹圓	1927 年(民國十六年)	美國鈔票公司	吳籌中藏		天津・天津
1455	國幣券	橫	伍圓	1927 年(民國十六年)	美國鈔票公司	吳籌中藏		天津・天津
1456	國幣券	橫	拾圓	1927 年(民國十六年)	美國鈔票公司	吳籌中藏		天津・天津
1457	國幣券	橫	壹圓	1927 年(民國十六年)	美國鈔票公司	吳籌中藏		山東・山東
1458	國幣券	橫	壹圓	1927 年(民國十六年)	美國鈔票公司	吳籌中藏		山東・山東・濟南
1459	國幣券	橫	壹圓	1927 年(民國十六年)	美國鈔票公司	吳籌中藏		山東・山東・濟南
1460	國幣券	橫	壹圓	1927 年(民國十六年)	美國鈔票公司	吳籌中藏		山東・山東・青島
1461	國幣券	橫	壹圓	1927 年(民國十六年)	美國鈔票公司	吳籌中藏		山東・山東・青島
1462	國幣券	橫	壹圓	1927 年(民國十六年)	美國鈔票公司	吳籌中藏	1	山東・山東・煙臺
1463	國幣券	橫	壹圓	1927 年(民國十六年)	美國鈔票公司	吳籌中藏	1	山東・山東・煙臺
1464	國幣券	橫	伍圓	1927 年(民國十六年)	美國鈔票公司	吳籌中藏		山東・山東
1465	國幣券	橫	伍圓	1927 年(民國十六年)	美國鈔票公司	吳籌中藏		山東・山東・濟南
1466	國幣券	橫	伍圓	1927 年(民國十六年)	美國鈔票公司	吳籌中藏		山東・山東・濟南
1467	國幣券	橫	伍圓	1927 年(民國十六年)	美國鈔票公司	吳籌中藏		山東・山東・青島
1468	國幣券	橫	伍圓	1927 年(民國十六年)	美國鈔票公司	吳籌中藏		山東・山東・青島
1469	國幣券	橫	伍圓	1927 年(民國十六年)	美國鈔票公司	吳籌中藏	1	山東・山東・煙臺
1470	國幣券	橫	伍圓	1927 年(民國十六年)	美國鈔票公司	吳籌中藏	1	山東・山東・煙臺
1471	國幣券	橫	伍圓	1927 年(民國十六年)	美國鈔票公司	吳籌中藏	1	山東・山東・威海衛
1472	國幣券	橫	伍圓	1927 年(民國十六年)	美國鈔票公司	吳籌中藏	1	山東・山東・威海衛
1473	國幣券	橫	伍圓	1927 年(民國十六年)	美國鈔票公司	吳籌中藏	1	山東・山東・龍口
1474	國幣券	橫	伍圓	1927 年(民國十六年)	美國鈔票公司	吳籌中藏	1	山東・山東・龍口
1475	國幣券	橫	拾圓	1927 年(民國十六年)	美國鈔票公司	吳籌中藏	1	山東・山東
1476	國幣券	橫	拾圓	1927 年(民國十六年)	美國鈔票公司	吳籌中藏	1	山東・山東・濟南
1477	國幣券	橫	拾圓	1927 年(民國十六年)	美國鈔票公司	吳籌中藏	1	山東・山東・青島
1478	國幣券	橫	拾圓	1927 年(民國十六年)	美國鈔票公司	吳籌中藏	1	山東・山東・青島
1479	國幣券	橫	拾圓	1927 年(民國十六年)	美國鈔票公司	吳籌中藏	2	山東・山東・煙臺
1480	國幣券	橫	拾圓	1927 年(民國十六年)	美國鈔票公司	吳籌中藏	2	山東・山東・煙臺
1481	國幣券	橫	拾圓	1927 年(民國十六年)	美國鈔票公司	吳籌中藏	2	山東・山東・威海衛

續表

編號	券名	票型	面額	年份	印刷單位	來源	等級	説明
1482	國幣券	橫	拾圓	1927年(民國十六年)	美國鈔票公司	吳籌中藏	2	山東·山東·威海衛
1483	國幣券	橫	拾圓	1927年(民國十六年)	美國鈔票公司	吳籌中藏	2	山東·山東·龍口
1484	國幣券	橫	拾圓	1927年(民國十六年)	美國鈔票公司	吳籌中藏	2	山東·山東·龍口
1485	國幣券	橫	壹圓	1927年(民國十六年)	美國鈔票公司	上海博物館藏	1	漢口·漢口
1486	國幣券	橫	伍圓	1927年(民國十六年)	美國鈔票公司	吳籌中藏	1	漢口·漢口
1487	國幣券	橫	拾圓	1927年(民國十六年)	美國鈔票公司	上海博物館藏	2	漢口·漢口
1488	國幣券	橫	壹圓	1927年(民國十六年)	美國鈔票公司	上海博物館藏	2	樣本·奉天·奉天
1489	國幣券	橫	伍圓	1927年(民國十六年)	美國鈔票公司	吳籌中藏	2	樣本·奉天·奉天
1490	國幣券	橫	壹圓	1931年(民國二十年)	德納羅印鈔公司	吳籌中藏		上海·上海
1491	國幣券	橫	壹圓	1931年(民國二十年)	德納羅印鈔公司	吳籌中藏		上海·上海
1492	國幣券	橫	壹圓	1935年(民國二十四年)	英國華德路公司	吳籌中藏	1	上海·中國實業銀行改交通銀行
1493	國幣券	橫	壹圓	1935年(民國二十四年)	德納羅印鈔公司	吳籌中藏		
1494	國幣券	橫	伍圓	1935年(民國二十四年)	德納羅印鈔公司	吳籌中藏		
1495	國幣券	橫	拾圓	1935年(民國二十四年)	德納羅印鈔公司	吳籌中藏		
1496	法幣券	橫	伍圓	1941年(民國三十年)	美國鈔票公司	吳籌中藏		
1497	法幣券	橫	拾圓	1941年(民國三十年)	美國鈔票公司	吳籌中藏		無字冠
1498	法幣券	橫	拾圓	1941年(民國三十年)	美國鈔票公司	中國人民銀行上海分行藏		單字冠
1499	法幣券	橫	拾圓	1941年(民國三十年)	美國鈔票公司	吳籌中藏		雙字冠
1500	法幣券	橫	貳拾伍圓	1941年(民國三十年)	美國鈔票公司	吳籌中藏		
1501	法幣券	橫	伍拾圓	1941年(民國三十年)	美國鈔票公司	吳籌中藏		單字冠
1502	法幣券	橫	伍拾圓	1941年(民國三十年)	美國鈔票公司	吳籌中藏		雙字冠
1503	法幣券	橫	伍拾圓	1941年(民國三十年)	美國鈔票公司	吳籌中藏		單字冠·重慶
1504	法幣券	橫	壹百圓	1941年(民國三十年)	美國鈔票公司	吳籌中藏		單字冠
1505	法幣券	橫	壹百圓	1941年(民國三十年)	美國鈔票公司	吳籌中藏		無字冠·重慶
1506	法幣券	橫	伍佰圓	1941年(民國三十年)	美國鈔票公司	吳籌中藏	1	單字冠
1507	法幣券	橫	伍圓	1941年(民國三十年)	商務印書館有限公司	吳籌中藏		
1508	法幣券	橫	拾圓	1941年(民國三十年)	大東書局有限公司	吳籌中藏		
1509	法幣券	橫	伍拾圓	1941年(民國三十年)	大東書局有限公司	上海博物館藏		
1510	法幣券	橫	壹百圓	1942年(民國三十一年)	大東書局有限公司	吳籌中藏		無字冠
1511	法幣券	橫	壹百圓	1942年(民國三十一年)	大東書局有限公司	吳籌中藏		單字冠
1512	國幣券本票	直	壹仟圓	民國三十五年	中國興華出版公司	吳籌中提供	2	
1513	國幣券本票	直	壹仟圓	民國三十五年	中國興華出版公司	吳籌中提供	2	景德鎮
1514	國幣券本票	直	伍拾萬圓	無年份	六聯印刷公司	郭乃興藏	2	
1515	金圓券本票	直	壹百圓	民國三十八年	中央廠印製局	王煒提供	2	福州
1516	金圓券本票	直	伍佰圓	民國三十八年	中央廠印製局	王煒提供	2	福州
1517	金圓券本票	直	壹仟圓	民國三十八年	中央廠印製局	王煒提供	2	福州
1518	金圓券本票	直	伍仟圓	民國三十八年		王煒提供	2	福州

四、中國農民銀行紙幣

編號	券名	票型	面額	年份	印刷單位	來源	等級	説明
1519	國幣輔幣券	直	壹角	無年份	上海大業印刷公司	馮志苗藏	2	豫鄂皖贛四省農民銀行·樣本
1520	國幣輔幣券	直	壹角	無年份	上海大業印刷公司	中國人民銀行上海分行藏	1	豫鄂皖贛四省農民銀行
1521	國幣輔幣券	直	壹角	無年份	中國大業凹凸版印刷股份有限公司	馮志苗藏	2	豫鄂皖贛四省農民銀行·樣本
1522	國幣輔幣券	直	壹角	無年份	中國大業凹凸版印刷股份有限公司	苗培貴藏	1	豫鄂皖贛四省農民銀行
1523	國幣輔幣券	橫	貳角	無年份	上海大業印刷公司	馮志苗藏	2	豫鄂皖贛四省農民銀行·樣本
1524	國幣輔幣券	橫	貳角	民國二十二年	漢口武漢印書館	苗培貴藏	1	豫鄂皖贛四省農民銀行·無號碼
1525	國幣輔幣券	橫	貳角	民國二十二年	漢口武漢印書館	吳籌中藏	1	豫鄂皖贛四省農民銀行
1526	國幣輔幣券	橫	貳角	民國二十二年	漢口武漢印書館	吳籌中藏	1	豫鄂皖贛四省農民銀行

編號	券　名	票型	面　額	年　份	印刷單位	來　源	等級	説　明
1527	國幣輔幣券	橫	伍角	無年份	武漢印書館	苗培貴藏	1	豫鄂皖贛四省農民銀行・無號碼
1528	國幣輔幣券	橫	伍角	無年份	武漢印書館	中國人民銀行上海分行藏	1	豫鄂皖贛四省農民銀行
1529	國幣輔幣券	橫	伍角	無年份	武漢印書館	吳籌中藏	1	豫鄂皖贛四省農民銀行・漢口
1530	國幣券	橫	壹圓	民國二十二年四月	中國大業凹凸版印刷股份有限公司	苗培貴藏	2	豫鄂皖贛四省農民銀行・樣本
1531	國幣券	橫	壹圓	民國二十二年四月	中國大業凹凸版印刷股份有限公司	吳籌中藏	1	豫鄂皖贛四省農民銀行
1532	國幣券	橫	壹圓	民國二十二年四月	中國大業凹凸版印刷股份有限公司	吳籌中藏	1	豫鄂皖贛四省農民銀行
1533	國幣券	橫	壹圓	民國二十二年四月	中國大業凹凸版印刷股份有限公司	吳籌中藏	1	豫鄂皖贛四省農民銀行・西安
1534	國幣券	橫	壹圓	1934年(民國二十三年)	中國大業凹凸版印刷股份有限公司	吳籌中藏	1	豫鄂皖贛四省農民銀行
1535	國幣券	橫	壹圓	1934年(民國二十三年)	中國大業凹凸版印刷股份有限公司	吳籌中藏	1	豫鄂皖贛四省農民銀行・杭州
1536	國幣券	橫	壹圓	1934年(民國二十三年)	中國大業凹凸版印刷股份有限公司	苗培貴藏	2	豫鄂皖贛四省農民銀行・樣本・福州
1537	國幣券	橫	壹圓	1934年(民國二十三年)	中國大業凹凸版印刷股份有限公司	吳籌中藏	1	豫鄂皖贛四省農民銀行・福州
1538	國幣輔幣券	直	壹角	無年份	中國大業凹凸版印刷股份有限公司	苗培貴藏	2	樣本
1539	國幣輔幣券	直	壹角	無年份	中國大業凹凸版印刷股份有限公司	吳籌中藏	1	
1540	國幣券	橫	壹圓	民國二十三年五月	中國大業凹凸版印刷股份有限公司	苗培貴藏	1	樣本
1541	國幣券	橫	壹圓	民國二十三年五月	中國大業凹凸版印刷股份有限公司	吳籌中藏	1	
1542	國幣券	橫	壹圓	民國二十三年五月	中國大業凹凸版印刷股份有限公司	吳籌中藏	1	南昌
1543	國幣券	橫	壹圓	民國二十三年五月	中國大業凹凸版印刷股份有限公司	吳籌中藏	1	西安
1544	國幣券	橫	壹圓	民國二十三年五月	中國大業凹凸版印刷股份有限公司	苗培貴藏	1	福州
1545	國幣券	橫	壹圓	民國二十三年五月	中國大業凹凸版印刷股份有限公司	吳籌中藏	1	蘭州
1546	國幣券	橫	壹圓	民國二十三年五月	中國大業凹凸版印刷股份有限公司	苗培貴藏	1	蘭州・鎮江
1547	國幣券	橫	壹圓	民國二十三年五月	中國大業凹凸版印刷股份有限公司	上海博物館藏	1	長沙
1548	國幣券	橫	壹圓	民國二十三年五月	中國大業凹凸版印刷股份有限公司	吳籌中提供	1	鄭州
1549	國幣券	橫	壹圓	民國二十三年五月	中國大業凹凸版印刷股份有限公司	吳籌中藏	1	上海
1550	國幣券	橫	壹圓	民國二十三年五月	中國大業凹凸版印刷股份有限公司	選自《中國紙幣圖説》	1	漢口
1551	國幣輔幣券	直	貳角	1935年(民國二十四年二月)	中國大業公司	苗培貴藏	1	樣本・徐繼莊
1552	國幣輔幣券	直	貳角	1935年(民國二十四年二月)	中國大業公司	苗培貴藏	1	徐繼莊
1553	國幣輔幣券	直	壹角	1935年(民國二十四年三月)	中國大業公司	吳籌中藏		徐繼莊
1554	國幣輔幣券	直	壹角	1935年(民國二十四年三月)	中國大業公司	吳籌中藏		蔡琢生
1555	國幣輔幣券	直	貳角	1935年(民國二十四年四月)	中國大業公司	苗培貴藏		徐繼莊
1556	國幣輔幣券	直	貳角	1935年(民國二十四年四月)	中國大業公司	吳籌中藏		徐繼莊
1557	國幣輔幣券	直	貳角	1935年(民國二十四年四月)	中國大業公司	苗培貴藏	1	樣本・蔡琢生
1558	國幣輔幣券	直	貳角	1935年(民国二十四年四月)	中國大業公司	吳籌中藏		蔡琢生
1559	國幣券	橫	壹圓	民國二十四年	德納羅印鈔公司	吳籌中藏		細字冠
1560	國幣券	橫	壹圓	民國二十四年	德納羅印鈔公司	吳籌中藏		粗字冠
1561	國幣券	橫	壹圓	民國二十四年	德納羅印鈔公司	吳籌中藏		
1562	國幣券	橫	伍圓	民國二十四年	德納羅印鈔公司	苗培貴藏	1	樣本
1563	國幣券	橫	伍圓	民國二十四年	德納羅印鈔公司	吳籌中藏		
1564	國幣券	橫	伍圓	民國二十四年	德納羅印鈔公司	吳籌中藏		
1565	國幣券	橫	伍圓	民國二十四年	德納羅印鈔公司	苗培貴藏		
1566	國幣券	橫	拾圓	民國二十四年	德納羅印鈔公司	苗培貴藏		
1567	國幣券	橫	拾圓	民國二十四年	德納羅印鈔公司	吳籌中藏		
1568	國幣券	橫	拾圓	民國二十四年	德納羅印鈔公司	吳籌中藏		
1569	國幣券	橫	壹圓	民國二十四年	德納羅印鈔公司	吳籌中提供	1	藏文
1570	國幣券	橫	伍圓	民國二十四年	德納羅印鈔公司	吳籌中提供	3	藏文
1571	國幣券	橫	拾圓	民國二十四年	德納羅印鈔公司	顧文炳藏	3	藏文
1572	國幣輔幣券	橫	伍角	民國二十五年	德納羅印鈔公司	苗培貴藏	1	樣本
1573	國幣輔幣券	橫	伍角	民國二十五年	德納羅印鈔公司	吳籌中藏	1	樣票
1574	國幣輔幣券	橫	伍角	民國二十五年	德納羅印鈔公司	吳籌中藏		細字冠
1575	國幣輔幣券	橫	伍角	民國二十五年	德納羅印鈔公司	吳籌中藏		粗字冠
1576	國幣輔幣券	橫	壹角	1937年(民國二十六年)	中國大業公司	吳籌中藏		

編號	券　名	票型	面　額	年　份	印刷單位	來　源	等級	説　明
1577	國幣輔幣券	横	貳角	1937年(民國二十六年)	中國大業公司	吳籌中藏		
1578	國幣券	横	壹圓	民國二十九年	中國大業公司	吳籌中藏		
1579	國幣券	横	拾圓	民國二十九年	中國大業公司	吳籌中藏		
1580	國幣券	横	貳拾圓	民國二十九年	中國大業公司	苗培貴藏	1	
1581	國幣券	横	壹圓	1929年(民國十八年)	美國鈔票公司	苗培貴藏	1	湖北省銀行改中國農民銀行·無字冠
1582	國幣券	横	壹圓	1929年(民國十八年)	美國鈔票公司	吳籌中藏	1	湖北省銀行改中國農民銀行·單字冠
1583	國幣券	横	伍圓	1929年(民國十八年)	美國鈔票公司	吳籌中藏	2	湖北省銀行改中國農民銀行·單字冠
1584	國幣券	横	伍圓	1929年(民國十八年)	美國鈔票公司	苗培貴藏	2	湖北省銀行改中國農民銀行·雙字冠
1585	國幣券	横	拾圓	1929年(民國十八年)	美國鈔票公司	苗培貴藏	2	湖北省銀行改中國農民銀行
1586	國幣券	直	伍圓	1937年(民國二十六年)		中國人民銀行上海分行藏	2	四川省銀行改中國農民銀行
1587	國幣券	直	拾圓	1937年(民國二十六年)		苗培貴藏	2	四川省銀行改中國農民銀行
1588	國幣券	横	伍拾圓	1937年(民國二十六年)		馮志苗藏	3	樣本·四川省政府建設庫券改中國農民銀行
1589	國幣券	横	伍拾圓	1937年(民國二十六年)		苗培貴藏	3	四川省政府建設庫券改中國農民銀行
1590	國幣券	横	壹百圓	1937年(民國二十六年)		苗培貴藏	3	四川省政府建設庫券改中國農民銀行
1591	國幣券	横	壹圓	民國三十年	德納羅印鈔公司	吳籌中藏		
1592	國幣券	横	壹圓	民國三十年	德納羅印鈔公司	苗培貴藏		
1593	國幣券	横	壹圓	民國三十年	德納羅印鈔公司	吳籌中藏		重慶
1594	國幣券	横	伍圓	民國三十年	德納羅印鈔公司	吳籌中藏		
1595	國幣券	横	伍圓	民國三十年	德納羅印鈔公司	吳籌中藏		
1596	國幣券	横	伍拾圓	1941年(民國三十年)	美國鈔票公司	吳籌中藏		重慶
1597	國幣券	横	壹佰圓	1941年(民國三十年)	美國鈔票公司	吳籌中藏		
1598	國幣券	横	壹佰圓	1941年(民國三十年)	美國鈔票公司	吳籌中藏		重慶
1599	國幣券	横	伍佰圓	1941年(民國三十年)	美國鈔票公司	吳籌中　藏		無字冠
1600	國幣券	横	伍佰圓	1941年(民國三十年)	美國鈔票公司	吳籌中藏		單字冠
1601	國幣券	横	伍拾圓	1942年(民國三十一年)	大東書局有限公司	中國人民銀行上海分行藏		
1602	國幣券	横	壹百圓	1942年(民國三十一年)	中國大業公司	吳籌中藏		
1603	國幣券本票	直	壹仟圓	民國三十四年		王燁提供	2	廈門
1604	國幣券定額本票	直	伍仟圓		大東書局上海印刷廠	苗培貴藏	2	

民國時期地方銀行紙幣概況表

一、江蘇地方紙幣

編號	券 名	票型	面 額	年 份	印 刷 單 位	來 源	等級	說 明
1605	江蘇財政司南京兌換券	橫	壹圓	民國元年	南京印刷廠	中國人民銀行上海分行藏	3	
1606	江蘇銀行兌換券	橫	壹圓	1913 年		選自《中華集鈔》	3	
1607	江蘇省兌換券	橫	壹圓	民國十四年		上海博物館藏	2	江蘇銀行發行
1608	江蘇省兌換券	橫	伍圓	民國十四年		上海博物館藏	2	江蘇銀行發行
1609	江蘇省兌換券	橫	伍圓	民國十四年		許義宗舊藏	2	江蘇銀行發行
1610	江蘇省兌換券	橫	拾圓	民國十四年		中國人民銀行上海分行藏	3	江蘇銀行發行
1611	江蘇徐州平市錢局國幣輔幣券	直	壹角	1933 年(民國二十二年)	上海大東書局	吳籌中提供	1	印"蘇"
1612	江蘇徐州平市錢局國幣輔幣券	直	貳角	1933 年(民國二十二年)	上海大東書局	苗培貴藏	1	印"餘"
1613	江蘇徐州平市錢局國幣輔幣券	直	貳角	1933 年(民國二十二年)	上海大東書局	吳籌中藏	1	印"蘇"·改江蘇省農民銀行
1614	江蘇徐州平市錢局國幣輔幣券	直	伍角	1933 年(民國二十二年)	上海大東書局	吳籌中藏	1	印"蘇"·改江蘇省農民銀行
1615	江蘇省農民銀行國幣輔幣券	直	壹角	1936 年(民國二十五年)	中國大業公司	吳籌中藏		
1616	江蘇省農民銀行國幣輔幣券	直	貳角	1936 年(民國二十五年)	中國大業公司	苗培貴藏		樣本
1617	江蘇省農民銀行國幣輔幣券	直	貳角	1936 年(民國二十五年)	中國大業公司	吳籌中藏		
1618	江蘇省農民銀行國幣輔幣券	直	伍角	1936 年(民國二十五年)	中國大業公司	吳籌中藏		
1619	江蘇省農民銀行國幣輔幣券	直	伍角	1936 年(民國二十五年)	中國大業公司	吳籌中藏		
1620	江蘇省農民銀行國幣券	橫	壹圓	1939 年(民國二十八年)	上海大東書局	苗培貴藏	1	
1621	江蘇省農民銀行國幣券	橫	壹圓	1939 年(民國二十八年)	上海大東書局	苗培貴藏	1	
1622	江蘇省農民銀行國幣券	橫	壹圓	1940 年(民國二十九年)	中國裕興公司	上海博物館藏	1	
1623	江蘇省農民銀行國幣輔幣券	直	伍角	1941 年(民國三十年)	新記印刷公司	上海博物館藏	2	
1624	江蘇省農民銀行國幣券	橫	壹圓	1941 年(民國三十年)	大東書局有限公司	吳籌中藏		
1625	江蘇省農民銀行國幣券	橫	壹圓	1941 年(民國三十年)		上海博物館藏	1	
1626	江蘇省農民銀行國幣券	橫	伍圓	1941 年(民國三十年)	新記印刷公司	上海博物館藏	3	
1627	江蘇財政廳國幣銅元券	橫	壹枚	民國二十八年八月		許義宗舊藏		
1628	江蘇財政廳國幣銅元券	橫	伍枚	民國二十八年八月		許義宗舊藏		
1629	江蘇財政廳國幣銅元券	橫	拾枚	民國二十八年八月		許義宗舊藏		
1630	江蘇財政廳國幣銅元券	橫	拾伍枚	民國二十八年八月		許義宗舊藏		
1631	江蘇財政廳國幣銅元券	橫	叁拾枚	民國二十八年八月		許義宗舊藏		
1632	江蘇平市官錢局銅元券	橫	拾枚	民國十三年		許義宗舊藏		
1633	江蘇平市官錢局銅元券	橫	伍拾枚	民國十三年		許義宗舊藏		

二、安徽地方紙幣

編號	券 名	票型	面 額	年 份	印 刷 單 位	來 源	等級	說 明
1634	安徽省銀號銀元券	橫	拾圓	1925 年(民國十四年)		《中國歷代貨幣大系》編輯委員會提供	2	
1635	安徽地方銀行國幣輔幣券	橫	壹角	無年份	中華書局有限公司	吳籌中藏		
1636	安徽地方銀行國幣輔幣券	橫	貳角	無年份	中華書局有限公司	許義宗舊藏		樣本
1637	安徽地方銀行國幣輔幣券	橫	貳角	無年份	中華書局有限公司	吳籌中藏		
1638	安徽地方銀行國幣輔幣券	橫	伍角	無年份	中華書局有限公司	許義宗舊藏		樣本
1639	安徽地方銀行國幣輔幣券	橫	伍角	無年份	中華書局有限公司	吳籌中藏		

編號	券　名	票型	面額	年　份	印刷單位	來　源	等級	説　明
1640	安徽地方銀行國幣輔幣券	橫	壹分	無年份	上海大東書局	吳籌中藏		章、程簽字
1641	安徽地方銀行國幣輔幣券	橫	伍分	無年份	上海大東書局	許義宗舊藏		章、程簽字
1642	安徽地方銀行國幣輔幣券	橫	壹角	無年份	上海大東書局	吳籌中藏		章、程簽字
1643	安徽地方銀行國幣輔幣券	橫	貳角	無年份	上海大東書局	吳籌中藏		章、程簽字
1644	安徽地方銀行國幣輔幣券	橫	伍角	無年份	上海大東書局	吳籌中藏		章、程簽字
1645	安徽地方銀行國幣輔幣券	橫	壹分	無年份	上海大東書局	吳籌中藏		楊、程簽字
1646	安徽地方銀行國幣輔幣券	橫	伍分	無年份	上海大東書局	吳籌中藏		楊、程簽字
1647	安徽地方銀行國幣券	橫	壹圓	民國二十八年	上海大東書局	苗培貴藏		楊、程簽字
1648	安徽地方銀行國幣券本票	直	貳拾圓	民國三十一年		吳籌中藏	2	結溪辦事處

三、浙江地方紙幣

編號	券　名	票型	面額	年　份	印刷單位	來　源	等級	説　明
1649	浙江銀行銀元券	橫	伍元	無年份		中國人民銀行上海分行藏	4	上海
1650	浙江銀行銀元券	橫	拾元	無年份		中國人民銀行上海分行藏	4	上海
1651	浙江銀行銀元券	橫	壹元	1912年(民國元年)		吳籌中提供	4	上海
1652	浙江銀行銀元券	橫	伍元	1912年(民國元年)		吳籌中提供	4	上海
1653	浙江地方銀行銀元券	橫	壹圓	1913年(民國二年)		選自《中華集鈔》	3	樣票
1654	浙江地方銀行銀元券	橫	伍圓	1913年(民國二年)		選自《中華集鈔》	3	樣票
1655	浙江地方銀行銀元券	橫	拾圓	1913年(民國二年)		選自《中華集鈔》	4	樣票
1656	浙江省政府法幣銅幣券	直	壹枚	無年份		苗培貴藏	3	關公像
1657	浙江地方銀行國幣輔幣券	橫	壹角	1932年(民國二十一年)	中國凹版公司	苗培貴藏	1	杭州
1658	浙江地方銀行國幣輔幣券	橫	貳角	1932年(民國二十一年)	中國凹版公司	苗培貴藏	1	杭州
1659	浙江地方銀行國幣券	橫	壹圓	1932年(民國二十一年)	中國凹版公司	吳籌中藏	1	杭州
1660	浙江地方銀行國幣券	橫	伍圓	1932年(民國二十一年)	中國凹版公司	吳籌中藏	1	杭州
1661	浙江地方銀行國幣券	橫	拾圓	1932年(民國二十一年)	中國凹版公司	中國人民銀行上海分行藏	2	杭州
1662	浙江地方銀行國幣輔幣券	橫	貳角	1935年(民國二十四年)		德國 ERWIN BEYER 藏	4	樣本
1663	浙江地方銀行國幣輔幣券	橫	壹角	1936年(民國二十五年)	上海大東書局	許義宗舊藏		無字冠
1664	浙江地方銀行國幣輔幣券	橫	壹角	1936年(民國二十五年)	上海大東書局	許義宗舊藏		無字冠
1665	浙江地方銀行國幣輔幣券	橫	壹角	1936年(民國二十五年)	上海大東書局	吳籌中藏		單字冠
1666	浙江地方銀行國幣輔幣券	橫	貳角	1936年(民國二十五年)	上海大東書局	許義宗舊藏		無字冠
1667	浙江地方銀行國幣輔幣券	橫	貳角	1936年(民國二十五年)	上海大東書局	許義宗舊藏		無字冠
1668	浙江地方銀行國幣輔幣券	橫	貳角	1936年(民國二十五年)	上海大東書局	吳籌中藏		單字冠
1669	浙江地方銀行國幣輔幣券	橫	伍角	1936年(民國二十五年)	上海大東書局	許義宗舊藏		無字冠
1670	浙江地方銀行國幣輔幣券	橫	伍角	1936年(民國二十五年)	上海大東書局	吳籌中藏		單字冠
1671	浙江地方銀行國幣輔幣券	直	壹分	無年份		吳籌中藏	1	
1672	浙江地方銀行國幣輔幣券	直	貳分	無年份		吳籌中藏	1	
1673	浙江地方銀行國幣輔幣券	直	伍分	無年份		吳籌中藏	1	
1674	浙江地方銀行國幣輔幣券	橫	壹分	無年份		吳籌中藏	1	
1675	浙江地方銀行國幣輔幣券	橫	貳分	無年份		吳籌中藏	1	
1676	浙江地方銀行國幣輔幣券	橫	伍分	無年份		吳籌中藏	1	
1677	浙江地方銀行國幣券	橫	壹圓	1939年(民國二十八年)	上海大東書局	吳籌中藏		
1678	浙江地方銀行國幣券	橫	壹圓	1941年(民國三十年)	大東書局有限公司	吳籌中藏		
1679	浙江省銀行銀元輔幣券	橫	壹角	民國三十八年	中央印製廠臺北廠	上海博物館藏	1	
1680	浙江省銀行銀元輔幣券	橫	貳角	民國三十八年	中央印製廠臺北廠	上海博物館藏	1	
1681	浙江省銀行銀元輔幣券	橫	伍角	民國三十八年	中央印製廠臺北廠	上海博物館藏	2	
1682	浙江省銀行銀元兌換券	橫	壹圓	民國三十八年	中央印製廠臺北廠	吳籌中藏	1	
1683	浙江省銀行銀元兌換券	橫	伍圓	民國三十九年	中央印製廠臺北廠	吳籌中藏	2	

四、江西地方紙幣

編號	券名	票型	面額	年份	印刷單位	來源	等級	說明
1684	贛省銀行銀兩票	橫	壹兩	1912年(民國元年)		上海博物館藏	3	江西
1685	贛省銀行銅元票	直	壹百枚			吳籌中藏	3	江西
1686	贛省民國銀行銅元票	直	壹百文	黃帝紀元四千六百零九年		吳籌中藏	2	
1687	贛省民國銀行銅元票	直	壹串文	民國本年本月即日		吳籌中藏	3	
1688	江西銀行兌換券	橫	壹圓	民國五年	南昌豐記石印局	上海博物館藏	1	
1689	江西銀行兌換券	橫	伍圓	民國五年	南昌豐記石印局	上海博物館藏	2	
1690	江西銀行兌換券	橫	拾圓	民國五年	南昌豐記石印局	上海博物館藏	2	
1691	江西銀行銅元券	橫	拾枚	民國八年		吳籌中提供	1	
1692	江西銀行銅元券	橫	壹百枚	民國八年		選自《中國各省地方銀行紙幣圖錄》	2	
1693	江西銀行國幣券	橫	壹圓	無年份	武漢印書館	吳籌中藏	2	現金集中·中央銀行江西分行代理發行
1694	江西銀行國幣券	橫	伍圓	無年份	武漢印書館	吳籌中藏	3	現金集中
1695	江西銀行國幣券	橫	拾圓	無年份	武漢印書館	上海博物館藏	4	現金集中·中央銀行江西分行代理發行
1696	江西官銀錢號銅元兌換券	橫	拾枚	民國十二年六月		德國 ERWIN BEYER 藏	3	九江
1697	贛省銀行銅元券	直	拾枚	民國十二年		上海博物館藏	2	江西
1698	贛省銀行兌換券	橫	壹角	民國十三年		上海博物館藏	1	南昌
1699	贛省銀行兌換券	橫	貳角	民國十三年		選自《中國各省地方銀行紙幣圖錄》	1	南昌
1700	贛省銀行兌換券	橫	壹圓	民國十三年		吳籌中藏	2	江西
1701	贛省銀行兌換券	橫	伍圓	民國十三年		上海博物館藏	2	江西
1702	贛省銀行兌換券	橫	拾圓	民國十三年		顧文炳藏	2	江西
1703	贛省銀行銀元券	橫	壹圓	無年份		上海博物館藏	2	南昌
1704	贛省銀行銀元券	橫	伍圓	無年份		吳籌中藏	2	南昌
1705	贛省銀行銀元券	橫	拾圓	無年份		吳籌中藏	2	南昌
1706	贛省銀行兌換券	橫	壹圓	民國十三年		上海博物館藏	2	贛省銀行兌換券改江西地方銀行
1707	贛省銀行兌換券	橫	伍圓	民國十三年		上海博物館藏	2	贛省銀行兌換券改江西地方銀行
1708	贛省銀行兌換券	橫	拾圓	民國十三年		上海博物館藏	2	贛省銀行兌換券改江西地方銀行
1709	贛省銀行銅元券	橫	拾枚	民國十四年	南昌百花洲豐記石印局	中國人民銀行上海分行藏	1	南昌
1710	江西銀行銅元券	橫	拾枚	民國十五年	南昌百花洲豐記石印局	中國人民銀行上海分行藏	1	
1711	江西銀行銅元券	橫	壹百枚	民國十五年	南昌百花洲豐記石印局	吳籌中藏	1	
1712	江西省銀行銀元輔幣券	橫	壹角	1949年(民國三十八年)	江西合群印刷廠	吳籌中提供	2	樣票
1713	江西省銀行銀元輔幣券	橫	貳角	1949年(民國三十八年)	江西合群印刷廠	吳籌中提供	3	樣票
1714	江西省銀行銀元輔幣券	橫	伍角	1949年(民國三十八年)	江西合群印刷廠	吳籌中提供	3	樣票
1715	江西裕民銀行銅元券	橫	拾枚	民國十八年	南昌高橋鼎記印務廠	苗培貴藏	1	九江
1716	江西裕民銀行銅元券	橫	壹百枚	民國十八年	南昌高橋鼎記印務廠	吳籌中提供	2	吉安
1717	江西裕民銀行銅元券	橫	拾枚	民國二十一年	南昌高橋鼎記印務廠	苗培貴藏		
1718	江西裕民銀行銅元券	橫	拾枚	民國二十一年	南昌高橋鼎記印務廠	上海博物館藏		九江
1719	江西裕民銀行銅元券	橫	拾枚	民國二十一年	南昌高橋鼎記印務廠	吳籌中藏		吉安
1720	江西裕民銀行國幣輔幣券	橫	壹分	無年份		吳籌中藏		
1721	江西裕民銀行國幣輔幣券	橫	伍分	無年份		吳籌中藏		
1722	江西裕民銀行國幣輔幣券	橫	貳角	1933年(民國二十二年)	大東書局	吳籌中藏		
1723	江西裕民銀行國幣輔幣券	橫	貳角	1933年(民國二十二年)	大東書局	苗培貴藏		
1724	江西裕民銀行國幣輔幣券	橫	伍角	1933年(民國二十二年)	大東書局	吳籌中藏		
1725	江西裕民銀行國幣輔幣券	橫	伍角	1933年(民國二十二年)	大東書局	苗培貴藏		
1726	江西裕民銀行國幣券	橫	壹圓	民國二十二年	大東書局	苗培貴藏		
1727	江西裕民銀行國幣券	橫	伍圓	民國二十二年	大東書局	苗培貴藏	1	
1728	江西裕民銀行銀毫券	直	壹毫	1934年(民國二十三年)	大東書局	中國人民銀行上海分行藏	1	贛州
1729	江西裕民銀行國幣輔幣券	直	壹角	1934年(民國二十三年)	大東書局	吳籌中藏	1	
1730	江西裕民銀行銀毫券	直	伍毫	1935年(民國二十四年)	大東書局	苗培貴藏	2	贛州·改作伍角券通用

編號	券　名	票型	面額	年　份	印刷單位	來　源	等級	説　明
1731	江西裕民銀行國幣輔幣券	橫	伍分	民國二十七年	大東書局	苗培貴藏		
1732	江西建設銀行銅元券	橫	拾枚	民國二十一年		吳籌中藏	1	吉安
1733	江西建設銀行國幣輔幣券	橫	壹分	無年份		吳籌中藏	1	樣本
1734	江西建設銀行國幣輔幣券	橫	伍分	無年份		中國人民銀行上海分行藏	1	
1735	江西建設銀行國幣輔幣券	橫	貳角	民國二十八年	江西合群公司	吳籌中藏	1	
1736	江西建設銀行國幣輔幣券	橫	伍角	民國二十八年	江西合群公司	吳籌中藏	1	
1737	江西建設銀行國幣輔幣券	橫	伍角	民國二十八年	江西合群公司	吳籌中藏	1	樣本
1738	江西建設銀行國幣輔幣券	橫	伍角	民國二十八年	江西合群公司	許義宗舊藏	1	
1739	南昌市立銀行國幣輔幣券	橫	伍分	民國二十七年	大東書局	中國人民銀行上海分行藏	1	
1740	江西省銀行國幣券本票	直	貳萬元	民國三十七年		吳籌中提供	1	
1741	江西省銀行國幣券本票	直	叁仟萬元	民國三十七年		吳籌中提供	1	
1742	江西裕民銀行國幣券本票	橫	壹佰圓	民國二十四年		上海博物館藏	2	南昌
1743	江西裕民銀行國幣券本票	橫	貳佰圓	民國二十四年		上海博物館藏	2	樣票
1744	江西裕民銀行國幣券本票	橫	肆佰圓	民國二十四年		苗培貴藏	2	南昌
1745	江西裕民銀行國幣券本票	橫	肆佰圓	民國二十四年		上海博物館藏	2	豐城
1746	江西裕民銀行國幣券本票	橫	肆佰圓	民國二十四年		苗培貴藏	2	貴溪
1747	江西裕民銀行國幣券本票	橫	肆佰圓	民國二十四年		苗培貴藏	2	河口

五、湖南地方紙幣

編號	券　名	票型	面額	年　份	印刷單位	來　源	等級	説　明
1748	湖南銀行銅元券	橫	貳拾枚	民國元年正月	上海中國圖書公司	許義宗舊藏	2	當十銅元
1749	湖南銀行銅元券	橫	伍拾枚	民國元年正月	上海中國圖書公司	上海博物館藏	2	當十銅元
1750	湖南銀行銅元券	橫	壹百枚	民國元年正月吉日	湘鄂印刷公司	中國人民銀行上海分行藏	1	當十銅元
1751	湖南銀行銀兩券	橫	壹兩	民國元年正月吉日		中國人民銀行上海分行藏	2	省平足銀
1752	湖南銀行銀兩券	橫	伍兩	民國元年正月吉日		中國人民銀行上海分行藏	3	省平足銀
1753	湖南銀行銀兩券	橫	拾兩	民國元年正月吉日		中國人民銀行上海分行藏	4	省平足銀
1754	湖南銀行銀元券	橫	壹圓	民國元年正月吉日		中國人民銀行上海分行藏	2	柒伍洋銀
1755	湖南銀行銀元券	橫	伍圓	民國元年正月吉日		中國人民銀行上海分行藏	3	柒伍洋銀
1756	湖南銀行銀元券	橫	拾圓	民國元年正月吉日		上海博物館藏	4	柒伍洋銀
1757	湖南銀行銅元券	橫	貳拾枚	民國二年	長沙府正街商業公司	上海博物館藏	1	當十銅元
1758	湖南銀行銅元券	橫	叁拾枚	民國二年	湘鄂印刷公司	吳籌中藏	1	當十銅元
1759	湖南銀行銅元券	橫	叁拾枚	民國二年	長沙宜陽公司	許義宗舊藏	1	當十銅元
1760	湖南銀行銅元券	橫	叁拾枚	民國二年	長沙宏文圖書社	上海博物館藏	1	當十銅元
1761	湖南銀行銅元券	橫	壹佰枚	民國二年	長沙宏文社	上海博物館藏	1	當十銅元
1762	湖南銀行銅元券	橫	壹佰枚	民國二年	長沙商業公司	中國人民銀行上海分行藏	1	當十銅元
1763	湖南銀行銅元券	橫	壹佰枚	民國二年	長沙青蓮石印局	上海博物館藏	1	當十銅元
1764	湖南銀行銅元券	橫	壹拾枚	民國四年	青蓮石印局	上海博物館藏	1	當十銅元
1765	湖南銀行銅元券	橫	貳拾枚	民國四年	青蓮石印局	吳籌中藏	1	當十銅元
1766	湖南銀行銅元券	橫	叁拾枚	民國四年	青蓮石印局	上海博物館藏	1	當十銅元
1767	湖南銀行銅元券	橫	伍拾枚	民國四年	青蓮石印局	吳籌中藏	1	當十銅元
1768	湖南銀行銅元券	橫	壹百枚	民國四年	美國鈔票公司	吳籌中藏	1	
1769	湖南銀行銅元券	橫	壹拾枚	1917年(民國六年)	上海商務印書館	上海博物館藏	1	
1770	湖南銀行銅元券	橫	貳拾枚	1917年(民國六年)	上海商務印書館	上海博物館藏	1	
1771	湖南銀行銅元券	橫	叁拾枚	1917年(民國六年)	上海商務印書館	上海博物館藏	1	
1772	湖南銀行銅元券	橫	伍拾枚	1917年(民國六年)	上海商務印書館	上海博物館藏	1	
1773	湖南銀行銅元券	橫	壹百枚	1917年(民國六年)	上海商務印書館	吳籌中藏	1	
1774	湖南銀行銅元券	橫	伍百枚	1917年(民國六年)	上海商務印書館	上海博物館藏	2	
1775	湖南銀行國幣輔幣券	橫	伍角	民國七年		選自《中國軍用鈔票史略》	1	

編號	券　名	票型	面額	年　份	印刷單位	來　源	等級	説　明
1776	湖南銀行國幣券	橫	壹圓	民國七年		中國人民銀行上海分行藏	1	
1777	湖南銀行國幣券	橫	伍圓	民國七年		上海博物館藏	3	
1778	湖南銀行國幣券	橫	壹圓	無年份	財政部印製局	許義宗舊藏	1	樣本
1779	湖南銀行國幣券	橫	伍圓	無年份	財政部印製局	許義宗舊藏	2	樣本
1780	裕湘銀行銅元券	橫	壹拾枚	1918年(民國七年)	上海商務印書館	上海博物館藏	2	長沙
1781	裕湘銀行銅元券	橫	壹百枚	1918年(民國七年)	上海商務印書館	選自《中國軍用鈔票史略》	1	長沙
1782	裕湘銀行銀元券	橫	壹圓	1918年(民國七年)	美國鈔票公司	許義宗舊藏	1	樣票
1783	裕湘銀行銀元券	橫	壹圓	1918年(民國七年)	美國鈔票公司	選自《中國軍用鈔票史略》	1	長沙
1784	裕湘銀行銀元券	橫	伍圓	1918年(民國七年)	美國鈔票公司	許義宗舊藏	3	樣票
1785	裕湘銀行銀元券	橫	伍圓	1918年(民國七年)	美國鈔票公司	上海博物館藏	3	長沙
1786	裕湘銀行銀元券	橫	拾圓	1918年(民國七年)	美國鈔票公司	許義宗舊藏	4	樣票
1787	裕湘銀行銀元券	橫	拾圓	1918年(民國七年)	美國鈔票公司	上海博物館藏	4	長沙
1788	長沙銀行國幣券	橫	拾圓	1928年(民國十七年)	美國鈔票公司	上海博物館藏	4	長沙銀行改湖南省銀行
1789	長沙銀行國幣券	橫	壹圓	1928年(民國十七年)	美國鈔票公司	吳籌中藏	1	此鈔票由湖南省銀行發行兌現
1790	長沙銀行國幣券	橫	伍圓	1928年(民國十七年)	美國鈔票公司	上海博物館藏	2	此鈔票由湖南省銀行發行兌現
1791	湖南省銀行銀元券	橫	壹角	民國十九年	長沙湘鄂印刷公司	許義宗舊藏	3	樣票
1792	湖南省銀行銀元券	直	貳角	民國十九年	長沙湘鄂印刷公司	許義宗舊藏	2	
1793	湖南省銀行銀元券	橫	伍角	民國十九年	長沙湘鄂印刷公司	許義宗舊藏	3	樣票
1794	湖南省銀行銀元券	橫	伍角	民國廿四年	長沙湘鄂印刷公司	上海博物館藏	1	
1795	湖南省銀行銅元券	橫	貳百文	民國廿五年	中國洞庭凹凸版公司	吳籌中藏	1	
1796	湖南省銀行銅元券	直	叁百文	民國廿五年		許義宗舊藏	2	
1797	湖南省銀行銅元券	直	壹千文	民國廿五年	長沙湘鄂印刷公司	上海博物館藏	2	
1798	湖南省銀行銀元輔幣券	直	貳角	民國廿五年	長沙湘鄂印刷公司	許義宗舊藏	2	樣票
1799	湖南省銀行國幣輔幣券	橫	伍分	1937年(民國二十六年)	上海商務印書館	吳籌中藏		
1800	湖南省銀行國幣輔幣券	橫	貳分	1938年(民國二十七年)	上海商務印書館	吳籌中藏		
1801	湖南省銀行國幣輔幣券	橫	叁分	1938年(民國二十七年)	上海商務印書館	吳籌中藏		
1802	湖南省銀行國幣輔幣券	橫	壹角	1938年(民國二十七年)	上海商務印書館	吳籌中藏	1	
1803	湖南省銀行國幣輔幣券	橫	貳角	1938年(民國二十七年)	上海商務印書館	吳籌中藏	2	
1804	湖南省銀行國幣輔幣券	橫	伍角	1938年(民國二十七年)	上海商務印書館	吳籌中藏	2	
1805	湖南省銀行國幣輔幣券	橫	壹角	1940年(民國二十九年)	上海大東書局	吳籌中藏	1	
1806	湖南省銀行國幣輔幣券	橫	貳角	1938年(民國二十七年)	上海大東書局	吳籌中藏	1	
1807	湖南省銀行國幣輔幣券	橫	伍角	1938年(民國二十七年)	上海大東書局	吳籌中藏	1	
1808	湖南省銀行銀洋票	橫	壹角	1949年(民國三十八年)	中華書局股份有限公司	許義宗舊藏	1	
1809	湖南省銀行銀洋票	橫	貳角	1949年(民國三十八年)	中華書局股份有限公司	許義宗舊藏	1	
1810	湖南省銀行銀洋票	橫	伍角	1949年(民國三十八年)	中華書局股份有限公司	許義宗舊藏	1	
1811	湖南省銀行銀元輔幣券	直	壹角	1949年(民國三十八年)	湘行印刷廠	上海博物館藏	3	
1812	湖南省銀行銀元輔幣券	橫	貳角	1949年(民國三十八年)	湘行印刷廠	許義宗舊藏	3	
1813	湖南省銀行銀元輔幣券	橫	伍角	1949年(民國三十八年)	湘行印刷廠	吳籌中藏	3	

六、湖北地方紙幣

編號	券　名	票型	面額	年　份	印刷單位	來　源	等級	説　明
1814	湖北官錢局銅元券	橫	壹百枚	1914年(民國三年)	財政部印製局	許義宗舊藏	3	試樣票
1815	湖北官錢局銅元券	橫	壹百枚	1914年(民國三年)	財政部印製局	吳籌中藏	1	
1816	湖北省銀行國幣輔幣券	直	壹角	1928年(民國十七年)	武漢印書館	吳籌中藏		
1817	湖北省銀行國幣輔幣券	橫	貳角	1928年(民國十七年)	武漢印書館	吳籌中藏		
1818	湖北省銀行國幣券	橫	壹圓	1929年(民國十八年)	美國鈔票公司	許義宗舊藏	3	試樣票
1819	湖北省銀行國幣券	橫	壹圓	1929年(民國十八年)	美國鈔票公司	許義宗舊藏	2	樣本
1820	湖北省銀行國幣券	橫	壹圓	1929年(民國十八年)	美國鈔票公司	苗培貴藏		此券由漢口豫鄂皖贛四省農民銀行、湖北省銀行公庫兌現

續表

編號	券　名	票型	面額	年　份	印刷單位	來　源	等級	説　明
1821	湖北省銀行國幣券	橫	伍圓	1929年(民國十八年)	美國鈔票公司	許義宗舊藏	3	試樣票
1822	湖北省銀行國幣券	橫	伍圓	1929年(民國十八年)	美國鈔票公司	許義宗舊藏	2	樣本
1823	湖北省銀行國幣券	橫	伍圓	1929年(民國十八年)	美國鈔票公司	苗培貴藏		此券由漢口豫鄂統贛四省農民銀行、湖北省銀行公庫兌現
1824	湖北省銀行國幣券	橫	拾圓	1929年(民國十八年)	美國鈔票公司	許義宗舊藏	3	試樣票
1825	湖北省銀行國幣券	橫	拾圓	1929年(民國十八年)	美國鈔票公司	許義宗舊藏	2	樣本
1826	湖北省銀行國幣券	橫	拾圓	1929年(民國十八年)	美國鈔票公司	中國人民銀行上海分行藏	1	此券由漢口豫鄂統贛四省農民銀行、湖北省銀行公庫兌現
1827	湖北省銀行國幣輔幣券	橫	伍角	民國廿一年	武漢印書館	中國人民銀行上海分行藏		漢口
1828	湖北省銀行國幣輔幣券	直	壹角	1936年(民國二十五年)	中國大業公司	中國人民銀行上海分行藏		
1829	湖北省銀行國幣輔幣券	直	壹角	1936年(民國二十五年)	中國大業公司	吳籌中藏		
1830	湖北省銀行國幣輔幣券	橫	伍角	1936年(民國二十五年)		林清池舊藏	3	試樣票
1831	湖北省銀行國幣輔幣券	橫	伍角	1936年(民國二十五年)	中國大業公司	林清池舊藏	3	試樣票
1832	湖北省銀行國幣輔幣券	橫	伍角	1936年(民國二十五年)	中國大業公司	上海博物館藏		
1833	湖北省銀行國幣輔幣券	橫	伍分	民國二十九年		中國人民銀行上海分行藏		
1834	湖北省銀行國幣券	橫	壹圓	1941年(民國三十年)	大東書局有限公司	上海博物館藏	1	
1835	湖北省銀行國幣券	橫	伍圓	1941年(民國三十年)	大東書局有限公司	吳籌中藏	1	
1836	湖北省銀行銀元輔幣券	直	壹角	民國三十八年		許義宗舊藏	1	湖北省銀行鄂西分行壹萬圓本票改銀元輔幣券壹角

七、四川地方紙幣

編號	券　名	票型	面額	年　份	印刷單位	來　源	等級	説　明
1837	四川銀行銅元券	直	拾枚	民國元年三月		上海博物館藏	3	
1838	四川銀行銅元券	直	貳拾枚	民國元年四月		上海博物館藏	3	
1839	四川濬川源官銀號銀元券	橫	壹圓	民國四年		許義宗舊藏	3	成都
1840	四川濬川源官銀號銀元券	橫	壹圓	民國四年		吳籌中藏	3	成都
1841	濬川源銀行銀票	直				成感元提供	4	空白銀票
1842	四川兌換券	橫	壹圓	1921年(民國十年)		吳籌中藏	1	重慶・此票由四川銀行兌現
1843	四川兌換券	橫	伍圓	1921年(民國十年)		吳籌中藏	2	重慶・此票由四川銀行兌現
1844	四川兌換券	橫	拾圓	1921年(民國十年)		吳籌中藏	3	重慶・此票由四川銀行兌現
1845	四川兌換券	橫	壹圓	1921年(民國十年)		上海博物館藏	1	重慶・此票由重慶官銀號兌現
1846	四川兌換券	橫	伍圓	1921年(民國十年)		上海博物館藏	2	重慶・此票由重慶官銀號兌現
1847	四川兌換券	橫	拾圓	1921年(民國十年)		丁張弓良舊藏	3	重慶・此票由重慶官銀號兌現
1848	四川官銀號銀元券	直	壹元	民國十二年		吳籌中藏	1	
1849	四川官銀號銀元券	直	伍元	民國十二年		上海博物館藏	2	
1850	四川官銀號銀元券	橫	壹圓	無年份		吳籌中藏	1	
1851	四川官銀號銀元券	橫	壹圓	無年份		上海博物館藏	1	蓋成都總商會印
1852	四川官錢局製錢票	橫	壹千文	1924年		吳籌中藏	1	
1853	四川地方銀行國幣輔幣券	橫	貳角	1933年(民國二十二年)		吳籌中藏	2	重慶
1854	四川地方銀行國幣輔幣券	直	伍角	1933年(民國二十二年)		上海博物館藏	2	重慶
1855	四川地方銀行國幣券	橫	壹圓	1933年(民國二十二年)		上海博物館藏	2	重慶
1856	四川地方銀行國幣券	橫	壹圓	1933年(民國二十二年)		中國人民銀行上海分行藏	2	重慶
1857	四川地方銀行國幣券	橫	伍圓	1933年(民國二十二年)		上海博物館藏	2	重慶
1858	四川地方銀行國幣券	橫	拾圓	1933年(民國二十二年)		上海博物館藏	3	重慶
1859	重慶銀行國幣券	橫	伍角	1934年(民國二十三年)		上海博物館藏	3	重慶・重慶銀行改四川省銀行
1860	四川省銀行國幣券	直	伍角	1936年(民國二十五年)		中國人民銀行上海分行藏	1	
1861	四川省銀行銀元輔幣券	直	伍分	1949年(民國三十八年)	四川省印刷局	許義宗舊藏	3	
1862	四川省銀行銀元輔幣券	直	壹角	1949年(民國三十八年)	四川省印刷局	許義宗舊藏	3	
1863	四川省銀行銀元輔幣券	直	伍角	1949年(民國三十八年)	四川省印刷局	上海博物館藏	3	
1864	重慶官銀號銅元券	橫	貳枚	民國十二年		上海博物館藏	3	
1865	重慶銀行國幣券	橫	伍角	民國二十三年		中國人民銀行上海分行藏	1	重慶

編號	券　　名	票型	面額	年　　份	印刷單位	來　源	等級	説　　明
1866	四川省銀行國幣券本票	直	壹佰元	民國三十七年		許義宗舊藏	1	四川省銀行宜賓分行

八、雲南地方紙幣

編號	券　　名	票型	面額	年　　份	印刷單位	來　源	等級	説　　明
1867	富滇銀行銀元券	橫	壹圓	民國元年		選自《雲南歷史貨幣》	4	樣券
1868	富滇銀行銀元券	橫	伍圓	民國元年		選自《雲南歷史貨幣》	4	樣券
1869	富滇銀行銀元券	橫	拾圓	民國元年		選自《雲南歷史貨幣》	4	樣券
1870	富滇銀行銀元券	橫	伍拾圓	民國元年		選自《雲南歷史貨幣》	4	樣券
1871	富滇銀行銀元券	橫	壹百圓	民國元年		選自《雲南歷史貨幣》	4	樣券
1872	雲南富滇銀行銀元券	橫	壹元	民國二年		選自《雲南歷史貨幣》	3	樣券
1873	雲南富滇銀行銀元券	橫	伍圓	民國二年		選自《雲南歷史貨幣》	3	樣券
1874	雲南富滇銀行銀元券	橫	拾圓	民國二年		中國人民銀行上海分行藏	3	
1875	雲南富滇銀行銀元券	橫	伍拾圓	民國二年		選自《雲南歷史貨幣》	4	樣券
1876	雲南富滇銀行銀元券	橫	壹百圓	民國二年		上海博物館藏	4	
1877	富滇銀行銀元券	橫	壹圓	民國六年	財政部印刷局	上海博物館藏	2	
1878	富滇銀行銀元券	橫	伍圓	民國六年	財政部印刷局	上海博物館藏	2	
1879	富滇銀行銀元券	橫	拾圓	民國六年	財政部印刷局	上海博物館藏	3	
1880	富滇銀行銀元券	橫	伍拾圓	民國六年	財政部印刷局	上海博物館藏	4	
1881	富滇銀行銀元券	橫	壹百圓	民國六年	財政部印刷局	上海博物館藏	4	
1882	富滇銀行銀元券	橫	伍元	民國七年十月		選自《雲南歷史貨幣》	3	雲南
1883	富滇銀行銀元券	橫	拾圓	民國七年		選自《雲南歷史貨幣》	3	樣券·雲南
1884	富滇銀行銀元輔幣券	直	壹角	民國九年		選自《雲南歷史貨幣》	2	樣券·雲南
1885	富滇銀行銀元輔幣券	直	貳角	民國九年		上海博物館藏	2	雲南
1886	富滇銀行銀元輔幣券	直	伍角	民國九年		選自《雲南歷史貨幣》	2	樣券·雲南
1887	富滇銀行銀元輔幣券	橫	壹角	無年份	美國鈔票公司	上海博物館藏	2	
1888	富滇銀行銀元輔幣券	橫	貳角	無年份	美國鈔票公司	許義宗舊藏	1	
1889	富滇銀行銀元輔幣券	橫	貳角	無年份	美國鈔票公司	上海博物館藏	2	狹版
1890	富滇銀行銀元輔幣券	橫	半圓	無年份	美國鈔票公司	吳籌中藏	1	
1891	富滇銀行國幣券	橫	壹圓	民國十年	美國鈔票公司	許義宗舊藏	1	
1892	富滇銀行國幣券	橫	伍圓	民國十年	美國鈔票公司	上海博物館藏	2	
1893	富滇銀行國幣券	橫	拾圓	民國十年	美國鈔票公司	上海博物館藏	2	
1894	富滇銀行國幣券	橫	伍拾圓	民國十年	美國鈔票公司	許義宗舊藏	4	試樣票
1895	富滇銀行國幣券	橫	壹百圓	民國十年	美國鈔票公司	許義宗舊藏	4	樣票
1896	雲南富滇銀行銀元券	橫	拾圓	民國十六年	雲南官印局	中國人民銀行上海分行藏	2	
1897	雲南富滇銀行銀元券	橫	伍拾圓	民國十六年	雲南官印局	上海博物館藏	3	
1898	雲南富滇銀行銀元券	橫	壹百圓	民國十六年	雲南官印局	選自《雲南歷史貨幣》	4	樣券
1899	富滇銀行銀元券	橫	壹圓	民國十八年	雲南官印局	許義宗舊藏	2	
1900	富滇銀行銀元券	橫	伍圓	民國十八年	雲南官印局	上海博物館藏	3	
1901	雲南富滇新銀行銀元券	橫	壹圓	民國十八年	美國鈔票公司	馮志苗藏		樣本
1902	雲南富滇新銀行銀元券	橫	壹圓	民國十八年	美國鈔票公司	許義宗舊藏		
1903	雲南富滇新銀行銀元券	橫	伍圓	民國十八年	美國鈔票公司	許義宗舊藏		
1904	雲南富滇新銀行銀元券	橫	拾圓	民國十八年	美國鈔票公司	許義宗舊藏	1	
1905	雲南富滇新銀行銀元券	橫	伍拾圓	民國十八年	美國鈔票公司	許義宗舊藏	1	
1906	雲南富滇新銀行銀元券	橫	壹佰圓	民國十八年	美國鈔票公司	許義宗舊藏	1	
1907	雲南富滇新銀行銅元券	橫	伍仙	民國二十二年	雲南財政廳印刷局	上海博物館藏	2	
1908	雲南富滇新銀行銅元券	橫	拾仙	民國二十二年	雲南財政廳印刷局	上海博物館藏	2	
1909	雲南富滇新銀行銅元券	橫	貳拾仙	民國二十二年	雲南財政廳印刷局	上海博物館藏	2	
1910	雲南富滇新銀行銅元券	橫	伍拾仙	民國二十二年	雲南財政廳印刷局	上海博物館藏	3	

編號	券　名	票型	面額	年　份	印刷單位	來　源	等級	說　明
1911	雲南省銀行銀元券	橫	壹圓	1949年(民國三十八年)	香港印字館印務有限公司	許義宗舊藏		
1912	雲南省銀行銀元券	橫	壹圓	1949年(民國三十八年)	香港印字館印務有限公司	吳籌中藏		蓋定額本票
1913	雲南省銀行銀元定額本票	直	伍圓			許義宗舊藏	1	
1914	雲南省銀行銀元定額本票	直	壹拾圓			許義宗舊藏	1	
1915	雲南省銀行銀元定額本票	直	壹拾圓			吳籌中藏	1	滇鑄·半開銀幣
1916	雲南省銀行銀元定額本票	直	貳拾圓			吳籌中藏	1	滇鑄·半開銀幣
1917	雲南省銀行銀元定額本票	直	伍拾圓			吳籌中藏	1	滇鑄·半開銀幣
1918	雲南省銀行銀元定額本票	直	壹佰圓			吳籌中藏	2	滇鑄·半開銀幣

九、福建地方紙幣

編號	券　名	票型	面額	年　份	印刷單位	來　源	等級	說　明
1919	福建銀行番銀券	直	伍圓	民國十年二月		王煒提供	3	
1920	福建銀行番銀券	直	貳拾圓	民國十一年一月		王煒提供	3	
1921	福建銀行番銀券	直	叁拾圓	民國十一年一月		王煒提供	3	
1922	福建銀行番銀券	直	伍拾圓	民國十年一月		王煒提供	3	
1923	福建銀行番銀券	直	壹百圓	民國十年十月		王煒提供	3	
1924	福建銀行銀元券	橫	壹圓	無年份	美國鈔票公司	中國人民銀行上海分行藏	3	廈門
1925	福建銀行銀元券	橫	伍圓	無年份	美國鈔票公司	上海博物館藏	3	廈門
1926	福建銀行銀元券	橫	拾圓	無年份	美國鈔票公司	上海博物館藏	4	廈門
1927	福建銀行銀元券	橫	伍圓	無年份		許義宗舊藏	3	廈門
1928	福建銀行銀元券	橫	拾圓	無年份		吳籌中藏	4	廈門
1929	福建銀行銀元券	橫	壹圓	無年份		苗培貴藏	4	廈門
1930	福建銀行銀元券	橫	伍圓	無年份		許義宗舊藏	4	廈門
1931	福建省銀行銀元券	橫	壹圓	民國十四年		上海博物館藏	4	福建
1932	福建省銀行銀元券	橫	伍圓	民國十四年		吳籌中提供	4	福建
1933	福建省銀行大洋輔幣券	橫	壹角	民國二十四年		上海博物館藏	1	
1934	福建省銀行大洋輔幣券	橫	貳角	民國二十四年		吳籌中藏	1	
1935	福建省銀行國幣輔幣券	橫	壹角	民國二十四年		上海博物館藏	1	
1936	福建省銀行國幣輔幣券	橫	伍角	民國二十四年		吳籌中藏	1	
1937	福建省銀行國幣輔幣券	橫	伍角	民國二十四年		苗培貴藏	1	
1938	福建省銀行國幣輔幣券	橫	貳角	民國二十五年		吳籌中藏	1	
1939	福建省銀行國幣輔幣券	橫	伍角	民國二十五年		苗培貴藏	1	
1940	福建省銀行國幣輔幣券	橫	壹角	民國二十六年		苗培貴藏		
1941	福建省銀行國幣輔幣券	橫	壹分	民國二十七年		苗培貴藏		
1942	福建省銀行國幣輔幣券	橫	伍分	民國二十七年		許義宗舊藏	1	
1943	福建省銀行國幣券	橫	壹圓	民國二十八年		中國人民銀行上海分行藏	1	
1944	福建省銀行國幣輔幣券	橫	壹分	民國二十九年		中國人民銀行上海分行藏		
1945	福建省銀行國幣輔幣券	橫	伍分	民國二十九年		中國人民銀行上海分行藏		
1946	福建省銀行國幣輔幣券	橫	貳角	民國三十年		苗培貴藏	1	
1947	福建省銀行國幣輔幣券	橫	伍角	民國三十年		吳籌中藏	1	
1948	福建省銀行銀元輔幣券	橫	伍分	民國三十八年·	百城印務公司	許義宗舊藏	3	樣張
1949	福建省銀行銀元輔幣券	橫	壹角	民國三十八年	百城印務公司	許義宗舊藏	3	樣張
1950	福建省銀行銀元輔幣券	橫	伍角	民國三十八年	百城印務公司	許義宗舊藏	3	樣張
1951	福建省銀行金圓券本票	直	伍仟圓	民國三十八年		許義宗舊藏	2	
1952	福建省銀行金圓券本票	直	壹萬圓	民國三十八年		許義宗舊藏	2	
1953	福建省銀行金圓券本票	直	壹萬圓	民國三十八年		許義宗舊藏	2	
1954	福建省銀行金圓券本票	直	伍萬圓	民國三十八年		許義宗舊藏	2	

十、台灣地方紙幣

編號	券　名	票型	面額	年　份	印刷單位	來　源	等級	説　明
1955	台灣銀行台幣券	橫	壹圓	民國三十五年	中央印製廠	中國人民銀行上海分行藏		
1956	台灣銀行台幣券	橫	伍圓	民國三十五年	中央印製廠	中國人民銀行上海分行藏		
1957	台灣銀行台幣券	橫	拾圓	民國三十五年	中央印製廠	苗培貴藏		
1958	台灣銀行台幣券	橫	伍拾圓	民國三十五年	中央印製廠	苗培貴藏		
1959	台灣銀行台幣券	橫	壹百圓	民國三十五年	中央印製廠	馮志苗藏		
1960	台灣銀行台幣券	橫	伍百圓	民國三十五年	中央印製廠	苗培貴藏		
1961	台灣銀行台幣券	橫	壹仟圓	民國三十七年	中央印製廠	苗培貴藏		
1962	台灣銀行台幣券	橫	壹萬圓	民國三十七年	第一印刷廠	苗培貴藏		
1963	台灣銀行台幣輔幣券	直	伍角	民國三十八年	中央印製廠台北廠	王煒提供		
1964	台灣銀行台幣券	直	壹圓	民國三十八年	中央印製廠	王煒提供		限金門通用

十一、廣東地方紙幣

編號	券　名	票型	面額	年　份	印刷單位	來　源	等級	説　明
1965	廣東省銀行兑换券	橫	伍圓	1913 年(民國二年)	美國鈔票公司	吳籌中提供	4	中國·毫洋
1966	廣東省銀行兑换券	橫	壹圓	1918 年(民國七年)	美國鈔票公司	中國人民銀行上海分行藏	3	
1967	廣東省銀行兑换券	橫	壹圓	1918 年(民國七年)	美國鈔票公司	丁張弓良舊藏	3	
1968	廣東省銀行兑换券	橫	壹圓	1918 年(民國七年)	美國鈔票公司	吳籌中藏		省立
1969	廣東省銀行兑换券	橫	伍圓	1918 年(民國七年)	美國鈔票公司	上海博物館藏		省立
1970	廣東省銀行兑换券	橫	伍圓	1918 年(民國七年)	美國鈔票公司	上海博物館藏	2	省立
1971	廣東省銀行兑换券	橫	拾圓	1918 年(民國七年)	美國鈔票公司	中國人民銀行上海分行藏		省立·小"七"字
1972	廣東省銀行兑换券	橫	拾圓	1918 年(民國七年)	美國鈔票公司	吳籌中藏		省立·大"七"字
1973	廣東省銀行兑换券	橫	伍拾圓	1918 年(民國七年)	美國鈔票公司	吳籌中藏	1	省立
1974	廣東省銀行兑换券	橫	壹百圓	1918 年(民國七年)	美國鈔票公司	吳籌中藏	1	省立
1975	廣東省銀行兑换券	橫	壹圓	1918 年(民國七年)	美國鈔票公司	選自《廣東歷代貨幣》	2	省立·蓋"維持省幣聯合會"寶塔圖印
1976	廣東省銀行兑换券	橫	伍圓	1918 年(民國七年)	美國鈔票公司	選自《廣東歷代貨幣》	2	省立·蓋"維持省幣聯合會"寶塔圖印
1977	廣東省銀行兑换券	橫	拾圓	1918 年(民國七年)	美國鈔票公司	吳籌中藏	2	省立·蓋"維持省幣聯合會"寶塔圖印
1978	廣東省銀行兑换券	橫	伍拾圓	1918 年(民國七年)	美國鈔票公司	選自《廣東歷代貨幣》	2	省立·蓋"維持省幣聯合會"寶塔圖印
1979	省立廣東省銀行輔幣券	橫	貳角	1922 年(民國十一年)	美國鈔票公司	吳籌中藏		
1980	省立廣東省銀行輔幣券	橫	伍角	1922 年(民國十一年)	美國鈔票公司	吳籌中藏		
1981	廣東中央銀行大洋輔幣券	橫	壹角	民國十八年		德國 ERWIN BEYER 藏	4	
1982	廣東省銀行大洋券	橫	壹圓	1931 年(民國二十年)	美國鈔票公司	吳籌中藏		
1983	廣東省銀行大洋券	橫	壹圓	1931 年(民國二十年)	美國鈔票公司	吳籌中藏		大洋券改作銀毫券用
1984	廣東省銀行大洋券	橫	壹圓	1931 年(民國二十年)	美國鈔票公司	吳籌中藏		大洋券改作銀毫券用
1985	廣東省銀行大洋券	橫	壹圓	1931 年(民國二十年)	美國鈔票公司	許義宗舊藏		樣本·海口
1986	廣東省銀行大洋券	橫	壹圓	1931 年(民國二十年)	美國鈔票公司	許義宗舊藏		樣本·汕頭
1987	廣東省銀行大洋券	橫	伍圓	1931 年(民國二十年)	美國鈔票公司	吳籌中藏		
1988	廣東省銀行大洋券	橫	伍圓	1931 年(民國二十年)	美國鈔票公司	吳籌中藏		大洋券改作銀毫券用
1989	廣東省銀行大洋券	橫	伍圓	1931 年(民國二十年)	美國鈔票公司	吳籌中藏		大洋券改作銀毫券用
1990	廣東省銀行大洋券	橫	拾圓	1931 年(民國二十年)	美國鈔票公司	吳籌中藏	1	大洋券改作銀毫券用
1991	廣東省銀行大洋券	橫	拾圓	1931 年(民國二十年)	美國鈔票公司	吳籌中藏	1	大洋券改作銀毫券用
1992	廣東省銀行銀毫券	橫	壹圓	1931 年(民國二十年)	美國鈔票公司	吳籌中藏		
1993	廣東省銀行銀毫券	橫	壹圓	1931 年(民國二十年)	美國鈔票公司	吳籌中藏		
1994	廣東省銀行銀毫券	橫	壹圓	1931 年(民國二十年)	美國鈔票公司	中國人民銀行上海分行藏		
1995	廣東省銀行銀毫券	橫	壹圓	1931 年(民國二十年)	美國鈔票公司	吳籌中藏		
1996	廣東省銀行銀毫券	橫	壹圓	1931 年(民國二十年)	美國鈔票公司	許義宗舊藏		樣本·北海

編號	券　名	票型	面額	年　份	印刷單位	來　源	等級	説　明
1997	廣東省銀行銀毫券	橫	壹圓	1931年(民國二十年)	美國鈔票公司	許義宗舊藏		樣本・汕頭
1998	廣東省銀行銀毫券	橫	伍圓	1931年(民國二十年)	美國鈔票公司	吳籌中藏		
1999	廣東省銀行銀毫券	橫	伍圓	1931年(民國二十年)	美國鈔票公司	吳籌中藏		
2000	廣東省銀行銀毫券	橫	伍圓	1931年(民國二十年)	美國鈔票公司	吳籌中藏		
2001	廣東省銀行銀毫券	橫	伍圓	1931年(民國二十年)	美國鈔票公司	許義宗舊藏	1	樣本・北海
2002	廣東省銀行銀毫券	橫	伍圓	1931年(民國二十年)	美國鈔票公司	許義宗舊藏	1	樣本・汕頭
2003	廣東省銀行銀毫券	橫	拾圓	1931年(民國二十年)	美國鈔票公司	吳籌中藏	1	
2004	廣東省銀行銀毫券	橫	拾圓	1931年(民國二十年)	美國鈔票公司	吳籌中藏	1	
2005	廣東省銀行銀毫券	橫	拾圓	1931年(民國二十年)	美國鈔票公司	吳籌中藏	1	
2006	廣東省銀行銀毫券	橫	拾圓	1931年(民國二十年)	美國鈔票公司	許義宗舊藏	1	樣本・北海
2007	廣東省銀行銀毫券	橫	拾圓	1931年(民國二十年)	美國鈔票公司	許義宗舊藏	1	樣本・汕頭
2008	廣東省銀行銀毫券	橫	壹百圓	1931年(民國二十年)	美國鈔票公司	吳籌中藏	3	
2009	廣東省銀行大洋輔幣券	橫	壹角	1932年(民國二十一年)	香港印書館	吳籌中藏	3	海口
2010	廣東省銀行銀毫輔幣券	橫	壹毫	1934年(民國二十三年)	新華雕刻公司	吳籌中藏		無字冠
2011	廣東省銀行銀毫輔幣券	橫	壹毫	1934年(民國二十三年)	新華雕刻公司	中國人民銀行上海分行藏		雙字冠
2012	廣東省銀行銀毫輔幣券	橫	壹毫	1934年(民國二十三年)	新華雕刻公司	吳籌中藏	1	汕頭
2013	廣東省銀行銀毫輔幣券	橫	壹毫	1935年(民國二十四年)	美國鈔票公司	吳籌中藏		
2014	廣東省銀行銀毫輔幣券	橫	貳毫	1935年(民國二十四年)	美國鈔票公司	吳籌中藏		
2015	廣東省銀行銀毫輔幣券	橫	貳毫	1935年(民國二十四年)	美國鈔票公司	吳籌中藏		
2016	廣東省銀行銀毫輔幣券	橫	貳毫	1935年(民國二十四年)	美國鈔票公司	許義宗舊藏	2	加蓋"打倒日本軍閥"
2017	廣東省銀行銀毫輔幣券	橫	貳毫	1935年(民國二十四年)	美國鈔票公司	許義宗舊藏		北海
2018	廣東省銀行銀毫輔幣券	橫	貳毫	1935年(民國二十四年)	美國鈔票公司	許義宗舊藏		汕頭
2019	廣東省銀行銀毫輔幣券	橫	伍毫	1935年(民國二十四年)	美國鈔票公司	吳籌中藏	1	
2020	廣東省銀行大洋輔幣券	橫	壹角	1935年(民國二十四年)	香港印字館	上海博物館藏		
2021	廣東省銀行大洋輔幣券	橫	貳角	1935年(民國二十四年)	香港印字館	中國人民銀行上海分行藏		
2022	廣東省銀行大洋輔幣券	橫	貳角	1936年(民國二十五年)	中華書局有限公司	選自《廣東歷代貨幣》	1	
2023	廣東省銀行銀元券	橫	壹圓	無年份	中華書局有限公司	吳籌中藏		
2024	廣東省銀行銀元券	橫	伍圓	無年份	中華書局有限公司	吳籌中藏	1	
2025	廣東省銀行國幣輔幣券	橫	貳角	1939年(民國二十八年)		許義宗舊藏	1	瓊崖區流通券
2026	廣東省銀行國幣券	橫	壹圓	1939年(民國二十八年)		吳籌中藏	1	瓊崖區流通券
2027	廣東省銀行國幣券	橫	壹圓	1939年(民國二十八年)		吳籌中藏	1	瓊崖區流通券
2028	廣東省銀行國幣券	橫	伍圓	1939年(民國二十八年)		許義宗舊藏	2	瓊崖區流通券
2029	廣東省銀行國幣券	橫	伍圓	1939年(民國二十八年)		吳籌中藏	2	瓊崖區流通券
2030	廣東省銀行大洋輔幣票	橫	壹分	1949年(民國三十八年)	中華書局股份有限公司	吳籌中藏		
2031	廣東省銀行大洋輔幣票	橫	伍分	1949年(民國三十八年)	中華書局股份有限公司	吳籌中藏		
2032	廣東省銀行大洋輔幣票	橫	壹角	1949年(民國三十八年)	中華書局股份有限公司	吳籌中藏		
2033	廣東省銀行大洋輔幣票	橫	伍角	1949年(民國三十八年)	中華書局股份有限公司	吳籌中藏		
2034	廣東省銀行大洋票	橫	壹圓	1949年(民國三十八年)	中華書局股份有限公司	吳籌中藏		
2035	廣東省銀行大洋票	橫	伍圓	1949年(民國三十八年)	中華書局股份有限公司	吳籌中藏	1	
2036	廣東省銀行大洋票	橫	拾圓	1949年(民國三十八年)	中華書局股份有限公司	吳籌中藏	1	
2037	廣東省銀行大洋票	橫	壹佰圓	1949年(民國三十八年)	中華書局股份有限公司	吳籌中藏	3	
2038	海南銀行銀元輔幣券	橫	貳分	1949年(民國三十八年)	香港印字館印務有限公司	吳籌中藏	1	
2039	海南銀行銀元輔幣券	橫	伍分	1949年(民國三十八年)	香港印字館印務有限公司	吳籌中藏	1	
2040	海南銀行銀元輔幣券	橫	貳角	1949年(民國三十八年)	香港印字館印務有限公司	吳籌中藏	1	
2041	海南銀行銀元輔幣券	橫	伍角	1949年(民國三十八年)	香港印字館印務有限公司	吳籌中藏	1	
2042	海南銀行銀元券	橫	壹圓	1949年(民國三十八年)	香港印字館印務有限公司	上海博物館藏	2	
2043	海南銀行銀元券	橫	伍圓	1949年(民國三十八年)	香港印字館印務有限公司	許義宗舊藏	3	樣張
2044	海南銀行銀元券	橫	拾圓	1949年(民國三十八年)	香港印字館印務有限公司	許義宗舊藏	3	
2045	廣州市市立銀行輔幣兌換券	直	壹毫	1928年(民國十七年)		許義宗舊藏	1	
2046	廣州市市立銀行銀毫券	直	壹圓	民國二十一年	倫敦華德路公司	許義宗舊藏	1	

編號	券　名	票型	面額	年　份	印刷單位	來　源	等級	説　明
2047	廣州市市立銀行銀毫券	直	伍圓	無年份	美國鈔票公司	許義宗舊藏	2	試樣票
2048	廣州市市立銀行銀毫券	直	伍圓	無年份	美國鈔票公司	許義宗舊藏	1	樣票
2049	廣州市市立銀行銀毫券	直	伍圓	1929年(民國十八年)	美國鈔票公司	許義宗舊藏		
2050	廣州市市立銀行銀毫券	直	拾圓	無年份	美國鈔票公司	許義宗舊藏	2	試樣票
2051	廣州市市立銀行銀毫券	直	拾圓	無年份	美國鈔票公司	許義宗舊藏	1	樣票
2052	廣州市市立銀行銀毫券	直	拾圓	1931年(民國二十年)	美國鈔票公司	許義宗舊藏		
2053	廣州市市立銀行銀毫券	直	伍拾圓	無年份	美國鈔票公司	許義宗舊藏	2	試樣票
2054	廣州市市立銀行銀毫券	直	伍拾圓	無年份	美國鈔票公司	許義宗舊藏	1	樣票
2055	廣州市市立銀行銀毫輔幣券	橫	壹毫	1931年		中國人民銀行上海分行藏		
2056	廣州市市立銀行銀毫輔幣券	直	壹毫	1933年(民國二十二年)	英國華德路公司	中國人民銀行上海分行藏		
2057	廣州市市立銀行銀毫輔幣券	直	貳毫	1933年(民國二十二年)	英國華德路公司	許義宗舊藏		
2058	廣州市市立銀行銀毫券	直	壹圓	1933年(民國二十二年)	倫敦華德路公司	中國人民銀行上海分行藏		
2059	廣州市市立銀行銀毫券	直	壹圓	1933年(民國二十二年)	倫敦華德路公司	許義宗舊藏		
2060	廣州市市立銀行銀毫券	直	伍圓	1933年(民國二十二年)	倫敦華德路公司	許義宗舊藏		
2061	廣州市市立銀行銀毫券	直	伍圓	1933年(民國二十二年)	倫敦華德路公司	許義宗舊藏		
2062	廣州市市立銀行銀毫券	直	拾圓	1933年(民國二十二年)	倫敦華德路公司	中國人民銀行上海分行藏		
2063	廣州市市立銀行銀毫券	直	拾圓	1933年(民國二十二年)	倫敦華德路公司	許義宗舊藏		
2064	廣州市市立銀行銀毫券	直	伍拾圓	1933年(民國二十二年)	倫敦華德路公司	許義宗舊藏	1	

十二、廣西地方紙幣

編號	券　名	票型	面額	年　份	印刷單位	來　源	等級	説　明
2065	廣西銀行銀元輔幣券	橫	壹角	民國元年九月		選自《廣西歷史貨幣》	2	
2066	廣西銀行銀元輔幣券	橫	伍角	民國元年九月		許義宗舊藏	2	
2067	廣西銀行銀元券	橫	壹圓	民國元年		吳籌中藏		南寧
2068	廣西銀行銀元券	橫	壹圓	民國元年		吳籌中藏		桂林
2069	廣西銀行銀元券	橫	壹圓	民國元年		吳籌中藏		梧州
2070	廣西銀行銀元券	橫	壹圓	民國元年		吳籌中藏		柳州
2071	廣西銀行銀元券	橫	壹圓	民國元年		吳籌中藏		龍州
2072	廣西銀行銀元券	橫	壹圓	民國元年		吳籌中藏		鬱林
2073	廣西銀行銀元券	橫	伍圓	民國元年		上海博物館藏	2	南寧
2074	廣西銀行銀元券	橫	伍圓	民國元年		選自《中國軍用鈔票史略》	2	南寧
2075	廣西銀行銀元券	橫	伍圓	民國元年		選自《中國軍用鈔票史略》	2	桂林
2076	廣西銀行銀元券	橫	伍圓	民國元年		選自《中國軍用鈔票史略》	2	梧州
2077	廣西銀行銀元券	橫	伍圓	民國元年		上海博物館藏	2	龍州
2078	廣西銀行銀毫輔幣券	橫	壹毫	民國四年		選自《廣西歷史貨幣》	1	桂林
2079	廣西銀行銀元輔幣券	橫	伍角	民國四年		選自《廣西歷史貨幣》	2	桂林
2080	廣西銀行銀毫輔幣券	橫	壹毫	民國六年		上海博物館藏		梧州
2081	廣西銀行銀元輔幣券	橫	伍角	民國七年		上海博物館藏	2	梧州
2082	廣西銀行銀毫輔幣券	橫	壹毫	民國九年		中國人民銀行上海分行藏		梧州
2083	廣西銀行銀毫輔幣券	橫	壹毫	民國十年		吳籌中藏	1	桂林
2084	廣西銀行銀元輔幣券	橫	伍角	民國十年		選自《廣西歷史貨幣》	1	桂林
2085	廣西銀行銀元輔幣券	橫	伍角	民國十年		中國人民銀行上海分行藏	1	梧州
2086	廣西銀行銀元券	橫	壹圓	民國十年		選自《廣西歷史貨幣》	2	南寧
2087	廣西銀行銀元券	橫	壹圓	民國十年		許義宗舊藏	2	龍州
2088	廣西銀行銀元券	橫	伍圓	民國十年		許義宗舊藏	2	南寧
2089	廣西銀行銀元券	橫	伍圓	民國十年		選自《中國軍用鈔票史略》	2	龍州
2090	廣西省銀行銀元輔幣券	橫	壹角	1922年(民國十一年)		選自《廣西歷史貨幣》	2	
2091	廣西省銀行銀元輔幣券	橫	貳角	1922年(民國十一年)		選自《中國軍用鈔票史略》	2	

編號	券　　名	票型	面　額	年　　份	印　刷　單　位	來　　源	等級	説　　明
2092	廣西省銀行銀元輔幣券	橫	伍角	1922 年（民國十一年）		上海博物館藏	1	樣本
2093	廣西省銀行銀元券	橫	壹圓	1922 年（民國十一年）		選自《中國軍用鈔票史略》		
2094	廣西省銀行銀元券	橫	伍圓	1922 年（民國十一年）		選自《中國軍用鈔票史略》		
2095	廣西省銀行銀元券	橫	壹圓	1926 年（民國十五年）		選自《廣西歷史貨幣》	1	南寧
2096	廣西省銀行銀元券	橫	壹圓	1926 年（民國十五年）		選自《廣西歷史貨幣》	1	桂林
2097	廣西省銀行銀元券	橫	壹圓	1926 年（民國十五年）		吳籌中藏	1	梧州
2098	廣西省銀行銀元券	橫	壹圓	1926 年（民國十五年）		選自《廣西歷史貨幣》	1	龍州
2099	廣西省銀行銀元券	橫	伍角	1926 年（民國十五年）		選自《廣西歷史貨幣》	2	南寧
2100	廣西省銀行銀元券	橫	伍圓	1926 年（民國十五年）		選自《廣西歷史貨幣》	2	南寧
2101	廣西省銀行銀元券	橫	伍圓	1926 年（民國十五年）		選自《廣西歷史貨幣》	2	梧州
2102	廣西省銀行銀元券	橫	伍圓	1926 年（民國十五年）		選自《廣西歷史貨幣》	2	桂林
2103	廣西省銀行銀元券	橫	伍圓	1926 年（民國十五年）		選自《廣西歷史貨幣》	2	柳州
2104	廣西省銀行銀元券	橫	伍圓	1926 年（民國十五年）		選自《廣西歷史貨幣》	2	龍州
2105	廣西省銀行銀元券	橫	伍圓	1926 年（民國十五年）		選自《廣西歷史貨幣》	2	鬱林
2106	廣西省銀行銀元券	橫	拾圓	1926 年（民國十五年）		選自《廣西歷史貨幣》	3	南寧
2107	廣西省銀行銀元券	橫	拾圓	1926 年（民國十五年）		選自《廣西歷史貨幣》	3	南寧
2108	廣西省銀行銀元券	橫	拾圓	1926 年（民國十五年）		選自《廣西歷史貨幣》	3	梧州
2109	廣西省銀行銀元輔幣券	直	貳毫	民國十七年		選自《廣西歷史貨幣》	1	
2110	廣西省銀行銀元輔幣券	直	伍毫	民國十七年		吳籌中藏	1	
2111	廣西省銀行銀元輔幣券	直	伍毫	民國十七年		選自《廣西歷史貨幣》	1	東毫兌換券
2112	廣西省銀行銀元券	橫	貳拾伍圓	民國十七年		選自《廣西歷史貨幣》	1	
2113	廣西省銀行銀元券	橫	壹圓	1929 年（民國十八年）	美國鈔票公司	吳籌中藏		
2114	廣西省銀行銀元券	橫	壹圓	1929 年（民國十八年）	美國鈔票公司	選自《廣西歷史貨幣》		南寧
2115	廣西省銀行銀元券	橫	壹圓	1929 年（民國十八年）	美國鈔票公司	選自《廣西歷史貨幣》		桂林
2116	廣西省銀行銀元券	橫	壹圓	1929 年（民國十八年）	美國鈔票公司	吳籌中藏		梧州
2117	廣西省銀行銀元券	橫	壹圓	1929 年（民國十八年）	美國鈔票公司	上海博物館藏		柳州
2118	廣西省銀行銀元券	橫	壹圓	1929 年（民國十八年）	美國鈔票公司	選自《廣西歷史貨幣》		龍州
2119	廣西省銀行銀元券	橫	壹圓	1929 年（民國十八年）	美國鈔票公司	選自《廣西歷史貨幣》		鬱林
2120	廣西省銀行銀元券	橫	伍圓	1929 年（民國十八年）	美國鈔票公司	吳籌中藏	1	
2121	廣西省銀行銀元券	橫	伍圓	1929 年（民國十八年）	美國鈔票公司	上海博物館藏	1	桂林
2122	廣西省銀行銀元券	橫	伍圓	1929 年（民國十八年）	美國鈔票公司	上海博物館藏	1	梧州
2123	廣西省銀行銀元券	橫	伍圓	1929 年（民國十八年）	美國鈔票公司	上海博物館藏	1	柳州
2124	廣西省銀行銀元券	橫	伍圓	1929 年（民國十八年）	美國鈔票公司	選自《廣西歷史貨幣》	1	龍州
2125	廣西省銀行銀元券	橫	伍圓	1929 年（民國十八年）	美國鈔票公司	選自《廣西歷史貨幣》	1	鬱林
2126	廣西省銀行銀元券	橫	拾圓	1929 年（民國十八年）	美國鈔票公司	吳籌中藏	1	
2127	廣西省銀行銀元券	橫	拾圓	1929 年（民國十八年）	美國鈔票公司	選自《廣西歷史貨幣》	1	南寧
2128	廣西省銀行銀元券	橫	拾圓	1929 年（民國十八年）	美國鈔票公司	選自《廣西歷史貨幣》	1	桂林
2129	廣西省銀行銀元券	橫	拾圓	1929 年（民國十八年）	美國鈔票公司	選自《廣西歷史貨幣》	1	柳州
2130	廣西省銀行銀元券	橫	拾圓	1929 年（民國十八年）	美國鈔票公司	選自《廣西歷史貨幣》	1	梧州
2131	廣西省銀行銀元券	橫	拾圓	1929 年（民國十八年）	美國鈔票公司	上海博物館藏	1	龍州
2132	廣西省銀行銀元券	橫	拾圓	1929 年（民國十八年）	美國鈔票公司	選自《廣西歷史貨幣》	1	鬱林
2133	廣西省銀行銀元券	橫	拾圓	1929 年（民國十八年）	美國鈔票公司	選自《廣西歷史貨幣》	1	梧州改八步
2134	廣西省銀行銀毫輔幣券	橫	壹毫	民國二十一年		中國人民銀行上海分行藏		
2135	廣西銀行通用輔幣券	橫	壹角	民國二十五年	香港新華雕刻有限公司	吳籌中藏		
2136	廣西銀行國幣輔幣券	橫	伍角	民國二十七年	商務印書館	吳籌中藏	1	
2137	廣西銀行通用輔幣券	橫	伍角	無年份	中華書局有限公司	吳籌中藏	1	
2138	廣西省銀行輔幣流通券	橫	壹角	無年份	香港印字館印務有限公司	吳籌中藏	2	
2139	廣西省銀行輔幣流通券	橫	貳角	無年份	香港印字館印務有限公司	吳籌中藏	2	
2140	廣西省銀行輔幣流通券	橫	伍角	無年份	香港印字館印務有限公司	吳籌中藏	2	
2141	廣西省銀行輔幣流通券	橫	拾角	無年份	香港印字館印務有限公司	吳籌中藏	2	

編號	券　名	票型	面　額	年　份	印刷單位	來　源	等級	説　明
2142	廣西省銀行輔幣流通券	橫	伍拾角	無年份	香港印字館印務有限公司	吳籌中藏	3	
2143	廣西農民銀行農產證券	橫	壹圓	民國二十七年		中國人民銀行上海分行藏		
2144	廣西農民銀行農產證券	橫	伍圓	民國二十七年		吳籌中藏		
2145	廣西省銀行國幣輔幣券	橫	壹角	無年份		林清池藏	4	

十三、貴州地方紙幣

編號	券　名	票型	面　額	年　份	印刷單位	來　源	等級	説　明
2146	貴州銀行銀元輔幣券	橫	壹角	民國元年	貴陽文通書局	上海博物館藏	3	
2147	貴州銀行銀元輔幣券	橫	貳角	民國元年	貴陽文通書局	上海博物館藏	3	
2148	貴州銀行銀元輔幣券	橫	伍角	民國元年	貴陽文通書局	上海博物館藏	2	
2149	貴州銀行銀元券	橫	壹圓	民國元年	貴陽文通書局	吳籌中藏	2	
2150	貴州銀行銀元券	橫	壹圓	民國元年	貴陽文通書局	吳籌中藏	1	
2151	貴州銀行銀元券	橫	伍圓	民國元年	貴陽文通書局	吳籌中藏	3	
2152	貴州銀行銀元券	橫	伍圓	民國元年	貴陽文通書局	中國人民銀行上海分行藏	2	
2153	貴州銀行銀元券	橫	拾圓	民國元年	貴陽文通書局	中國人民銀行上海分行藏	4	
2154	貴州銀行兌換券	橫	壹圓	1922年		上海博物館藏	3	
2155	貴州銀行兌換券	橫	拾圓	1923年	貴陽文通書局	上海博物館藏	4	
2156	貴州銀行兌換券	橫	壹角	無年份		上海博物館藏	1	
2157	貴州銀行兌換券	橫	貳角	無年份		上海博物館藏	1	
2158	貴州銀行兌換券	橫	伍角	無年份		上海博物館藏	2	
2159	貴州銀行兌換券	橫	壹圓	無年份		上海博物館藏	2	
2160	貴州銀行存款券	橫	伍角	1930年		上海博物館藏	2	
2161	貴州銀行存款券	橫	壹圓	民國十九年		中國人民銀行上海分行藏	2	
2162	貴州銀行存款券	橫	壹圓	民國十九年		上海博物館藏	2	貴陽
2163	貴州銀行存款券	橫	壹角	民國二十五年		上海博物館藏	2	
2164	貴州省銀行銀元輔幣券	橫	壹分	1949年(民國三十八年)	中央印製廠重慶廠	吳籌中藏	1	
2165	貴州省銀行銀元輔幣券	橫	伍分	1949年(民國三十八年)	中央印製廠重慶廠	中國人民銀行上海分行藏	2	
2166	貴州省銀行銀元輔幣券	橫	壹角	1949年(民國三十八年)	中央印製廠重慶廠	吳籌中藏	2	
2167	貴州省銀行銀元輔幣券	橫	伍角	1949年(民國三十八年)	中央印製廠重慶廠	上海博物館藏	2	

十四、山東地方紙幣

編號	券　名	票型	面　額	年　份	印刷單位	來　源	等級	説　明
2168	山東銀行銀兩券	橫	壹兩	民國元年		許義宗舊藏	3	濟南
2169	山東銀行銀兩券	橫	拾兩	民國元年		許義宗舊藏	4	濟南
2170	山東銀行銀元券	橫	壹圓	民國元年		許義宗舊藏	3	濟南
2171	山東銀行銀元券	橫	拾圓	民國元年		許義宗舊藏	4	濟南
2172	山東銀行銀元券	橫	壹圓	民國七年		選自《中國各省地方銀行紙幣圖録》	2	濟南·第二次印
2173	山東銀行銀元券	橫	伍圓	民國九年		吳籌中藏	3	濟南·第三次印·加蓋山東商業銀行
2174	山東銀行銀元券	橫	拾圓	民國九年		吳籌中藏	3	濟南·第三次印
2175	山東銀行銀元券	橫	拾圓	民國九年		吳籌中藏	3	濟南·第三次印·加蓋山東商業銀行
2176	青島地方銀行國幣券	橫	壹圓	1924年(民國十三年)	財政部印刷局	上海博物館藏		青島地方銀行改山東省銀行
2177	青島地方銀行國幣券	橫	伍圓	1924年(民國十三年)	財政部印刷局	上海博物館藏	1	青島地方銀行改山東省銀行
2178	青島地方銀行國幣券	橫	拾圓	1924年(民國十三年)	財政部印刷局	上海博物館藏	2	青島地方銀行改山東省銀行
2179	山東省銀行銅元券	直	伍吊文	民國十四年九月	財政部印刷局	中國人民銀行上海分行藏	3	計銅元二百四十五枚
2180	山東省銀行銅元券	直	拾吊文	民國十五年九月	財政部印刷局	許義宗舊藏	3	濰縣·計銅元伍百枚
2181	山東省銀行國幣輔幣券	橫	貳角	1925年(民國十四年)	美國鈔票公司	上海博物館藏	1	濟南

編號	券　名	票型	面　額	年　份	印　刷　單　位	來　源	等級	說　明
2182	山東省銀行國幣輔幣券	橫	貳角	1925年(民國十四年)	美國鈔票公司	吳籌中藏	1	樣票・天津
2183	山東省銀行國幣輔幣券	橫	伍角	1925年(民國十四年)	美國鈔票公司	吳籌中藏	1	樣票・天津
2184	山東省銀行國幣券	橫	壹圓	1925年(民國十四年)	美國鈔票公司	吳籌中藏		濟南
2185	山東省銀行國幣券	橫	壹圓	1925年(民國十四年)	美國鈔票公司	吳籌中藏		樣票・天津
2186	山東省銀行國幣券	橫	伍圓	1925年(民國十四年)	美國鈔票公司	上海博物館藏	1	濟南
2187	山東省銀行國幣券	橫	伍圓	1925年(民國十四年)	美國鈔票公司	吳籌中藏	1	樣票・天津
2188	山東省銀行國幣券	橫	拾圓	1925年(民國十四年)	美國鈔票公司	上海博物館藏	2	濟南
2189	山東省銀行國幣券	橫	拾圓	1925年(民國十四年)	美國鈔票公司	吳籌中藏	2	樣票・天津
2190	山東省銀行國幣券	橫	伍拾圓	1925年(民國十四年)	美國鈔票公司	許義宗舊藏	3	樣票・濟南
2191	山東省銀行國幣券	橫	伍拾圓	1925年(民國十四年)	美國鈔票公司	吳籌中藏	4	樣票・天津
2192	山東省銀行國幣券	橫	壹百圓	1925年(民國十四年)	美國鈔票公司	上海博物館藏	4	
2193	山東省銀行國幣券	橫	壹百圓	1925年(民國十四年)	美國鈔票公司	吳籌中藏	4	樣票・天津
2194	山東省銀行國幣券	橫	壹圓	1925年(民國十四年)	財政部印刷局	上海博物館藏		山東
2195	山東省銀行國幣券	橫	壹圓	1925年(民國十四年)	財政部印刷局	上海博物館藏	1	山東・龍口
2196	山東省銀行國幣券	橫	伍圓	1925年(民國十四年)	財政部印刷局	上海博物館藏	1	山東
2197	山東省銀行國幣券	橫	伍圓	1925年(民國十四年)	財政部印刷局	上海博物館藏	1	山東・青島
2198	山東省銀行國幣輔幣券	橫	壹角	1926年(民國十五年)	財政部印刷局	吳籌中藏	1	濟南
2199	山東省銀行國幣輔幣券	橫	壹角	1926年(民國十五年)	財政部印刷局	許義宗舊藏	1	天津
2200	山東省民生銀行國幣輔幣券	橫	壹角	1936年(民國二十五年)	山東省政府印刷局	吳籌中藏		
2201	山東省民生銀行國幣輔幣券	橫	貳角	1936年(民國二十五年)	山東省政府印刷局	中國人民銀行上海分行藏		
2202	山東省民生銀行國幣輔幣券	橫	伍角	1936年(民國二十五年)	山東省政府印刷局	吳籌中藏	1	
2203	山東省民生銀行國幣輔幣券	橫	伍角	1940年(民國二十九年)	山東省政府印刷局	吳籌中藏	1	
2204	山東省民生銀行國幣券	橫	伍圓	1940年(民國二十九年)	山東省政府印刷局	吳籌中藏	1	
2205	山東省民生銀行國幣券	橫	拾圓	1943年(民國三十二年)	山東省政府印刷局	郭乃興藏	1	
2206	山東平市官錢總局國幣輔幣券	直	貳角	1930年(民國十九年)	山東省政府印刷局	許義宗舊藏	1	
2207	山東平市官錢總局國幣輔幣券	直	壹角	1933年(民國二十二年)	山東省政府印刷局	許義宗舊藏	1	
2208	山東平市官錢總局國幣輔幣券	直	貳角	1933年(民國二十二年)	山東省政府印刷局	許義宗舊藏	1	
2209	山東平市官錢總局銅元券	橫	拾枚	1936年(民國二十五年)	山東省政府印刷局	吳籌中藏		
2210	山東平市官錢總局銅元券	橫	貳拾枚	1936年(民國二十五年)	山東省政府印刷局	吳籌中藏		
2211	山東平市官錢總局銅元券	橫	伍拾枚	1936年(民國二十五年)	山東省政府印刷局	吳籌中藏	1	
2212	山東平市官錢總局銅元券	橫	壹百枚	1936年(民國二十五年)	山東省政府印刷局	許義宗舊藏	1	

十五、河南地方紙幣

編號	券　名	票型	面　額	年　份	印　刷　單　位	來　源	等級	說　明
2213	河南豫泉官銀錢局銀元券	橫	壹圓	1916年(民國五年)	天津東馬路新民印刷局	吳籌中藏	3	
2214	河南豫泉官銀錢局銀元券	橫	拾圓	1916年(民國五年)	天津東馬路新民印刷局	上海博物館藏	3	
2215	豫泉官銀錢局銅元券	橫	壹拾枚	民國七年		上海博物館藏	2	河南
2216	豫泉官銀錢局銅元券	橫	貳拾枚	民國七年		上海博物館藏	2	河南
2217	豫泉官銀錢局銀元券	橫	壹圓	民國七年	美國鈔票公司	許義宗舊藏	2	連票根樣票
2218	豫泉官銀錢局銀元券	橫	壹圓	民國七年	美國鈔票公司	中國人民銀行上海分行藏	1	
2219	豫泉官銀錢局銀元券	橫	壹圓	民國七年	美國鈔票公司	吳籌中藏	1	扶溝
2220	豫泉官銀錢局銀元券	橫	壹圓	民國七年	美國鈔票公司	上海博物館藏	1	盧氏
2221	豫泉官銀錢局銀元券	橫	壹圓	民國七年	美國鈔票公司	上海博物館藏	1	許昌
2222	豫泉官銀錢局銀元券	橫	壹圓	民國七年	美國鈔票公司	上海博物館藏	1	杞縣
2223	豫泉官銀錢局銀元券	橫	壹圓	民國七年	美國鈔票公司	上海博物館藏	1	滎澤
2224	豫泉官銀錢局銀元券	橫	壹圓	民國七年	美國鈔票公司	上海博物館藏	1	澠池
2225	豫泉官銀錢局銀元券	橫	壹圓	民國七年	美國鈔票公司	上海博物館藏	1	商水
2226	豫泉官銀錢局銀元券	橫	壹圓	民國七年	美國鈔票公司	上海博物館藏	1	尉氏

編號	券 名	票型	面 額	年 份	印刷單位	來 源	等級	説 明
2227	豫泉官銀錢局銀元券	橫	壹圓	民國七年	美國鈔票公司	上海博物館藏	1	宜陽
2228	豫泉官銀錢局銀元券	橫	壹圓	民國七年	美國鈔票公司	上海博物館藏	1	洛寧
2229	豫泉官銀錢局銀元券	橫	壹圓	民國七年	美國鈔票公司	上海博物館藏	1	嵩縣
2230	豫泉官銀錢局銀元券	橫	壹圓	民國七年	美國鈔票公司	上海博物館藏	1	武陵
2231	豫泉官銀錢局銀元券	橫	壹圓	民國七年	美國鈔票公司	上海博物館藏	1	原武
2232	豫泉官銀錢局銀元券	橫	壹圓	民國七年	美國鈔票公司	上海博物館藏	1	延津
2233	豫泉官銀錢局銀元券	橫	壹圓	民國七年	美國鈔票公司	上海博物館藏	1	輝縣
2234	豫泉官銀錢局銀元券	橫	壹圓	民國七年	美國鈔票公司	上海博物館藏	1	淮陽
2235	豫泉官銀錢局銀元券	橫	壹圓	民國七年	美國鈔票公司	上海博物館藏	1	禹縣
2236	豫泉官銀錢局銀元券	橫	壹圓	民國七年	美國鈔票公司	上海博物館藏	1	中牟
2237	豫泉官銀錢局銀元券	橫	壹圓	民國七年	美國鈔票公司	上海博物館藏	1	孟縣
2238	豫泉官銀錢局銀元券	橫	壹圓	民國七年	美國鈔票公司	上海博物館藏	1	靈寶
2239	豫泉官銀錢局銀元券	橫	壹圓	民國七年	美國鈔票公司	上海博物館藏	1	陝縣
2240	豫泉官銀錢局銀元券	橫	壹圓	民國七年	美國鈔票公司	上海博物館藏	1	汲縣
2241	豫泉官銀錢局銀元券	橫	壹圓	民國七年	美國鈔票公司	上海博物館藏	1	滎陽
2242	豫泉官銀錢局銀元券	橫	壹圓	民國七年	美國鈔票公司	上海博物館藏	1	郾師
2243	豫泉官銀錢局銀元券	橫	伍圓	民國七年	美國鈔票公司	許義宗舊藏	2	連票根樣票
2244	豫泉官銀錢局銀元券	橫	伍圓	民國七年	美國鈔票公司	吳籌中藏	2	
2245	豫泉官銀錢局銀元券	橫	拾圓	民國七年	美國鈔票公司	許義宗舊藏	3	連票根樣票
2246	豫泉官銀錢局銀元券	橫	拾圓	民國七年	美國鈔票公司	中國人民銀行上海分行藏	1	
2247	河南豫泉官銀錢局銅元券	橫	壹百枚	1922年(民國十一年)	北京財政印刷局	許義宗舊藏	2	
2248	河南銀行銅元券	橫	拾枚	1922年(民國十一年)	北京財政印刷局	吳籌中藏	2	河南豫泉官銀錢局發行
2249	河南銀行銅元券	橫	貳拾枚	1922年(民國十一年)	北京財政印刷局	吳籌中藏	2	河南豫泉官銀錢局發行
2250	河南銀行銅元券	橫	伍拾枚	1922年(民國十一年)	北京財政印刷局	許義宗舊藏	3	河南豫泉官銀錢局發行
2251	河南省銀行銅元券	橫	拾枚	民國十二年		吳籌中藏		
2252	河南省銀行銅元券	橫	貳拾枚	民國十二年		吳籌中藏		
2253	河南省銀行銅元券	橫	伍拾枚	民國十二年		吳籌中藏	1	
2254	河南省銀行銅元券	橫	壹百枚	民國十二年		吳籌中藏	1	
2255	河南銀行銀元券	橫	壹圓	1922年(民國十一年)	財政部印刷局	許義宗舊藏	2	樣本
2256	河南銀行銀元券	橫	壹圓	1922年(民國十一年)	財政部印刷局	許義宗舊藏	1	改河南省銀行
2257	河南銀行銀元券	橫	伍圓	1922年(民國十一年)	財政部印刷局	許義宗舊藏	2	改河南省銀行
2258	河南銀行銀元券	橫	拾圓	1922年(民國十一年)	財政部印刷局	許義宗舊藏	2	改河南省銀行
2259	河南省銀行國幣券	橫	壹圓	1923年(民國十二年)	財政部印刷局	上海博物館藏	1	
2260	河南省銀行國幣券	橫	壹圓	1923年(民國十二年)	財政部印刷局	吳籌中藏		河南
2261	河南省銀行國幣券	橫	壹圓	1923年(民國十二年)	財政部印刷局	吳籌中藏	1	河南·彰德
2262	河南省銀行國幣券	橫	壹圓	1923年(民國十二年)	財政部印刷局	上海博物館藏	1	天津
2263	河南省銀行國幣券	橫	壹圓	1923年(民國十二年)	財政部印刷局	吳籌中藏	1	鄭州
2264	河南省銀行國幣券	橫	壹圓	1923年(民國十二年)	財政部印刷局	吳籌中藏	1	河南·保大
2265	河南省銀行國幣券	橫	伍圓	1923年(民國十二年)	財政部印刷局	吳籌中藏	2	河南
2266	河南省銀行國幣券	橫	伍圓	1923年(民國十二年)	財政部印刷局	中國人民銀行上海分行藏	2	河南
2267	河南省銀行國幣券	橫	伍圓	1923年(民國十二年)	財政部印刷局	上海博物館藏	2	北京
2268	河南省銀行國幣券	橫	伍圓	1923年(民國十二年)	財政部印刷局	上海博物館藏	2	天津
2269	河南省銀行國幣券	橫	拾圓	1923年(民國十二年)	財政部印刷局	吳籌中藏	2	河南
2270	河南省銀行國幣券	橫	拾圓	1923年(民國十二年)	財政部印刷局	吳籌中藏	3	北京
2271	河南省銀行國幣券	橫	拾圓	1923年(民國十二年)	財政部印刷局	上海博物館藏	2	天津
2272	河南農工銀行銅元券	橫	貳拾枚	民國十七年	上海南洋印務局	中國人民銀行上海分行藏	2	河南
2273	河南農工銀行銅元券	橫	伍拾枚	民國十七年	上海南洋印務局	中國人民銀行上海分行藏	2	河南
2274	河南農工銀行銅元券	橫	壹佰枚	民國十七年	上海南洋印務局	中國人民銀行上海分行藏	2	河南
2275	河南農工銀行銅元券	橫	拾枚	民國十八年	財政部印刷局	吳籌中藏	2	河南
2276	河南農工銀行銅元券	橫	貳拾枚	民國十八年	財政部印刷局	上海博物館藏	2	河南

編號	券　名	票型	面　額	年　份	印刷單位	來　源	等級	説　明
2277	河南農工銀行銅元券	橫	伍拾枚	民國十八年	財政部印刷局	上海博物館藏	2	河南
2278	河南農工銀行銅元券	橫	貳拾枚	民國十九年	北平印刷局	許義宗舊藏	2	河南
2279	河南農工銀行國幣輔幣券	橫	壹角	民國十九年	北平印刷局	許義宗舊藏	2	
2280	河南農工銀行國幣輔幣券	橫	貳角	民國十九年	北平印刷局	上海博物館藏	2	河南
2281	河南農工銀行滙兑券	橫	壹圓	1931年(民國二十年)		上海博物館藏	2	河南
2282	河南農工銀行滙兑券	橫	伍圓	1931年(民國二十年)		上海博物館藏	3	河南
2283	河南農工銀行國幣輔幣券	橫	伍分	1937年(民國二十六年)	上海商務印書館	吳籌中藏	1	
2284	河南農工銀行國幣輔幣券	橫	壹角	1937年(民國二十六年)	上海商務印書館	吳籌中藏	1	
2285	河南農工銀行國幣輔幣券	橫	伍角	1937年(民國二十六年)	上海商務印書館	吳籌中藏	1	
2286	河南農工銀行國幣券	橫	壹圓	1940年(民國二十九年)	中國興國公司	吳籌中藏	2	

十六、河北地方紙幣

編號	券　名	票型	面　額	年　份	印刷單位	來　源	等級	説　明
2287	直隸省銀行銀元券	橫	壹圓	民國五年		上海博物館藏	3	李鴻章像・天津・北洋天津銀號改直隸省銀行
2288	直隸省銀行銀元券	橫	伍圓	民國五年		上海博物館藏	3	李鴻章像・天津・北洋天津銀號改直隸省銀行
2289	直隸省銀行銀元券	橫	伍拾圓	民國五年		吳籌中藏	4	李鴻章像・天津・北洋天津銀號改直隸省銀行
2290	直隸省銀行銀元券	橫	壹佰圓	民國五年		中國人民銀行上海分行藏	4	李鴻章像・天津・北洋天津銀號改直隸省銀行
2291	直隸省銀行銀元券	橫	壹圓	民國六年		上海博物館藏	3	李鴻章像・天津・北洋天津銀號改直隸省銀行
2292	直隸省銀行銀元券	橫	伍圓	民國六年		上海博物館藏	3	李鴻章像・天津・北洋天津銀號改直隸省銀行
2293	直隸省銀行銀元券	橫	壹圓	1920年(民國九年)	美國鈔票公司	上海博物館藏		天津
2294	直隸省銀行銀元券	橫	伍圓	1920年(民國九年)	美國鈔票公司	上海博物館藏		天津
2295	直隸省銀行銀元券	橫	拾圓	1920年(民國九年)	美國鈔票公司	上海博物館藏		天津
2296	直隸省官錢局銅元票	橫	伍枚	民國十年		許義宗舊藏		天津
2297	直隸省官錢局銅元票	橫	拾枚	民國十年		吳籌中藏		天津・北京代理兑換
2298	直隸省官錢局銅元票	橫	拾枚	民國十年		許義宗舊藏		天津・天津通用
2299	直隸省官錢局銅元票	橫	貳拾枚	民國十年		許義宗舊藏		天津
2300	直隸省官錢局銅元票	橫	貳拾枚	民國十年		上海博物館藏		天津・北京代理兑換
2301	直隸省銀行銅元票	橫	拾枚	民國十年		吳籌中藏		天津
2302	直隸省銀行銅元票	橫	伍拾枚	民國十年		許義宗舊藏	1	天津
2303	直隸省銀行銅元票	橫	拾枚	民國十二年		吳籌中藏	1	天津・天津通用
2304	直隸省銀行銅元票	橫	拾枚	民國十二年		吳籌中藏	1	天津・保定通用
2305	直隸省銀行銅元票	橫	拾枚	民國十三年		吳籌中藏		天津・直隸官錢局代發行兑現
2306	直隸省銀行銅元票	橫	拾枚	民國十三年	財政部印刷局	苗培貴藏		天津・直隸官錢局代發行兑現
2307	直隸省銀行銅元票	橫	拾枚	民國十三年	財政部印刷局	吳籌中藏		北京
2308	直隸省銀行銅元票	橫	拾枚	民國十三年	財政部印刷局	吳籌中藏		保定改天津・直隸官錢局代發行兑現
2309	直隸省銀行銅元票	橫	拾枚	民國十三年	財政部印刷局	吳籌中藏		天津改永遵
2310	直隸省銀行銅元票	橫	貳拾枚	民國十三年	財政部印刷局	吳籌中藏		北京改天津・直隸官錢局代發行兑現
2311	直隸省銀行銅元票	橫	肆拾枚	民國十三年	財政部印刷局	苗培貴藏	1	天津・直隸官錢局代發行兑現
2312	直隸省銀行銅元票	橫	貳拾枚	民國十四年	財政部印刷局	許義宗舊藏	1	天津・直隸官錢局代發行兑現
2313	直隸省銀行銅元票	橫	貳拾枚	民國十四年	財政部印刷局	苗培貴藏	1	保定改天津・直隸官錢局代發行兑現
2314	直隸省銀行銅元票	橫	肆拾枚	民國十四年	財政部印刷局	許義宗舊藏	1	樣本
2315	直隸省銀行銅元票	橫	肆拾枚	民國十四年	財政部印刷局	吳籌中藏	1	永遵
2316	直隸省銀行銅元票	橫	伍拾枚	民國十四年	財政部印刷局	許義宗舊藏	1	天津・直隸官錢局代發行兑現
2317	直隸省銀行銅元票	橫	伍拾枚	民國十四年	財政部印刷局	吳籌中藏	1	天津・直隸官錢局代發行兑現
2318	直隸省銀行銅元票	橫	壹百枚	民國十四年	財政部印刷局	許義宗舊藏	1	永遵
2319	直隸省官錢局銅元票	橫	拾枚	1926年(民國十五年)		許義宗舊藏	1	天津
2320	直隸省官錢局銅元票	橫	貳拾枚	1926年(民國十五年)		吳籌中藏		天津
2321	直隸省銀行銀元輔幣券	橫	壹角	無年份		中國人民銀行上海分行藏		天津

編號	券　名	票型	面額	年　份	印刷單位	來　源	等級	説　明
2322	直隸省銀行銀元輔幣券	橫	貳角	無年份		馮志苗藏		天津
2323	直隸省銀行銀元輔幣券	橫	壹角	1926年(民國十五年)	財政部印刷局	許義宗舊藏	1	天津
2324	直隸省銀行銀元券	橫	壹圓	1926年(民國十五年)	財政部印刷局	上海博物館藏		天津
2325	直隸省銀行銀元券	橫	伍圓	1926年(民國十五年)	財政部印刷局	馮志苗藏	1	天津
2326	直隸省銀行銀元券	橫	伍圓	1926年(民國十五年)	財政部印刷局	上海博物館藏	1	天津
2327	直隸省銀行銀元券	橫	拾圓	1926年(民國十五年)	財政部印刷局	上海博物館藏	1	天津
2328	直隸省銀行銀元券	橫	壹圓	1926年(民國十五年)	財政部印刷局	上海博物館藏		天津改徐州
2329	直隸省銀行銀元券	橫	伍圓	1926年(民國十五年)	財政部印刷局	上海博物館藏	1	天津改徐州
2330	直隸省銀行銀元券	橫	拾圓	1926年(民國十五年)	財政部印刷局	上海博物館藏	1	天津改徐州
2331	河北銀行大洋輔幣券	橫	壹角	1929年(民國十八年)	財政部印刷局	吳籌中藏		
2332	河北銀行大洋輔幣券	橫	貳角	1929年(民國十八年)	財政部印刷局	吳籌中藏		天津
2333	河北銀行國幣券	橫	壹圓	1930年(民國十九年)	北平印刷局	上海博物館藏	1	北平·全省通用
2334	河北銀行國幣券	橫	伍圓	1930年(民國十九年)	北平印刷局	上海博物館藏	2	北平·全省通用
2335	河北銀行國幣券	橫	拾圓	1930年(民國十九年)	北平印刷局	上海博物館藏	3	北平·全省通用
2336	河北省銀行銅元券	橫	貳拾枚	1932年(民國二十一年)	財政部印刷局	吳籌中藏	1	天津
2337	河北省銀行銅元券	橫	肆拾枚	1932年(民國二十一年)	財政部印刷局	上海博物館藏	1	天津
2338	河北省銀行銅元券	橫	陸拾枚	1932年(民國二十一年)	財政部印刷局	上海博物館藏	1	天津
2339	河北省銀行國幣券	橫	壹圓	1933年(民國二十二年)	英國華德路公司	吳籌中藏		天津
2340	河北省銀行國幣券	橫	伍圓	1933年(民國二十二年)	英國華德路公司	吳籌中藏		天津
2341	河北省銀行國幣券	橫	拾圓	1933年(民國二十二年)	英國華德路公司	吳籌中藏		天津
2342	河北省銀行國幣輔幣券	橫	伍角	1934年(民國二十三年)	財政部印刷局	吳籌中藏	1	天津
2343	河北省銀行國幣券	橫	壹圓	1934年(民國二十三年)	財政部印刷局	吳籌中藏		天津
2344	河北省銀行國幣券	橫	貳圓	1934年(民國二十三年)	財政部印刷局	吳籌中藏	1	天津
2345	河北省銀行國幣券	橫	伍圓	1934年(民國二十三年)	財政部印刷局	吳籌中藏	1	天津
2346	河北省銀行國幣券	橫	拾圓	1934年(民國二十三年)	財政部印刷局	吳籌中藏	1	天津
2347	河北省銀行國幣輔幣券	橫	伍角	1940年(民國二十九年)		吳籌中藏	1	
2348	河北銀錢局銅元券	橫	肆拾枚	民國十八年	財政部印刷局	上海博物館藏	1	天津改北平
2349	河北銀錢局銅元券	橫	貳拾枚	民國二十年	北平財政部印刷局	吳籌中藏	1	北平
2350	河北銀錢局銅元券	橫	肆拾枚	民國二十年	北平財政部印刷局	吳籌中藏	1	北平
2351	河北銀錢局銅元券	橫	壹百枚	民國二十年		上海博物館藏	1	北平
2352	河北銀錢局銅元券	橫	拾枚	民國二十四年	財政部印刷局	吳籌中藏	1	北平
2353	河北銀錢局銅元券	橫	拾枚	民國二十五年	財政部印刷局	吳籌中藏	1	北平
2354	河北銀錢局銅元券	橫	貳拾枚	民國二十五年	財政部北平印刷局	吳籌中藏	1	北平
2355	河北銀錢局銅元券	直	肆枚	民國二十七年	北京印刷局	吳籌中藏		
2356	河北銀錢局銅元券	直	陸枚	民國二十七年	北京印刷局	吳籌中藏		

十七、山西地方紙幣

編號	券　名	票型	面額	年　份	印刷單位	來　源	等級	説　明
2357	山西省銀行銀元券	橫	壹圓	民國八年	財政部印刷局	選自《中國山西歷代貨幣》	2	山西
2358	山西省銀行銀元券	橫	壹圓	民國八年	財政部印刷局	吳籌中藏	2	太原
2359	山西省銀行銀元券	橫	伍圓	民國八年	財政部印刷局	上海博物館藏	3	太原
2360	山西省銀行銀元券	橫	拾圓	民國八年	財政部印刷局	上海博物館藏	2	太原
2361	山西省銀行銀元券	橫	伍拾圓	民國八年	財政部印刷局	上海博物館藏	4	
2362	山西省銀行銀元券	橫	伍拾圓	民國八年	財政部印刷局	上海博物館藏	4	太原
2363	山西省銀行銀元券	橫	壹百圓	民國八年	財政部印刷局	上海博物館藏	4	
2364	山西省銀行銀元券	橫	壹圓	民國八年	財政部印刷局	吳籌中藏	2	天津
2365	山西省銀行銀元券	橫	伍圓	民國八年	財政部印刷局	上海博物館藏	2	
2366	山西省銀行銀元券	橫	壹圓	民國八年	財政部印刷局	選自《中國山西歷代貨幣》	2	樣本·北平

續表

編號	券　名	票型	面額	年　份	印刷單位	來　源	等級	説　明
2367	山西省銀行銀元券	橫	拾圓	民國八年	財政部印刷局	選自《中國山西歷代貨幣》	2	樣本·北平
2368	山西銀行兑换券	直	壹角	無年份	北洋印刷局	許義宗舊藏	1	太原
2369	山西省銀行兑换券	橫	貳角	民國十一年八月	財政部印刷局	上海博物館藏	2	
2370	山西省銀行銅元券	橫	拾枚	無年份	北平印刷局	吳籌中藏		太原
2371	山西省銀行銅元券	橫	拾枚	無年份	北平印刷局	選自《中國山西歷代貨幣》	2	運城
2372	山西省銀行銅元券	橫	拾枚	無年份	北平印刷局	上海博物館藏	1	榆次
2373	山西省銀行銅元券	橫	貳拾枚	無年份	北平印刷局	吳籌中藏		太原
2374	山西省銀行銅元券	橫	貳拾枚	無年份	北平印刷局	選自《中國山西歷代貨幣》	2	祈縣
2375	山西省銀行銅元券	橫	伍拾枚	無年份	北平印刷局	選自《中國山西歷代貨幣》	2	太原
2376	山西省銀行銅元券	橫	壹百枚	無年份	北平印刷局	選自《中國山西歷代貨幣》	2	范村
2377	山西省銀行銀元券	橫	伍圓	民國十四年	財政部印刷局	上海博物館藏	2	
2378	山西省銀行銀元輔幣券	橫	壹角	1926年(民國十五年)	財政部印刷局	選自《中國山西歷代貨幣》	1	太原
2379	山西省銀行銀元輔幣券	橫	貳角	1926年(民國十五年)	財政部印刷局	選自《中國山西歷代貨幣》	1	太原
2380	山西省銀行銀元輔幣券	橫	壹角	1926年(民國十五年)	財政部印刷局	吳籌中藏	1	樣本·北平
2381	山西省銀行銀元輔幣券	橫	貳角	1926年(民國十五年)	財政部印刷局	上海博物館藏	1	北平
2382	山西省金庫兑换券	橫	壹圓	1927年(民國十六年)	財政部印刷局	上海博物館藏	2	太原·山西省金庫兑换券改山西省銀行兑换券
2383	山西省銀行銅元券	橫	拾枚	1928年(民國十七年)		吳籌中藏		太原
2384	山西省銀行銅元券	橫	拾枚	1928年(民國十七年)		上海博物館藏	2	榆次
2385	山西省銀行銅元券	橫	貳拾枚	1928年(民國十七年)		吳籌中藏		太原
2386	山西省銀行大洋輔幣券	橫	貳角	1928年(民國十七年)		上海博物館藏	1	太原
2387	山西省銀行銀元券	橫	壹圓	1928年(民國十七年)		吳籌中藏	1	太原
2388	山西省銀行銀元券	橫	伍角	1928年(民國十七年)		上海博物館藏	2	太原
2389	山西省銀行銀元券	橫	拾圓	1928年(民國十七年)		吳籌中藏	2	太原
2390	山西省銀行銀元券	橫	壹圓	1928年(民國十七年)		上海博物館藏	2	太原
2391	山西省銀行銀元券	橫	伍圓	1928年(民國十七年)		中國人民銀行上海分行藏	2	太原
2392	山西省銀行銀元券	橫	拾圓	1928年(民國十七年)		中國人民銀行上海分行藏	2	太原
2393	山西省銀行大洋輔幣券	橫	壹角	1930年(民國十九年)	北平印刷局	吳籌中藏		太原
2394	山西省銀行大洋輔幣券	橫	壹角	1930年(民國十九年)	北平印刷局	許義宗舊藏		平遙
2395	山西省銀行大洋輔幣券	橫	壹角	1930年(民國十九年)	北平印刷局	許義宗舊藏		綏遠
2396	山西省銀行大洋輔幣券	橫	貳角	1930年(民國十九年)	北平印刷局	吳籌中藏		太原
2397	山西省銀行大洋輔幣券	橫	貳角	1930年(民國十九年)	北平印刷局	許義宗舊藏		綏遠
2398	山西省銀行大洋輔幣券	橫	貳角	1930年(民國十九年)	北平印刷局	許義宗舊藏		朔縣
2399	山西省銀行銀元券	橫	壹圓	1930年(民國十九年)	北平印刷局	吳籌中藏		太原
2400	山西省銀行銀元券	橫	壹圓	1930年(民國十九年)	北平印刷局	吳籌中藏		平遙
2401	山西省銀行銀元券	橫	壹圓	1930年(民國十九年)	北平印刷局	吳籌中藏		大同
2402	山西省銀行銀元券	橫	壹圓	1930年(民國十九年)	北平印刷局	吳籌中藏		晋城
2403	山西省銀行銀元券	橫	壹圓	1930年(民國十九年)	北平印刷局	吳籌中藏		交城
2404	山西省銀行銀元券	橫	壹圓	1930年(民國十九年)	北平印刷局	吳籌中藏		臨汾
2405	山西省銀行銀元券	橫	壹圓	1930年(民國十九年)	北平印刷局	吳籌中藏		祁縣
2406	山西省銀行銀元券	橫	拾圓	1932年(民國二十一年)	財政部印刷局	吳籌中藏	2	太原
2407	山西省銀行銀元券	橫	拾圓	1932年(民國二十一年)	財政部印刷局	選自《中國山西歷代貨幣》	1	太谷
2408	山西省銀行銅元券	橫	拾枚	1932年(民國二十一年)	北平財政部印刷局	吳籌中藏	1	太原
2409	山西省銀行國幣券	橫	伍圓	1933年	財政部印刷局	吳籌中藏	1	太原
2410	山西省銀行國幣券	橫	伍圓	1933年	財政部印刷局	許義宗舊藏	1	太原
2411	山西省銀行國幣券	橫	伍圓	1933年	財政部印刷局	選自《中國山西歷代貨幣》	1	平遙
2412	山西省銀行銀元券	橫	壹圓	1936年(民國二十五年)	西北印刷廠	吳籌中藏		山西
2413	山西省銀行銀元券	橫	壹圓	1936年(民國二十五年)	西北印刷廠	選自《中國山西歷代貨幣》		山西
2414	山西省銀行銀元券	橫	伍圓	1937年(民國二十六年)	西北印刷廠	吳籌中藏	1	山西
2415	山西省銀行銀元券	橫	拾圓	1937年(民國二十六年)	西北印刷廠	吳籌中藏	1	山西
2416	山西銀行兑换券	橫	壹圓	無年份	北洋印刷局	許義宗舊藏	2	太原

十八、陝西地方紙幣

編號	券名	票型	面額	年份	印刷單位	來源	等級	説明
2417	陝西官銀錢號銀兩券	橫	壹兩			吳籌中藏	3	陝西官銀錢號改秦豐銀行
2418	陝西官銀錢號銀兩券	橫	貳兩	黃帝紀元四千六百十年		中國人民銀行上海分行藏	4	陝西官銀錢號改秦豐銀行
2419	陝西官銀錢號銀兩券	橫	叁兩			上海博物館藏	4	陝西官銀錢號改秦豐銀行
2420	陝西官銀錢號銀兩券	橫	伍兩	黃帝紀元四千六百零九年		中國人民銀行上海分行藏	4	陝西官銀錢號改秦豐銀行
2421	陝西官銀錢號銀兩券	橫	拾兩			上海博物館藏	4	陝西官銀錢號改秦豐銀行
2422	陝西秦豐銀行兌換券	橫	壹兩	民國元年	京都新華印書廠	許義宗舊藏	2	
2423	陝西秦豐銀行兌換券	橫	伍兩	民國二年		許義宗舊藏	3	
2424	陝西秦豐銀行兌換券	橫	拾兩	民國二年		許義宗舊藏	4	
2425	陝西富秦銀行銀兩兌換券	橫	伍拾兩	民國八年	財政部印刷局	上海博物館藏	4	西安
2426	陝西富秦銀行銀元券	橫	壹圓	民國十一年	財政部印刷局	吳籌中藏	1	
2427	陝西富秦銀行銀元券	橫	伍圓	民國十一年	財政部印刷局	上海博物館藏	2	
2428	陝西富秦銀行銀元券	橫	拾圓	民國十一年	財政部印刷局	上海博物館藏	2	
2429	陝西富秦錢局製錢票	直	壹佰文	1923年(民國十二年)	財政部印刷局	上海博物館藏	1	
2430	陝西富秦錢局製錢票	直	貳佰文	1923年(民國十二年)	財政部印刷局	上海博物館藏	1	
2431	陝西富秦錢局製錢票	直	伍佰文	1923年(民國十二年)	財政部印刷局	吳籌中藏	2	
2432	陝西富秦錢局製錢票	直	壹仟文	1923年(民國十二年)	財政部印刷局	吳籌中藏	2	
2433	陝西富秦錢局製錢票	直	伍百文	民國十四年二月一日	西安南院門東街義興新號	上海博物館藏	2	
2434	陝西富秦錢局製錢票	直	壹串文	民國十五年十月一日	西安藝林印書社	中國人民銀行上海分行藏	2	
2435	富秦總錢局製錢票	橫	壹百枚	民國二十年	西安南院門東街義興新號	上海博物館藏	2	陝西
2436	富秦錢局製錢票	橫	拾枚	1931年(民國二十年)	北平財政部印刷局	上海博物館藏	1	陝西
2437	富秦錢局製錢票	橫	伍拾枚	1931年(民國二十年)	北平財政部印刷局	上海博物館藏	2	陝西
2438	陝西省銀行國幣券	橫	壹圓	1931年(民國二十年)	財政部印刷局	上海博物館藏	2	陝西·潼關
2439	陝西省銀行國幣券	橫	壹圓	1931年(民國二十年)	財政部印刷局	上海博物館藏	2	陝西·秦州
2440	陝西省銀行國幣券	橫	壹圓	1931年(民國二十年)	財政部印刷局	吳籌中藏	2	陝西·關中
2441	陝西省銀行國幣券	橫	壹圓	1931年(民國二十年)	財政部印刷局	上海博物館藏	2	陝西·鳳翔
2442	陝西省銀行國幣券	橫	伍圓	1931年(民國二十年)	財政部印刷局	吳籌中藏	2	陝西·關中
2443	陝西省銀行國幣券	橫	伍圓	1931年(民國二十年)	財政部印刷局	上海博物館藏	2	陝西·興安
2444	陝西省銀行國幣券	橫	拾圓	1931年(民國二十年)	財政部印刷局	上海博物館藏	2	陝西·秦州
2445	陝西省銀行國幣券	橫	拾圓	1931年(民國二十年)	財政部印刷局	上海博物館藏	2	陝西·興安
2446	陝西省銀行國幣輔幣券	橫	壹角	1932年(民國二十一年)	財政部印刷局	上海博物館藏	1	
2447	陝西省銀行國幣輔幣券	橫	壹角	1932年(民國二十一年)	財政部印刷局	上海博物館藏	1	關中
2448	陝西省銀行國幣輔幣券	橫	貳角	1932年(民國二十一年)	財政部印刷局	中國人民銀行上海分行藏	1	關中
2449	陝西富秦錢局銅元券	橫	拾枚	民國二十四年	財政部北平印刷局	中國人民銀行上海分行藏	1	
2450	富秦錢局銅元券	橫	壹角	民國二十七年		吳籌中藏	2	陝西·富秦錢局改陝西省銀行
2451	富秦錢局銅元券	橫	貳角	民國二十七年		吳籌中藏	2	陝西·富秦錢局改陝西省銀行
2452	富秦錢局銅元券	橫	伍角	民國二十七年		吳籌中藏	2	陝西·富秦錢局改陝西省銀行
2453	陝西省銀行銀元輔幣券	橫	壹角	1949年(民國三十八年)	霞光印刷廠	許義宗舊藏	2	
2454	陝西省銀行銀元輔幣券	橫	貳角	1949年(民國三十八年)	霞光印刷廠	許義宗舊藏	2	
2455	陝西省銀行國幣券本票	直	伍圓	民國三十二年		許義宗舊藏	1	
2456	陝西省銀行國幣券本票	直	拾圓	民國三十二年		許義宗舊藏	1	

十九、遼寧地方紙幣

編號	券名	票型	面額	年份	印刷單位	來源	等級	説明
2457	奉天農業總銀行銀元輔幣券	橫	伍角	民國元年		選自《中國東北地區貨幣》	3	東三省通用銀元
2458	奉天農業總銀行銀元券	橫	壹圓	民國元年		選自《中國東北地區貨幣》	3	東三省通用銀元

續表

編號	券　　名	票型	面額	年　份	印刷單位	來　源	等級	説　明
2459	奉天興業總銀行銀元券	横	壹圓	民國二年	兆祥印刷局	上海博物館藏	3	
2460	奉天興業總銀行銀元券	横	伍圓	民國二年	兆祥印刷局	上海博物館藏	3	
2461	奉天興業總銀行銀元券	横	拾圓	民國二年	兆祥印刷局	上海博物館藏	3	
2462	奉天興業總銀行銀元券	横	壹圓	民國四年		上海博物館藏	3	
2463	奉天興業銀行銀元券	横	壹圓	民國六年		吳籌中藏	2	週年四釐債券
2464	奉天興業銀行銀元券	横	伍圓	民國六年		吳籌中藏	2	週年四釐債券
2465	奉天興業銀行銀元券	横	拾圓	民國六年		選自《中國東北地區貨幣》	2	週年四釐債券
2466	奉天興業銀行銀元券	横	壹圓	民國七年		上海博物館藏	2	週年四釐債券
2467	奉天興業銀行銀元券	横	壹圓	無年份	美國鈔票公司	許義宗舊藏	2	樣票・週年四釐債券・藍色
2468	奉天興業銀行銀元券	横	壹圓	無年份	美國鈔票公司	許義宗舊藏	2	樣票・週年四釐債券・綠色
2469	奉天興業銀行銀元券	横	壹圓	民國八年	美國鈔票公司	吳籌中藏	2	週年四釐債券・庚申
2470	奉天興業銀行銀元券	横	壹圓	民國八年	美國鈔票公司	上海博物館藏	2	週年四釐債券・庚申・辛酉
2471	奉天興業銀行銀元券	横	壹圓	民國九年	美國鈔票公司	吳籌中藏	2	週年四釐債券・庚申・辛酉・壬戌
2472	奉天興業銀行銀元券	横	伍圓	無年份	美國鈔票公司	許義宗舊藏	3	樣票・週年四釐債券・藍色
2473	奉天興業銀行銀元券	横	伍圓	無年份	美國鈔票公司	許義宗舊藏	3	樣票・週年四釐債券・綠色
2474	奉天興業銀行銀元券	横	伍圓	民國七年	美國鈔票公司	選自《中國東北地區貨幣》	3	週年四釐債券・己未
2475	奉天興業銀行銀元券	横	伍圓	民國八年	美國鈔票公司	中國人民銀行上海分行藏	3	週年四釐債券・己未・庚申
2476	奉天興業銀行銀元券	横	伍圓	民國八年	美國鈔票公司	選自《中國東北地區貨幣》	3	週年四釐債券・己未・庚申・辛酉
2477	奉天興業銀行銀元券	横	伍圓	民國九年	美國鈔票公司	選自《中國東北地區貨幣》	3	週年四釐債券
2478	奉天興業銀行銀元券	横	伍圓	民國十年	美國鈔票公司	吳籌中藏	3	週年四釐債券
2479	奉天興業銀行銀元券	横	拾圓	無年份	美國鈔票公司	許義宗舊藏	3	樣票・週年四釐債券・藍色
2480	奉天興業銀行銀元券	横	拾圓	無年份	美國鈔票公司	許義宗舊藏	3	樣票・週年四釐債券・綠色
2481	奉天興業銀行銀元券	横	拾圓	民國八年	美國鈔票公司	選自《中國東北地區貨幣》	3	週年四釐債券・己未・庚申・辛酉
2482	奉天興業銀行銀元券	横	拾圓	民國十年	美國鈔票公司	選自《中國東北地區貨幣》	3	週年四釐債券
2483	奉天興業銀行銀元券	横	拾圓	民國十一年	美國鈔票公司	中國人民銀行上海分行藏	3	週年四釐債券
2484	奉天興業銀行銀元券	横	拾圓	民國十二年	美國鈔票公司	選自《中國東北地區貨幣》	3	週年四釐債券
2485	東三省官銀號銀元輔幣券	横	貳角	民國元年	北洋官報局	選自《中國東北地區貨幣》	3	
2486	東三省官銀號銀元輔幣券	横	壹百角	民國二年	北洋官報局	選自《中國東北地區貨幣》	4	
2487	東三省官銀號銀元輔幣券	横	半角	民國四年		上海博物館藏	1	
2488	東三省官銀號銀元輔幣券	横	壹角	民國四年		上海博物館藏	1	
2489	東三省官銀號銀元輔幣券	横	貳角	民國四年		上海博物館藏	1	
2490	東三省官銀號銀元輔幣券	横	伍拾角	民國四年		選自《中國東北地區貨幣》	4	
2491	東三省官銀號銀元輔幣券	横	壹角	民國五年	財政部印刷局	上海博物館藏	3	奉天
2492	東三省官銀號大洋券	横	壹圓	1916年(民國五年)	財政部印刷局	上海博物館藏	2	奉天
2493	東三省官銀號大洋券	横	伍圓	1916年(民國五年)	財政部印刷局	上海博物館藏	3	奉天
2494	東三省官銀號大洋券	横	拾圓	1916年(民國五年)	財政部印刷局	上海博物館藏	3	奉天
2495	東三省官銀號匯兑券	横	伍拾圓	1916年(民國五年)	財政部印刷局	吳籌中藏	4	奉天
2496	東三省官銀號匯兑券	横	壹圓	1917年(民國六年)	財政部印刷局	許義宗舊藏	2	樣本・奉天
2497	東三省官銀號匯兑券	横	伍圓	1917年(民國六年)	財政部印刷局	吳籌中藏	2	奉天
2498	東三省官銀號匯兑券	横	拾圓	1917年(民國六年)	財政部印刷局	許義宗舊藏	1	票樣・奉天
2499	東三省官銀號匯兑券	横	壹圓	民國十一年		許義宗舊藏	1	奉天
2500	東三省官銀號匯兑券	横	伍圓	民國十一年		許義宗舊藏	2	奉天
2501	東三省官銀號匯兑券	横	拾圓	民國十一年		吳籌中藏	1	奉天・無字冠
2502	東三省官銀號匯兑券	横	拾圓	民國十一年		中國人民銀行上海分行藏	1	奉天・單字冠
2503	東三省官銀號匯兑券	横	拾圓	民國十一年		許義宗舊藏	1	奉天・雙字冠
2504	東三省官銀號匯兑券	横	壹圓	1924年(民國十三年)	美國鈔票公司	上海博物館藏	1	
2505	東三省官銀號匯兑券	横	壹圓	1924年(民國十三年)	美國鈔票公司	許義宗舊藏	1	
2506	東三省官銀號匯兑券	横	伍圓	1924年(民國十三年)	美國鈔票公司	許義宗舊藏	3	試樣票
2507	東三省官銀號匯兑券	横	伍圓	1924年(民國十三年)	美國鈔票公司	上海博物館藏	2	
2508	東三省官銀號匯兑券	横	拾圓	1924年(民國十三年)	美國鈔票公司	吳籌中藏	1	

編號	券　名	票型	面　額	年　份	印刷單位	來　源	等級	説　明
2509	東三省官銀號滙兑券	横	伍拾圓	1924 年(民國十三年)	美國鈔票公司	許義宗舊藏	3	樣本
2510	東三省官銀號滙兑券	横	伍拾圓	1924 年(民國十三年)	美國鈔票公司	上海博物館藏	3	
2511	東三省官銀號滙兑券	横	壹百圓	1924 年(民國十三年)	美國鈔票公司	上海博物館藏	3	
2512	東三省官銀號銀元輔幣券	横	壹角	1929 年(民國十八年)		許義宗舊藏	1	樣本・遼寧
2513	東三省官銀號銀元輔幣券	横	壹角	1929 年(民國十八年)		上海博物館藏	1	遼寧
2514	東三省官銀號銀元輔幣券	横	貳角	1929 年(民國十八年)		許義宗舊藏	1	樣張・遼寧
2515	東三省官銀號銀元輔幣券	横	貳角	1929 年(民國十八年)		上海博物館藏	1	遼寧
2516	東三省官銀號銀元輔幣券	横	伍角	1929 年(民國十八年)		許義宗舊藏	2	樣張・遼寧
2517	東三省官銀號銀元輔幣券	横	伍角	1929 年(民國十八年)		上海博物館藏	2	遼寧
2518	東三省官銀號國幣券	横	壹圓	1929 年(民國十八年)	美國鈔票公司	許義宗舊藏	2	樣本・東三省
2519	東三省官銀號國幣券	横	壹圓	1929 年(民國十八年)	美國鈔票公司	吳籌中藏	1	東三省
2520	東三省官銀號國幣券	横	壹圓	1929 年(民國十八年)	美國鈔票公司	吳籌中藏	1	東三省改天津
2521	東三省官銀號國幣券	横	伍圓	1929 年(民國十八年)	美國鈔票公司	許義宗舊藏	2	樣本・東三省
2522	東三省官銀號國幣券	横	伍圓	1929 年(民國十八年)	美國鈔票公司	許義宗舊藏	2	東三省
2523	東三省官銀號國幣券	横	伍圓	1929 年(民國十八年)	美國鈔票公司	許義宗舊藏	2	東三省改天津
2524	東三省官銀號國幣券	横	拾圓	1929 年(民國十八年)	美國鈔票公司	許義宗舊藏	2	樣本・東三省
2525	東三省官銀號國幣券	横	拾圓	1929 年(民國十八年)	美國鈔票公司	吳籌中藏	2	東三省改天津
2526	東三省官銀號國幣券	横	壹百圓	1929 年(民國十八年)	美國鈔票公司	許義宗舊藏	3	樣本・東三省
2527	東三省官銀號國幣券	横	壹百圓	1929 年(民國十八年)	美國鈔票公司	中國人民銀行上海分行藏	3	東三省
2528	東三省銀行兑換券	横	壹圓	民國九年	財政部印刷局	上海博物館藏	3	兑換現大洋・天津
2529	東三省銀行兑換券	横	壹圓	民國九年	財政部印刷局	吳籌中藏	2	兑換現大洋・哈爾濱
2530	東三省銀行兑換券	横	伍圓	民國九年	財政部印刷局	上海博物館藏	3	票樣・兑換現大洋・哈爾濱
2531	東三省銀行兑換券	横	拾圓	民國九年	財政部印刷局	上海博物館藏	3	樣本・兑換現大洋・哈爾濱
2532	東三省銀行輔幣兑換券	横	伍分	民國十年	財政部印刷局	吳籌中藏	1	哈爾濱
2533	東三省銀行輔幣兑換券	横	壹角	民國十年	財政部印刷局	吳籌中藏	1	哈爾濱
2534	東三省銀行輔幣兑換券	横	貳角	民國十年	財政部印刷局	吳籌中藏	1	哈爾濱
2535	東三省銀行國幣兑換券	横	壹圓	民國十年	美國鈔票公司	許義宗舊藏	2	哈爾濱
2536	東三省銀行國幣兑換券	横	壹圓	民國十年	美國鈔票公司	許義宗舊藏	2	哈爾濱
2537	東三省銀行國幣兑換券	横	伍圓	民國十年	美國鈔票公司	許義宗舊藏	2	哈爾濱
2538	東三省銀行國幣兑換券	横	拾圓	民國十年	美國鈔票公司	吳籌中藏	2	哈爾濱
2539	東三省銀行國幣兑換券	横	伍分	民國十二年		吳籌中藏	1	哈爾濱
2540	東三省銀行國幣兑換券	横	伍分	民國十二年		許義宗舊藏	1	哈爾濱
2541	東三省銀行國幣兑換券	横	壹角	民國十二年		吳籌中藏	1	哈爾濱
2542	東三省銀行國幣兑換券	横	壹角	民國十二年		許義宗舊藏	1	哈爾濱
2543	奉天公濟平市錢號銅元券	横	伍枚	民國七年		吳籌中藏	2	
2544	奉天公濟平市錢號銅元券	横	拾枚	民國七年		許義宗舊藏	2	
2545	奉天公濟平市錢號銅元券	横	伍拾枚	民國七年		許義宗舊藏	2	
2546	奉天公濟平市錢號銅元券	横	伍拾枚	民國七年		許義宗舊藏	2	樣本
2547	奉天公濟平市錢號銅元券	横	壹百枚	民國七年		許義宗舊藏	3	樣本
2548	奉天公濟平市錢號銅元券	横	拾枚	民國十一年		上海博物館藏	1	無字冠
2549	奉天公濟平市錢號銅元券	横	拾枚	民國十一年		吳籌中藏	2	單字冠
2550	奉天公濟平市錢號銅元券	横	貳拾枚	民國十一年		許義宗舊藏	1	無字冠
2551	奉天公濟平市錢號銅元券	横	貳拾枚	民國十一年		吳籌中藏	1	單字冠
2552	奉天公濟平市錢號銅元券	横	伍拾枚	民國十一年		許義宗舊藏	2	樣本
2553	奉天公濟平市錢號銅元券	横	伍拾枚	民國十一年		中國人民銀行上海分行藏	2	單字冠
2554	奉天公濟平市錢號銅元券	横	壹百枚	民國十一年		許義宗舊藏	2	樣本
2555	奉天公濟平市錢號銅元券	横	壹百枚	民國十一年		中國人民銀行上海分行藏	2	單字冠
2556	奉天公濟平市錢號銅元券	横	貳拾枚	民國十二年		吳籌中藏	1	
2557	奉天公濟平市錢號銅元券	横	拾枚	民國十三年		吳籌中藏		大號碼
2558	奉天公濟平市錢號銅元券	横	拾枚	民國十三年		吳籌中藏		小號碼

二十、吉林地方紙幣

編號	券　名	票型	面額	年　份	印刷單位	來　源	等級	説　明
2559	吉林永衡官銀錢號官帖	直	壹吊	民國二年		許義宗舊藏	1	宣統年票號改民國二年
2560	吉林永衡官銀錢號官帖	直	叁吊	民國二年	吉林永衡印書局	選自《中國東北地區貨幣》	3	
2561	吉林永衡官銀錢號官帖	直	壹吊	民國五年		許義宗舊藏	1	宣統年票號改民國五年
2562	吉林永衡官銀錢號官帖	直	伍吊	民國五年	吉林永衡印書局	許義宗舊藏	1	
2563	吉林永衡官銀錢號官帖	直	拾吊	民國五年	吉林永衡印書局	選自《中國東北地區貨幣》	1	
2564	吉林永衡官銀錢號官帖	直	壹吊	民國六年		許義宗舊藏	1	宣統年票號改民國六年
2565	吉林永衡官銀錢號官帖	直	壹吊	民國六年	吉林永衡印書局	許義宗舊藏	1	
2566	吉林永衡官銀錢號官帖	直	貳吊	民國六年	吉林永衡印書局	許義宗舊藏	1	
2567	吉林永衡官銀錢號官帖	直	叁吊	民國六年	吉林永衡印書局	許義宗舊藏	2	
2568	吉林永衡官銀錢號官帖	直	伍吊	民國六年	吉林永衡印書局	許義宗舊藏	2	
2569	吉林永衡官銀錢號官帖	直	拾吊	民國六年	吉林永衡印書局	吳籌中藏	2	
2570	吉林永衡官銀錢號滙兑執帖	横	壹圓	民國六年	吉林永衡印書局	上海博物館藏	2	吉林省城・小洋
2571	吉林永衡官銀錢號滙兑執帖	横	叁圓	民國六年	吉林永衡印書局	選自《中國東北地區貨幣》	2	吉林省城・小洋
2572	吉林永衡官銀錢號滙兑執帖	横	壹圓	民國六年	吉林永衡印書局	選自《中國東北地區貨幣》	2	吉林省城・大洋
2573	吉林永衡官銀錢號滙兑執帖	横	叁圓	民國六年	吉林永衡印書局	吳籌中藏	2	吉林省城・大洋
2574	吉林永衡官銀錢號小洋輔幣券	横	壹角	民國七年	永衡印書局	許義宗舊藏	1	
2575	吉林永衡官銀錢號小洋輔幣券	横	壹角	民國七年	永衡印書局	許義宗舊藏	1	
2576	吉林永衡官銀錢號小洋輔幣券	横	壹角	民國七年	永衡印書局	中國人民銀行上海分行藏	1	
2577	吉林永衡官銀錢號小洋輔幣券	横	貳角	民國七年	永衡印書局	許義宗舊藏	1	
2578	吉林永衡官銀錢號小洋輔幣券	横	貳角	民國七年	永衡印書局	中國人民銀行上海分行藏	1	
2579	吉林永衡官銀錢號小洋輔幣券	横	伍角	民國七年	永衡印書局	許義宗舊藏	1	
2580	吉林永衡官銀錢號小洋券	横	壹圓	民國七年	財政部印刷局	許義宗舊藏	2	吉林省城
2581	吉林永衡官銀錢號小洋券	横	伍圓	民國七年	財政部印刷局	許義宗舊藏	2	樣本
2582	吉林永衡官銀錢號小洋券	横	拾圓	民國七年	財政部印刷局	許義宗舊藏	2	樣本
2583	吉林永衡官銀錢號小洋券	横	拾圓	民國七年	財政部印刷局	許義宗舊藏	2	吉林省城
2584	吉林永衡官銀錢號小洋券	横	拾圓	民國七年		吳籌中藏	2	
2585	吉林永衡官銀錢號小洋券	横	伍拾圓	民國七年		吳籌中藏	3	樣本
2586	吉林永衡官銀錢號大洋券	横	壹圓	民國七年	財政部印刷局	許義宗舊藏	2	樣本
2587	吉林永衡官銀錢號大洋券	横	壹圓	民國七年	財政部印刷局	許義宗舊藏	2	吉林省城
2588	吉林永衡官銀錢號大洋券	横	拾圓	民國七年		許義宗舊藏	2	
2589	吉林永衡官銀錢號官帖	直	伍吊	民國九年	吉林永衡印書局	許義宗舊藏	1	
2590	吉林永衡官銀錢號官帖	直	壹百吊	民國九年	永衡印書局	許義宗舊藏	2	
2591	吉林永衡官銀錢號銅元券	横	伍枚	民國十年	永衡印書局	上海博物館藏	2	樣本・哈爾濱
2592	吉林永衡官銀錢號銅元券	横	拾枚	民國十年	永衡印書局	上海博物館藏	2	樣本・哈爾濱
2593	吉林永衡官銀錢號銅元券	横	貳拾枚	民國十年	永衡印書局	上海博物館藏	2	樣本・哈爾濱
2594	吉林永衡官銀錢號銅元券	横	伍拾枚	民國十年	永衡印書局	上海博物館藏	2	樣本・哈爾濱
2595	吉林永衡官銀錢號銅元券	横	壹佰枚	民國十年	永衡印書局	上海博物館藏	2	樣本・哈爾濱
2596	吉林永衡官銀錢號大洋券	横	壹圓	民國十年	永衡印書局	上海博物館藏	2	樣本・週年六釐債券
2597	吉林永衡官銀錢號大洋券	横	伍圓	民國十年	永衡印書局	上海博物館藏	2	樣本・週年六釐債券
2598	吉林永衡官銀錢號大洋券	横	拾圓	民國十年	永衡印書局	上海博物館藏	2	樣本・週年六釐債券
2599	吉林永衡官銀錢號大洋輔幣券	横	伍分	民國十二年	永衡印書局	許義宗舊藏	2	樣本・哈爾濱
2600	吉林永衡官銀錢號大洋輔幣券	横	壹角	民國十二年	永衡印書局	許義宗舊藏	2	樣本・哈爾濱
2601	吉林永衡官銀錢號大洋輔幣券	横	貳角	民國十二年	永衡印書局	許義宗舊藏	2	樣本・哈爾濱
2602	吉林永衡官銀錢號大洋券	横	壹圓	1923年(民國十二年)	美國鈔票公司	吳籌中藏	1	券樣・哈爾濱
2603	吉林永衡官銀錢號大洋券	横	壹圓	1923年(民國十二年)	美國鈔票公司	許義宗舊藏	1	哈爾濱
2604	吉林永衡官銀錢號大洋券	横	伍圓	1923年(民國十二年)	美國鈔票公司	吳籌中藏	2	券樣・哈爾濱
2605	吉林永衡官銀錢號大洋券	横	伍圓	1923年(民國十二年)	美國鈔票公司	許義宗舊藏	2	哈爾濱

編號	券　名	票型	面額	年　份	印刷單位	來　源	等級	説　明
2606	吉林永衡官銀錢號大洋券	橫	拾圓	1923年(民國十二年)	美國鈔票公司	吳籌中藏	2	券樣·哈爾濱
2607	吉林永衡官銀錢號大洋券	橫	拾圓	1923年(民國十二年)	美國鈔票公司	吳籌中藏	2	哈爾濱
2608	吉林永衡官銀錢號大洋券	橫	伍圓	1925年(民國十四年)	財政部印刷局	許義宗舊藏	3	樣本
2609	吉林永衡官銀錢號大洋券	橫	拾圓	1925年(民國十四年)	財政部印刷局	許義宗舊藏	2	樣本
2610	吉林永衡官銀錢號大洋輔幣券	橫	伍分	民國十五年	永衡印書局	上海博物館藏	1	
2611	吉林永衡官銀錢號大洋輔幣券	橫	壹角	民國十五年	永衡印書局	上海博物館藏	1	
2612	吉林永衡官銀錢號大洋輔幣券	橫	貳角	民國十五年	永衡印書局	上海博物館藏	1	
2613	吉林永衡官銀錢號大洋輔幣券	橫	伍角	民國十五年	永衡印書局	中國人民銀行上海分行藏	2	
2614	吉林永衡官銀錢號大洋券	橫	壹圓	1926年(民國十五年)	美國鈔票公司	上海博物館藏	2	
2615	吉林永衡官銀錢號大洋券	橫	伍圓	1926年(民國十五年)	美國鈔票公司	上海博物館藏	2	
2616	吉林永衡官銀錢號大洋券	橫	拾圓	1926年(民國十五年)	美國鈔票公司	上海博物館藏	2	
2617	吉林永衡官銀錢號官帖	直	壹吊	民國十七年		吳籌中藏		宣統年票改民國十七年票
2618	吉林永衡官銀錢號官帖	直	壹吊	民國十七年	吉林永衡印書局	吳籌中藏		樣本
2619	吉林永衡官銀錢號官帖	直	壹吊	民國十七年	吉林永衡印書局	苗培貴藏		
2620	吉林永衡官銀錢號官帖	直	貳吊	民國十七年	吉林永衡印書局	吳籌中藏		
2621	吉林永衡官銀錢號官帖	直	叁吊	民國十七年	吉林永衡印書局	苗培貴藏		
2622	吉林永衡官銀錢號官帖	直	伍吊	民國十七年	吉林永衡印書局	吳籌中藏		
2623	吉林永衡官銀錢號官帖	直	拾吊	民國十七年	吉林永衡印書局	吳籌中藏		
2624	吉林永衡官銀錢號官帖	直	拾吊	民國十七年	吉林永衡印書局	苗培貴藏		
2625	吉林永衡官銀錢號官帖	直	伍拾吊	民國十七年	吉林永衡印書局	中國人民銀行上海分行藏	1	
2626	吉林永衡官銀錢號官帖	直	壹百吊	民國十七年	永衡印書局	苗培貴藏		
2627	吉林永衡官銀錢號哈大洋券	橫	伍圓	民國二十一年		許義宗舊藏	1	

二十一、熱河地方紙幣

編號	券　名	票型	面額	年　份	印刷單位	來　源	等級	説　明
2628	興業銀行滙兌券	橫	壹圓	民國九年	財政部印刷局	苗培貴藏	1	熱河
2629	興業銀行滙兌券	橫	壹圓	民國九年	財政部印刷局	吳籌中藏	1	熱河
2630	興業銀行滙兌券	橫	壹圓	民國九年	財政部印刷局	吳籌中藏	1	熱河·赤峰
2631	興業銀行滙兌券	橫	壹圓	民國九年	財政部印刷局	苗培貴藏	1	熱河
2632	興業銀行滙兌券	橫	壹圓	民國九年	財政部印刷局	吳籌中藏	1	熱河·大閣
2633	興業銀行滙兌券	橫	壹圓	民國九年	財政部印刷局	苗培貴藏	1	熱河·平泉
2634	興業銀行滙兌券	橫	壹圓	民國九年	財政部印刷局	苗培貴藏	1	熱河·經棚
2635	興業銀行滙兌券	橫	壹圓	民國九年	財政部印刷局	苗培貴藏	1	熱河·灤平
2636	興業銀行滙兌券	橫	壹圓	民國九年	財政部印刷局	苗培貴藏	1	熱河·阜新
2637	興業銀行滙兌券	橫	壹圓	民國九年	財政部印刷局	苗培貴藏	1	熱河·錐子山
2638	興業銀行滙兌券	橫	壹圓	民國九年	財政部印刷局	苗培貴藏	1	熱河·朝陽
2639	興業銀行滙兌券	橫	壹圓	民國九年	財政部印刷局	苗培貴藏	1	熱河·隆化
2640	興業銀行滙兌券	橫	壹圓	民國九年	財政部印刷局	苗培貴藏	1	熱河·林西
2641	興業銀行滙兌券	橫	伍圓	民國九年	財政部印刷局	上海博物館藏	1	熱河
2642	興業銀行滙兌券	橫	伍圓	民國九年	財政部印刷局	苗培貴藏	1	熱河
2643	興業銀行滙兌券	橫	伍圓	民國九年	財政部印刷局	吳籌中藏	1	熱河·隆化
2644	興業銀行滙兌券	橫	伍圓	民國九年	財政部印刷局	吳籌中藏	1	熱河·開魯
2645	興業銀行滙兌券	橫	伍圓	民國九年	財政部印刷局	苗培貴藏	1	熱河·凌源
2646	興業銀行滙兌券	橫	伍圓	民國九年	財政部印刷局	苗培貴藏	1	熱河·赤峰
2647	興業銀行滙兌券	橫	伍圓	民國九年	財政部印刷局	苗培貴藏	1	熱河·阜新
2648	興業銀行滙兌券	橫	伍圓	民國九年	財政部印刷局	苗培貴藏	1	熱河·錐子山
2649	興業銀行滙兌券	橫	伍圓	民國九年	財政部印刷局	苗培貴藏	1	熱河·林西
2650	興業銀行滙兌券	橫	伍圓	民國九年	財政部印刷局	苗培貴藏	1	熱河·八里罕

編號	券　名	票型	面額	年　份	印刷單位	來　源	等級	説　明
2651	興業銀行滙兑券	橫	伍圓	民國九年	財政部印刷局	苗培貴藏	1	熱河・平泉
2652	興業銀行滙兑券	橫	伍圓	民國九年	財政部印刷局	苗培貴藏	1	熱河・平泉
2653	興業銀行滙兑券	橫	伍圓	民國九年	財政部印刷局	苗培貴藏	1	熱河・朝陽
2654	興業銀行滙兑券	橫	伍圓	民國九年	財政部印刷局	苗培貴藏	1	熱河・開魯
2655	興業銀行滙兑券	橫	伍圓	民國九年	財政部印刷局	苗培貴藏	1	熱河・烏什
2656	興業銀行滙兑券	橫	伍圓	民國九年	財政部印刷局	苗培貴藏	1	熱河・凌源
2657	興業銀行滙兑券	橫	伍圓	民國九年	財政部印刷局	苗培貴藏	1	熱河・經棚
2658	興業銀行滙兑券	橫	伍圓	民國九年	財政部印刷局	苗培貴藏	1	熱河・建平
2659	興業銀行滙兑券	橫	伍圓	民國九年	財政部印刷局	苗培貴藏	1	熱河・灤平
2660	興業銀行滙兑券	橫	拾圓	民國九年	財政部印刷局	吳籌中藏	2	熱河
2661	興業銀行滙兑券	橫	拾圓	民國九年	財政部印刷局	苗培貴藏	2	熱河
2662	興業銀行滙兑券	橫	拾圓	民國九年	財政部印刷局	苗培貴藏	2	熱河
2663	興業銀行滙兑券	橫	拾圓	民國九年	財政部印刷局	吳籌中藏	2	熱河・隆化
2664	興業銀行滙兑券	橫	拾圓	民國九年	財政部印刷局	吳籌中藏	2	熱河・天津
2665	興業銀行滙兑券	橫	拾圓	民國九年	財政部印刷局	吳籌中藏	2	熱河・阜新
2666	興業銀行滙兑券	橫	拾圓	民國九年	財政部印刷局	苗培貴藏	2	熱河・凌源
2667	興業銀行滙兑券	橫	拾圓	民國九年	財政部印刷局	苗培貴藏	2	熱河・錐子山
2668	興業銀行滙兑券	橫	拾圓	民國九年	財政部印刷局	苗培貴藏	2	熱河・平泉
2669	興業銀行滙兑券	橫	拾圓	民國九年	財政部印刷局	苗培貴藏	2	熱河・灤平
2670	興業銀行滙兑券	橫	拾圓	民國九年	財政部印刷局	苗培貴藏	2	熱河・赤峰
2671	興業銀行滙兑券	橫	拾圓	民國九年	財政部印刷局	苗培貴藏	2	熱河・圍場
2672	熱河興業銀行銅元券	橫	拾枚	無年份		許義宗舊藏	2	
2673	熱河興業銀行銅元券	橫	拾枚	無年份		吳籌中藏	2	承德
2674	熱河興業銀行銅元券	橫	貳拾枚	無年份		許義宗舊藏		
2675	熱河興業銀行銅元券	橫	貳拾枚	無年份		上海博物館藏		承德
2676	熱河興業銀行銅元券	橫	伍拾枚	無年份		許義宗舊藏		
2677	熱河興業銀行銅元券	橫	伍拾枚	無年份		上海博物館藏		平泉
2678	熱河興業銀行銅元券	橫	伍拾枚	無年份		吳籌中藏		八里罕
2679	熱河興業銀行銅元券	橫	壹百枚	無年份		上海博物館藏		
2680	熱河興業銀行銅元券	橫	壹百枚	無年份		許義宗舊藏		朝陽
2681	熱河興業銀行銅元券	橫	拾枚	無年份	熱河商務印刷所	苗培貴藏		
2682	熱河興業銀行銅元券	橫	貳拾枚	無年份	熱河商務印刷所	上海博物館藏		
2683	熱河興業銀行銅元券	橫	伍拾枚	無年份	熱河商務印刷所	上海博物館藏		
2684	熱河興業銀行銅元券	橫	壹百枚	無年份	熱河商務印刷所	苗培貴藏		
2685	興業銀行輔幣券	橫	貳角	民國十年五月		吳籌中藏	2	熱河
2686	熱河興業銀行國幣券	橫	壹圓	1923年(民國十二年)	財政部印刷局	許義宗舊藏	2	樣本
2687	熱河興業銀行國幣券	橫	壹圓	1923年(民國十二年)	財政部印刷局	許義宗舊藏	2	樣本・北京
2688	熱河興業銀行國幣券	橫	伍圓	1923年(民國十二年)	財政部印刷局	許義宗舊藏	2	樣本
2689	熱河興業銀行國幣券	橫	伍圓	1923年(民國十二年)	財政部印刷局	許義宗舊藏	2	樣本・天津
2690	熱河興業銀行國幣券	橫	拾圓	1923年(民國十二年)	財政部印刷局	許義宗舊藏	2	樣本
2691	熱河興業銀行國幣券	橫	拾圓	1923年(民國十二年)	財政部印刷局	上海博物館藏	2	承德
2692	熱河興業銀行國幣券	橫	拾圓	1923年(民國十二年)	財政部印刷局	上海博物館藏	2	赤峰
2693	熱河興業銀行國幣券	橫	拾圓	1923年(民國十二年)	財政部印刷局	中國人民銀行上海分行藏	2	平泉
2694	熱河興業銀行滙兑券	橫	壹圓	民國十四年	財政部印刷局	苗培貴藏	1	
2695	熱河興業銀行滙兑券	橫	壹圓	民國十四年	財政部印刷局	許義宗舊藏	1	
2696	熱河興業銀行滙兑券	橫	壹圓	民國十四年	財政部印刷局	吳籌中藏	1	天津
2697	熱河興業銀行滙兑券	橫	伍圓	民國十四年	財政部印刷局	苗培貴藏	2	
2698	熱河興業銀行滙兑券	橫	拾圓	民國十四年	財政部印刷局	苗培貴藏	2	
2699	熱河興業銀行滙兑券	橫	拾圓	民國十四年	財政部印刷局	許義宗舊藏	2	
2700	熱河興業銀行國幣券	橫	壹圓	1926年(民國十五年)	財政部印刷局	許義宗舊藏	2	樣本・熱河

編號	券　名	票型	面　額	年　份	印刷單位	來　源	等級	説　明
2701	熱河興業銀行國幣券	橫	壹圓	1926年(民國十五年)	財政部印刷局	苗培貴藏	2	熱河
2702	熱河興業銀行國幣券	橫	伍圓	1926年(民國十五年)	財政部印刷局	許義宗舊藏	2	樣本・熱河
2703	熱河興業銀行國幣券	橫	伍圓	1926年(民國十五年)	財政部印刷局	吳籌中藏	2	熱河
2704	熱河興業銀行國幣券	橫	拾圓	1926年(民國十五年)	財政部印刷局	上海博物館藏	3	樣本・熱河
2705	熱河興業銀行國幣券	橫	拾圓	1926年(民國十五年)	財政部印刷局	吳籌中藏		北京
2706	熱河興業銀行國幣輔幣券	橫	壹角	1927年(民國十六年)	財政部印刷局	上海博物館藏	2	
2707	熱河興業銀行國幣輔幣券	橫	伍角	1927年(民國十六年)	財政部印刷局	苗培貴藏	2	
2708	熱河興業銀行國幣輔幣券	橫	伍角	1927年(民國十六年)	財政部印刷局	上海博物館藏	2	
2709	熱河興業銀行國幣輔幣券	橫	壹角	1929年(民國十八年)		許義宗舊藏	1	
2710	熱河興業銀行國幣輔幣券	橫	貳角	1929年(民國十八年)		許義宗舊藏	1	
2711	熱河興業銀行國幣輔幣券	橫	伍角	1929年(民國十八年)		許義宗舊藏	2	
2712	熱河興業銀行國幣券	橫	伍圓	1929年(民國十八年)		上海博物館藏	3	熱河
2713	熱河興業銀行輔幣滙兌券	橫	壹角	民國十九年		上海博物館藏	1	
2714	熱河興業銀行輔幣滙兌券	橫	貳角	民國十九年		中國人民銀行上海分行藏	1	
2715	熱河興業銀行國幣券	橫	伍圓	民國十九年	北平印刷局	中國人民銀行上海分行藏	2	天津
2716	熱河興業銀行國幣券	橫	拾圓	民國十九年	北平印刷局	上海博物館藏	2	天津
2717	熱河興業銀行國幣券	橫	壹圓	民國二十年	財政部印刷局	中國人民銀行上海分行藏	2	天津

二十二、察哈爾地方紙幣

編號	券　名	票型	面　額	年　份	印刷單位	來　源	等級	説　明
2718	察哈爾興業銀行銀元券	橫	壹圓	1920年(民國九年)	財政部印刷局	上海博物館藏	3	張家口
2719	察哈爾興業銀行銀元券	橫	拾圓	1920年(民國九年)	財政部印刷局	吳籌中藏	3	樣本・張家口
2720	察哈爾興業銀行銅元券	橫	拾枚	民國十年		上海博物館藏	2	張家口
2721	察哈爾興業銀行銅元券	橫	貳拾枚	民國十年		上海博物館藏	2	張家口
2722	察哈爾興業銀行銅元券	橫	壹百枚	民國十年		上海博物館藏	2	張家口
2723	察哈爾興業銀行銅元券	橫	拾枚	民國十五年	財政部印刷局	上海博物館藏	1	北京
2724	察哈爾興業銀行銅元券	橫	貳拾枚	民國十五年	財政部印刷局	吳籌中藏	1	北京
2725	察哈爾興業銀行銅元券	橫	伍拾枚	民國十五年	財政部印刷局	上海博物館藏	1	北京
2726	察哈爾興業銀行銅元券	橫	壹百枚	民國十五年	財政部印刷局	上海博物館藏	1	北京
2727	察哈爾興業銀行銀元券	橫	壹圓	民國十五年	財政部印刷局	許義宗舊藏	3	樣本
2728	察哈爾興業銀行銀元券	橫	拾圓	民國十五年	財政部印刷局	許義宗舊藏	4	樣本
2729	察哈爾興業銀行銀元券	橫	壹圓	1927年(民國十六年)	財政部印刷局	上海博物館藏	1	
2730	察哈爾興業銀行銀元券	橫	壹圓	1927年(民國十六年)	財政部印刷局	吳籌中藏	1	張家口
2731	察哈爾興業銀行銀元券	橫	伍圓	1927年(民國十六年)	財政部印刷局	吳籌中藏	2	
2732	察哈爾興業銀行銀元券	橫	伍圓	1927年(民國十六年)	財政部印刷局	上海博物館藏	2	北京
2733	察哈爾商業錢局銅元券	橫	貳拾枚	民國二十二年		吳籌中藏	1	張家口
2734	察哈爾商業錢局銅元券	橫	伍拾枚	民國二十二年		許義宗舊藏	1	張家口
2735	察哈爾商業錢局國幣券	橫	壹圓	1933年(民國二十二年)	財政部印刷局	中國人民銀行上海分行藏	2	張家口・平津通用
2736	察哈爾商業錢局國幣券	橫	伍圓	1933年(民國二十二年)	財政部印刷局	吳籌中藏	2	張家口・平津通用
2737	察哈爾商業錢局國幣券	橫	拾圓	1933年(民國二十二年)	財政部印刷局	許義宗舊藏	2	試樣票・平津通用
2738	察哈爾商業錢局國幣券	橫	拾圓	1933年(民國二十二年)	財政部印刷局	中國人民銀行上海分行藏	2	張家口・平津通用
2739	察哈爾商業錢局國幣輔幣券	橫	壹角	民國二十四年	財政部印刷局	許義宗舊藏	1	張家口
2740	察哈爾商業錢局國幣輔幣券	橫	貳角	民國二十四年	財政部印刷局	許義宗舊藏	1	張家口

二十三、綏遠地方紙幣

編號	券　名	票型	面　額	年　份	印刷單位	來　源	等級	説　明
2741	綏遠平市官錢局銅元券	橫	貳拾枚	民國十一年	天津浦記印刷局	上海博物館藏	3	

編號	券　名	票型	面　額	年　份	印刷單位	來　源	等級	説　明
2742	綏遠平市官錢局銅元券	横	叁拾枚	民國十二年		吳籌中藏	2	
2743	綏遠平市官錢局銅元券	横	拾枚	民國十四年	財政部印刷局	上海博物館藏	2	包頭
2744	綏遠平市官錢局銅元券	横	叁拾枚	民國十四年	財政部印刷局	上海博物館藏	2	歸綏
2745	綏遠平市官錢局銅元券	横	拾枚	民國十六年	財政部印刷局	上海博物館藏		
2746	綏遠平市官錢局國幣券	横	壹圓	1928年(民國十七年)	財政部印刷局	上海博物館藏	2	
2747	綏遠平市官錢局國幣券	横	伍圓	1928年(民國十七年)	財政部印刷局	上海博物館藏	3	
2748	綏遠平市官錢局國幣券	横	拾圓	1928年(民國十七年)	財政部印刷局	上海博物館藏	3	
2749	綏遠平市官錢局兑換券	横	壹圓	1930年(民國十九年)	西北印刷廠	吳籌中藏	2	綏遠
2750	綏遠平市官錢局兑換券	横	伍圓	1930年(民國十九年)	西北印刷廠	上海博物館藏	3	綏遠
2751	綏遠平市官錢局兑換券	横	拾圓	1930年(民國十九年)	西北印刷廠	上海博物館藏	3	綏遠
2752	綏遠平市官錢局大洋輔幣券	横	壹角	民國二十年	財政部印刷局	吳籌中藏	2	綏遠
2753	綏遠平市官錢局銅元券	横	拾枚	民國二十一年	西北印刷廠	上海博物館藏	2	
2754	綏遠平市官錢局銅元券	横	貳拾枚	民國二十一年	西北印刷廠	上海博物館藏	2	
2755	綏遠平市官錢局國幣輔幣券	横	壹角	1935年(民國二十四年)	西北實業公司印刷廠	上海博物館藏	2	藍色票
2756	綏遠平市官錢局國幣輔幣券	横	壹角	1935年(民國二十四年)	西北實業公司印刷廠	上海博物館藏	2	紅色票
2757	綏遠平市官錢局國幣輔幣券	直	貳角	1935年(民國二十四年)	西北實業公司印刷廠	上海博物館藏	2	
2758	綏遠平市官錢局國幣輔幣券	横	貳角	1935年(民國二十四年)	西北實業公司印刷廠	上海博物館藏	2	
2759	綏遠平市官錢局國幣輔幣券	横	伍角	1935年(民國二十四年)		吳籌中藏	2	
2760	綏遠平市官錢局國幣券	横	壹圓	1935年(民國二十四年)	綏遠省印刷廠	上海博物館藏	2	樣本·綏遠
2761	綏遠平市官錢局國幣券	横	伍圓	1935年(民國二十四年)	綏遠省印刷廠	上海博物館藏	2	綏遠
2762	綏遠平市官錢局國幣券	横	拾圓	1935年(民國二十四年)	綏遠省印刷廠	吳籌中提供	3	
2763	綏遠省銀行銀幣輔幣券	直	伍分	民國三十八年	綏遠晚報社	吳籌中提供	2	
2764	綏遠省銀行銀幣輔幣券	直	伍分	民國三十八年	綏遠晚報社	吳籌中藏	2	
2765	綏遠省銀行銀幣輔幣券	直	壹角	1949年(民國三十八年)	社會處印刷廠	上海博物館藏	2	藍色票
2766	綏遠省銀行銀幣輔幣券	直	壹角	1949年(民國三十八年)	社會處印刷廠	上海博物館藏	2	紅色票
2767	綏遠省銀行銀幣輔幣券	直	貳角	1949年(民國三十八年)	社會處印刷廠	吳籌中提供	3	
2768	綏遠省銀行銀幣輔幣券	直	貳角伍分	1949年(民國三十八年)	社會處印刷廠	上海博物館藏	3	
2769	綏遠省銀行銀幣輔幣券	直	伍角	1949年(民國三十八年)	社會處印刷廠	上海博物館藏	3	
2770	綏遠省銀行銀幣券	直	壹圓	1949年(民國三十八年)	綏遠省印刷廠	上海博物館藏	3	陝壩
2771	綏遠省銀行銀幣券	直	伍圓	1949年(民國三十八年)	綏遠省印刷廠	吳籌中提供	4	

二十四、西康地方紙幣

編號	券　名	票型	面　額	年　份	印刷單位	來　源	等級	説　明
2772	西康省銀行藏幣券	横	半圓	民國二十八年	財政部成都印刷所	上海博物館藏	2	
2773	西康省銀行藏幣券	横	壹圓	民國二十八年	財政部成都印刷所	上海博物館藏	3	
2774	西康省銀行藏幣券	横	壹圓	民國二十八年	財政部成都印刷所	中國人民銀行上海分行藏	4	
2775	西康省銀行藏幣券	横	伍圓	民國二十八年	財政部成都印刷所	許義宗舊藏	4	
2776	西康省銀行藏幣券	横	伍圓	民國二十八年	財政部成都印刷所	上海博物館藏	4	
2777	西康省銀行銀元輔幣券	横	壹角	1949年(民國三十八年)	啓文印刷廠	德國 ERWIN BEYER 藏	3	
2778	西康省銀行銀元輔幣券	横	貳角	1949年(民國三十八年)	啓文印刷廠	上海博物館藏	3	
2779	西康省銀行銀元輔幣券	横	伍角	1949年(民國三十八年)	啓文印刷廠	上海博物館藏	3	

二十五、甘肅地方紙幣

編號	券　名	票型	面　額	年　份	印刷單位	來　源	等級	説　明
2780	甘肅官銀號製錢票	直	壹千文		京師直華印製局	上海博物館藏	4	
2781	甘肅官銀號銀兩票	直	拾兩	民國三年		上海博物館藏	4	

編號	券　名	票型	面　額	年　份	印刷單位	來　源	等級	說　明
2782	甘肅官銀號銀兩票	直	拾兩	民國六年		選自《甘肅歷史貨幣》	4	
2783	甘肅官銀號銀兩票	直	壹兩	民國八年四月		上海博物館藏	3	
2784	甘肅官銀號銀兩票	直	伍兩	民國八年		上海博物館藏	4	
2785	甘肅官銀號銀兩票	直	伍兩	民國十年		選自《甘肅歷史貨幣》	4	
2786	甘肅省平市官錢局銅元券	橫	拾枚	無年份		選自《甘肅歷史貨幣》	3	
2787	甘肅省平市官錢局銅元券	橫	拾枚	無年份		許義宗舊藏	2	
2788	甘肅省平市官錢局銅元券	橫	貳拾枚	無年份		許義宗舊藏	2	
2789	甘肅省平市官錢局銅元券	橫	伍拾枚	無年份		選自《甘肅歷史貨幣》	2	
2790	甘肅省平市官錢局銅元券	橫	壹百枚	無年份		選自《甘肅歷史貨幣》	2	甘肅平市官錢局改農工銀行
2791	甘肅省平市官錢局銅元券	橫	貳拾枚	民國二十四年	上海大東書局	許義宗舊藏	2	
2792	甘肅省平市官錢局國幣輔幣券	橫	伍角	1935年(民國二十四年)	上海大東書局	吳籌中藏	1	
2793	甘肅省平市官錢局國幣輔幣券	橫	伍角	1935年(民國二十四年)		吳籌中藏	4	
2794	甘肅銀行銀元兌換券	橫	壹圓	民國十一年一月	平涼	吳籌中藏	3	平涼
2795	甘肅銀行銀元兌換券	橫	伍圓	民國十一年一月		上海博物館藏	4	秦州·甘肅銀行改農工銀行
2796	甘肅農民銀行國幣券	橫	壹圓	1934年(民國二十三年)	大東書局	中國人民銀行上海分行藏	1	樣本
2797	甘肅農民銀行國幣券	橫	伍圓	1934年(民國二十三年)	大東書局	上海博物館藏	3	
2798	甘肅農民銀行國幣券	橫	拾圓	1934年(民國二十三年)	大東書局	中國人民銀行上海分行藏	4	樣本
2799	甘肅省銀行銀元本票	直	伍分	民國三十八年	甘肅省銀行印刷廠	上海博物館藏	3	
2800	甘肅省銀行銀元本票	直	壹角	民國三十八年	甘肅省銀行印刷廠	上海博物館藏	3	
2801	甘肅省銀行銀元本票	直	貳角	民國三十八年	甘肅省銀行印刷廠	上海博物館藏	3	
2802	甘肅省銀行金圓券本票	直	貳圓	民國三十八年	甘肅省銀行印刷廠	選自《甘肅歷史貨幣》	3	
2803	甘肅省銀行金圓券本票	直	拾圓	民國三十八年	甘肅省銀行印刷廠	許義宗舊藏	3	
2804	甘肅省銀行金圓券本票	直	伍百圓	民國三十八年	甘肅省銀行印刷廠	選自《甘肅歷史貨幣》	3	

二十六、寧夏地方紙幣

編號	券　名	票型	面　額	年　份	印刷單位	來　源	等級	說　明
2805	寧夏省銀行國幣輔幣券	橫	壹角	民國二十一年	北平財政部印刷局	上海博物館藏	2	
2806	寧夏省銀行國幣輔幣券	橫	貳角	民國二十一年	北平財政部印刷局	上海博物館藏	3	
2807	寧夏省銀行國幣券	橫	伍圓	民國二十一年	北平財政部印刷局	上海博物館藏	4	
2808	寧夏省銀行銅元券	橫	拾枚	民國二十四年	北平財政部印刷局	中國人民銀行上海分行藏	2	
2809	寧夏省銀行銅元券	橫	貳拾枚	民國二十四年	北平財政部印刷局	中國人民銀行上海分行藏	2	
2810	寧夏省銀行銅元券	橫	肆拾枚	民國二十四年	北平財政部印刷局	中國人民銀行上海分行藏	3	
2811	寧夏省銀行銀元輔幣券	橫	壹角	民國三十八年		吳籌中藏	2	

二十七、青海地方紙幣

編號	券　名	票型	面　額	年　份	印刷單位	來　源	等級	說　明
2812	青海省財政廳維持券	橫	壹圓	民國二十四年	財政部印刷局	吳籌中藏	3	青海
2813	青海省財政廳維持券	橫	伍圓	民國二十四年	財政部印刷局	吳籌中藏	4	青海
2814	青海省財政廳維持券	橫	拾圓	民國二十四年	財政部印刷局	吳籌中藏	4	青海
2815	青海實業銀行銀幣輔幣券	橫	貳分	1949年(民國三十八年)	西北文化協會印刷廠	選自《中國各省地方銀行紙幣圖錄》	3	
2816	青海實業銀行銀幣輔幣券	橫	伍分	1949年(民國三十八年)	西北文化協會印刷廠	吳籌中藏	3	
2817	青海實業銀行銀幣輔幣券	橫	壹角	1949年(民國三十八年)	西北文化協會印刷廠	許義宗舊藏	3	
2818	青海實業銀行銀幣輔幣券	橫	貳角	1949年(民國三十八年)	西北文化協會印刷廠	吳籌中藏	3	
2819	青海實業銀行銀幣輔幣券	橫	伍角	1949年(民國三十八年)	西北文化協會印刷廠	許義宗舊藏	3	

二十八、黑龍江地方紙幣

編號	券　名	票型	面　額	年　份	印刷單位	來　源	等級	説　明
2820	黑龍江官銀號銅元券	橫	伍枚	民國二年		許義宗舊藏	3	
2821	黑龍江官銀號小銀元券	橫	貳角	民國四年		選自《中國東北地區貨幣》	2	東三省通用
2822	黑龍江官銀號小銀元券	橫	伍角	民國四年		選自《中國東北地區貨幣》	2	東三省通用
2823	黑龍江官銀號小銀元券	橫	拾角	民國四年		上海博物館藏	2	東三省通用
2824	黑龍江官銀號小銀元券	橫	壹角	民國五年		許義宗舊藏	2	江省通用
2825	黑龍江官銀號小銀元券	橫	貳角	民國五年		選自《中國東北地區貨幣》	2	江省通用
2826	黑龍江官銀號小銀元券	橫	伍角	民國五年		許義宗舊藏	2	江省通用
2827	黑龍江官銀號小銀元券	橫	拾角	民國五年		吳籌中藏	2	江省通用
2828	黑龍江官銀號兑換券	橫	伍拾角	民國五年		吳籌中藏	2	江省通用小銀元
2829	黑龍江官銀號兑換券	橫	伍拾角	民國七年		吳籌中藏	2	江省通用小銀元
2830	黑龍江官銀號兑換券	橫	伍拾角	民國八年		吳籌中藏	2	江省通用小銀元
2831	廣信公司銀元錢票	直	壹吊	民國某年		王煒藏	2	票樣·江省·卜魁
2832	廣信公司銀元錢票	直	壹吊	民國七年		許義宗舊藏	2	江省·卜魁
2833	廣信公司銀元錢票	直	貳吊	民國某年		王煒藏	2	票樣·老龍票改
2834	廣信公司銀元錢票	直	貳吊	民國七年		許義宗舊藏	2	江省·卜魁
2835	廣信公司銀元錢票	直	叁吊	民國某年		王煒藏	2	票樣·江省·卜魁·老龍票改
2836	廣信公司銀元錢票	直	伍吊	民國某年		王煒藏	2	票樣·江省·卜魁·老龍票改
2837	廣信公司銀元錢票	直	伍吊	民國七年		許義宗舊藏	2	江省·卜魁·老龍票改
2838	廣信公司銀元錢票	直	伍吊	民國七年		王煒藏	2	江省·卜魁
2839	廣信公司銀元錢票	直	伍吊	民國七年		許義宗舊藏	2	江省·卜魁
2840	廣信公司銀元錢票	直	拾吊	民國某年		王煒藏	2	票樣·江省·卜魁·老龍票改
2841	廣信公司銀元錢票	直	拾吊	民國七年		王煒藏	2	江省·卜魁
2842	廣信公司銀元錢票	直	拾吊	民國七年		許義宗舊藏	3	江省·卜魁
2843	廣信公司銀元錢票	直	伍拾吊	民國某年		王煒藏	2	票樣·老龍票改
2844	廣信公司銀元錢票	直	壹佰吊	民國某年		王煒藏	3	票樣·老龍票改
2845	廣信公司錢票	直	壹佰吊	民國七年		選自《中國東北地區貨幣》	3	黑龍江省·卜魁
2846	黑龍江廣信公司錢票	直	壹吊	民國八年三月一日		吳籌中藏	3	
2847	黑龍江廣信公司錢票	直	貳吊	民國八年三月一日		選自《中國東北地區貨幣》	2	
2848	黑龍江廣信公司錢票	直	叁吊	民國八年三月一日		許義宗舊藏	3	
2849	黑龍江廣信公司錢票	直	伍吊	民國八年三月一日		吳籌中藏	3	
2850	黑龍江廣信公司錢票	直	拾吊	民國八年三月一日		吳籌中藏	3	
2851	黑龍江廣信公司兑換券	橫	壹圓	民國八年	財政部印刷局	吳籌中藏	3	樣本·哈爾濱
2852	黑龍江廣信公司兑換券	橫	壹圓	民國八年	財政部印刷局	吳籌中藏	2	
2853	黑龍江廣信公司兑換券	橫	伍圓	民國八年	財政部印刷局	吳籌中藏	3	票樣·哈爾濱
2854	黑龍江廣信公司兑換券	橫	伍圓	民國八年	財政部印刷局	許義宗舊藏	3	未發行
2855	黑龍江廣信公司兑換券	橫	伍圓	民國八年	財政部印刷局	選自《中國東北地區貨幣》	3	樣本·哈爾濱
2856	黑龍江廣信公司兑換券	橫	伍圓	民國八年	財政部印刷局	上海博物館藏	3	
2857	黑龍江廣信公司兑換券	橫	拾圓	民國八年	財政部印刷局	許義宗舊藏	3	未發行
2858	黑龍江廣信公司兑換券	橫	拾圓	民國八年	財政部印刷局	吳籌中藏	3	樣本·哈爾濱
2859	黑龍江廣信公司兑換券	橫	拾圓	民國八年	財政部印刷局	上海博物館藏	3	
2860	黑龍江廣信公司錢票	直	壹吊	民國九年		許義宗舊藏	2	江省·卜魁
2861	黑龍江廣信公司輔幣兑換券	橫	壹角	民國九年	財政部印刷局	上海博物館藏	2	黑河發
2862	黑龍江廣信公司輔幣兑換券	橫	貳角	民國九年	財政部印刷局	許義宗舊藏	2	黑河發
2863	黑龍江廣信公司輔幣兑換券	橫	貳角	民國九年	財政部印刷局	上海博物館藏	2	呼倫發
2864	黑龍江廣信公司輔幣兑換券	橫	伍角	民國九年	財政部印刷局	馮志苗藏	2	樣本·黑河發
2865	黑龍江廣信公司輔幣兑換券	橫	伍角	民國九年	財政部印刷局	上海博物館藏	2	呼倫發
2866	黑龍江廣信公司輔幣滙兑券	橫	壹角	民國九年	財政部印刷局	許義宗舊藏	2	

編號	券　名	票型	面　額	年　份	印刷單位	來　源	等級	説　明
2867	黑龍江廣信公司兑换券	横	貳角	民國九年	財政部印刷局	選自《中國東北地區貨幣》	2	
2868	廣信公司錢票	直	壹佰吊	民國十年		選自《中國東北地區貨幣》	3	黑龍江省・卜魁
2869	廣信公司錢票	直	伍拾吊	民國十一年		許義宗舊藏	3	
2870	廣信公司錢票	直	壹佰吊	民國十三年		吳籌中藏	2	黑龍江省・卜魁
2871	黑龍江廣信公司大洋票	横	壹圓	1924年(民國十三年)	美國鈔票公司	許義宗舊藏	2	試樣票
2872	黑龍江廣信公司大洋票	横	壹圓	1924年(民國十三年)	美國鈔票公司	許義宗舊藏	2	
2873	黑龍江廣信公司大洋票	横	壹圓	1924年(民國十三年)	美國鈔票公司	許義宗舊藏	2	哈爾濱
2874	黑龍江廣信公司大洋票	横	壹圓	1924年(民國十三年)	美國鈔票公司	吳籌中藏	2	哈爾濱
2875	黑龍江廣信公司大洋票	横	伍圓	1924年(民國十三年)	美國鈔票公司	許義宗舊藏	2	試樣票
2876	黑龍江廣信公司大洋票	横	伍圓	1924年(民國十三年)	美國鈔票公司	上海博物館藏	2	
2877	黑龍江廣信公司大洋票	横	伍圓	1924年(民國十三年)	美國鈔票公司	許義宗舊藏	2	哈爾濱
2878	黑龍江廣信公司大洋票	横	伍圓	1924年(民國十三年)	美國鈔票公司	吳籌中藏	2	哈爾濱
2879	黑龍江廣信公司大洋票	横	拾圓	1924年(民國十三年)	美國鈔票公司	許義宗舊藏	2	試樣票
2880	黑龍江廣信公司大洋票	横	拾圓	1924年(民國十三年)	美國鈔票公司	許義宗舊藏	2	
2881	黑龍江廣信公司大洋票	横	拾圓	1924年(民國十三年)	美國鈔票公司	吳籌中藏	2	哈爾濱
2882	黑龍江廣信公司國幣券	横	壹圓	1924年(民國十三年)	美國鈔票公司	許義宗舊藏	2	試樣票・週年四釐債券
2883	黑龍江廣信公司國幣券	横	壹圓	1924年(民國十三年)	美國鈔票公司	上海博物館藏	2	週年四釐債券
2884	黑龍江廣信公司國幣券	横	伍圓	1924年(民國十三年)	美國鈔票公司	許義宗舊藏	2	試樣票・週年四釐債券
2885	黑龍江廣信公司國幣券	横	伍圓	1924年(民國十三年)	美國鈔票公司	上海博物館藏	2	週年四釐債券
2886	黑龍江廣信公司國幣券	横	拾圓	1924年(民國十三年)	美國鈔票公司	許義宗舊藏	2	試樣票・週年四釐債券
2887	黑龍江廣信公司國幣券	横	拾圓	1924年(民國十三年)	美國鈔票公司	許義宗舊藏	2	週年四釐債券
2888	黑龍江廣信公司大洋滙兑券	横	壹圓	1925年(民國十四年)	美國鈔票公司	許義宗舊藏	2	試樣票
2889	黑龍江廣信公司大洋滙兑券	横	壹圓	1925年(民國十四年)	美國鈔票公司	上海博物館藏	2	樣票
2890	黑龍江廣信公司大洋滙兑券	横	壹圓	1925年(民國十四年)	美國鈔票公司	許義宗舊藏	2	
2891	黑龍江廣信公司大洋滙兑券	横	拾圓	1925年(民國十四年)	美國鈔票公司	許義宗舊藏	2	試樣票
2892	黑龍江廣信公司大洋滙兑券	横	拾圓	1925年(民國十四年)	美國鈔票公司	許義宗舊藏	2	樣票
2893	黑龍江廣信公司錢票	直	貳拾吊	民國十四年		上海博物館藏	2	
2894	黑龍江廣信公司錢票	直	叁拾吊	民國十四年		中國人民銀行上海分行藏	2	
2895	黑龍江廣信公司國幣票	横	拾圓	1926年(民國十五年)	美國鈔票公司	許義宗舊藏	1	週年四釐債券
2896	黑龍江廣信公司錢票	直	伍吊	民國十八年一月一日		選自《中國東北地區貨幣》	1	票樣
2897	黑龍江廣信公司錢票	直	叁拾吊	民國十八年一月一日		選自《中國東北地區貨幣》	1	票樣
2898	黑龍江廣信公司錢票	直	壹百吊	民國十八年一月一日		中國人民銀行上海分行藏	1	
2899	黑龍江廣信公司輔幣兑换券	横	壹角	1929年(民國十八年)		上海博物館藏	2	
2900	黑龍江廣信公司輔幣兑换券	横	貳角	1929年(民國十八年)		中國人民銀行上海分行藏	2	哈爾濱
2901	黑龍江廣信公司輔幣兑换券	横	伍角	1929年(民國十八年)		許義宗舊藏	1	樣票
2902	黑龍江廣信公司輔幣兑换券	横	伍角	1929年(民國十八年)		中國人民銀行上海分行藏	2	哈爾濱

二十九、西藏地方紙幣

編號	券　名	票型	面　額	年　份	印刷單位	來　源	等級	説　明
2903	雪域藏銀票	横	伍章嘎	第十五繞迥		選自《原西藏地方錢幣概況》	2	人工手寫號碼票
2904	雪域藏銀票	横	貳拾伍章嘎	第十五繞迥		選自《原西藏地方錢幣概況》	2	人工手寫號碼票
2905	雪域藏銀票	横	伍拾章嘎	第十五繞迥	朵底造幣廠	郭乃興藏	2	
2906	雪域藏銀票	横	拾伍章嘎	第十五繞迥		選自《原西藏地方錢幣概況》	2	人工手寫號碼票
2907	雪域藏銀票	横	伍拾章嘎	第十五繞迥		選自《原西藏地方錢幣概況》	2	人工手寫號碼票
2908	雪域藏銀票	横	拾兩	第十六繞迥		郭乃興藏	1	
2909	雪域藏銀票	横	拾兩	第十六繞迥		郭乃興藏	1	
2910	雪域藏銀票	横	拾兩	第十六繞迥		郭乃興藏	1	
2911	甘丹頗章藏銀票	横	伍兩	第十六繞迥		選自《原西藏地方錢幣概況》	1	

編號	券　名	票型	面　額	年　份	印刷單位	來　源	等級	説　明
2912	甘丹頗章藏銀票	橫	貳拾伍兩	第十六繞迴		郭乃興藏	1	
2913	甘丹頗章藏銀票	橫	貳拾伍兩	第十六繞迴		郭乃興藏	1	
2914	甘丹頗章藏銀票	橫	貳拾伍兩	第十六繞迴		選自《原西藏地方錢幣概況》	1	
2915	甘丹頗章藏銀票	橫	貳拾伍兩	第十六繞迴		郭乃興藏	1	
2916	甘丹頗章藏銀票	橫	壹百兩	1937 年		金立夫藏	1	
2917	甘丹頗章藏銀票	橫	壹百兩	1937 年		選自《原西藏地方錢幣概況》	1	

三十、新疆地方紙幣

編號	券　名	票型	面　額	年　份	印刷單位	來　源	等級	説　明
2918	新疆財政廳司紅錢票	直	肆百文	民國二年	北京財政部印刷局	選自《新疆錢幣》	4	
2919	新疆財政庫紅錢票	直	壹百文	民國三年	北京財政部印刷局	選自《新疆錢幣》	4	
2920	新疆財政廳庫紅錢票	直	壹百文	民國四年	北京財政部印刷局	選自《新疆錢幣》	4	
2921	新疆財政廳庫紅錢票	直	肆百文	民國四年	北京財政部印刷局	選自《新疆錢幣》	4	
2922	新疆財政廳庫紅錢票	直	肆百文	民國六年	北京財政部印刷局	選自《新疆錢幣》	2	
2923	新疆財政廳庫紅錢票	直	壹百文	民國八年	北京財政部印刷局	吳籌中藏	2	
2924	新疆財政廳庫紅錢票	橫	壹百文	民國九年		吳籌中藏	1	
2925	新疆財政廳庫紅錢票	直	肆百文	民國九年	北京財政部印刷局	吳籌中藏	2	
2926	新疆財政廳庫紅錢票	直	肆百文	民國十年	北京財政部印刷局	吳籌中藏	2	
2927	新疆財政廳庫紅錢票	直	肆百文	民國十四年	新疆財政廳製幣局	吳籌中藏	1	
2928	通化官錢局紅錢票	橫	肆拾文	民國十六年		選自《新疆錢幣》	1	油布票・通行北路阿克蘇各屬
2929	新疆財政廳庫紅錢票	直	肆百文	民國二十年	新疆財政廳製幣局	吳籌中藏	1	
2930	新疆財政廳庫紅錢票	直	肆百文	民國二十年	新疆財政廳製幣局	吳籌中藏	1	
2931	通化官錢局紅錢票	橫	肆拾文	民國二十一年		選自《新疆錢幣》	1	油布票・通行北路阿克蘇各屬
2932	新疆省政府財政廳庫紅錢票	橫	伍兩	民國二十一年		中國人民銀行上海分行藏	1	行使喀什和闐兩區屬・准作紅錢肆百文
2933	新疆財政廳庫紅錢票	直	壹百文	民國二十一年		中國人民銀行上海分行藏	1	行使喀什和闐兩區
2934	新疆財政廳庫紅錢票	直	肆百文	民國二十一年		選自《新疆錢幣》	2	
2935	新疆財政廳庫紅錢票	直	貳千文	民國二十一年		選自《新疆錢幣》	2	
2936	新疆財政廳庫紅錢票	直	叁兩	民國二十一年		吳籌中藏	1	准作舊紅錢肆百文
2937	新疆財政廳庫紅錢票	直	伍兩	民國二十一年		吳籌中藏	1	准作舊紅錢肆百文
2938	新疆財政廳庫紅錢票	直	拾兩	民國二十二年		吳籌中藏	2	准作舊紅錢肆百文
2939	新疆省政府財政廳庫紅錢票	橫	伍拾兩	民國二十二年		中國人民銀行上海分行藏	2	准作舊紅錢肆百文
2940	新疆省政府財政廳庫紅錢票	橫	伍兩	民國二十三年		中國人民銀行上海分行藏	2	專行喀和兩區屬・准作紅錢肆百文
2941	新疆省政府財政廳庫紅錢票	橫	拾兩	民國二十三年		選自《新疆錢幣》	2	專行喀和兩區屬・准作紅錢肆百文
2942	新疆省政府財政廳庫紅錢票	橫	伍拾兩	民國二十三年		上海博物館藏	2	專行喀和兩區屬・准作紅錢肆百文
2943	新疆省政府財政廳庫紅錢票	橫	伍拾兩	民國二十四年		選自《新疆錢幣》	2	專行喀和兩區屬・准作紅錢肆百文
2944	新疆省政府財政廳庫紅錢票	橫	伍拾兩	民國二十五年		吳籌中藏	2	專行喀和兩區屬・准作紅錢肆百文
2945	新疆商業銀行國幣輔幣券	橫	壹分	1939 年(民國二十八年)		吳籌中藏	1	
2946	新疆商業銀行國幣輔幣券	橫	壹分	1939 年(民國二十八年)		中國人民銀行上海分行藏	1	
2947	新疆商業銀行國幣輔幣券	橫	叁分	1939 年(民國二十八年)		中國人民銀行上海分行藏	1	
2948	新疆商業銀行國幣輔幣券	橫	伍分	1939 年(民國二十八年)		吳籌中藏	1	
2949	新疆商業銀行國幣輔幣券	橫	壹角	1939 年(民國二十八年)		吳籌中藏	1	
2950	新疆商業銀行國幣輔幣券	橫	壹角	1939 年(民國二十八年)		吳籌中藏	1	
2951	新疆商業銀行國幣輔幣券	橫	貳角	1939 年(民國二十八年)		馮志苗藏	1	
2952	新疆商業銀行國幣輔幣券	橫	伍角	1939 年(民國二十八年)		吳籌中藏	1	
2953	新疆商業銀行國幣輔幣券	橫	伍角	1939 年(民國二十八年)		馮志苗藏	1	
2954	新疆商業銀行國幣券	橫	壹圓	1939 年(民國二十八年)		選自《新疆錢幣》	1	
2955	新疆商業銀行國幣券	橫	壹圓	1939 年(民國二十八年)		上海博物館藏	1	
2956	新疆商業銀行國幣券	橫	叁圓	1939 年(民國二十八年)		選自《新疆錢幣》	2	

編號	券　　名	票型	面　額	年　　份	印　刷　單　位	來　　源	等級	説　　明
2957	新疆商業銀行國幣券	橫	伍圓	1939 年(民國二十八年)		選自《新疆錢幣》	2	
2958	新疆商業銀行國幣券	橫	拾圓	1939 年(民國二十八年)		選自《新疆錢幣》	2	
2959	新疆商業銀行國幣券	橫	伍拾圓	1939 年(民國二十八年)		上海博物館藏	1	
2960	新疆商業銀行國幣券	橫	壹百圓	1939 年(民國二十八年)		馮志苗藏		
2961	新疆商業銀行國幣券	橫	拾圓	1940 年(民國二十九年)		上海博物館藏	2	
2962	新疆商業銀行國幣券	橫	伍圓	1943 年(民國三十二年)		吳籌中藏	2	
2963	新疆商業銀行國幣券	橫	拾圓	1943 年(民國三十二年)		吳籌中藏	2	
2964	新疆商業銀行國幣券	橫	貳百圓	1945 年(民國三十四年)		選自《新疆錢幣》		
2965	新疆商業銀行國幣券	橫	貳百圓	1945 年(民國三十四年)		上海博物館藏		
2966	新疆商業銀行國幣券	橫	壹百圓	1946 年(民國三十五年)		吳籌中藏		
2967	新疆商業銀行國幣券	橫	伍佰圓	1946 年(民國三十五年)		吳籌中藏		
2968	新疆商業銀行國幣券	橫	貳仟圓	1947 年(民國三十六年)		吳籌中藏		
2969	新疆商業銀行國幣券	橫	伍仟圓	1947 年(民國三十六年)		吳籌中藏		
2970	新疆商業銀行國幣券	直	壹萬圓	1947 年(民國三十六年)		吳籌中藏		
2971	新疆商業銀行國幣券	直	貳萬圓	1947 年(民國三十六年)		吳籌中藏		
2972	新疆商業銀行國幣券	橫	拾萬圓	1948 年(民國三十七年)		上海博物館藏		
2973	新疆商業銀行國幣券	橫	貳拾萬圓	1948 年(民國三十七年)		上海博物館藏		
2974	新疆商業銀行國幣券	直	伍拾萬圓	1948 年(民國三十七年)		馮志苗藏		
2975	新疆省銀行國幣券	直	壹佰萬圓	1948 年(民國三十七年)		吳籌中藏		
2976	新疆省銀行國幣券	橫	叁佰萬圓	1948 年(民國三十七年)		選自《新疆錢幣》		
2977	新疆省銀行國幣券	橫	陸佰萬圓	1949 年		吳籌中藏	1	
2978	新疆省銀行國幣券	橫	叁仟萬圓	1949 年		吳籌中藏	1	
2979	新疆省銀行國幣券	橫	陸仟萬圓	1949 年		馮志苗藏		
2980	新疆省銀行國幣券	橫	陸億圓	1949 年		吳籌中藏	2	折合金圓券壹仟圓
2981	新疆省銀行國幣券	橫	叁拾億圓	1949 年		吳籌中藏	3	折合金圓券伍仟圓
2982	新疆省銀行國幣券	橫	陸拾億圓	1949 年		金立夫藏	4	折合金圓券壹萬圓
2983	新疆省銀行銀元輔幣券	橫	壹分	民國三十八年		上海博物館藏	1	
2984	新疆省銀行銀元輔幣券	橫	伍分	民國三十八年		中國人民銀行上海分行藏	1	票樣
2985	新疆省銀行銀元輔幣券	橫	伍分	民國三十八年		上海博物館藏	1	
2986	新疆省銀行銀元輔幣券	橫	壹角	民國三十八年		上海博物館藏	1	
2987	新疆省銀行銀元輔幣券	橫	貳角	民國三十八年		上海博物館藏	1	
2988	新疆省銀行銀元輔幣券	橫	伍角	民國三十八年		上海博物館藏	1	
2989	新疆省銀行銀元券	橫	壹圓	1949 年		上海博物館藏	3	
2990	新疆省銀行銀元券	橫	伍圓	1950 年		上海博物館藏	3	
2991	新疆省銀行銀元券	橫	拾圓	1950 年		上海博物館藏	3	

民國時期軍用票概況表

一、辛亥革命時期的軍用票

編號	券　名	票型	面額	年　份	印刷單位	來　源	等級	説　明
2992	中國商務公會股券	橫	壹百圓	1895年		選自《辛亥革命貨幣》	4	壹股券
2993	軍需債券	橫	拾圓	1904年		選自《辛亥革命貨幣》	4	美金券
2994	軍需債券	橫	拾圓	1904年		選自《辛亥革命貨幣》	4	美金券
2995	中華民務興利公司債券	橫	壹仟圓	1905年		選自《辛亥革命貨幣》	4	
2996	林受之捐助軍需票據	直	壹萬肆仟圓	1907年		選自《辛亥革命貨幣》	4	天運丁未年
2997	中華革命政府信用證券	橫	壹百元	1906年		上海市歷史博物館提供	4	蓋《中華國商民銀票·壹百元》
2998	中華革命政府信用證券	橫	壹百元	1906年		選自《中國軍用鈔票史略》	4	蓋《中華革命軍銀票·壹百元》
2999	中華民國中央軍政府軍用小票	橫	拾枚	黃帝紀元四千六百零九年		蔡小軍藏	4	銅元票
3000	中國中華銀行銀元券	橫	壹圓			選自《中國錢幣》	4	
3001	中華民國金幣券	橫	壹拾圓	1911年		選自《中國軍用鈔票史略》	3	
3002	中華民國金幣券	橫	壹拾圓	1911年		選自《中國軍用鈔票史略》	3	
3003	中華民國金幣券	橫	壹拾圓	1911年		選自《中國軍用鈔票史略》	3	
3004	中華民國金幣券	橫	壹百圓	1911年		選自《中國軍用鈔票史略》	4	
3005	中華民國金幣券	橫	壹仟圓	1911年		選自《中國軍用鈔票史略》	4	
3006	中華民國金幣券	橫	壹仟圓	1911年		選自《辛亥革命貨幣》	4	
3007	中華民國閩省軍務公債票	橫	壹拾圓	黃帝紀元四千六百零九年		選自《中國軍用鈔票史略》	2	
3008	大漢四川軍政府軍用銀票	橫	壹圓	黃帝紀元四千六百零九年		中國人民銀行上海分行藏	4	
3009	大漢銀行軍用票	橫	貳角	黃帝紀元四千六百零九年		丁張弓良舊藏	4	晉省通用
3010	大漢銀行軍用票	橫	壹圓	黃帝紀元四千六百零九年		丁張弓良舊藏	4	晉省通用
3011	大漢銀行軍用票	橫	伍圓	黃帝紀元四千六百零九年		中國人民銀行上海分行藏	4	晉省通用
3012	大漢銀行軍用票	橫	拾圓	黃帝紀元四千六百零九年		選自《辛亥革命貨幣》	4	晉省通用
3013	浙江軍政府軍用票	橫	壹圓	黃帝紀元四千六百零九年	上海華新公司	丁張弓良舊藏	4	
3014	浙江軍政府軍用票	橫	伍圓			杭州市錢幣學會提供	4	督軍像·浙江
3015	浙江軍用票	橫	壹元	民國元年五月十五日	上海集成公司	蔡小軍藏	4	
3016	中華民國軍用鈔票	橫	伍角	黃帝紀元四千六百零九年		選自《辛亥革命貨幣》	2	上海通用銀圓
3017	中華民國軍用鈔票	橫	壹元	黃帝紀元四千六百零九年		丁張弓良舊藏	2	上海通用銀圓
3018	中華民國軍用鈔票	橫	伍元	黃帝紀元四千六百零九年		中國人民銀行上海分行藏	2	上海通用銀圓
3019	中華民國軍用鈔票	橫	拾元	黃帝紀元四千六百零九年		中國人民銀行上海分行藏	2	上海通用銀圓
3020	中華民國軍用鈔票	橫	壹元	民國元年正月吉日	上海集成公司	選自《辛亥革命貨幣》	4	中央財政部擔保
3021	中華民國軍用鈔票	橫	伍元	民國元年正月吉日	上海集成公司	丁張弓良舊藏	4	中央財政部擔保
3022	中華民國南京軍用鈔票	橫	壹元	民國元年正月吉日	上海集成公司	丁張弓良舊藏	4	中央財政部擔保·南京通用銀圓
3023	中華民國軍需公債票	直	拾圓	民國元年貳月貳日	上海集成公司	郭乃興藏	2	
3024	中華民國軍需公債票	直	壹佰圓	民國元年貳月貳日	上海商務印書館	郭乃興藏	2	
3025	中華民國軍需公債票	直	壹仟圓	民國元年貳月貳日	上海集成公司	郭乃興藏	3	
3026	陸軍部軍事用票	橫	壹圓	民國元年	上海商務印書館	中國人民銀行上海分行藏	3	陸軍部發行
3027	陸軍部軍事用票	橫	伍圓	民國元年	上海商務印書館	中國人民銀行上海分行藏	3	陸軍部發行
3028	安徽中華銀行銀元券	橫	壹圓	民國元年	民國第六圖書館	丁張弓良舊藏	1	安徽通用銀圓
3029	安徽中華銀行銀圓券	橫	壹圓	民國元年	上海集成公司	丁張弓良舊藏	4	安徽通用銀圓·淮北
3030	皖蕪軍分府理財部軍用鈔票	橫	壹圓	民國元年		丁張弓良舊藏	4	
3031	贛省民國銀行銀元券	橫	壹圓	民國元年	上海集成公司	選自《中國軍用鈔票史略》	3	贛省都督馬像

編號	券　名	票型	面　額	年　份	印刷單位	來　源	等級	説　明
3032	贛省民國銀行銀元券	橫	伍圓	民國元年	上海集成公司	吳籌中藏	4	贛省都督馬像
3033	贛省民國銀行銀元券	橫	拾圓	民國元年	上海集成公司	吳籌中藏	4	贛省都督馬像
3034	中華福建銀號銀元券	橫	貳元	民國元年		選自《中國軍用鈔票史略》	4	福建通用銀元
3035	中華民國粵省軍政府通用銀票	橫	伍毫	民國元年	上海商務印書館	選自《中國軍用鈔票史略》	1	大都督像
3036	中華民國粵省軍政府通用銀票	橫	壹圓	民國元年	上海商務印書館	選自《中國軍用鈔票史略》	1	大都督像
3037	中華民國粵省軍政府通用銀票	橫	貳圓	民國元年	上海商務印書館	選自《中國軍用鈔票史略》	3	大都督像
3038	中華民國粵省軍政府通用銀票	橫	伍圓	民國元年	上海商務印書館	選自《中國軍用鈔票史略》	3	大都督像
3039	中華民國湖南軍政府籌餉公債票	直	伍圓	民國元年	東京印刷株式會社	郭乃興藏	2	

二、討伐袁世凱以及討伐北洋軍閥時期的軍用票

編號	券　名	票型	面　額	年　份	印刷單位	來　源	等級	説　明
3040	中華革命黨債券	直	壹千圓	民國四年		選自《中國軍用鈔票史略》	3	第一種
3041	中華革命黨債券	直	壹百圓	民國四年		選自《中國軍用鈔票史略》	3	第二種
3042	中華革命黨債券	直	拾圓	民國四年		選自《中國軍用鈔票史略》	1	第三種
3043	財政部平市官錢局銅元券	橫	貳拾枚	民國四年		中國人民銀行上海分行藏	2	京兆
3044	財政部平市官錢局銅元券	橫	肆拾枚	民國四年		中國人民銀行上海分行藏	2	京兆
3045	財政部平市官錢局銅元券	橫	伍拾枚	民國四年		中國人民銀行上海分行藏	2	京兆
3046	財政部平市官錢局銅元券	橫	壹佰枚	民國四年		中國人民銀行上海分行藏	3	京兆
3047	財政部平市官錢局銅元券	橫	拾枚	民國十二年		中國人民銀行上海分行藏	1	京兆
3048	山東護國軍軍政府軍用手票	橫	壹角	民國五年		丁張弓良舊藏	3	
3049	山東護國軍軍政府軍用手票	橫	伍角	民國五年		丁張弓良舊藏	3	
3050	周村商業銀行銀元券	橫	伍圓	民國五年		選自《中國軍用鈔票史略》	1	
3051	周村商業銀行銀元券	橫	拾圓	民國五年		選自《中國軍用鈔票史略》	2	濟南
3052	中華民國新政府債券	橫	壹佰圓			選自《中國軍用鈔票史略》	3	粵幣・第二種
3053	中華民國新政府債券	橫	壹拾圓			選自《中國軍用鈔票史略》	3	粵幣・第三種
3054	中華民國新政府債券	橫	伍圓			選自《中國軍用鈔票史略》	2	粵幣・第四種
3055	滇粵桂援贛聯軍軍用票	橫	壹圓			丁張弓良舊藏	2	江西
3056	滇粵桂援贛聯軍軍用票	橫	伍圓			丁張弓良舊藏	2	江西
3057	滇粵桂援贛聯軍軍用票	橫	拾圓			選自《中國軍用鈔票史略》	3	江西
3058	滇粵桂援贛聯軍軍用票	橫	拾圓			選自《中國軍用鈔票史略》	3	江西
3059	軍事內國公債券	直	壹百圓	民國六年十月一日		郭乃興藏	1	
3060	軍事內國公債券	直	壹仟圓	民國六年十月一日		郭乃興藏	2	
3061	中華民國靖國軍軍用鈔票	橫	壹圓			丁張弓良舊藏	2	
3062	中華民國靖國軍軍用鈔票	橫	伍圓			選自《中國軍用鈔票史略》	2	
3063	擁護共和紀念幣券	橫	壹圓	民國五年		選自《雲南歷史貨幣》	3	雲南都督像・樣本・雲南・富滇銀行兑换券
3064	擁護共和紀念幣券	橫	伍圓	民國五年		吳籌中藏	3	雲南都督像・樣本・雲南・富滇銀行兑换券
3065	擁護共和紀念幣券	橫	拾圓	民國五年		選自《雲南歷史貨幣》	4	雲南都督像・樣本・雲南・富滇銀行兑换券
3066	農工商信託有限公司銀毫票	橫	壹毫			丁張弓良舊藏	2	中山像・漳州
3067	農工商信託有限公司銀毫票	橫	壹圓			丁張弓良舊藏	2	中山像・漳州
3068	雲南靖國軍軍用銀行兑换券	橫	壹圓	民國六年	雲南軍需局	中國人民銀行上海分行藏	2	
3069	雲南靖國軍軍用銀行兑换券	橫	伍圓	民國六年	雲南軍需局	中國人民銀行上海分行藏	2	
3070	雲南靖國軍軍用銀行兑换券	橫	拾圓	民國六年	雲南軍需局	中國人民銀行上海分行藏	3	
3071	國立中華國民銀行銀元券	橫	壹毫	民國十年		選自《中國軍用鈔票史略》	2	孫大總統肖像
3072	國立中華國民銀行銀元券	橫	壹圓	民國十年		選自《中國軍用鈔票史略》	2	孫大總統肖像
3073	國立中華國民銀行銀元券	橫	伍圓	民國十年		選自《中國軍用鈔票史略》	1	孫大總統肖像
3074	國立中華國民銀行銀元券	橫	拾圓	民國十年		蔡小軍藏	1	孫大總統肖像
3075	廣東地方善後內國公債票	橫	壹拾圓	民國十年二月四日		選自《中國軍用鈔票史略》	1	
3076	大本營度支處軍用鈔票	橫	伍角	民國十一年		丁張弓良舊藏	2	

續表

編號	券　名	票型	面　額	年　份	印　刷　單　位	來　源	等級	説　明
3077	廣東省金庫券	橫	壹圓	民國十二年		丁張弓良舊藏	1	
3078	廣東省金庫券	橫	拾圓	民國十二年		丁張弓良舊藏	1	蓋有印章
3079	定滇軍司令部軍用鈔票	橫	壹圓	民國十三年		丁張弓良舊藏	2	大洋

三、軍閥割據和混戰時期的軍用票

編號	券　名	票型	面　額	年　份	印　刷　單　位	來　源	等級	説　明
3080	安徽全省軍用券	橫	壹圓	民國六年十月		丁張弓良舊藏	3	安徽討倪軍總司令部發行
3081	軍用兌換券	橫	貳拾枚	民國七年四月		丁張弓良舊藏	1	長沙總商會代兌
3082	河南金庫流通券	直	壹圓	民國十年		上海博物館藏	1	關公像·河南豫泉官銀錢局改金庫流通券
3083	河南省銀行國幣券	橫	伍圓	1923年(民國十二年)	財政部印刷局	丁張弓良舊藏	1	臨時軍用·河南
3084	河南省銀行國幣券	橫	拾圓	1923年(民國十二年)	財政部印刷局	丁張弓良舊藏	1	臨時軍用·河南
3085	東三省軍用票	橫	壹圓	無年份		選自《中國軍用鈔票史略》	2	
3086	東三省軍用票	橫	五圓	無年份		丁張弓良舊藏	2	
3087	東三省軍用票	橫	拾圓	無年份		選自《中國軍用鈔票史略》	3	
3088	鎮威第三四方面軍團兵站庫券	橫	壹角	民國十六年	財政部印刷局	中國人民銀行上海分行藏	2	
3089	鎮威第三四方面軍團兵站庫券	橫	貳角	民國十六年	財政部印刷局	中國人民銀行上海分行藏	2	
3090	鎮威第三四方面軍團兵站庫券	橫	伍角	民國十六年	財政部印刷局	丁張弓良舊藏	3	
3091	鎮威第三四方面軍團兵站庫券	橫	壹圓	民國十六年	財政部印刷局	蔡小軍藏	3	
3092	鎮威第三四方面軍團兵站庫券	橫	伍圓	民國十六年	財政部印刷局	蔡小軍藏	4	
3093	西北銀行國幣輔幣券	橫	壹角	1924年(民國十三年)	財政部印刷局	選自《中國軍用鈔票史略》	1	北京·察哈爾興業銀行改西北銀行
3094	西北銀行國幣輔幣券	橫	伍角	1924年(民國十三年)	財政部印刷局	選自《中國軍用鈔票史略》	1	多倫·察哈爾興業銀行改西北銀行
3095	西北銀行銅元券	橫	拾枚	1925年(民國十四年)	財政部印刷局	中國人民銀行上海分行藏	1	張家口
3096	西北銀行銅元券	橫	貳拾枚	1925年(民國十四年)	財政部印刷局	中國人民銀行上海分行藏	2	張家口·豐鎮
3097	西北銀行銅元券	橫	伍拾枚	1925年(民國十四年)	財政部印刷局	中國人民銀行上海分行藏	1	張家口
3098	西北銀行國幣輔幣券	橫	壹角	1925年(民國十四年)	財政部印刷局	選自《中國軍用鈔票史略》	1	張家口
3099	西北銀行國幣輔幣券	橫	貳角	1925年(民國十四年)	財政部印刷局	選自《中國軍用鈔票史略》	1	張家口
3100	西北銀行國幣券	橫	壹圓	1925年(民國十四年)	財政部印刷局	中國人民銀行上海分行藏	1	張家口
3101	西北銀行國幣券	橫	伍圓	1925年(民國十四年)	財政部印刷局	選自《中國軍用鈔票史略》	1	張家口
3102	西北銀行國幣券	橫	拾圓	1925年(民國十四年)	財政部印刷局	中國人民銀行上海分行藏	1	張家口
3103	西北銀行國幣券	橫	壹圓	1925年(民國十四年)	財政部印刷局	選自《中國軍用鈔票史略》	1	多倫
3104	西北銀行國幣券	橫	拾圓	1925年(民國十四年)	財政部印刷局	選自《中國軍用鈔票史略》	1	多倫
3105	西北銀行國幣券	橫	壹圓	1925年(民國十四年)	財政部印刷局	選自《中國軍用鈔票史略》	1	豐鎮
3106	西北銀行國幣券	橫	拾圓	1925年(民國十四年)	財政部印刷局	選自《中國軍用鈔票史略》	1	豐鎮
3107	西北銀行國幣券	橫	壹圓	1925年(民國十四年)	財政部印刷局	選自《中國軍用鈔票史略》	1	天津
3108	西北銀行國幣券	橫	壹圓	1925年(民國十四年)	財政部印刷局	選自《中國軍用鈔票史略》	1	綏遠
3109	西北銀行國幣券	橫	壹圓	1925年(民國十四年)	財政部印刷局	選自《中國軍用鈔票史略》	1	北京
3110	西北銀行國幣券	橫	壹圓	1925年(民國十四年)	財政部印刷局	選自《中國軍用鈔票史略》	1	北京
3111	西北銀行國幣券	橫	伍圓	1925年(民國十四年)	財政部印刷局	選自《中國軍用鈔票史略》	1	北京
3112	西北銀行國幣券	橫	拾圓	1925年(民國十四年)	財政部印刷局	選自《中國軍用鈔票史略》	1	北京
3113	西北銀行國幣券	橫	壹圓	1925年(民國十四年)	財政部印刷局	選自《中國軍用鈔票史略》	1	包頭
3114	西北銀行國幣券	橫	壹圓	1925年(民國十四年)	財政部印刷局	選自《中國軍用鈔票史略》	1	河南·鄭
3115	西北銀行國幣券	橫	伍圓	1925年(民國十四年)	財政部印刷局	選自《中國軍用鈔票史略》	1	河南·鄭
3116	西北銀行國幣券	橫	拾圓	1925年(民國十四年)	財政部印刷局	選自《中國軍用鈔票史略》	1	河南·陝州
3117	西北銀行國幣券	橫	壹圓	1925年(民國十四年)	財政部印刷局	選自《中國軍用鈔票史略》	1	熱河
3118	西北銀行國幣券	橫	伍圓	1925年(民國十四年)	財政部印刷局	選自《中國軍用鈔票史略》	1	熱河
3119	西北銀行國幣券	橫	拾圓	1925年(民國十四年)	財政部印刷局	選自《中國軍用鈔票史略》	1	熱河
3120	西北銀行國幣券	橫	伍圓	1925年(民國十四年)	財政部印刷局	選自《中國軍用鈔票史略》	1	陝西
3121	西北銀行國幣券	橫	拾圓	1925年(民國十四年)	財政部印刷局	選自《中國軍用鈔票史略》	1	陝西·鳳翔

編號	券　名	票型	面　額	年　份	印　刷　單　位	來　源	等級	説　明
3122	西北銀行國幣券	橫	伍圓	1925年（民國十四年）	財政部印刷局	選自《中國軍用鈔票史略》	1	寧夏
3123	西北銀行國幣券	橫	拾圓	1925年（民國十四年）	財政部印刷局	選自《中國軍用鈔票史略》	1	甘肅·寧夏
3124	西北銀行銅元券	橫	貳拾枚	1928年（民國十七年）	財政部印刷局	選自《中國軍用鈔票史略》	1	陝西
3125	西北銀行國幣輔幣券	橫	壹角	1928年（民國十七年）	上海協順印刷所	上海博物館藏	2	西北銀行改富隴銀行·甘肅
3126	西北銀行國幣輔幣券	橫	貳角	1928年（民國十七年）	上海協順印刷所	上海博物館藏	2	西北銀行改富隴銀行·甘肅
3127	西北銀行國幣券	橫	壹圓	1928年（民國十七年）	財政部印刷局	上海博物館藏	2	西北銀行改富隴銀行·甘肅·蘭州
3128	西北銀行國幣券	橫	壹圓	1928年（民國十七年）	財政部印刷局	選自《中國軍用鈔票史略》	1	甘肅
3129	西北銀行國幣券	橫	壹圓	1928年（民國十七年）	財政部印刷局	選自《中國軍用鈔票史略》	1	山東·泰安
3130	西北銀行國幣券	橫	壹圓	1928年（民國十七年）	財政部印刷局	選自《中國軍用鈔票史略》	1	樣本·陝西省銀行改西北銀行·山東·西安
3131	西北銀行國幣券	橫	伍圓	1928年（民國十七年）	財政部印刷局	選自《中國軍用鈔票史略》	1	樣本·陝西省銀行改西北銀行·山東·西安
3132	西北銀行國幣券	橫	伍圓	1928年（民國十七年）	財政部印刷局	選自《中國軍用鈔票史略》	1	山東·泰安
3133	西北銀行國幣券	橫	壹圓	1928年（民國十七年）	財政部印刷局	選自《中國軍用鈔票史略》	1	陝西·漢中
3134	西北銀行國幣券	橫	壹圓	1928年（民國十七年）	財政部印刷局	選自《中國軍用鈔票史略》	1	陝西·河南
3135	西北銀行國幣券	橫	伍圓	1928年（民國十七年）	財政部印刷局	選自《中國軍用鈔票史略》	1	陝西·西安
3136	西北銀行國幣券	橫	拾圓	1928年（民國十七年）	財政部印刷局	選自《中國軍用鈔票史略》	1	陝西·西安
3137	西北銀行國幣券	橫	拾圓	1928年（民國十七年）	財政部印刷局	選自《中國軍用鈔票史略》	1	陝西·西安
3138	西北銀行國幣券	橫	伍圓	1928年（民國十七年）	財政部印刷局	中國人民銀行上海分行藏	1	河南·鄭州
3139	陝西富秦銀行銀元券	橫	壹圓	民國十一年	陝北印刷局	丁張弓良舊藏	1	
3140	陝西富秦錢局製錢票	橫	壹串文	民國十六年	西安南院門東街義興新號	吳籌中藏	2	工農商學兵在國民黨指導下聯合起來完成國民革命
3141	陝西富秦錢局製錢票	橫	貳串文	民國十六年	西安南院門東街義興新號	吳籌中藏	2	工農商學兵在國民黨指導下聯合起來完成國民革命
3142	陝西富秦錢局製錢票	橫	貳仟文	民國十七年	西安南院門東街義興新號	吳籌中藏	2	工農商學兵在國民黨指導下聯合起來完成國民革命
3143	國民軍金融流通輔幣券	直	壹角	民國十六年	西安南院門東街義興新號	吳籌中藏	2	工農商學兵在國民黨指導下聯合起來完成國民革命
3144	國民軍金融流通輔幣券	直	叁角	民國十六年	西安南院門東街義興新號	吳籌中藏	2	工農商學兵在國民黨指導下聯合起來完成國民革命
3145	國民軍金融流通輔幣券	直	伍角	民國十六年	西安南院門東街義興新號	丁張弓良舊藏	2	工農商學兵在國民黨指導下聯合起來完成國民革命
3146	國民軍金融流通輔幣券	橫	壹角	民國十六年	西安南院門乾振集號	選自《中國軍用鈔票史略》	1	
3147	國民軍金融流通輔幣券	橫	貳角	民國十六年	西安南院門乾振集號	選自《中國軍用鈔票史略》	1	
3148	國民軍金融流通輔幣券	橫	伍角	民國十六年	西安南院門乾振集號	中國人民銀行上海分行藏	1	
3149	國民軍金融流通券	橫	壹圓	民國十六年	西安南院門乾振集號	中國人民銀行上海分行藏	1	
3150	國民軍金融流通券	橫	貳圓	民國十六年	西安南院門乾振集號	中國人民銀行上海分行藏	1	
3151	國民軍金融流通券	橫	伍圓	民國十六年	西安南院門乾振集號	中國人民銀行上海分行藏	1	
3152	財政部軍需滙兌局兌換券	橫	壹圓	無年份	財政部印刷局	蔡小軍藏	1	
3153	軍需滙兌局兌換券	橫	壹角	民國十四年		中國人民銀行上海分行藏	1	
3154	軍需滙兌局兌換券	橫	貳角	民國十四年		中國人民銀行上海分行藏	1	
3155	軍需滙兌局兌換券	橫	壹圓	民國十四年		中國人民銀行上海分行藏	1	漢口
3156	軍需滙兌局兌換券	橫	伍圓	民國十四年		中國人民銀行上海分行藏	1	漢口
3157	軍需滙兌局兌換券	橫	拾圓	民國十四年		丁張弓良舊藏	1	漢口·河南兌現
3158	江西財政廳有利流通券	橫	壹圓	民國十五年		選自《中國軍用鈔票史略》	2	
3159	直魯省軍用券	橫	壹角	民國十二年	財政部印刷局	丁張弓良舊藏	1	財政部平市官錢局改直魯省軍用券
3160	直魯省軍用券	橫	伍角	民國十二年	財政部印刷局	丁張弓良舊藏	1	財政部平市官錢局改直魯省軍用券
3161	直魯省軍用券	橫	壹圓	民國十四年	財政部印刷局	丁張弓良舊藏	1	財政部平市官錢局改直魯省軍用券
3162	山東省輔幣軍用票	橫	壹角	無年份	山東官印刷局	丁張弓良舊藏	1	
3163	山東省輔幣軍用票	橫	貳角	無年份	山東官印刷局	丁張弓良舊藏	1	
3164	山東省軍用票	橫	伍圓	無年份	山東官印刷局	丁張弓良舊藏	1	山東
3165	山東省軍用票	橫	壹角	1926年（民國十五年）	財政部印刷局	丁張弓良舊藏	1	
3166	山東省輔幣軍用票	橫	貳角	1926年（民國十五年）	財政部印刷局	選自《中國軍用鈔票史略》	1	
3167	山東省輔幣軍用票	橫	伍角	1926年（民國十五年）	財政部印刷局	選自《中國軍用鈔票史略》	1	
3168	山東省軍用票	橫	壹圓	1926年（民國十五年）	財政部印刷局	丁張弓良舊藏	1	
3169	山東省軍用票	橫	伍圓	1926年（民國十五年）	財政部印刷局	丁張弓良舊藏	1	
3170	山東省軍用票	橫	拾圓	1926年（民國十五年）	財政部印刷局	丁張弓良舊藏	1	
3171	山東省金庫券	橫	壹圓	民國十五年	山東官印刷局	吳籌中藏	1	

續表

編號	券　名	票型	面　額	年　份	印刷單位	來　源	等級	説　明
3172	山東省金庫券	橫	伍圓	民國十五年	山東官印刷局	吳籌中藏	1	
3173	山東省金庫券	橫	拾圓	民國十五年	山東官印刷局	吳籌中藏	1	
3174	直隸省庫定期輔幣流通券	直	壹角	民國十五年	山東官印刷局	選自《中國軍用鈔票史略》	1	
3175	直隸省庫定期輔幣流通券	直	貳角	民國十五年	山東官印刷局	選自《中國軍用鈔票史略》	1	
3176	直隸省庫定期流通券	直	壹圓	民國十五年	山東官印刷局	選自《中國軍用鈔票史略》	1	
3177	直隸省庫定期流通券	直	伍圓	民國十五年	山東官印刷局	選自《中國軍用鈔票史略》	1	
3178	直隸省金庫兌換券	橫	壹圓	民國十七年	財政部印刷局	選自《中國軍用鈔票史略》	1	
3179	直隸省金庫兌換券	橫	伍圓	民國十七年	財政部印刷局	選自《中國軍用鈔票史略》	1	
3180	直隸省金庫兌換券	橫	拾圓	民國十七年	財政部印刷局	選自《中國軍用鈔票史略》	1	
3181	廣西銀行通用券	橫	壹毫	民國十二年		蔡小軍藏	2	
3182	廣西銀行通用券	橫	壹圓	民國十二年		選自《中國軍用鈔票史略》	2	
3183	廣西軍用鈔票	直	壹圓	民國十一年		丁張弓良舊藏	1	
3184	廣西臨時軍用票	橫	壹角	民國十二年		蔡小軍藏	1	
3185	廣西臨時軍用票	橫	壹圓	民國十一年		丁張弓良舊藏	1	
3186	粵桂討豫軍軍用鈔票	橫	伍圓	民國十五年		丁張弓良舊藏	4	
3187	廣東省政府短期金庫券	橫	壹拾圓	民國十九年		選自《中國軍用鈔票史略》	1	
3188	廣東第二次軍需庫券	直	壹圓	民國二十年		丁張弓良舊藏	1	
3189	廣東第二次軍需庫券	橫	伍圓	民國二十年		選自《中國軍用鈔票史略》	1	
3190	廣東第二次軍需庫券	橫	拾圓	民國二十年		選自《中國軍用鈔票史略》	1	
3191	廣東第二次軍需庫券	橫	伍拾圓	民國二十年		選自《中國軍用鈔票史略》	1	

四、北伐戰争時期的軍用票

編號	券　名	票型	面　額	年　份	印刷單位	來　源	等級	説　明
3192	國民革命軍總司令部軍需券	橫	壹角	民國十五年	長沙湘鄂印刷公司	丁張弓良舊藏	3	
3193	國民革命軍總司令部軍需券	橫	貳角	民國十五年	長沙湘鄂印刷公司	丁張弓良舊藏	3	
3194	國民革命軍總司令部軍需券	橫	壹圓	民國十五年	長沙湘鄂印刷公司	丁張弓良舊藏	3	
3195	國民革命軍總司令部軍需券	橫	伍圓	民國十五年	長沙湘鄂印刷公司	中國人民銀行上海分行藏	4	
3196	國民政府財政部國庫券	橫	壹圓	民國十六年		選自《中國軍用鈔票史略》	1	
3197	國民政府財政部國庫券	橫	伍圓	民國十六年		選自《中國軍用鈔票史略》	1	
3198	國民政府財政部國庫券	橫	拾圓	民國十六年		選自《中國軍用鈔票史略》	1	
3199	國民政府財政部國庫券	橫	壹圓	民國十六年		丁張弓良舊藏	1	直魯豫陝四省通用國庫券
3200	國民政府財政部國庫券	橫	伍圓	民國十六年		選自《中國軍用鈔票史略》	1	直魯豫陝四省通用國庫券
3201	國民政府財政部國庫券	橫	拾圓	民國十六年		選自《中國軍用鈔票史略》	1	直魯豫陝四省通用國庫券
3202	國民政府財政部江浙田賦抵納券	橫	壹圓	民國十六年		蔡小軍藏	1	
3203	江西景德鎮總商會臨時流通券	橫	壹圓	民國十七年		丁張弓良舊藏	1	
3204	江西景德鎮總商會臨時流通券	橫	叁圓	民國十七年		張和平藏	1	
3205	江西景德鎮總商會臨時流通券	橫	伍圓	民國十七年		張和平藏	1	
3206	河北省編遣欠餉定期庫券	橫	拾圓	民國十八年	財政部印刷局	選自《中國軍用鈔票史略》	2	
3207	察哈爾省編遣欠餉定期庫券	橫	壹圓	民國十八年	財政部印刷局	蔡小軍藏	2	
3208	察哈爾省編遣欠餉定期庫券	橫	伍圓	民國十八年	財政部印刷局	選自《中國軍用鈔票史略》	2	

五、中原大戰時期的軍用票

編號	券　名	票型	面　額	年　份	印刷單位	來　源	等級	説　明
3209	中華民國陸海空軍總司令部戰時通用票	橫	壹角	民國十九年	北平印刷局	蔡小軍藏	3	
3210	中華民國陸海空軍總司令部戰時通用票	橫	壹角	民國十九年	北平印刷局	中國人民銀行上海分行藏	3	蓋閻錫山印
3211	中華民國陸海空軍總司令部戰時通用票	橫	壹圓	民國十九年	北平印刷局	蔡小軍藏	4	蓋閻錫山印

編號	券 名	票型	面 額	年 份	印 刷 單 位	來 源	等級	説 明
3212	中華民國陸海空軍總司令部戰時通用票	橫	伍圓	民國十九年	北平印刷局	蔡小軍藏	4	蓋閻錫山印
3213	中華國家銀行國幣券	橫	壹圓	1930年(民國十九年)	北平印刷局	選自《中國軍用鈔票史略》	4	樣本·北京
3214	中華國家銀行國幣券	橫	伍圓	1930年(民國十九年)	北平印刷局	選自《中國軍用鈔票史略》	4	樣本·北京
3215	西北銀行國幣輔幣券	橫	貳角	民國十六年	上海協興印刷所	丁張弓良舊藏	2	河南·鄭州·中華民國陸海軍副司令部示
3216	西北銀行國幣券	橫	壹圓	民國十七年	財政部印刷局	丁張弓良舊藏	3	河南·鄭州·中華民國陸海軍副司令部示
3217	西北銀行國幣券	橫	伍圓	民國十七年	財政部印刷局	丁張弓良舊藏	3	河南·中華民國陸海軍副司令部示
3218	西北銀行國幣券	橫	拾圓	民國十七年	財政部印刷局	丁張弓良舊藏	3	河南·開封·中華民國陸海軍副司令部示
3219	廣西省銀行貨幣券	橫	伍圓	1926年(民國十五年)		丁張弓良舊藏	3	南寧·中華民國陸海軍總司令李示
3220	廣西省銀行貨幣券	橫	伍圓	1926年(民國十五年)		丁張弓良舊藏	3	梧州·中華民國陸海軍總司令李示
3221	廣西省銀行貨幣券	橫	拾圓	1926年(民國十五年)		丁張弓良舊藏	3	梧州·中華民國陸海軍副總司令李示
3222	湖北省銀行國幣券	橫	壹圓	1929年(民國十八年)	美國鈔票公司	丁張弓良舊藏	1	
3223	湖北省銀行國幣券	橫	伍圓	1929年(民國十八年)	美國鈔票公司	選自《中國軍用鈔票史略》	1	
3224	湖北省銀行國幣券	橫	拾圓	1929年(民國十八年)	美國鈔票公司	選自《中國軍用鈔票史略》	1	

六、抗日以及抗日戰争時期的軍用票

編號	券 名	票型	面 額	年 份	印 刷 單 位	來 源	等級	説 明
3225	遼寧民衆救國會軍用流通債券	橫	壹圓	民國二十一年	財務廳印刷局	選自《中國軍用鈔票史略》	2	
3226	遼寧民衆救國會軍用流通債券	橫	拾圓	民國二十一年	財務廳印刷局	選自《中國軍用鈔票史略》	2	
3227	廣西省金庫國幣庫券	直	壹元	民國二十三年	英國華德路公司	中國人民銀行上海分行藏	2	南寧
3228	暫編陸軍獨立步兵第六團防區各鄉鎮聯合辦事處代幣券	橫	壹元	民國三十一年	揚新印務局	王燁藏	3	黃渡
3229	民國二十七年國防公債票	直	拾圓	民國二十七年五月一日		郭乃興藏	1	
3230	民國二十七年國防公債票	直	百圓	民國二十七年五月一日		郭乃興藏	1	
3231	民國二十九年軍需公債票	直	百圓	民國二十九年三月一日		郭乃興藏	1	
3232	民國二十九年軍需公債票	直	千圓	民國二十九年三月一日		郭乃興藏	2	第一期債票
3233	民國二十七年廣東省國防公債票	直	拾圓	民國二十七年三月		郭乃興藏	1	第二期債票
3234	航空救國券	橫	伍圓	民國三十年		選自《中國軍用鈔票史略》	1	美金
3235	航空救國券	橫	拾圓	民國三十年		選自《中國軍用鈔票史略》	1	美金
3236	航空救國券	橫	伍拾圓	民國三十年		選自《中國軍用鈔票史略》	1	美金
3237	民國三十一年同盟勝利美金公債票	橫	貳拾圓	民國三十一年五月一日	華南印刷公司	選自《中國軍用鈔票史略》	1	
3238	民國三十一年同盟勝利美金公債票	直	壹仟圓	民國三十一年七月一日	華南印刷公司	選自《中國軍用鈔票史略》	1	
3239	民國三十三年同盟勝利美金公債票	直	伍萬圓	民國三十三年七月一日	中央信託局印製處	選自《中國軍用鈔票史略》	1	

七、蘇聯對日宣戰後在中國東北地區發行的紅軍司令部票

編號	券 名	票型	面 額	年 份	印 刷 單 位	來 源	等級	説 明
3240	蘇聯紅軍司令部票	橫	壹圓	1945年		中國人民銀行上海分行藏	1	
3241	蘇聯紅軍司令部票	橫	伍圓	1945年		中國人民銀行上海分行藏	1	
3242	蘇聯紅軍司令部票	橫	拾圓	1945年		中國人民銀行上海分行藏	1	
3243	蘇聯紅軍司令部票	橫	壹佰圓	1945年		中國人民銀行上海分行藏	1	

索　引

後　　記

　　《民國時期國家銀行地方銀行紙幣》卷是反映 1911 年 10 月至 1949 年 9 月，中華民國時期發行的國家銀行、地方銀行紙幣和有關軍政部門發行的軍用票。

　　《總論》由寫作組綜合國內外許多學者意見，並得到郭彥崗、邵有爲的指導，由張繼鳳執筆。

　　《專論》的作者，依次是復旦大學教授葉世昌、中國銀行高級經濟師陳則平、中國人民銀行上海分行研究員洪葭管、台灣學者丁張弓良。

　　西藏紙幣的釋文經由藏文學者袁自力審定。

　　本卷圖録由吳籌中選編，王煒、馮文華編排。

　　《民國時期國家銀行、地方銀行紙幣大事記》由張繼鳳、顧家熊編寫。

　　《民國時期國家銀行紙幣概況表》和《民國時期地方銀行紙幣概況表》由吳籌中編寫，《民國時期軍用票概況表》由張永華編寫。

　　本卷紙幣圖版由上海博物館、中國人民銀行上海分行、上海市錢幣學會和吳籌中、王松麟、蔣其祥、吳根生、王煒、苗培貴、馮志苗、嵇昂、郭乃興、丁張弓良、許義宗、林清池、顧文炳、俞鴻昌、伍益嘉、黃中行、蔡小軍等提供，並在圖版下一一注明；中國人民銀行上海分行、上海博物館和上海市錢幣學會的陸祖成、陳永富、周祥、王軍偉、呂佶偉以及王乃廷等許多單位的領導和個人熱情參與本卷的資料徵集和編寫工作；在編纂過程中還得到阮波、顧根元、林超、宋存、陳軍的大力幫助，在此一併表示誠摯的謝意。

　　本書遺漏、差錯仍難避免，望讀者和專家、學者批評指正。

編　　者
2001 年 8 月

圖書在版編目 (CIP) 數據

民國時期國家銀行地方銀行紙幣 / 馬飛海主編.—上
海：上海辭書出版社,2001.10
（中國歷代貨幣大系.第 9 卷）
ISBN 7-5326-0822-0

Ⅰ.民... Ⅱ.馬... Ⅲ.紙幣—中國—民國
Ⅳ.F822.9

中國版本圖書館 CIP 數據核字 (2001) 第 061668 號

馬飛海　總主編
中國歷代貨幣大系
9
民國時期國家銀行地方銀行紙幣
吳籌中　郭彥崗　張繼鳳　主編
黃朝治　審校
上海辭書出版社出版、發行
（上海陝西北路 457 號）
上海麗佳分色製版有限公司製版　深圳利豐雅高印刷有限公司印刷
開本 787×1092 1/8　印張 203　插頁12頁　字數 453,500　圖版 1,456 頁
2001 年 10 月第 1 版　2001 年 10 月第 1 次印刷
書號 ISBN7—5326—0822—0/K・84
印數：1－2000 册
定价：2760 圓（全二册）